▲ 博士照

▲ 近照（2014）

▲ 莊雅州教授伉儷於餐廳合照

▲ 漢城講學，郊遊俗離山（1985，李寶和參事、金榮華、
　　耿湘沅教授等同行）

▲ 書齋（1996）

▲ 臺灣師範大學同學會（1999，前排右四為黃師天成）

▲ 向周師一田呈祝壽論文集（2001，前座左側為汪師履安及師母）

▲ 中正大學研究所授課（1994）

▲ 中正大學中文系同仁旅遊（蔡榮婷、黃錦珠、毛文芳、陳益源、鄭阿財、許東海、竺家寧、劉文起、黃靜吟、陳韻教授及二位助理同行）

▲ 旅遊萊茵河（內人張蕙慧、小女莊斐喬同行）

▲ 第十二屆文字學研討會（2001，右為本書編者陳溫菊教授）

▲臺灣大學經學研討會

▲詩經學研討會桂林旅遊（1997，右起為季旭昇、文幸福、
　陳伯元、夏傳才、莊雅州、林慶彰教授等）

▲上海大學詩禮研討會（2017）

會通養新樓經學研究論集
卷一‧經學編

莊雅州　　著

陳溫菊　主編

總序

　　如果從一九六九年負笈臺灣師範大學國文研究所作為學術研究的起跑點，那麼這條逾半世紀的學術之路真是崎嶇而多變化。

　　在碩士班就讀，除了修習各類課程外，還要忙著圈點《尚書注疏》、《詩經注疏》、《禮記注疏》、《左傳注疏》、《論語注疏》、《孟子注》、《說文解字注》、《史記》、《漢書》、《荀子集解》、《文心雕龍》、《文選注》等十二部要籍，蒐集碩士論文資料，能用在論文寫作的時間十分有限。當時所發表的論文，如〈左傳史論〉、〈荀子禮學初探〉、〈孟子禮學初探〉、〈劉勰的文原論〉、〈駢散相通論〉等幾乎都是期末報告，由老師們介紹發表的。修業一年多時，左師松超推薦我參加程師旨雲（發軔）主編的《六十年來之國學》（正中書局）中〈六十年來之古文〉撰寫工作，學位論文的寫作自然就擱置下來。等到任務完成之後，才在成師楚望（惕軒）的指導下，繼續撰寫《曾國藩文學理論述評》，一九七二年口試通過。這兩篇論文都屬於文學性質，由於中學時喜歡新文藝，大學時逐漸轉向古典文學，這樣的發展方向十分合理。

　　早在師大大學部修業時，各種文體課程幾乎都要背誦名篇，都有習作。到了研究所時，規定學位論文都要用文言文撰寫，所以當時對文言文的寫作真是紮紮實實下了不少功夫，不僅每篇報告、論文都自己修改得滿江紅，連上課的筆記也用淺近的文言文記錄。這樣的苦心真是功不唐捐，此後的論文寫作，至少都能做到文從字順，有時還能

展現一些文采呢！碩士論文的口試委員于師長卿（大成）才高八斗，眼高於頂，但每次相見時對我的文筆都謬賞有加，真是令人受寵若驚。我常在想，現在的研究生在撰寫論文時，常因文字表達問題，讓自己和指導老師都大傷腦筋，這時，如果能在文筆錘鍊方面多下功夫，不是兩全其美的事嗎？

一九七三年進入母校博士班深造，為了拓寬眼界，將研究重點轉向經學。在高師仲華（明）、周師一田（何）指導下，本擬以「大戴禮記研究」為題，撰寫博士論文，後來因為內容龐雜，疑難層出，遂將範圍縮小為《夏小正研究》，但時程已相當匆促，只寫了十二萬餘言書錄，二十萬言校釋及一萬言的緒論，可說偏重於文獻學及訓詁學的研究，不免有「逮乎篇成，半折心始」（《文心雕龍・神思》）的遺憾。所以一九八一年獲得博士學位，次年進入淡江大學任教，就立意要寫一本《夏小正析論》來彌補此一缺憾。該書觸及的範圍有天文、曆法、生物、氣候、人文，一方面要儘量吸收《夏小正研究》的成果而避免重複，另一方面又得研讀不少專門書籍而融會貫通，寫來真是煞費苦心。全書七章，除主體五章外，前有〈夏小正之經傳〉，後有〈夏小正月令異同論〉，有一部分篇章是七十三學年度擔任漢城誠信女子大學客座教授時撰寫的，又是一九八五年教授升等的代表作，所以在個人的著作中具有特殊的意義。而更重要的是，我此後的著作，幾乎都是從〈夏小正〉出發的。

我常將自己的學術研究劃分為四個領域，除了古典散文萌芽最早，疏離亦最早外，其他三個領域幾乎都與〈夏小正〉的研究脫離不了關係：

（一）經學：經學是中國學術的源頭，中華文化的百科全書，體大思精，內容豐富。經孔子採為教科書，開創了先秦諸子百家爭鳴的黃金時代，到了漢武帝獨尊儒家，立五經博士之後，更是影響深遠，

無與倫比。一九八九年中正大學創校，我應聘前往任教，有機會開設「尚書研究」、「詩經研究」、「三禮研究」、「經學專題研究」、「經學史研究」等課程，教學相長，很自然地將經學研究從〈夏小正〉擴大到其他經學，所寫的論文多半屬於經學或與經學科際整合，尤以《詩經》、《爾雅》為大宗。在本論集《經學編》收入二十五篇，除三篇出自《夏小正析論》外，其餘都是發表於期刊或研討會的論文，第一次輯印成書的。附錄門人陳溫菊教授的〈莊雅州教授傳略及其經學論著概述〉對這些篇章都有扼要介紹。此外，《經學入門》有臺灣書店專書行世，〈經學史導讀〉收入三民版《國學導讀》，讀者如有興趣，不妨按圖索驥。

（二）語言文字學：語言文字學為一切載籍之始基，歷史文化之津涉，前人所以垂後，後人所以識古，端賴於是。我在學期間，修習不少語言文字學課程，受過紮實的訓練，也產生濃厚的興趣，將它當作治學的利器。在《夏小正研究》中有大半的篇幅是在校釋經傳，從實際研究中也獲得不少經驗與啟發。我在大學開設的第一門課程竟然是一般人視為畏途的「聲韻學」，專任之後，「文字學」、「聲韻學」、「訓詁學」、「說文研究」、「古籍訓解研究」等更是經常講授的課程。所以也陸續發表不少語言文字學方面的論文，尤以《爾雅》、《說文》為大宗。收入本論集《語言文字學編》的有十七篇，其中有不少是屬於科際整合的。此外，商務印書館出版的《爾雅今注今譯》是臺灣第一本由本地學者撰寫、本地書局出版的《爾雅》類專書，是科技部多年研究計劃的成果，單行已久，讀者可以參閱。

（三）古代科技：科技文化是中國傳統文化中極為重要的一環。由於近代中國的積弱落後，許多人都誤以為中國古代科技一定乏善可陳。其實，中國古代除了四大發明外，還有許多輝煌的科技成就，特別是西元三世紀到十三世紀之間始終保持了一個西方所望塵莫及的科

學知識水準，這一點是英國學者李約瑟皇皇巨帙的《中國之科學與文明》及不少科技史專書所充分證明的。傳統科技文化的研究，涉及的領域十分廣泛，是一個需要高度科際整合的學門。我在《夏小正析論》中所探討的天文、曆法、生物、氣候、農業等，偏重於自然科學，都是相當專業，需要吸收許多科學新知及相關資料，才足以蕆事，而在臺灣研究此一領域的學者寥若晨星，獨學而無友，鑽研的過程十分辛苦。在〈夏小正〉的研究告一個段落之後，我的研究重點還是大同小異，而尤以天文為大宗。所以門人鄭月梅博士才會有〈以典籍中的天文研究發揚傳統科技文化〉專文來代表我在這方面的努力。收在本論集《古代科技編》中的二十四篇論文正是幾十年來的一些成績。而《夏小正析論》的各篇也就散見於本論集之中了。

　　至於文學方面的論文在後〈夏小正〉時期，只發表過五、六篇，如〈詩經文學價值析論〉、〈從文字學與文學角度探討詩經重章疊詠藝術〉、〈論漢字與中國文學美感的關係〉，分量太少，即使加上少作，也不足以獨立成為一編，更何況這些篇章因為採取科際整合的關係，都已收入本論集之中，不便再行重複。

　　綜觀這五十年來的學術研究主要有兩大蘄向，一個是重視科際整合，另一個是強調求新求變。本論集以《會通養新樓學術研究論集》名書，其故在此。至於各分編的內容，都另有自序介紹，與總序有詳略互補的關係，在此不贅。

莊雅州　謹識於臺北

二〇二一年元旦

自序

　　經學是中國學術的源頭，中華文化的百科全書，體大思精，內容豐富，洋溢著重視實際、強調理性、崇尚中道、兼融並蓄，發揚人文等特色；在思想史、歷史學、文學、社會學、語言文字學、文化學各方面都深具價值。經孔子採為教科書，將學術散布民間，遂開創了先秦諸子百家爭鳴的黃金時代。到了漢武帝獨尊儒家，立五經博士之後，朝廷據以治國平天下，士人持之獵取功名，經學精神更是深入社會民心，深深影響著歷史文化的發展，甚至連東亞漢文化圈（韓、日、越）諸國亦深受其沾漑。所以古代的學子都是從髫齡就接觸經學，對經典爛然於胸者，屢見不鮮，如朱元晦（熹）五歲受《孝經》，王懷祖（念孫）生數歲即能口誦《尚書》，口授諸經，皆成誦，陳恭甫（壽祺）九歲遍讀群經，不過是幾個具有代表性的例證而已。反觀現當代的知識分子，大多數是在高中才有機會研讀《中國文化基本教材》——《四書》，進了大學後，除了中文系所之外，大概就很少能進一步接受經學的洗禮，這是時代使然，也可略窺經學盛衰起伏的梗概。

　　一九六二年，我進入臺灣師範大學國文系就讀，汪師履安（中）在課餘經常對我進行國學的啟蒙，贈送我許多重要的書籍，使我對包含經學在內的中國學術有初步的認識。後來從程師旨雲（發軔）受《國學概論》，從陳師鐵凡、王師忠林受《四書》，從唐師傳基受《詩經》，從程師旨雲、劉師正浩受《左傳》，從周師一田（何）受《禮記》，從魯師實先受《尚書》，從陳師泮藻受《易經》，上研究所之後，從程師旨雲受「群經大義」，從高師仲華（明）受「尚書研究」、

「爾雅研究」,才為經學研究奠定了基礎。但是真正從事經學研究,則是到了博士班,以《夏小正研究》為題,撰寫學位論文,才正式揭開序幕。

畢業後,在博士論文以文獻研究為主的基礎上,又撰寫了教授升等論文《夏小正析論》,對〈夏小正〉進行全方位、地毯式的探討。此後的研究可以說是從〈夏小正〉出發,分別就經學、語言文字學、古代科技、文學、文化學幾方面展開。其中半數以上的論文都與經學有直接、間接關係,經學研究可以說是我幾十年來學術研究同心圓的核心。

反思我的經學研究主要有兩個蘄向,一個是重視科際整合,如〈論高郵王氏父子經學著述中的因聲求義〉、〈從爾雅釋言曷盍也探討歷代訓詁之演變〉、〈爾雅釋魚與說文魚部比較研究〉整合了經學與語言文字學;〈左傳天文史料析論〉、〈多識於鳥獸草木之名——從詩經、楚辭到爾雅、本草、類書〉、〈詩經與呂氏春秋農業史料之比較〉整合了經學與古代科技;〈從文字學與文學角度探討詩經重章疊詠藝術〉、〈詩經文學價值析論〉整合了經學與文學;〈儀禮喪葬神秘文化析論〉、〈文化視野中的禮學〉、〈從文化學角度探討朱子詩集傳的名物訓詁〉,整合了經學與文化學。第二個蘄向是強調求新求變,如《夏小正析論》、《爾雅今註今譯》吸納了天文、曆法、氣候、生物、農業、建築、器物等科學新知;〈論二重證據法在爾雅研究上之運用〉、〈經學與小學關係析論〉採頡了甲骨文、鐘鼎文、敦煌寫本、簡帛等地下出土文獻;〈論高郵王氏父子經學著述中的因聲求義〉、〈論考釋爾雅草木蟲魚鳥獸之方法〉,運用了清儒及現當代學者的新方法;〈詩經與音樂關係析論〉介紹了腦科學、符號學、音樂學、藝術感通等新觀念。

其實這兩大蘄向在博大精深的古代經典裡早就有所昭示,如《易‧繫辭》云:「聖人有以見天下之動,而觀其會通,以行其典

禮。」這就是科際整合。《禮記‧大學》引湯之盤銘：「苟日新，日日新，又日新。」《易‧繫辭》：「參伍以變，錯綜其數。通其變，遂成天地之文；極其數，遂定天下之象。」這就是求新求變。錢辛楣（大昕）在《十駕齋養新錄‧自序》引張子厚（載）〈詠芭蕉〉詩：「芭蕉心盡展新枝，新卷新心暗已隨，願學新心養新德，長隨新葉起新知。」以顏其書，就是取法於此。我以「會通養新樓」自名書齋，並題書端，當然也是有效顰之意。只是論治學起步的早晚，論學養的厚薄，都不足以與清儒相抗衡，駑馬十駕之功，當然更不可少了。王之渙〈登鸛雀樓〉詩云：「白日依山盡，黃河入海流。欲窮千里目，更上一層樓。」只有借助於現當代的新知識、新材料、新方法、新觀念、新工具，或許才有站在巨人肩膀上略有成就的可能。

本書選錄四十餘年來發表的經學論文二十五篇、序跋七篇，限於篇幅，有不少篇章留待來日再與語言文字學、文學、古代科技的論著合集推出。這些論文，文字、體例往往不甚一致，除了略加整齊校正外，內容方面罕所異動，可以略覘現當代學術的演變，也可以呈現個人研究的脈絡，至於其間的優劣得失，則請讀者批評指教了。

一書之印行，十分不易。首先要感謝相關各學報、研討會提供論文發表的園地。其次是總策畫林慶彰、車行健教授、主編郜積意、簡逸光教授將本書收入《戰後臺灣經學叢刊》，福建師範大學惠予經費資助，萬卷樓費心費力擘畫出版。門人陳溫菊教授為全書作了詳細的導論，並校讎一過，尤其值得感謝。至於幾十年來對個人的研究多所鼓勵、協助的師友、弟子，更僕難數，永銘於心，就不一一臚舉了。

莊雅州　謹識於臺北
二〇一九年五月四日
適逢五四運動一百周年紀念

目次

輯一　詩經之屬

輯二　三禮之屬

輯三　爾雅之屬

輯四　尚書、左傳之屬

輯五　經學專書序跋

附錄

輯一　詩經之屬

多識於鳥獸草木之名

──從《詩經》、《楚辭》到《爾雅》、《本草》、類書

一　前言

　　孔子是儒家的大宗師，對《六經》的整理與發揚有非常巨大的貢獻。單以《詩三百》而言，他自衛返魯之後，使得樂正、雅頌各得其所，並以之作為教育門弟子的教科書，在《論語》中，對《詩經》的大義及功用言之不厭其詳。如〈陽貨篇〉云：「詩可以興，可以觀，可以群，可以怨；邇之事父，遠之事君，多識於鳥獸草木之名。」所謂「多識於鳥獸草木之名」，並非只是增廣見聞而已，而是透過對物性的深刻認識，真正了解詩篇的含意，進一步去發揮興、觀、群、怨的作用，而達到事父、事君的效果。根據清代徐雪樵《毛詩名物圖說》的統計，《詩經》中有草名八十八、木名五十四、鳥名三十八、獸名二十九、蟲名二十七、魚名十九，合計二五五種[1]。而三〇五篇中，以植物為名者有六十篇，以動物為名者有五十篇[2]，直接涉及草木蟲魚鳥獸的篇章多達二五〇篇，其分量不可謂不重，所以經孔子提倡後，大家在讀《詩經》時對草木蟲魚鳥獸都會特別重視，而發現它們和《詩經》的內容與形式都有極其密切的關係。不僅如此，在《詩經》之後，草木蟲魚鳥獸繼續發揮其無與倫比的影響力，滲透到許多

1　李亮恭：《中國生物發展史》（臺北市：中央文物供應社，1983年），頁20。

2　糜文開：〈詩經篇名考察四題〉，《詩經欣賞與研究》三集（臺北市：三民書局，1979年），頁636。

領域。這些都是值得我們特別留意的。因此，本論文擬以宏觀的角度，從《詩經》、《楚辭》到《爾雅》、《本草》、類書，探討草木蟲魚鳥獸在《詩經》中的作用及其對後世的影響，庶幾對草木蟲魚鳥獸文化的研究有所助益。

二　草木蟲魚鳥獸在《詩經》中的作用

在地球上，草木蟲魚鳥獸是與人類生活關係最為密切的伙伴，不僅為延續生命之所資，也是怡情養性之所賴。從古以來，文學作品中總是將它們當作重要的題材，或抒情，或寫景，或敘事，都離不開草木蟲魚鳥獸的蹤跡，作為中國文學總集之祖的《詩經》自然也不例外。在《詩經》中，草木蟲魚鳥獸的作用主要表現在六個方面：

（一）鋪敘情境

《詩經》六義中有賦比興三法，朱熹云：「賦者，敷陳其事而直言之者也。」[3]易言之，賦就是平鋪直敘，用來體物寫志。無論人、地、時、事、物的交代，都可採用賦法來表達，如：

〈鄭風‧女曰雞鳴〉首章：「女曰：『雞鳴。』士曰：『昧旦。』『子興視夜，明星有爛。』『將翱將翔，弋鳧與鴈。』」[4]透過夫妻清晨的對話，描寫勤勞而幸福的家庭生活。「雞鳴」表示對話的時間，「弋鳧與鴈」則表示起牀後的活動。夫妻不同的口吻，靈活地表現了他們不同的心理活動與表情神態。

3　朱熹：《詩集傳》（臺北市：群玉堂出版公司，1991年），頁2。釋比、釋興見該書頁4、1。

4　屈萬里：《詩經詮釋》（臺北市：聯經出版公司，1983年），頁145。下文所引《詩經》各例俱見該書。

　　〈豳風・七月〉四章：「四月秀葽，五月鳴蜩。八月其穫，十月
隕蘀。一之日于貉，取彼狐狸，為公子裘。二之日其同，載纘武功，
言私其豵，獻豜于公。」描寫各種動植物的變化，不僅表現了季節氣
候的轉移，也揭示了古代農業社會稼穡、射獵的生活規律。

　　〈小雅・大田〉二章：「既方既皁，既堅既好，不稂不莠，去其
螟螣，及其蟊賊，無害我田穉。田祖有神，秉畀炎火。」歌詠夏季的
田間管理，由於慎擇良種，勤於耕耘，農作物長得堅實美好，少有空
穗和雜草。為了保證豐收，遂祈求農神保佑，以熊熊烈火，展開徹底
清除蟲害的工作。如此細緻的描寫，不僅讓我們了解古人稼穡的艱
辛，也保存了寶貴的農業生產史料。

　　〈大雅・生民〉三章：「誕寘之隘巷，牛羊腓字之。誕寘之平
林，會伐平林。誕寘之寒冰，鳥覆翼之。鳥乃去矣，后稷呱矣。實覃
實訏，厥聲載路。」敘述周民族始祖后稷誕生的神話故事，由於姜嫄
踩了上帝足印而感生后稷，以為不祥，因此先將他拋棄在窄巷，繼而
拋棄在平林、寒冰，棄置的地點越來越險；幸而有牛羊、伐木工人、
群鳥來保護他，救護的過程越來越神奇。最後后稷呱呱而泣，聲音宏
亮，總算讓大家鬆了一口氣。作為古代著名的史詩之一，〈生民〉如
此樸實的敘事，真是令人印象深刻。

（二）塑造意象

　　詩不宜於說理，意象的塑造顯得特別重要。所謂意象，是將作者
內心主觀情意，透過具體的外物形象來表現。上自日月山川、風雲霜
雪之大，下至草木蟲魚鳥獸、人物、器用之微，都是具體意象之所
鍾。這些意象配合生物的特性，往往具有特定的意涵，甚至形成動、
植物信仰，乃至圖騰崇拜[5]，如：

5　王巍：《詩經民俗文化闡釋》（北京市：商務印書館，2004年），頁268-283。

〈召南・甘棠〉首章:「蔽芾甘棠,勿剪勿伐,召伯所茇。」召伯虎巡行南國,頗有勞績,人們看到他過去休憩過的甘棠樹那麼茂密高大,就想到他崇高偉大的形象,因而刻意加以保護,以資紀念。「甘棠遺愛」從此成為歌頌賢良官吏的成語。

〈曹風・蜉蝣〉首章:「蜉蝣之羽,衣冠楚楚。心之憂矣,于我歸處。」蜉蝣翅膀光澤,雖然給人衣冠楚楚的感覺,可惜朝生暮死,生命短促,所以使人有榮華富貴轉眼即逝的感嘆。

〈小雅・斯干〉六章:「下莞上簟,乃安斯寢。乃寢乃興,乃占我夢。吉夢維何?維熊維羆,維虺維蛇。」七章:「大人占之:維熊維羆,男子之祥;維虺維蛇,女子之祥。」是說周王新宮落成,晚上夢見熊羆、虺蛇。熊羆孔武有力,具有陽剛之美,是生男之兆;虺蛇宛轉穴處,具有陰柔之美,是生女之兆。有了華美的宮室之後,接著祝福子孫繁衍,真是善頌善禱。而夢見動物為生育子女之占,可能是原始圖騰崇拜之遺。

〈周頌・潛〉:「猗與漆沮,潛有多魚。有鱣有鮪,鰷鱨鰋鯉。以享以祀,以介景福。」這是讚美西安附近的漆沮之水,生長了許多魚類,有鱣有鮪,還有鰷、鱨、鰋、鯉。由於魚兒與人類生存和生育兩大本能都密切相關,所以古人除饗用之外,也用以祭祀祈福。〈詩序〉所謂:「季冬薦魚,春獻鮪。」[6]即是指此而言。

(三)抒發情感

文學的內容主要為思想、情感與想像。詩是抒情的藝術,與情感的關係更是密切,詩人往往透過自然景物來抒寫內心的喜怒哀樂愛惡

6　〈周頌・潛・詩序〉見《毛詩注疏》(臺北市:藝文印書館,1985年十版),頁733。
　　下文《詩序》俱見該書。

欲，而達到情景交融的境界。在《詩經》中，詩人藉動、植物來抒寫情感的篇章俯拾皆是，如：

〈邶風‧匏有苦葉〉三章：「雝雝鳴雁，旭日始旦。士如歸妻，迨冰未泮。」此為詠婚嫁之詩。詩中女主角在濟水旁邊，聽到雁鵝鳴叫的聲音十分和諧，看到旭日東升，大放光明，彷彿象徵著美好的人生。他不禁向遠方的未婚夫吐露「你如果想要娶妻，就趁著夏秋之交，河裡還不曾結冰」的心聲，將待嫁女子的心情描寫得十分深刻。

〈邶風‧北風〉三章：「莫赤匪狐，莫黑匪烏。惠而好我，攜手同車。其虛其邪！既亟只且。」天下狐狸一般紅，天下烏鴉一般黑，古人認為狐狸是妖獸，烏鴉是不祥之鳥，所以用來發洩對暴君佞臣的憤慨，呼籲至親好友趕快結伴逃離，這首詩具有強烈的情感色彩。

〈秦風‧蒹葭〉首章：「蒹葭蒼蒼，白露為霜。所謂伊人，在水一方。溯洄從之，道阻且長；溯游從之，宛在水中央。」一開頭，蒹葭白露，就展現一幅淒清渺遠的背景，象徵著主人翁那種望穿秋水，求而不得，悵然若失而又無可奈何的心情。情與景高度交融，迷離惝恍，令人低徊不置。

〈豳風‧東山〉二章：「我徂東山，慆慆不歸。我來自東，零雨其濛。果臝之實，亦施于宇。伊威在室，蠨蛸在戶。町畽鹿場，熠燿宵行。不可畏也，伊可懷也。」昔日幸福美滿的家園，現在想必瓜果蔓生在屋簷，無人採收，室內小蟲橫行，室外滿是鹿跡，入夜還有螢火蟲到處飄蕩。田園荒蕪，家室寥落，教近鄉情怯的征夫，情何以堪？

（四）烘托氣氛

除了詩中客觀形象的塑造，主觀情緒的抒發外，整首詩氣氛的醞釀與烘托，也是一首詩成敗的關鍵。《詩經》中往往借助草木蟲魚鳥獸，從正面或從反面將整首詩的氣氛烘托得恰到好處，如：

〈周南‧葛覃〉首章:「葛之覃兮,施于中谷,維葉萋萋。黃鳥于飛,集于灌木,其鳴喈喈。」這首詩描寫新婚女子歸寧。長長的葛藤,蔓生到山谷之中,象徵著女子出嫁,而黃雀聚集在灌木上叫個不停,正烘托出女子雀躍不已的心情。末章:「歸寧父母」,才畫龍點睛,說出主題。

〈周南‧桃夭〉首章:「桃之夭夭,灼灼其華,之子于歸,宜其室家。」首二句以華麗的詞藻描摹了春風得意的桃花,渲染了新婚女子的嬌豔,也烘托了迎娶喜慶的歡樂氣氛。姚際恆說:「桃花色最豔,故以取喻女子,開千古詞賦詠美人之祖。」[7]

〈邶風‧燕燕〉首章:「燕燕于飛,差池其羽。之子于歸,遠送于野。瞻望弗及,泣涕如雨。」〈詩序〉以為此詩乃衛莊姜送戴媯大歸之作,現在多解為國君送女弟出嫁之詩。[8]篇首雙燕舒展羽翼,悠然飛翔,既正面襯托國君之妹婚姻美滿,同時也反面襯托國君的孤獨,更渲染了離情依依的氣氛,義蘊十分豐富。

〈王風‧君子于役〉首章:「君子于役,不知其期;曷至哉!雞棲于塒;日之夕矣,牛羊下來。君子于役,如之何勿思!」丈夫服役在外,妻子懷念他,不知何時才能歸來。黃昏時節,雞已在巢中棲息,牛羊也從山上歸來,唯獨歸人杳杳無期。以白描的手法反襯了人不如牲畜的命運。而暮色蒼茫,和思婦孤獨惆悵的心緒也是渾然如一的。

(五)寄託比興

比興是《詩經》中極具特色的作法,朱熹云:「比者,以彼物比此物也。」所謂比,就是現在修辭學的譬喻法,是思想的對象同另外

---

7 姚際恆:《詩經通論》(臺北市:廣文書局,1961年10月),頁25。

8 同注4,頁48。

的事物有了類似點，文章上就用那另外的事物來比擬這思想的對象，又可分為明喻、隱喻、借喻。[9]在《詩經》中，以草木蟲魚鳥獸打比方的，比比皆是，如：

〈衛風‧碩人〉二章：「手如柔荑，膚如凝脂，領如蝤蠐，齒如瓠犀，螓首蛾眉。巧笑倩兮，美目盼兮。」這首詩是讚美莊姜從齊國出嫁到衛國時的盛況。第二章連用了四個排句，直接譬喻她的手如茅草的嫩芽，皮膚如凝凍的油脂，頸子如天牛幼蟲般嫩白，牙齒如葫蘆種子般整齊。繪色繪形，描寫美人風華絕代，十分傳神。

〈魏風‧碩鼠〉首章：「碩鼠碩鼠，無食我黍！三歲貫女，莫我肯顧。逝將去女，適彼樂土。樂土樂土，爰得我所。」整首詩借貪得無厭的大老鼠比喻不勞而獲，壓榨百姓的統治階級；以呼告的手法，表示對剝削者無比憎恨、蔑視和竭力反抗的精神，並且充滿對烏托邦的嚮往之情，是三百篇中的名作之一。

所謂興，歷代說法十分紛歧。朱熹云：「興者，先言他物以引起所詠之詞也。」易言之，就是在詩篇起首，因外物的觸發，而引發主觀的聯想，因而增強詩中情趣的一種寫作藝術。這種技巧，與草木蟲魚鳥獸往往脫離不了關係，如：

〈小雅‧南有嘉魚〉首章：「南有嘉魚，烝然罩罩。君子有酒，嘉賓式燕以樂。」言南方有好魚，在水中成群遊戲，因而聯想到君子舉辦的酒會，嘉賓們也是其樂融融。而且水中的嘉魚，也成了筵席上的佳肴，這是興而兼比的手法，在《詩經》中十分常見。

〈小雅‧蓼莪〉首章：「蓼蓼者莪，匪莪伊蒿。哀哀父母！生我劬勞。」此詩以「蓼蓼者莪」起興，本來以為辛辛苦苦種的是香美的莪蒿，沒想到長大後卻變成了低賤的青蒿，因而聯想到可憐的父母，

9　陳望道：《修辭學發凡》（臺北市：臺灣學生書局，1963年10月再版），頁77。

生了我這沒用的子女，連養老送終都無法做到。這種強烈的聯想與對比，真是令人悲慟欲絕。

（六）呈現意境

　　王國維說：「詞以意境為最上，有境界則自成高格，自有名句。」並推許：「《詩・蒹葭》一篇，最得風人深致。」[10]可見文學作品之蘊含意境，由來已久，良以有境界的作品，總是境生象外，含不盡之意在於言外，令人味之亹亹不倦。《詩經》為自然天籟，故而境界高妙的作品屢見不鮮，如：

　　方玉潤評論〈豳風・七月〉云：「今玩其辭，有樸拙處，有疏落處，有風華處，有典核處，有蕭散處，有精微處，有淒婉處，有山野處，有真誠處，有華貴處，有悠揚處，有莊重處，無體不備，有美必臻。晉唐後陶、謝、王、孟、韋、柳田家諸詩，從未臻此境界。」[11]蓋〈七月〉詩內容豐富，思想深沈，宛如一個色彩斑爛的世界，一闋雄偉的交響曲，包含著各種不同風格的詩句，而彼此渾然一體，正如詩中人與萬物都和諧相處，已臻至天人合一，故其境界復不可及。

　　〈小雅・伐木〉首章：「伐木丁丁，鳥鳴嚶嚶。出自幽谷，遷于喬木。嚶其鳴矣，求其友聲。相彼鳥矣，猶求友聲；矧伊人矣，不求友生？神之聽之，終和且平。」這首宴請朋友故舊的詩以山谷中的景物起興，丁丁伐木的聲音，襯托出山谷的寂靜，嚶嚶鳴叫的鳥聲何等清脆，這樣和諧靜謐的境界，很自然引起人與人必須相友的聯想，詩人遣辭造句既簡潔，又生動。

　　〈小雅・采薇〉：末章：「昔我往矣，楊柳依依，今我來思，雨雪霏霏。行道遲遲，載渴載飢。我心傷悲，莫知我哀！」戍邊的士兵，

10　陳鴻祥：《人間詞話人間詞注評》（南京市：江蘇古籍出版社，2002年），頁1、69。
11　方玉潤：《詩經原始》（北京市：中華書局，1986年），頁306-307。

在歸途中回想出戍的緣故和守邊的艱辛。昔日出戍之時，是楊柳依依的陽春；現在回來，卻是雨雪霏霏的嚴冬。飢寒交迫，前途茫茫，無限哀怨，溢於言表。「昔我往矣」四句，形神交融，韻味無窮，謝玄推為三百篇中最佳詩句，實在是有其道理的。[12]

〈小雅・車攻〉七章：「蕭蕭馬鳴，悠悠旆旌。徒御不驚，大庖不盈。」寫宣王狩獵，大營高度戒備。「蕭蕭馬鳴」，靜中有動，「悠悠旆旌」動中有靜。虛實相生，氣象雄渾，是境界高超的名句。杜甫〈前出塞〉：「落日照大旗，馬鳴聲蕭蕭。」正是自此化出。

三　草木蟲魚鳥獸對後世的影響

動植物與人類生活本來就息息相關，不可須臾而離，經過《詩經》的大量引用，孔子的竭力倡導之後，很快就滲透到幾個學術領域，甚至蔚然成為大國，而共同組成森羅萬象的草木蟲魚鳥獸文化。戰國以後，與草木蟲魚鳥獸關係最為密切的，應數下列五個領域：

（一）文學

先秦北方文學的代表是《詩經》，南方文學的代表則是《楚辭》。《楚辭》繼承了《詩經》興觀群怨的文學作用、無邪的思想內容和比興的寫作技巧。有了屈原、宋玉這些偉大的作家，以豐富的想像力、曼妙的文筆，大量地使用楚國的方言、南方的音樂，書寫楚國的地理、風俗與物產，所以產生了許多深具地方色彩的不朽傑作，如〈離騷〉、〈九歌〉、〈九章〉、〈九辯〉等。在《楚辭》中，有許多動植物是北方所沒有的，如一百種植物中，蘪蕪、木蘭、薜荔、杜若、辛夷、橘等

---

12 楊勇：《世說新語校箋》〈文學第四〉（臺北市：明倫出版社，1970年），頁182。

二十七種是華中、華南的特產。[13]更難得的是，正如王逸所言，屈、
宋往往「善鳥香草，以配忠貞；惡禽臭物，以比讒佞。」[14]其例如：

> 朝飲木蘭之墜露兮，夕餐秋菊之落英。(〈離騷〉)
> 何昔日之芳草兮，今直為此蕭艾也。(〈離騷〉)
> 駕青虬兮驂白螭，吾與重華遊兮瑤之圃。(〈九章‧涉江〉)
> 鳧鴈皆唼夫梁藻兮，鳳愈飄翔而高舉。(〈九辯〉)

木蘭、秋菊、芳草都是高潔之物，蕭艾則是臭草惡木；青虬、白螭、
鳳凰都是神明之物，鳧鴈則是低俗禽鳥。各種物類，根據其特性，往
往各有其特殊意義，開創了中國文學的象徵主義傳統，影響漢賦以降
歷代詩文十分深遠。歷代文學作品除了大量援引草木蟲魚鳥獸外，甚
至出現了不少專門吟詠各種動植物的詠物詩詞，這是〈九章‧橘頌〉
開拓出來的新天地，為廣大的文學園林增添了不少姹紫嫣紅。徐育
民、李勤印主編的《中華歷代詠鳥獸蟲魚詩詞選》序言中，曾提及這
些詩詞具有三種創作經驗與藝術手法，即：

> 1 不即不離，詩盡體物之妙。
> 2 形神兼備，傳出物象之神。
> 3 借物言情，寄託深刻之慨。[15]

這些都是我們在創作或欣賞詠物詩詞時值得借鑒的。

---

13 潘富俊：《楚辭植物圖鑑》(上海市：上海書店，2003年)，頁12。
14 王逸：〈離騷序〉，《楚辭章句》(臺北市：藝文印書館，1974年)，頁20。
15 徐育民、李勤印：《中華歷代詠鳥獸蟲魚詩詞選》前言 (北京市：學苑出版社，2005
   年)，頁1-9。趙慧文另有《中華歷代詠花卉詩詞選》(北京市：學苑出版社，2005
   年)。

（二）字書

　　《爾雅》是中國現存最早的按義類編排的辭書，同時也開了後代詞彙學、訓詁學、文化學的先河。在語言文字學、社會科學、自然科學等方面都深具價值。全書共分十九篇，其材料多來自先秦古籍，與六藝經傳尤其互為表裡。〈釋草〉以迄〈釋畜〉七篇，不啻是孔子「多識於鳥獸草木之名」的具體落實，而其材料比起《詩經》更為豐富，所釋生物包含〈釋草〉二三〇種、〈釋木〉一百種、〈釋蟲〉八十種、〈釋魚〉八十種、〈釋鳥〉一一〇種、〈釋獸〉七十種，合計植物三三〇種、動物三四〇種。[16]例如：

> 〈釋草〉：「荷，芙蕖。其莖茄，其葉蕸，其本蔤，其華菡萏，
> 　　　　　其實蓮，其根藕，其中的，的中薏。」
> 〈釋木〉：「楙，木瓜。」
> 〈釋蟲〉：「食苗心，螟。食葉，蟘。食節，賊。食根，蟊。」
> 〈釋魚〉：「貝：居陸贆，在水者蜬；大者魧，小者鰿。」
> 〈釋鳥〉：「雎鳩，王鴡。」
> 〈釋獸〉：「猱，蝯。善援。」
> 〈釋畜〉：「羊：牡，羒；牝，牂。」[17]

單就上列諸例而言，即可略窺《爾雅》與《詩經》關係至為密切，如「食苗心」等在解釋〈小雅・大田〉的「螟」、「蟊」、「賊」諸蟲；「王鴡」在解釋〈周南・關雎〉的「雎鳩」；「牝羊」在解釋〈小雅・苕之華〉的「牂羊」；「蝯」在解釋〈小雅・角弓〉的「猱」。只是解

---

16 同注1，頁22-23。
17 郝懿行：《爾雅義疏》卷下之一至下之七（臺北市：中華書局，1966年）。

釋大抵十分簡略，往往只記生物之名稱與異名，偶有夾敘生物之大
小、顏色、形態或說明其生長環境的，內容雜亂，體例不一。但各種
義訓方式已粲然大備，為許慎《說文解字》以降的字書開啟無數法
門，其貢獻不容小覰。[18]《說文》分別部居，不相雜廁，草木蟲魚鳥
獸的材料散見於二、三十個部首，其取材角度、編輯體例與《爾雅》
互有異同，其價值與《爾雅》也可先後輝映。[19]繼《爾雅》而起的雅
學著作，如舊題孔鮒的《小爾雅》、三國張揖的《廣雅》、宋陸佃的
《埤雅》、羅願的《爾雅翼》、明朱謀㙔的《駢雅》、方以智的《通
雅》……，多有草木蟲魚鳥獸專篇，尤其《廣雅》歸納生物取名方法
為十五大類，八十一小類；《埤雅》、《爾雅翼》更是以動、植物之考
釋為主，不僅對各種生物的形狀、特徵詳加介紹，而且旁徵博引，論
說綦詳，都可以補《爾雅》之不足。至於歷代重要的雅學注釋，如晉
郭璞的《爾雅注》、宋邢昺的《爾雅疏》、陸佃的《爾雅新義》、鄭樵
的《爾雅注》、清邵晉涵的《爾雅正義》、郝懿行的《爾雅義疏》、王
念孫的《廣雅疏證》……，其有助於《爾雅》草木蟲魚鳥獸之研究，
更不待言。

（三）類書

　　所謂類書，是一種分類彙編各種材料以供檢查的工具書。其內
容，上自天文歲時，下至人物動植、典章制度、辭藻典故，幾乎無所
不包，可說是古代文化的百科全書；其功用，可以備詩文之尋檢，可
以覈事典之出處，可以考故事之演化，可以輯故事之遺文，可以校傳

---

18 拙作〈爾雅釋魚與說文魚部之比較研究〉，中國訓詁學會《紀念周禮正義出版百年
　暨陸宗達先生百年誕辰學術研討會論文匯集》（杭州市：杭州師範學院，2005年），
　頁203-208。

19 同上。

本之謬謬。[20]使用十分方便，所以自古以來，為一般文人學士所必備。《爾雅》分門別類，纂集古書中的訓詁資料，雖非類書，實開類書之先河。三國時代，魏文帝曹丕命王象、劉劭等編成八百餘萬字的《皇覽》，是中國第一部類書，可惜它與南北朝時徐勉等的《華林遍略》、祖珽等的《修文殿御覽》，都已先後亡佚。今存著名的類書有隋虞世南的《北堂書鈔》一七三卷、唐歐陽詢等的《藝文類聚》一○○卷、徐堅等的《初學記》三十卷、白居易編、宋孔傳續撰的《白孔六帖》一○○卷、宋李昉等的《太平御覽》一○○○卷、王應麟的《玉海》二○○卷、佚名的《錦繡萬花谷》一二○卷、明解縉、姚廣孝等的《永樂大典》二二八七七卷、清蔣廷錫等重編陳夢雷的《古今圖書集成》一○○○○卷。在這些類書中，草木蟲魚鳥獸往往是重要的環節，如《藝文類聚》卷八十六至九十七即分別為果部、木部、鳥部、獸部、鱗介部、蟲豸部，例如卷九十五獸部「貔」條云：

> 《爾雅》曰：「貔，白狐，其子豰。」（呼鹿反，一名執夷）《說文》曰：「貔，豹屬，出貉國。」《尚書》曰：「如虎如貔。」《禮記》曰：「前有摯獸，則載貔貅。」《毛詩》曰：「獻其貔皮，赤豹黃羆。」　【贊】晉郭璞〈貔贊〉曰：「《書》稱猛士，如虎如貔。貔蓋豹屬，亦曰執夷。白狐之云，自是而非。」[21]

雜鈔古書中有關該生物之資料，並附錄詩、賦、箴、銘、頌、贊、碑、表、書、啟、墓志、祭文等古代詩文中的相關作品，雖則繁簡失宜，分合未當在所難免，甚至疏漏、錯誤、繁瑣、重複之處亦所在多有，但保存了不少古代文化遺產，在學術研究上仍有一定的價值。

---

20 于大成：〈叢書薈編敘〉，歐陽詢：《藝文類聚》（臺北市：文光出版社，1974年）。
21 歐陽詢：《藝文類聚》，頁1645。

（四）藥物學

　　在世界各民族的重要醫學體系裡，中醫頗具特色。無論是陰陽五行整體思維的模式，切脈、望色、聞聲、問病的四診法，還是講求四氣、五味的藥物[22]，都是先民經過長期摸索、實驗、改良的成果，幾千年來捍衛漢文化圈無數生命與健康所做出的偉大貢獻，真是無有出其右者。相傳神農為了了解藥性，遍嚐百草，這個傳說，影響了中藥以草木蟲魚鳥獸為主的大方向。漢代成書的《神農本草經》記載了三六五種藥物，是戰國、秦漢以來藥物知識的總結，其中以植物類為大宗，占二五二種，其餘動物類六十七種、礦物類四十六種。每種藥物都簡要記載了出產地點、別名、形態、藥性和治療功能等。南北朝時，陶弘景在訂正《本草經》之餘，加入自撰的《名醫別錄》中的三六五種藥物，合編成《神農本草經集注》，一共收錄藥物七三〇種，並且首創按藥物的自然屬性和治療特性分類的新方法。唐高宗時，蘇敬等奉敕編修的《新修本草》，分本草、藥圖、圖經三部分，記載藥物八五〇種，是全世界第一部藥典，比一四九四年義大利《佛羅倫薩藥典》還要早八三五年。宋代蘇頌的《圖經本草》收藥物七八〇種，附本草圖九三三幅，是圖文並茂的著作。上述諸作，除《神農本草經》外，可惜多已佚失。宋哲宗時，唐慎微編撰《經史證類備急本草》，收錄藥物一七〇〇餘種，保存了諸家本草及各藥單方，流傳甚廣。到了明代，李時珍累積三代醫學經驗，歷訪名山大川，深入民間，從事實際調查、觀察，並且參考了八〇〇多種古書，歷時三十年，終於編成《本草綱目》。全書載有藥物一八九二種，插圖一一六〇幅，醫方一

---

22 四氣是寒熱溫涼，五味是辛苦鹹酸甘，見蔡景峰：〈中藥學的突出成就〉，中國科學院自然科學史研究所主編：《中國古代科技成就》（北京市：中國青年出版社，1995年八版），頁464。

一○九六則，對每種藥物的名稱、產地、形態、特徵、採集方法、藥物的性味和功用、炮製過程等都有翔實記載。不僅集本草學之大成，訂正過去文獻的許多錯誤，而且涉及古代生物學、地質學、礦物學、農學等諸多自然科學領域，價值極高。曾譯為日文、韓文、英文、德文、法文、俄文、拉丁文等多種文字，在世界各國廣為流傳。[23]

（五）生物學

對於草木蟲魚鳥獸，《詩經》只是當作抒情、敘事、寫景的題材，並沒有詳細的描述。到了《爾雅》，才有簡要的解釋，並將植物區分為草、木兩大類，動物區分為蟲、魚、鳥、獸、畜五大類，大類之下還出現「屬」、「醜」等子類概念。三國時代，陸璣《毛詩草木鳥獸蟲魚疏》就直接以之為書名，對每種動植物不僅記其名稱及異名，而且還描述其形狀、生態和使用價值，是中國第一部生物學的專書。晉嵇含《南方草木狀》記錄生長於廣東地區的草類二十九種、木類二十八種、果類十七種、竹類六種，比《爾雅》植物分類增加了兩類，除了對植物的描述外，還記載了古人利用益蟲防治害蟲的生物防除法。魏晉至唐宋，隨著農業、園藝學的發展，出現了許多動、植物譜錄，如晉代戴凱的《竹譜》、唐代陸羽的《茶經》、宋代歐陽修的《洛陽牡丹記》、佚名的《禽經》及鄭樵的《昆蟲草木略》皆是。明代朱橚的《救荒本草》記載食用植物四一四種，每種都有精美的木刻插圖，對植物形態、生長環境以及加工處理、烹調方法等介紹綦詳。屠本畯的《閩中海錯疏》著錄福建地區水產動物二百餘種，也提供了不少動物形態、生態和生活習性方面的知識。而李時珍的《本草綱目》不僅是藥物學鉅著，同時也是生物學的重要著作。清代吳其濬的《植

---

23 《中國科學文明史》（臺北市：木鐸出版社，1983年），頁579-581。

物名實圖考》，參考古今文獻八百多種，收入植物一七一四種，記錄了每種植物的形態、顏色、性味、用途和產地，對於名實的考訂尤為詳細。訂正了不少舊說的錯誤，附圖亦極精確。是一部很有科學價值，開現代植物學先聲的著作，為中外學者所重視。[24]

四　結論

　　草木蟲魚鳥獸，在《詩經》中用以鋪敘情境、塑造形象、抒發情感、烘托氣氛、寄託比興、呈現意境，不僅對三百篇的創作與欣賞大有助益，對一般人的教育與生活也有極高的價值，所以孔子才會特別提倡「多識於鳥獸草木之名」。到了後世，草木蟲魚鳥獸更滲透到文學、字書、類書、藥物學、生物學等學術領域，對人類的影響可說無遠弗屆。它們共同組成有機的草木蟲魚鳥獸文化，彼此互相輔佐，互相支援。當我們研究經學與文學時，不要忘了使用最新的生物學成果；當我們鑽研現代醫學時，也不要忘了汲取傳統藥物學的精華。唯有如此取精用宏，我們的眼光才會更為開闊，我們的生活才會更為美好。

---

24 同上，頁635-638。

《毛詩品物圖考》述評

一 前言

　　董仲舒（西元前176-前104年）「《詩》無達詁，《易》無達占、《春秋》無達辭。」[1]詩意之艱深，除了主題費解、文字古奧、句式簡省、章法多變之外，名物之難明也是重要原因之一，名物有名實之殊、古今雅俗之變，隔時異地，有時就難以知曉，何況是三千年前《詩經》中的草木蟲魚鳥獸呢？但這些動植物是《詩經》中的主要意象，也是詩人表情達意、寄託比興的重要媒介，如不明其性狀，則難以明白詩意之旨歸。早在漢世，齊、魯、韓、毛各家即已留意解說，但隨文釋義，語焉不詳。三國陸璣（西元261-303年），首創名物研究的專書，對《詩經》動植物的名稱、形態、性質、產地、用途等都詳加描述，唯有文無圖，僅能託諸懸想。梁代以後雖有《毛詩圖》之類問世，均失傳已久。今所能見最早的圖考，在中國首推乾嘉年間徐鼎的《毛詩名物圖說》（1771），在日本則為江戶時代岡元鳳的《毛詩品物圖考》（1784）。岡書雖為日本人之習《詩經》者纂輯，但圖繪生動、解說簡明。出版以後，一紙風行，歷久不衰。據魯迅（1881-1936）《朝華夕拾・阿長與山海經》言當其童蒙時期曾讀此書，[2]一個鄉下的孩子有機會讀到的書，可能有相當的流行度，並非偶然現象。

1　（漢）董仲舒：《春秋繁露・精華篇》（北京市：中華書局，1975年），頁106。
2　魯迅：《魯迅全集・朝花夕拾・阿長與山海經》（北京市：人民出版社，1996年），冊2，頁248。

近年在臺灣亦曾多次影印，不難購得，其流通較之徐書更為廣泛，可惜為文評介者罕見其人，因而不揣淺陋，試為初探，以期對《詩經》名物之研究略盡棉薄。

二　《毛詩品物圖考》之成書

（一）岡元鳳及其時代

　　《毛詩品物圖考》係日本岡元鳳（1737-1787）所撰，元鳳字公翼，通稱慈庵、尚達、元達，號白洲、澹齋、魯庵、隔九所。生於櫻町天皇元文二年（清乾隆2年丁巳），卒於光格天皇天明七年（清乾隆52年丁未），年五十一。[3]由於海隅乏書，對其生平不甚清楚。僅知他是浪華（大阪）人，主要活動地區也在浪華，浪華是當時日本的經濟中心，人口超過三十五萬，和京都、江戶（東京）齊名。其時代正值清乾隆年間，中國學術界上承明代中葉以來實學之影響，考據之學十分發達，著名的《詩經》學、《雅》學學者如戴震（1723-1777）、段玉裁（1735-1815）、崔述（1740-1816）、邵晉涵（1742-1796）、王念孫（1744-1832）、郝懿行（1757-1825）、王引之（1766-1834）、胡承珙（1776-1823）和他是同一個時代的人，可惜重洋睽隔，未聞有所交往。

　　岡元鳳所處的時代叫江戶時代。所謂江戶時代是一六〇三年德川家康受命為征夷大將軍所開創的幕府時代，至一八六七年，王政復古，奉還大政給明治天皇，共二六五年。而自一一九二年源賴朝開鐮倉幕府、一三三八年足利尊氏開室町幕府以來，長達六七六年的武家

3　張文朝：《日本における詩經學史》（臺北市：萬卷樓圖書公司，2012年），頁168。

政治至此亦告結束。[4]

　　日本屬於漢文化圈，受到中國文化的影響既早且深。江戶時代的學術以儒學為主流，尤其朱子學更受幕府當局重視。但宗奉王守仁（1472-1528）的陽明學派、回歸孔孟的古學派、研究日本古來之道的國學派也有一定的勢力。在自然科學方面，適於實用的本草學、農學與醫學等頗為發達。一七二〇年第八代將軍德川言宗為了加強統治，提倡實學，改變鎖國政策，解除與天主教無關的書籍禁令，以荷蘭語言為媒介的歐洲近代科學，陸續傳入，稱之為蘭學。[5]

　　在《詩經》學方面，江戶時代十分發達。除漢、唐、宋、明、清《詩經》著述爭相傳入外，[6]日本學者之《詩經》相關著作，據張文朝（1960-）、《日本における詩經學史》的著錄即有朱子學派五十六名、陽明學派一名、敬義學派二十六名、古義學派十七名。古文辭學派四十一名、古注學派二十九名、折衷學派十八名、考證學派三名，其他七十五名，共二六六名，而岡元鳳正屬於其他類的十六名本草學者之一。[7]然則，江戶時代《詩經》學研究風氣之盛，可以窺豹一斑，而岡氏之所以能撰述《毛詩品物圖考》，可能與時代風氣不無關係。

（二）《毛詩品物圖考》及其版本

　　天明四年甲辰（1784）孟冬，《毛詩品物圖考》殺青，準備付梓。那波師曾寫了序，木孔恭寫了跋，岡元鳳也有一篇自序，但未標明時間，想必旋即正式出版。寫作經過雖不得其詳，但木孔恭跋語謂

4　林明德：《日本通史》（臺北市：三民書局，1995年），頁104、156。

5　同上注，頁118、132、139、140。

6　同注3，頁103-120。又，王曉平：《日本詩經學文獻考釋》（北京市：中華書局，2012年），頁379-398。

7　張文朝，同注3，頁121-181。王曉平，同上注，頁409-442。又，王曉平：《日本詩經學史》（北京市：學苑出版社，2009年），頁101-139亦有詳細介紹。

此書係岡氏「說詩之暇，遍索五方，親詳名物」[8]的心血結晶，想必是多年努力的成果。該書有刻本、刊本、寫本，出版地有京都、大阪、江戶，藏書地點有一橋大、九大等四十處，[9]想必洛陽紙貴，再版多次。甚至連海峽兩岸亦有不少板本，包括：光緒十二年丙戌（1886）上海積山書局翻石印本，宣統二年（1910）上海掃葉山房石印本，一九六七年臺北廣文書局影印本，一九七五年臺南新世紀出版社影印本，一九八〇年臺北大化書局《詩經動植物圖鑑叢書》影印本，一九八五年北京中國書店影印本，二〇〇二年濟南山東畫報出版社出版王承略（1966-）據掃葉山房點校解說本，二〇〇八年西南師範大學、人民出版社《域外漢籍珍本文庫》第一輯影印積山書局本。板本極多，足見其流行之廣。本論文即以新世紀影印積山書局本為文本，注明引用卷數頁碼，必要時再參酌點校解說本。

三　《毛詩品物圖考》的內容及其體例

《毛詩品物圖考》共七卷，卷一、卷二為草部，其餘各卷分別為木部、鳥部、獸部、蟲部、魚部，亦即以動植物為圖考內容，而不涉及天文、地理、宮室、器物、服飾……等其他名物，這可能是因為名物繁多，董理不易，所以鎖定在動植物，以符合孔子所謂「多識鳥獸草木之名」[10]的緣故吧？至於其次序與孔子（西元前551-前479年）之言不同，與《爾雅》草、木、蟲、魚、鳥、獸的次序也有出入，倒是與三國陸璣的《毛詩草木鳥獸蟲魚疏》完全吻合，可能是以陸《疏》為取法的圭臬吧？

8　（日本）岡元鳳：《毛詩品物圖考》（臺南市：新世紀出版社，1975年），卷末木孔恭跋，頁1。

9　同注3，頁373。

10　（宋）朱熹：《四書集注‧論語‧陽貨篇》（臺北市：臺灣書店，1971年），頁143。

岡氏《圖考》自序云：

> 毛、鄭、朱三家為歸，有異同者會稡群書而折之，采擇其物，
> 圖寫其形，要以識其可識者耳，而不識者闕如，庶為讀《詩》
> 之一助也。[11]

這可說是全書最簡要的說明。易言之，全書分為圖與考兩大部分，縱橫交錯，以成大觀。如細而察之，則其內容與體例可分為：

（一）標舉詩句

《圖考》先依草木鳥獸蟲魚分為七卷，各卷臚舉詩句為題，以《詩經》中出現之先後為次，如草部先〈周南・關雎〉之「參差荇菜」（卷一，頁1），次〈葛覃〉之「葛之覃兮」（卷一，頁1），次〈卷耳〉之「采采卷耳」（卷一，頁2），但僅有詩句，不標篇名。如有相關詩句，則採互見方式，如「齒如瓠犀」條云：「瓠見匏條。」（卷一，頁11）「甘瓠纍之」條亦云：「見匏。」（卷二，頁2）「有鳴倉庚」條云：「見黃鳥條。」（卷四，頁11）如此者約二十條，王承略點校本將互見各條皆會聚為一，雖便省覽，已非全書原次。

（二）安排插圖

各條詩句下，安排相關插圖及文字，據木孔恭跋，圖係出自畫人橘國雄之手。各卷之詩與圖分別為：卷一草部上詩六十四條，圖五十幅，卷二草部下詩二十八條，圖二十幅，卷三木部詩六十條，圖四十四幅，卷四鳥部詩四十一條，圖三十九幅，卷五獸部詩二十六條，圖

---

11 同注8，卷首，岡元鳳序，頁2。

二十二幅，卷六蟲部詩二十三條，圖二十一幅，卷七魚部詩十六條，
圖十五幅，合計詩二五八條，圖二一一幅。

　　圖文之位置，或文上圖下，或文下圖上，或文右圖左，或文左圖
右，或文在圖中，靈活變化，並無一定規則，要以文上圖下超過一五
○條，占百分之七十以上，為數最多。

　　詩文之分配，通常是一圖一物，但亦有二物共一圖者，如卷一頁
十一王芻與扁竹，卷五頁八貗與貉。宣統本在圖旁均標物名，光緒本
則偶一為之。以此重新檢視《圖考》動植物之有圖者，計草部上有五
十四種，草部下有二十二種，木部四十五種，鳥部三十九種，獸部二
十三種，蟲部二十三種，魚部十六種，合計二二二種，亦即植物一二
一種，動物一○一種。這當然不表示《詩經》中的動植物只有這些，[12]
因為《圖考》所引詩句，闕疑不詳者有十五種，如卷一頁七菲、卷五
頁十罷；有詩無圖者間亦有之，如卷一頁二十一萇楚、卷七頁二鮪；
《詩經》中品物詩句，《圖考》未收者亦有若干，如〈大雅・江漢〉：
「秬鬯一卣」的鬯、〈小雅・巧言〉：「居河之麋」的麋。但《詩經》
中較重要的動植物，大抵略備。

（三）引用文獻

　　在文字方面，《圖考》以毛《傳》、鄭《箋》、朱子（1130-1200）
《集傳》為依歸，有異同或補苴者則在圓圈下會萃群書加以辨說。其
中引毛《傳》者一八五次，引鄭《箋》者三十二次，引朱《傳》者一
九五次。圓圈下之群書，引用次數較多者為《爾雅》及古注，郭
《注》、邢《疏》三十五次、陸璣《毛詩草木鳥獸蟲魚疏》三十次、

12　陸文郁收植物一三二種，見陸文郁：《詩草木今釋》（臺北市：長安出版社，1975
　　年）。高明乾收動物一一三種，見高明乾、佟玉華、劉坤：《詩經動物解詁》（北京
　　市：中華書局，2005年）。

《本草》系列二十二次、孔穎達（西元547-648年）《毛詩正義》十六次、陸佃（1042-1102）《埤雅》十三次、嚴粲《詩緝》十一次、羅願（1136-1184）《爾雅翼》十次、稻生若水（1655-1715）《毛詩小識》十次、江村如圭《詩經辨解》七次、毛晉《陸疏廣要》六次，其餘一至五次者近五十種，資料可說不少。其引書，或並稱作者書名，如卷四頁十七崔豹《古今注》、卷五頁十〈急就篇師古注〉；或用作者書名簡稱，如卷二頁八孔《疏》、卷四頁九陸《疏》；或單稱作者，如卷一頁四李時珍（1518-1593）、陳藏器；或單稱書名，如卷一頁一《顏氏家訓》、卷四頁十〈易通卦驗〉；或暗引前說，如卷一頁二十二「謝安乃云」，暗用《世說新語·排調篇》郝隆語，卷六頁七「東方朔云」，暗用《漢書·東方朔傳》文，體例並不一致。

（四）考訂文字

文獻資料有訛誤衍奪則訂正之，以期恢復本來面目，協助讀者讀通古書的文字，如：

> 《集傳》依陸《疏》「數寸」下當補入「高丈餘」三字。（卷一，頁3）
> 崔當作茬，孔《疏》引《爾雅注》誤作崔，《集傳》亦訛耳。郭《注》本作茬，《埤雅》亦同。（卷一，頁13）

此類為數極少，較多的是交代異文，如：

> 穆，《說文》作稑，云：「疾熟也。」（卷一，頁25）
> 蜂，本作蠭。（卷六，頁11）

也是在幫助讀者理解。

（五）標注讀音

古書因時空隔閡，有古音難通者則以今音注之，如：

> 駮、駁音同。（卷三，頁15）
> 鴝鵒音烏澤。（卷四，頁9）

此類亦不多見，但以和音注其日本讀音者則多達二十餘次，如：

> 鳩，古云「也埋法禿」、對「異園法禿」。今人偏呼綠色者為「也埋法禿」，是青鵻也；鴿為「異園法禿」。（卷四，頁2）
> 此方古名「吉里吉里斯」，故與蚣蝑易混。（卷六，頁4）

皆有助於日人之解讀。

（六）考辨名實

物名因時空變化，常有古今、雅俗之異，導致名實相混之現象，故釐清名實為名物研究之要務。《圖考》云：

> 此（邛有旨苕）與〈苕之華〉不同。（卷一，頁21）
> 《圖經》：「鼠梓，楸屬。」鼠李一名鼠梓，或云即此，然花實都不相類，恐別一物而名同爾。（卷三，頁19）

此為同名異實。又如：

> 黃鳥，鶯，即黃鸝，一名摶黍，一名倉庚，一名商庚，一名鵹
> 黃，一名鸝鶹，一名楚雀，一名黃袍，一名金衣公子。（卷
> 四，頁1）
>
> 蝤蠐，一名蝎，一名木蠹蟲，一名蛣崛，生腐木中。（卷六，
> 頁2）

此為異名同實，又如：

> 葹苦瓠甘，本是兩種，只以味定之，不可以形狀分別也。（卷
> 一，頁7）
>
> 椅、梓同類而小異，在古不甚分別，故《爾雅》同釋，詩人則
> 分稱，無有一定已。（卷三，頁6）

此則辨別二物之異同。唯有確實釐清名實的異同，才不致名實混淆，
指鹿為馬。

（七）區分品種

　　生物的品種數以百萬計，即使同一界、門、綱、目、科、屬的，
也可細分許多種，例如雎鳩即鶚，又稱魚鷹，是鳥綱、隼形目、鷹科
鳥類，屬猛禽。鷹科全世界有六十屬，二一六種，單是中國就有二十
一屬，四十八種。[13]岡元鳳亦已注意及此，所以對於中、日生物品種
之異，總是特別著墨，例如：

> 此方荇葉圓而稍羨，又不若蓴之尖也。彼中書多言蓴似荇而
> 圓，蓋土產之異也。（卷一，頁1）

---

13 同上注，高明乾，頁2。

> 《本草》:「鶉大如雞雛,頭細而無尾,有斑點。雄者足高,雌者足卑。無斑者為鴾,有斑者為鶉。」此方未見無斑者。(卷四,頁6)

而同一種生物也可能因大小、性別、性狀、功用等而有不同名稱,所以《圖考》云:

> 〈伐木〉:「既有肥羜」,羜,未生羊也。〈苕之華〉:「牂羊羵首。」牂羊,牝羊也。〈生民〉:「先生如達。」達,小羊也。「取羝以軷。」羝,牡羊也。(卷五,頁2)
>
> 〈盧令〉:「盧令令。」田犬也。〈駟驖〉:「載獫歇驕。」皆田犬名,長喙曰獫,短喙曰歇驕。(卷五,頁3)

將不同篇章貫通而觀之,確實有助於品種之區分。

(八) 描述性狀

除了繪製圖影之外,描述性狀也是了解生物的重要途徑,這不僅有賴於文獻資料的提供,有時也須資取於目驗。《圖考》云:

> 茜,一作蒨。方莖,蔓生,葉似棗,每節四、五葉對生,至秋開花,結實如小椒。(卷一,頁15)
>
> 禿鶖,一名扶老。狀如鶴而大,頭項皆無毛,張翼廣五、六尺,舉頭高七、八尺,鳥之大者。〈魯語〉:「海鳥曰爰居,止於東門之外。」是也。(卷四,頁17)

透過類比,加以描述,與插圖參觀,印象更為深刻。

（九）評隲得失

文獻資料固然有不少詳略互補之處，也提供了許多研究的素材，但不同的文獻，往往說法各異，令人難以適從。這時彌綸群言，折衷至當就變得非常重要了。《圖考》在臚列眾說之餘，往往穿插自己的判斷與取捨，如：

> 按《通雅》謂葵為款冬，非。《爾雅》云：「莃，菟葵。」其非葵明也。方氏疑於葵後人不復食之，故生此說，苟以不食，則菽亦采葉以為藿芼，大牢饗賓客籩之莒之，其謂之何？食膳之宜，古今異同，不可強論也。（卷一，頁24）

此引《爾雅》證明方以智（1611-1671）《通雅》不可取。又如：

> 《傳》：「駮如馬，倨牙，食虎豹。」《集傳》：「駮，梓榆也。其青皮白如駁。」○駮、駁音同。《集傳》依陸《疏》。《辨解》云：「青皮，當作皮青。」陸《疏》云：「山有苞棣，隰有樹檖，皆山隰之木相配，不宜謂獸。」（卷三，頁15）

「隰有六駮」，駮，毛《傳》謂獸，朱《傳》從陸《疏》謂木，岡氏雖未明言短長，然既引陸《疏》，又列之於木部，其意甚明。

（十）付諸闕如

《論語・為政篇》云：「知之為知之，不知為不知，是知也。」[14]

《說文解字‧敘》云：「其於所不知，蓋闕如也。」[15]在在顯示古人為學處事何等審慎。岡氏對於文獻不足，無從說解之處也採取此種態度，如：

> 《爾雅》：「須，薞蕪。」注：「似羊蹄，葉細，酢可食。」然則須，今思各莫拔姑也；《集傳》從鄭氏云蔓菁，則今葛不賴也。二說不同。菲未詳。（卷一，頁7）
> 稻氏云：「伊賀州荒木川有魚形似燕，青色，能飛躍，名『施耶十』，土人食之，疑此鱣魚也。」此說未詳，姑錄備考。（卷七，頁4）

其說葑（須），二說並陳，說菲則逕云：「未詳。」說鱣，雖引日人稻生若水之說，惟未知然否，故僅聊備一格，皆見其慎。

四　《毛詩品物圖考》之優缺點

（一）《毛詩品物圖考》之特色

1　圖文並茂

名物之研究，徒托空言，難免瞎子摸象，徒有圖像，也難見其生態。唯有圖文相輔相成，始能相得益彰。《三禮》、《爾雅》、《本草》之有圖，由來已久。《毛詩》在梁有《毛詩圖》三卷，唐有《毛詩草木蟲魚圖》二十卷，宋有馬和之《毛詩圖》，惜久失其傳。[16]《毛詩品

15　（清）段玉裁：《說文解字注》（臺北市：洪葉文化公司，2005年），頁773。
16　同注8，卷末，木孔恭跋，頁1。

物圖考》集圖文於一帙，寫其圖狀，繫以辨說，用筆精細，行文簡明，兼具學術性與藝術性。光緒年間，戴兆春〈序〉稱其：

> 採擇則匯集諸說，考訂則折衷先賢，不特標其名，且為圖其象，俾閱者開卷了然。綜見見聞聞之類，極形形色色之奇，罔不搜采備至，誠有《爾雅》所不及載，《山經》所不及詳者。吁！大觀哉！[17]

洵非虛言，其書雖較清人徐鼎《毛詩名物圖說》之出版晚十餘年，但在東瀛已屬創舉，後有馬場克昌（1785-1854）《詩經物產圖譜》、小原良直《詩經名物圖解》、細井洵（？-1852）《詩經名物圖解》相繼問世，[18]或多或少可能受其影響。茲錄《圖考》插圖三幅：舜（卷三，頁11）、鴻（卷四，頁6）、鱣、鮆（卷七，頁4），以見其工筆摹繪，栩栩如生。

---

17 同注8，卷首，（清）戴兆春序，頁1-2。
18 同注3，頁170、375。

2 兼宗漢宋

　　《圖考》徵引文獻，以毛《傳》、鄭《箋》、朱子《集傳》三家為主。毛、鄭為漢學，專宗訓詁考據；朱為宋學，崇尚義理而亦不廢格致之學。《圖考》對兩大派文獻之引用，均在兩百次左右，可謂兼宗漢宋，此與同一時期淵源於明代實學乾嘉學派之偏於考據者大不相同，可能是由於江戶時代的學術以儒學為主流，朱子學派聲勢鼎盛，古義學派亦有相當勢力的緣故吧！詳見張文朝書，茲不贅。岡氏在評論各家說法時，也表現出獨立自主，不偏漢宋的精神，例如：

　　　　于以采蘋　《傳》：「蘋，大萍也。」《集傳》：「水上浮萍也。江東人謂之藙。」○毛氏與《爾雅》「萍，蓱，其大者蘋。」相合。朱《傳》誤以小萍為大萍。說者不一。（卷一，頁4）

此是毛而非朱。又如：

　　　　綠竹猗猗　《傳》：「綠，王芻也。竹，萹竹也。」《集傳》：「綠，色也。淇上多竹，漢世猶然，所謂淇園之竹是也。」○綠竹之解，《集傳》為勝，但毛氏舊說，不可不存焉。（卷一，頁10）

此謂朱勝於毛。又如：

　　　　蔦與女蘿　《傳》：「女蘿，兔絲，松蘿也。」《集傳》：「女蘿，兔絲也，蔓連草上，黃赤如金。」○《廣雅》：「兔邱，兔絲也。女蘿，松蘿也。」陸《疏》：「兔絲蔓連草上，黃赤如

金，松蘿自蔓松上，生枝正青，與兔絲殊異。」此等說二物辨得明白，毛《傳》既失，朱說亦錯，遂致混淆，《說約》辨之。（卷二，頁7）

此則據《廣雅》、陸《疏》及顧夢麟（1585-1653）《詩經說約》，以松蘿與兔絲為二物，認為毛《傳》和朱《傳》皆非。無論其說是否為後世所贊同，其力求客觀公正的精神則是不容置疑的。

3 行文簡明

漢代今文家說經，常借題發揮，繁瑣寡要，相形之下，古文家如毛公者則頗為簡約，鄭康成（西元127-200年）兼通今古文，而以古文為主，其解經亦簡淺明確，條理井然。至於朱子，一反漢學，對注釋體例尤多所省減改造。岡氏既以毛、鄭、朱為宗，其《圖考》自然力求簡潔明快，一句可了，不煩二句；一家可明，不引二家。其文字最長者如「六月莎雞振羽」（卷六，頁5）不過一七六字，「魚麗于罶鱨鯊」（卷七，頁4）亦僅一三七字。其引文家數最多者，如「其檉其椐」（卷三，頁22）不過八家，「于以采蘋」（卷一，頁4）、「爰采唐矣」（卷一，頁9）、「有條有梅」（卷三，頁14）、「流離之子」（卷四，頁5）亦皆僅六家。至於其論斷之不蔓不枝，更不待言。

4 考辨用心

《圖考》參考文獻至少有六十餘家，每條只徵引三、五家，文字最多只有百餘字，在採擷時必須取精用宏，格外用心，才能得到精準的結果。韓國南基守、高載祺通過對毛《傳》、朱《集傳》、《爾雅》、陸璣《詩疏》、《本草綱目》等的檢討及中、韓植物圖錄的比對，發現《毛詩品物圖考》所畫的草本植物正確的四十九種，畫得不正確的有

二十五種，另有幾種未曾畫圖。[19]這雖僅就插圖而言，但插圖正確與否必取決於考辨是否無誤。三分之二的正確率誠然不甚理想，但就兩百多年前的古書而言，這樣的成果已屬難能可貴了。同樣地，我們若根據相關的古籍及近人研究成果去檢驗《圖考》的其他部分，也可發現準確者亦復不少，例如：

> **無折我樹杞**　《集傳》：「杞，柳屬也。生水傍，樹如柳，葉麤而白，色理微赤。」○嚴《緝》：「《詩》有三杞：〈鄭風〉『無折我樹杞』，柳屬也。〈小雅〉『南山有杞』、『在彼杞棘』，山木也。『集于苞杞』、『言采其杞』、『隰有杞桋』，枸杞也。」（卷三，頁10）
>
> **集于苞杞**　《傳》：「杞，枸檵也。」（卷三，頁18）
>
> **南山有杞**　《集傳》：「杞樹如樗，一名狗骨。」（卷三，頁19）

杞在《詩經》中凡七見，[20]《圖考》據嚴粲《詩緝》說分為三類：〈鄭風·將仲子〉：「無折我樹杞」的杞，《圖考》釋為杞柳，與陸文郁、潘富俊、吳厚炎之解為楊柳科者相同。[21]〈小雅·四牡〉：「集於苞杞」的杞，《圖考》釋為枸杞，與陸文郁、潘富俊、吳厚炎之解為茄科枸杞者亦同。[22]唯〈小雅·南山有臺〉：「南山有杞」的杞，《圖考》

---

19 （韓國）南基守、高載祺：〈毛詩品物圖考所見之草本植物考〉，《詩經研究叢刊》第六輯（北京市：學苑出版社，2004年），頁215-230。

20 上引嚴粲《詩緝》之說凡六見，乃因「言采其杞」重見於〈杕杜〉及〈北山〉。

21 陸文郁，同注12，頁51。潘富俊：《詩經植物圖鑑》（臺北市：貓頭鷹出版社，2001年九刷），頁132。吳厚炎：《詩經草木匯考》（貴陽市：貴州人民出版社，1992年），頁246。

22 同上注，陸文郁，頁93；潘富俊，頁178；吳厚炎，頁249。

解為山木，與潘富俊解為冬青科之枸骨者相同，與陸文郁、吳厚炎之解為枸杞，則有出入。[23]綜合觀之，《圖考》所釋，與今人所見大致相同，足見用心。

又如：

匪兕匪虎　《傳》：「兕，虎，野獸也。」《集傳》：「兕，野牛，一角，青色，重千斤。」○《典籍便覽》：「其皮堅厚，可以制鎧。」或云：「兕即犀之特者，一角，長三尺。」又云：「古人多言兕，今人多言犀；北人多言兕，南人多言犀。」（卷五，頁11）

兕、犀，古今南北常有相混，然《爾雅・釋獸》云：「兕，似牛；犀，似豕。」[24]《說文解字》云：「兕，如野牛，青色，其皮堅厚可製鎧。象形。兕，古文从儿。」又：「犀，徼外牛，一角在鼻，一角在頂。」[25]《周禮・考工記》：「函人為甲，犀甲七屬，兕甲六屬，合甲五屬；犀甲壽百年，兕甲壽二百年，合甲壽三百年。」[26]足見二者原本有其區別，《圖考》雖未旁徵博引，然既言其同，又知其異，足見用心。

5 重視鄉土

岡氏以漢字文言書寫《圖考》，乃因日本屬於東亞漢文化圈，不

23 同注21，潘富俊，頁228，陸文郁，頁93，吳厚炎，頁244。
24 （清）郝懿行：《爾雅義疏・釋獸》（臺北市：中華書局，1966年），卷下之六，頁8。
25 同注15，頁53、463。
26 （漢）鄭玄注，（唐）賈公彥疏：《周禮注疏・冬官・考工記》（臺北市：藝文印書館，1985年），頁620。

少古書是用漢字寫作，且該書又係《詩經》學專著的緣故。但作者既
係日人，主要的閱讀對象也是自己的同胞，則書中自然會有不少本土
的資料。這些資料主要表現在三方面：一是採擷日人的著作，如引用
稻生若水的《毛詩小識》十次、江村如圭的《詩經辨解》七次、貝原
益軒（1630-1714）的《太和本草》、松岡恕庵（1668-1746）的《詩
經名義考》、佚名的《物類品隲》各一次。二是介紹日本的物產，如
「（楚）享保中來漢種，今多有之。其葉頗似參，故俗呼參樹，形狀
如時珍所說。」（卷三，頁1）此言荊楚係由中國傳入。又：「無斑者
為鶬，有斑者為鶉。此方未見無斑者。」（卷四，頁6）此言中日品種
不同。三是交代日本的異稱，如：「（鳲鳩）此方呼『紫紫禿利』者是
也，一名『勿勿』。或以『禿施搖利谷衣』充之，非也。」（卷四，頁
10）此以日音稱之。諸如此類，對比較生物學或中日文化交流史都是
有所助益的。

（二）《毛詩品物圖考》的不足

1 體例未純

　　一本書甚至一篇論文往往有其體例，作者可據以寫作，讀者可便
於閱讀，但正如許多古書一樣，《圖考》的體例只隱藏於書中，岡氏
未曾明言，而且為例不純。首先是《圖考》以詩句作為品物的標題，
但一個標題中往往不只一種品物，到底本條是講哪種品物，必須看看
圖名，甚至解說的文字才能判斷，像光緒本多無圖名，就常莫名所以
了。其次，同物異名多採互見方式，為了顧及《詩經》出現的次序，
並未併條，如常棣（卷三，頁18）、常（卷三，頁18）、棣（卷三，頁
15）一物而分見三條。而同名異物或注或不注，如「鶉之奔奔」（卷
四，頁6）之鶉為鷁鶉，「匪鶉匪鳶」之鶉為猛禽，分見兩處而未相

繫，若此，既不便於考索，更無從進行統計。其三，文獻之引用，體
例不一，交代不清，上文已言之，遇有陌生之人、冷門之書，如江氏
（卷二，頁5）、《因樹屋書影》（卷四，頁5）、《物類品隲》（卷七，頁
7），不知何人何書，遑論按圖索驥。又如「禮『稷曰明粢。』」（卷
一，頁12）須仔細考察，始知其出自《禮記‧曲禮》，而非《儀禮》，
豈非虛擲時日？

2 文獻不足

　　《圖考》徵引的文獻，單以中國的《詩經》學著作而言，除毛
《傳》、鄭《箋》、孔《疏》、陸璣《詩疏》、朱子《集傳》外，有宋呂
祖謙（1137-1181）《呂氏家塾讀詩記》、嚴粲《詩緝》、明胡廣（1370-
1418）《詩傳大全》、何楷《詩經世本古義》、顧夢麟《詩經說約》、馮
復京（1573-1622）《六家詩名物疏》、毛晉《毛詩草木鳥獸蟲魚疏廣
要》，在江戶時代中期以前傳入日本的《詩經》學著作應該不止乎
此，岡氏自然不可能每本都有展讀的機會，其他《雅》學、本草學乃
至與《詩經》名物相關著作更不待言。所以文獻之不足乃是無可避免
之事。

　　《圖考》一書之中，往往有付諸闕如或有文無圖之處，這固然是
態度矜慎使然，但有時也緣乎文獻不足，或雖有文獻而未加使用。如
岡氏自承不詳者不下十餘處，但後世學者多能補之。例如：

> **無折我樹檀**　《傳》：「檀，彊韌之木。」《集傳》：「檀，皮青
> 滑澤，材韌，可為車。」○未詳。（卷三，頁11）
> **維熊維羆**　《集傳》：「羆似熊而長頭高腳，猛憨多力，能拔
> 樹。」○羆未詳。（卷五，頁10）

檀，陸文郁、潘富俊、吳厚炎、胡淼（1937-）皆解為榆科青檀。[27]
羆，高明乾、胡淼皆解為熊科之棕熊。[28]所據亦不過《爾雅》、《說
文》、陸璣《詩疏》、《爾雅翼》、《本草綱目》而已，此固岡氏所常引
者，尤其《本草綱目》檀分黃白二種，熊分熊、羆、羆，言之綦詳，
且有插圖，[29]不能充分運用既有的文獻進而蒐集更多的文獻，豈不可
惜？

3　圖文有誤

　　岡氏徵引文獻時除了體例不一外，有時亦有張冠李戴之誤，如：

> **四月秀葽**　嚴《緝》：「葽，今遠志也。其上謂之小草。」謝安
> 乃云：「處則為遠志，出則為小草。」（卷一，頁22）
> **鴛鴦于飛**　鴛鴦、鸂鶒一類別種而鸂鶒殊美。故謝靈運賦云：
> 「覽水禽之萬類，信莫麗於鸂鶒。」（卷四，頁16）

所謂謝安（西元320-385年）之語出自《世說新語·排調篇》，其實應
為郝隆之語；所謂謝靈運（西元385-433年）賦應是謝惠連（西元
397-433年）的〈鸂鶒賦〉，[30]大概岡氏憑記憶引用，故爾筆誤，或參
考的資料不夠正確，也未可知。

　　至於在名物考釋方面，岡氏不甚精準之處尤在所難免，該書出版

27　同注21，陸文郁，頁51；潘富俊，頁134；吳厚炎，頁253。胡淼：《詩經的科學解
　　讀》（上海市：上海人民出版社，2007年），頁137。

28　同注12，高明乾，頁234。同上注，胡淼，頁470。

29　（明）李時珍：《本草綱目》（臺北市：鼎文書局，1973年），頁1150、1553。

30　王承略點校解說：《毛詩品物圖考》（濟南市：山東畫報出版社，2002年），頁54、
　　176。

未久，中井履軒即已指陳不少謬誤[31]。上文曾言及南基守、高載祺也曾摘其草本植物插圖不正確的有二十五種。其他部分之誤釋者自亦不在少數，如：

> 葛之覃兮　《傳》：「葛，所以為絺綌也。」（卷一，頁1）
> 葛藟累之　《集傳》：「藟，葛類。」毛氏無解，乃知葛藟是一類，不應解為別物。（卷一，頁2）

葛藟，朱《傳》以為葛與藟外形相似，為同類之二物，《圖考》因毛《傳》無解而斷為一物，可謂尊毛已甚，而證據未免薄弱。葛之與藟，形近易混，但〈王風・葛藟〉、〈大雅・旱麓〉，鄭《箋》均言「葛也，藟也。……」《說文》、陸璣《詩疏》、《廣雅・釋草》以降亦多視為二物，[32]今之學者陸文郁、潘富俊、吳厚炎、胡淼等詳加考證，以為葛屬豆科，藟屬葡萄科，[33]二者確實有所不同，可以正《圖考》之失。又如：

> 熠燿宵行　傳：「熠燿，燐也。燐，螢火也。」《集傳》：「宵行，蟲名，如蠶，夜行，喉下有光如螢。」○二說不同，稻氏云：「張華詩：『涼風振落，熠燿宵流。』是熠燿之為螢也。」此說為得。但燐非螢火，孔《疏》詳之。（卷六，頁8）

31　（日本）井上了：〈大阪府立中之島圖書館藏毛詩品物圖考雕題について〉，《懷德堂報センター》，2004年2月。

32　同注21，吳厚炎，頁10-13。

33　同注21，陸文郁，頁2-4；潘富俊，頁18、22；吳厚炎，頁8-13。同注27，胡淼，頁6、12。

「熠燿宵行」(〈豳風‧東山〉),毛《傳》、朱《傳》二說不同,毛以熠燿為螢,朱以宵行為螢,《圖考》從毛,但謂燐非螢火。王承略評其只知燐為鬼火,不是螢火蟲,而不知燐通㷠,《經典釋文》:「燐字又作㷠。」就是明證。[34]足證岡氏只知其一,不知其二。至於螢是熠燿,抑或宵行,岡氏固然從毛,但《本草綱目》及今之學者高明乾、胡淼,皆從朱《傳》以宵行為螢,[35]足見這個問題還是有討論的空間。

4　罕說詩意

草木蟲魚鳥獸是與人類生活關係最為密切的伙伴,不僅為延續生命之所資,也是怡情養性之所賴,所以在《詩經》中出現的動植物多達兩百餘種,直接涉及的篇章高達二五〇篇。它們在詩作中必然有其多方面的作用,那波師曾序云:「是故欲知其義者,先求于其性;欲求于其性者,先求于其物;欲求于其物者,必先求于其形;其形不可常得,圖解其庶幾乎!」[36]就是在講動植物的性狀與詩意的理解有密切的關係。岡氏在《圖考》偶然也會提及動植物所要表現的詩意,例如:

> 菁菁者莪　《傳》:「莪,蘿蒿也。」○……按蘿蒿今人呼為朝鮮菊,葉似青蒿而細,又似胡蘿蔔葉,四月開白花,類茼蒿。〈蓼莪〉所謂「匪莪伊蒿」,蓋以相似而起興也,蒿即青蒿。(卷二,頁3)
>
> 時維鷹揚　《裴氏新書》:「鷹在眾鳥間若睡寐然,故積怒而後全剛生焉。」《詩‧大雅》:「維師尚父,時維鷹揚」,言其武之

34　同注30,頁227。

35　同注29,李時珍,頁1310。同注12,高明乾,頁189。同注27,胡淼,頁262。

36　同注8,卷首,那波師曾序,頁1。

奮揚也。（卷四，頁18）

此類解說，的確有助於讀《詩》，可惜為數至尠，主要還是要讀者自行以意逆志。這固然顯現岡氏作為一位本草學者的客觀，但就身兼《詩經》學者而言，終不能不說是一個缺憾。拙作〈多識於鳥獸草木之名──從《詩經》、《楚辭》到《爾雅》、《本草》、類書〉曾論及草木蟲魚鳥獸在《詩經》中的作用有六：鋪敘情境、塑造意象、抒發情感、烘托氣氛、寄託比興、呈現意境，[37]每項各舉數例為證，也不過拋磚引玉而已，詳盡而全面的研究還有待專家學者的努力。

五　結論

經由以上的論述，可以發現：

（一）岡元鳳的《毛詩品物圖考》是日本江戶時代重要的《詩經》學著作，圖文相輔相成，通行極廣，影響亦極大，而其成書則可能反映了當時的時代風氣。

（二）《圖考》之內容涵蓋《詩經》草木蟲魚鳥獸二百餘種之考釋及插圖。編排體例可分為標舉詩句、安排插圖、引用文獻、考訂文字、標注讀音、考辨名實、區分品種、描述性狀、評隲得失、付諸闕如等十項。岡氏雖未嘗自行揭示，而其體例實籠罩全編，故其書井然有序，便於閱讀。

（三）全書有圖文並茂、兼宗漢宋、行文簡明、考辨用心、重視鄉土等五大特色。但亦有體例未純、文獻不足、圖文有誤、罕說詩意

---

37 莊雅州：〈多識於鳥獸草木之名──從詩經、楚辭到爾雅、本草、類書〉，《中國語文》618期（2008年12月），頁23-31。

四項疏失。整體而言，瑕不掩瑜，手此一編，對《詩經》之研讀頗有
參考價值，但若逐條深入檢討，則非短期所能蕆事。

《毛詩名物圖說》述評

一　前言

　　詩表現的主要媒介是意象，中國第一部詩歌總集《詩經》早已意象紛呈，美不勝收。其中尤以草木鳥獸蟲魚出現最為頻繁，作用最為重要，所以孔子在論述《詩經》的功用時，特別拈出「多識於鳥獸草木之名。」[1]後代讀三百篇者亦莫不諄諄於動植物意象的揣摩，但徒賴解說，終究只能託諸懸想，唯有繪為圖影，輔以文字，始能使讀者如見其物，由性狀進而探究比興，追溯詩旨，此固讀詩之不二法門。惜六朝以降，《毛詩圖》之類久失其傳，今所能見圖說之最早者，莫過於乾隆年間徐鼎的《毛詩名物圖說》（1771），踵繼而出者，為日本江戶時代岡元鳳的《毛詩品物圖考》（1784）。岡書為讀者所習見，本人甫發表〈毛詩品物圖考述評〉一文加以探討[2]，徐書自然也有必要進行述評，俾便來日比較二書異同，藉供讀《詩》之一助。

1　（宋）朱熹《四書集注·論語·陽貨篇》（臺北市：臺灣書店，1971年），頁143。
2　莊雅州：〈毛詩品物圖考述評〉，中國經學研究會第八屆中國經學國際學術研討會論文（臺北市：臺灣大學中國文學系，2013年），頁41-56。

二 《毛詩名物圖說》之成書

(一)徐鼎及其時代

　　《毛詩名物圖說》為（清）徐鼎所撰，鼎字寶夫，又字時東，一作崃東，號雪樵，江蘇吳縣人，優貢生。曹地山（秀山）尚書校士玉峰，鼎詩、古制藝、書畫皆列第一，名噪一時。其書學（宋）黃山谷（庭堅），詩宗唐人，其畫山水，初學（清）謝林村（淞洲）、後宗（明）沈石田（周）。著有《毛詩名物圖說》及《靄雲閣詩文集》。《民國吳縣志》卷七十五有傳[3]，唯不夠詳明，連生卒年都無可考。

　　乾隆年間正值清中葉，是國力鼎盛之時，在學術上也進入了全盛期，亦即乾嘉考據學發達的時期。當時的學者一反啟蒙期漢宋兼宗、經世致用的路線，改為復漢唐之古，對於程朱而得解放，為考據而考據。學術之中堅為經學，治經之利器為語言文字學，治學之範圍則旁及史學、天算、水地、典章制度、律呂、金石、校勘、輯佚、目錄……等等，可稱之為正統派、樸學或漢學。主要分為吳、皖兩派：吳派以惠棟為領袖，江聲、錢大昕、汪中等屬之。主張凡學說出於漢儒者皆當遵守，幾乎到了「凡古必真，凡漢皆好」的地步。皖派則以戴震為領袖，段玉裁、王念孫、王引之最能光大其學。治學實事求是，不主一家，識斷精審，聲勢浩大，有非吳派所能及者[4]。

　　在《詩經》學方面，乾嘉學者最大的功勞在訓詁名物[5]，唯乾隆

3　曹允源、李根源纂：《民國吳縣志》（南京市：江蘇古籍出版社，《中國地方志集成》本，1991年），卷75上，列傳藝術一，頁30。

4　梁啟超：《清代學術概論》（臺北市：里仁書局，2009年初版五刷），頁8-10、29-42。

5　梁啟超：《中國近三百年學術史》（臺北市：里仁書局，2009年初版五刷），頁258-261。

年間，在《毛詩名物圖說》成書之前，重要的《詩經》學著作，如惠棟〈毛詩古義〉、戴震〈毛鄭詩考證〉、段玉裁《詩經小學》、崔述《讀風偶識》、洪亮吉〈毛詩天文考〉、焦循〈毛詩陸璣疏考證〉、王引之〈詩經述聞〉，或尚未出版，或屬零星考證。其皇皇鉅著，蔚為專書者，如胡承珙《毛詩後箋》、馬瑞辰《毛詩傳箋通釋》、陳奐《詩毛氏傳疏》都是到了嘉慶、道光年間才陸續出版[6]。徐鼎的時代約略與乾隆時賢相等，惜未聞彼此之間有何交往，他對清代《詩經》學著作也未嘗有任何引用。至於與《詩經》名物密切相關的本草學及《雅》學著作，如趙學敏的《本草綱目拾遺》、王念孫的《廣雅疏證》、邵晉涵的《爾雅正義》、郝懿行的《爾雅義疏》情況亦復如此。雖然徐鼎對當時的著作置之不論不議，但是其學術蘄向則無疑與當時漢學考證的風氣若合符節，可見時代與個人之間是息息相關的。

（二）《毛詩名物圖說》及其板本

　　乾隆三十六年（1771）辛卯十一月朔，徐鼎為《詩經名物圖說》寫了一篇自序，對成書的緣由有詳細的交代：

> 余丁束髮時，兄授以《毛詩》三百篇，輒遇耳目聞見之物，忻然有所得，乃欲博考名物，蒐羅典籍，往來書肆不憚煩，不揆檮昧，編而輯之，閱二十年矣！猶恐于格致、多識之說未精詳也。凡釣叟、村農、樵夫、獵戶、下至輿臺皂隸，有所聞，必加試驗，而後圖寫，即分注釋于下。異同者一之，窒礙者通之，煩碎者削之，謬訛者正之，穿鑿傅會者汰之，止欲于物辨其名，于名求其義，得詩人類取托咏之旨而後安。比年來家居

---

6 夏傳才：《詩經研究史概要》（臺北市：萬卷樓圖書公司，1993年），頁215-220。

教授，從游者眾，賴諸子相與贊成。時余在中丞幕府，忝居講席，與同學究經義，出示斯編，則見卷首有歸愚沈師（沈德潛）手書「名物一書，傳世之學」數語，即首肯曰：「先生何不壽諸梨棗，以公同好？」嗣又為坊間請梓，因分為九卷，標之曰「名物圖說」。其它禮樂、冠裳、車旌諸圖，後續梓行。先之鳥獸蟲魚草木者，猶《詩》之始〈國風〉，而終〈雅〉、〈頌〉也歟？[7]

此文有幾個重點特別值得留意：其一，作者童年時其兄授以《毛詩》三百篇，即有志於博考名物，到《圖考》殺青，歷時長達二十年。其二，此書不僅博採群籍，而且詢諸芻蕘，甚至親自目驗，始行圖寫、注釋。其三，此書原本包括禮器、樂器、服飾、舟車、旌旗，因尚未寫定，故先將鳥獸蟲魚草木梓行於世。今人王承略為本書點校解說，其〈整理說明〉有云：

> 稿本存（北京）國家圖書館，卷首為凡例、目錄，已殘缺不可讀。正文依鳥、獸、草、木、蟲、魚順序排列，其後是禮器、樂器、雜器、兵器、冠服、衣裳、佩用、車制等圖，皆繪圖於上，圖下作文字考釋，全書圈點塗抹較為嚴重，顯然是未定之本。特別是禮器以下諸圖，往往有其名而無其圖，或有圖而無釋，或僅作極簡略的考釋，明顯處於草創階段。殘存的目錄中提到的定星圖、〈大東〉總星圖、公劉相陰陽圖、十五〈國風〉地理圖等皆未及措手[8]。

7　（清）徐鼎纂輯，王承略點校解說：《毛詩名物圖說‧自序》（北京市：清華大學出版社，2006年），頁1。

8　同前注，〈整理說明〉，頁5。

此書長期經營而未能全部完成，半折心始，真是可惜。幸而草木蟲魚鳥獸部分能先梓行於世，作者心血不致沈埋散佚，也算是大幸。

乾隆三十六年坊刻本，字體、紙墨俱不精，然文字較稿本差別甚大，而義稍勝。全書依序為自序、發凡、總目、正文，正文依鳥、獸、蟲、魚、草、木為序排列，順序與稿本不同。日本早在江戶時代文化五年（1808）就由北條士伸（蠖堂）校刊覆刻（清）養真堂本行世[9]。臺灣則直至一九八〇年才由臺北大化書局將它與淵在寬《陸氏草木鳥獸蟲魚疏圖解》、江村如圭《詩經名物辨解》、岡元鳳《毛詩品物圖考》同時收入《詩經動植物圖鑑叢書》，附小野蘭山和名影印出版。目前最新的版本是二〇〇六年北京清華大學出版的王承略的點校解說本，整體看來，流通並不廣泛。本文即以點校解說本為文本，凡有引用，僅括弧加注卷數、頁碼。

三 《毛詩名物圖說》的內容及體例

《毛詩名物圖說》共九卷，卷一為鳥，卷二為獸，卷三為蟲，卷四為魚，卷五至卷七為草，卷八、九為木。其次第與孔子「多識於鳥獸草木之名」相近，而補足蟲魚，與《爾雅》之草、木、蟲、魚、鳥、獸，三國時陸璣的《毛詩草木鳥獸蟲魚疏》俱有不同。大概是尊聖之故，同時，在生物進化的層次上，動物高於植物吧？

原書卷首有徐氏發凡七條，今據以說明全書內容及體例：

（一）標舉物名

《圖說》先依鳥、獸、蟲、魚、草、木分為九卷，各卷臚舉物名

9　王曉平：《日本詩經學文獻考釋》（北京市：中華書局，2012年），頁398。

為類，其次序依照《詩經》中出現之先後。如鳥部先〈周南‧關雎〉
的雎鳩（卷一，頁7），次〈周南‧葛覃〉的黃鳥（卷一，頁9），次
〈召南‧鵲巢〉的鵲（卷一，頁11）。一物重出者，不復圖說。如黃
鳥首見於〈周南‧葛覃〉，不僅〈秦風‧黃鳥〉、〈小雅‧黃鳥〉、〈小
雅‧綿蠻〉中的黃鳥同物同名，即使〈豳風‧東山〉中的倉庚、〈小
雅‧伐木〉中的鳥嚶，也是黃鳥，都不復圖說（卷一，頁9），僅在首
見時略加交代。至於同名異物者，則各分圖說，如「〈鵲巢〉之鳩為
鳲鳩，〈氓〉之鳩為鶻鵃；〈將仲子〉之杞為杞柳，『南山有杞』、『在
彼杞棘』為梓杞；『集于苞杞』、『言采其杞』、『隰有杞桋』為枸檵；
與〈澤陂〉之蒲為蒲草，入草類，『不流束蒲』為蒲柳，入木類。」
（〈發凡〉，頁3）皆是。

　　原書總目僅舉出卷數和大類，每卷卷前始詳列本卷所收物名，王
承略點校解說本將卷前細目提出，統移置於全書目錄，並於每種物名
之下，加注其所在《詩經》的篇名（〈整理說明〉頁6），頗便於讀者
使用。

（二）安排插圖

　　各卷物名之下，安排相關插圖及文字，《圖說‧發凡》云：「圖說
二者相為經緯，古人左圖右書，良有以也。茲編所輯，置圖於上，分
列注釋於下。」（〈發凡〉，頁3）各物都是圖在上，文在下，體例一致。

　　至於各卷圖文之數量分別為：卷一鳥名三十八，卷二獸名二十
九，卷三蟲名二十七，卷四魚名十九，卷五草名上三十六，卷六草名
中三十一，卷七草名下二十一，卷八木名上二十八，卷九木名下二十
六。亦即動物一一三種，植物一四二種（含草88種，木54種），合計
二五五種。各條一名一物，一物一圖，十分整齊。絕無有圖無文或有
文無圖者；亦無付諸未詳者。

以陸文郁《詩草木今釋》收植物一三二種，潘富俊《詩經植物圖
鑑》收入植物一三五種，高明乾《詩經動物解詁》收動物一一三種衡
之[10]，徐書皆有過之而無不及。雖不能說《詩經》出現之草木蟲魚鳥
獸已悉數收入，但大抵略備，則無可疑。

（三）引用文獻

《圖說》各卷各條皆蒐集眾說，以便考徵，〈發凡〉云：

> 物狀難辨者，繪圖以別之。名號難識者，薈說以參之。爰據
> 《山經》暨唐宋《本草》，有或未備，考州郡縣志，諏之土
> 人，凡期信今傳後云。
>
> 《齊》、《魯》、《韓詩》既亡，毛《傳》孤行。自漢唐諸子分道
> 揚鑣，洎乎紫陽，會稡群言。茲編博引子史外，有闡明經義者，
> 悉捃拾其辭，他若讖緯諸書，概置不錄。（〈原書發凡〉，頁3）

足見經傳子史、漢宋經說、《山經》、《本草》，甚至方志、土人之言，
只要有助於說解者，徐氏無不博蒐慎取。全書引用文獻多達一三六
種，按語所引三十餘種猶不在其內。次序略依時代先後，其徵引最多
者為《爾雅》及古注、郭《注》、邢《疏》三一四次，陸璣《毛詩草
木鳥獸蟲魚疏》一〇八次，陸佃《埤雅》一〇七次，其餘引用較多者
依次為《本草》系列七十九次，《詩經毛傳》六十八次，《詩經孔疏》
五十二次，《說文解字》三十九次，羅願《爾雅翼》三十六次，《禮
記》二十七次，《廣雅》二十一次，蔡卞《毛詩名物解》十九次，崔

---

10 陸文郁：《詩草木今釋》（臺北市：長安出版社，1975年）。潘富俊：《詩經植物圖
   鑑》（臺北市：貓頭鷹出版社，2001年初版9刷）。高明乾、佟玉華、劉坤：《詩經動
   物解詁》（北京市：中華書局，2005年）。

豹《古今注》十八次,《詩經鄭箋》十六次,張華《博物志》十四次,朱熹《詩集傳》十三次,《淮南子》十三次,《經典釋文》十一次,《禽經》十一次。雖未排斥朱《傳》,然引用次數與毛《傳》、鄭《箋》、孔《疏》相較,不過十分之一。與同為宋人著作的《毛詩名物解》相比亦有所不及。而《三家詩》僅取《韓詩章句》二次(卷一,頁19、46)、《韓詩外傳》三次(卷一,頁31;卷六,頁279;卷八,頁343),足見偏重漢學中之古文學。清代著作則一概摒棄不錄,明代著作所取者亦僅楊慎《升庵經說》(卷九,頁404)、魏校《六書精蘊》(卷九,頁427)、毛晉《詩疏廣要》(卷九,頁419)各一次,其餘皆為宋元以前古書,雖未至非三代兩漢之書不敢觀,但確實貴古賤今,與乾嘉考據學中之吳學較為接近,蓋徐氏為吳縣人,地緣使然。

又,〈發凡〉云:「讖緯諸書,概置不錄。」然書中曾錄《易緯‧通卦驗》兩次(卷一,頁54;卷二,頁98)、《孝經緯》一次(卷三,頁167),未免自語相違。

其引書,或並稱作者書名,如師曠《禽經》(卷一,頁7)、范處義《詩補傳》(卷一,頁42);或用作者書名簡稱,如毛《傳》(卷三,頁136)、鄭《箋》(卷五,頁234),或單稱作者,如段成式(卷三,頁166)、歐陽修(卷六,頁294),或單稱書名,如《埤雅》(卷四,頁203)、《廣雅》(卷七,頁318),體例並不一致。

(四)加注案語

徐書在引用文獻之後,除少數例外(如卷一,頁35、40、52),大多加注「愚按」,進行考辨,〈發凡〉云:

　　貉不踰汶,鸜鵒不踰濟,狐不渡江,而南橘不越江,而非地氣

使然也。先儒生長其間，各陳方土之言，不少異同之說。余釐
訂采詩之地，衷之土音，正其訛闕，其疑用「愚按」以備參
考。(〈發凡〉，頁3)

分析案語內容，可得數端言之：

1 解說音義

文獻資料有需校訂解說者，則在案語中說明，如：

> 貏，乃老切，音惱。牝貏也，江東呼為狹狹。狹，音央。狹，
> 音史。皆貏之通名也。(卷二，頁104)
> 龍草而曰「游」，猶松而曰「橋」，詩人取橋、游為義，並非草
> 木之名，故去游，止言龍。(卷六，頁273)
> 「以薅荼蓼」，薅，一作茠，《說文》云：「拔田草也」音義
> 同。(卷七，頁337)

貏，狹、狹皆罕見字，故注明反切或直音，並說明其義，以便解讀。
〈鄭風‧山有扶蘇〉：「隰有游龍」，陸璣《詩疏》、李時珍《本草綱
目》以游龍為蓼，鄭玄《箋》、孔穎達《疏》，則逕以龍為草名，游字
乃枝葉放縱之意[11]。二說不同，徐氏從鄭、孔，不從陸、李。〈周頌‧
良耜〉：「以薅荼蓼」，徐氏據《說文》，以薅、茠為一字之異體，音義
相同。若此者，在《圖說》中不過十餘條。

---

11 吳厚炎：《詩經草木匯考》(貴陽市：貴州人民出版社，1992年) 頁260-262。

2 注明俗名

名物因時空關係，常有古今、南北、雅俗之別。《圖說》注明俗名者不下二十餘次，所以便於世人理解。如：

> 蓋鳧性沈汲，與波上下，數百為群飛，聲如風雨暴至。今俗呼為「野鴨陣」，以其狀類鴨也。（卷一，頁33）
> 今吳中呼葉為荷葉，華為荷華。而舊說北方或以藕為荷，或以蓮為荷，蜀人以藕為茄，或用根、子為母、葉號，此皆習俗傳訛也。（卷六，頁271）
> 秀而不實者曰莠，故字從草、從秀。穗長多毛，其形象狗尾，今吳中呼為狗尾草。（卷六，頁280）

野生者為雁、鳧，豢養者為鵝、鴨，故俗呼群鳧為野鴨陣。依《爾雅・釋草》，荷為全株之共名，其根為藕，其莖為茄，其實為蓮，皆部分之專名[12]，方俗常將共名、專名相混，故徐氏以為非是。莠廣布世界各地，中國南北均有，（宋）羅願《爾雅翼》已稱之為狗尾草，今之學名更屬之禾本科，狗尾草屬之狗尾草，不僅吳中為然。《圖說》提及之俗名，以出於吳中者居多。

3 考辨名實

正名實為先秦諸子語言觀的核心，也是名物學研究的首要之務。但正如荀子所言：「名無固宜」、「名無固實」[13]名實之考辨殊非易事，

12　（清）郝懿行：《爾雅義疏・釋草》（臺北市：中華書局《四部備要》本，1966年），卷下之一，葉18。

13　（清）王先謙：《荀子集解・正名篇》（臺北市：藝文印書館，1988年），頁586。

必須依靠對動植物性狀的精確描述，而不能使用簡單的異名對位。
《圖說》對此也常特別著墨，如：

> 或問于余：「舊說鯊有二種。海中鯊，一名虎頭，形大，鱉
> 足，皮可為刀、劍鞘。〈魚麗〉之鯊，乃南方溪水中吹沙小
> 魚。同名異物乎？」曰：「然，〈魚麗〉之鯊从沙、从魚，連
> 文；海中，直名沙魚也。」（卷四，頁187）
> 陸璣所稱葉似豫章者，與吳中梅樹全不相似，定是一種楠，木
> 材可以為棺、舟。……蓋草木同名異類者多，如一杞而有三
> 種，一桐而有四類，人多混〈摽有梅〉與此為一，盍將陸璣之
> 《疏》參之？（卷九，頁394）

草木蟲魚鳥獸同名異實者多，如〈小雅·魚麗〉之鯊為吹沙小魚，海
中鯊為虎頭大魚；〈召南·摽有梅〉之梅為薔薇科梅屬，〈秦風·終
南〉之楠為樟科楠木，徐氏皆區分清楚。又如：

> 〈夏小正〉謂伯鷯，《詩》謂鵙，《春秋傳》謂伯趙，《詩疏》
> 謂博勞、〈釋鳥〉謂伯勞，《孟子》謂鴂，皆指此鳥。今吳中呼
> 為伯勞。（卷一，頁42）
> 楚者，楚地所出，一名荊，故又號荊楚，亦以此木得名。謂之
> 牡者，以其枝不蔓生，對蔓荊而言，非無實之謂牡也。古者刑
> 杖以荊，故荊字从刑。（卷八，頁345）

鵙有伯鷯、伯趙、博勞、伯勞、鴂等異名；楚有荊、牡荊等異稱，其
實皆異名同實。徐氏或歷考古今異稱，或言其得名之故，亦言之至
瞭。又如：

朱《傳》謂：「斯螽、莎雞、蟋蟀一物，隨時變化而異其
名。」然非一物也。自五月動股，六月振羽，至八、九月間尚
有聲，未必隨時速化。鄭《箋》云：「言此三物如此，著將寒
有漸。」則明是三物無疑矣。斯螽說見〈周南‧螽斯〉，蟋蟀
見〈唐風〉。（卷三，頁148）
女蘿、菟絲是二物，唐乃菟絲，非女蘿也。《埤雅》云：「在草
為菟絲，在木為女蘿。」二物殊別，皆由〈釋草〉誤為一物故
也。（卷五，頁243）

斯螽、莎雞、蟋蟀，朱《傳》以為一物；女蘿、菟絲，《爾雅‧釋
草》牽合為一。徐氏據鄭《箋》、《埤雅》進行考證，以為數者區分畛
別，不可誤為異名同實。

4 區分品種

生物之品種十分龐雜，同一科屬往往還可能因大小、性別、性
狀、產地、功用等而再細分許多種，《圖說》云：

《詩》有赤豹，《山海經》幽都之山有玄豹，《爾雅》有白豹，
《洞冥記》有青豹。《本草》云：「文如錢者名金錢豹，如艾葉
者名艾葉豹。」又西域有金線豹，此皆別毛色異其名也。（卷
二，頁123）
蓋稻字从禾，以種通其稱。粳、糯字从米，以色味別其名也。
（卷六，頁289）
又據《本草》，秦椒出太山，蜀椒出武都，蔓椒生雲中，胡椒
生西戎。今此詩作于晉人晉地，西界接秦，其所言者，疑秦椒
也。（卷八，頁384）

豹因毛色而有赤豹、玄豹、白豹、青豹、金錢豹、艾葉豹、金線豹
之別；稻因米不黏與黏而有粳、糯之殊；椒因產地而有秦椒、蜀椒、
蔓椒、胡椒之異，其種類可謂不少。若斯之比，在《圖說》中不下二
十見。

5 描述性狀

不同品種之動植物在形狀、大小、色味、生長過程、習性、產
地、用途等方面往往各有不同，故歷代學者如陸璣、郭璞、陸佃、羅
願、朱熹、李時珍等對名物或多或少有所描述。徐氏在徵引之餘，間
亦根據田野調查，加以補充，如：

> （貉）蓋其形似狐狸，非即訓狐狸也。生山野間，頭銳，鼻
> 尖，毛黃褐色，其皮溫厚可為裘，故孔子「狐貉之厚以居」。
> 穴處，晝伏，夜出捕食。性嗜睡，人或畜之，以竹叩醒，已而
> 復寐。（卷二，頁107）
> 葛根外白內紫，其葉三尖，其花累累成穗，紅紫色，其子色
> 綠，績其皮以為布。（卷五，頁211）
> （諼草）五月抽莖，開花六出四垂，朝開暮蔫，花有紅、紫、
> 黃三色，結實三角，今人採其花跗，令乾，貨之名黃花菜。
> （卷五，頁257）

對貉之形狀、習性，葛及諼草之生態、用途均有簡明介紹，雖不如今
日動、植物專書之面面俱到，已足以補徵引文獻及插圖之不足，使讀
者有較具體之印象。

6 闡發詩意

草木鳥獸蟲魚作為《詩經》的主要意象，與詩意的表達、情感的抒發自然大有關係，《圖說》云：

> 鳶性高翔，故〈四月〉云：「翰飛戾天」，〈旱麓〉云：「鳶飛戾天」，其性然也。曰：「匪鶉匪鳶，翰飛戾天」者，喻君子遭禍，無所逃也。曰：「鳶飛戾天，魚躍于淵」者，以鳶魚之得其性，喻君子作人，俾之各得其所也。（卷一，頁61）
> 鄭于蓫、蕾並言仲春可采，以記昏姻之候。而毛《傳》並云惡菜，以喻遇人不淑意。（卷七，頁321）
> （〈周南・桃夭〉）詩先言華，次實，次葉，何也？蓋詩人之語極有次第。桃當仲春時華先盛；華落則結實，葉尚未茂；厥後其葉蓁蓁而盛，故終言葉也。（卷八，頁343）

根據鳶鳥高飛之性，蓫、蕾可採之候及其色味良窳，桃樹生長之過程以解說詩意，甚至言其比興，揭其異說，誠如徐氏〈自序〉所云：「不辨其象，何由知物；不審其名，何由知義？」（〈自序〉，頁1）〈發凡〉所云：「顧不辨名，胡知是義；不見物，胡知是名？」（〈發凡〉，頁3）對讀者之了解詩意，確實有所助益。

7 評隲得失

《圖說》博引文獻，所以考物之名實，明名之性狀，進而為解《詩》一助，但眾說紛紜，難免有相互衝突矛盾之處，此時如何評其短長，定其取捨，對研究者，就是一大考驗了。《圖說》云：

騶虞一說，聚訟紛紛。……蓋眾說所起，皆由於〈射義〉：「樂官備也」一語。……雖騶虞之獸不見《爾雅》，而太公《六韜》、《淮南子》並稱文王拘羑里，散宜生得騶虞獻紂。及按之《山經》，諸儒之說不為無據。（卷二，頁91）

諸說在草澤中者曰蠑螈、蜥蜴，在壁間曰蝘蜓、守宮。……蜴是蠑螈之類，非蝘蜓、守宮也，因說蜴而兼及之焉。（卷三，頁155）

稂非野草，亦草類也。《本草》謂之「狼尾草」。鄭《箋》云：「稂當作涼。涼草，蕭蓍之屬。」《正義》曰：「〈釋草〉不見草名『涼』者，未知鄭何所據？」愚以為經明言稂，不必作別字解。（卷六，頁298）

騶虞，或釋為義獸，或釋為虎，或釋為天子掌鳥獸之官，或釋為以掌鳥獸官指代獵人，說解不一。徐氏經仔細辨正，同意義獸之說[14]。《爾雅·釋魚》以遞訓方式將蠑螈、蜥蜴、蝘蜓、守宮並列於同一訓列[15]，殊不知數者外形雖近，大小懸殊，棲地不同，實非一物[16]，故徐氏斷定蜴是蠑螈之類，非蝘蜓、守宮之屬。稂為狼尾草，鄭《箋》改稂為涼，徐氏評其無據。徐氏之說未必皆為定論，但自有其見地。

　　除了上述七項外，一物重出者在案語中常交代「不復圖說」（如黃鳥〔卷一，頁9〕），遇有物種相類（如鴻雁〔卷一，頁22〕），或同物異名者（如馬、騮、駱……〔卷二，頁81〕）亦仿之，已見於上文（一）標舉物名，不復贅。

---

14 同注7，頁92。

15 同注12，卷下之四，葉9。

16 施孝適云：「根據現代動物學的分類，蠑螈屬兩棲綱，有尾目，蝘蜓、蜥蜴、壁虎屬爬行綱有鱗目。守宮為壁虎的別名。古人因為牠們形體相似遂誤認為一物。」見施孝適：〈爾雅蟲魚名今釋〉（《大陸雜誌》第81卷第3期，1990年），頁141。

四 《毛詩名物圖說》評論

（一）《毛詩名物圖說》之特色

1 體例畫一

徐氏在《圖說》卷首揭櫫〈發凡〉七則，如言其圖說相為經緯，圖上說下；言一物重出，不復圖說，同名異物，各分圖說；言廣採文獻，諏之土人以參之；言以「愚案」加以折衷補苴，以備參考；言詳加校讎，避免訛誤等。除少數例外，如言其不錄讖緯，而實採及〈易通卦驗〉、〈孝經緯〉外，多能嚴格遵行，與古代一般著述或漫無體例，或條例隱藏不顯者相較，確實彌足珍貴。

2 宗主漢學

滿清入關之後，大儒如顧炎武、黃宗羲等力矯晚明王學末流空疏之弊，但著述談說往往出入漢宋。乾隆之初，惠、戴崛起，漢幟大張，考據訓詁之學日盛，宋學遂闇然不彰[17]。《詩經》學亦復如此。《圖說》成書之時，正是漢學昌熾之際，當然也沾染了時代風氣。徐氏雖未表明自身的學術立場，但觀其引用文獻，朱熹《詩集傳》僅十三次，不及毛《傳》、鄭《箋》、孔《疏》的十分之一，則知其嚴重失衡。對於《集傳》之說，《圖說》同意者固然不少，而駁斥不取者間亦有之，如：

> （流離）毛《傳》：「流離，鳥也。少好長醜。」……朱子《集傳》云：「流離，漂散也。」……蓋說《詩》者多宗毛《傳》，似有確據，不得以朱《傳》而少之。（卷一，頁24）

---

17 同注4，頁58。

（鷗鶋）朱《傳》云：「鶝鶋」，《爾雅》：「鶿，鶝鶋。」郭
云：「鶝鶋」，則鶝鶋又是一種，非即鷗鶋也。（卷一，頁44）

（宵行）朱子《集傳》：「宵行，蟲名。如蠶，夜行，喉下有光
如螢。」……諸說紛紛，當以朱《傳》為允。（卷一，頁153）

前兩則據毛《傳》、《爾雅注》反對朱說，後一則則肯定朱《傳》，且
凡引朱說，多稱之為朱子，足見對朱說並無特殊好惡，態度客觀，亦
符合漢學求真求是之精神。

再觀其書內容，特重訓詁考據，引用陸璣《詩疏》、《雅》學、
《本草》系列及《說文》之說多達六百餘次，與洪湛侯所謂的「詩經
清學」四點特色：訓詁成績卓著，篇義以古為尚，揭示古音規律，憑
藉證據立論相較，[18]除不談古音外，亦大致相合，足見其漢、宋立場
實昭然若揭。

3 繁簡適中

《圖說》全書二五五則，最短者僅三十餘字（如薁〔卷六，頁
302〕、萊〔卷七，頁317〕），最長者亦不過五百餘字（如騶虞〔卷
二，頁91〕）；引證最少者僅一家（如烏〔卷一，頁26〕、馬〔卷二，
頁81〕），最多者不過九家（如鷹〔卷一，頁69〕、螽斯〔卷三，頁
129〕）。一般說來，大約兩百餘字，引證三、四家者居多，可說繁簡
適中，修短合度，引證足以廣見聞而無炫博之失，論述足以暢其意而
無枯窘之虞。例如：

（柳）毛《傳》：「柳，柔脆之木。」《說文》：「小楊也。本作

---

18 洪湛侯：《詩經學史》（北京市：中華書局，2002年），頁497-501。

柳，从木，丣聲。」《集傳》:「楊之下垂者，柔脆之木也。」《埤
雅》:「柳，易生之木，與楊同類，縱橫顛倒植之，皆生。」《唐
本草注》:「柳與水楊全不相似，水楊葉圓闊而赤，枝條短硬，
柳葉狹長青綠，枝條長軟，陶云『柳即水柳』，非也。」愚案：
今吳中呼為楊柳，其實枝條揚起者為楊，枝葉下垂者為柳，各
不同也。惟其枝條柔軟，故折柳可為樊篙。（卷八，頁378）

短短百餘字，引證五家，而柳樹之異稱、性狀、功用、與楊之異同，
與水楊之區別，皆言之甚瞭，真是言簡意賅。

4 重視目驗

　　草木蟲魚鳥獸之研究在今日為生物學，是自然科學的一個領域。
科學首重觀察實驗，不能僅憑紙面資料的檢索、堆砌，而應走出書
房，到田野進行實地調查，再回過頭來，與紙面上的資料進行參證。
古代名物學家如陸璣、郭璞、羅願、李時珍，下至清代的程瑤田、段
玉裁、王念孫、郝懿行無不重視耳目觀察的重要性。徐鼎也說：

　　　猶恐于格致、多識之說未精詳也。凡釣叟、村農、樵夫、獵
　　　戶，下至輿臺皂隸，有所聞，必加試驗，而後圖寫，即分注釋
　　　于下。（〈自序〉，頁1）

足見他是何等虛懷若谷，不恥下問。所以在《圖說》中有不少資料應
是他耳目見聞所得，舉凡「吳中」云云、「今俗」云云，大概都是這
類考察的記錄，例如：

　　　（烏）純黑者謂烏，即「莫黑匪烏」是也。小而腹下白者謂雅

烏。《爾雅》云:「鸒斯,鵯鶋」,郭璞云:「雅烏即〈小弁〉之鸒斯」是也。又有一種白脰烏,即慈烏,是反哺孝烏也。以吳地所產驗之,有此三種烏,即今呼謂老鴉也。(卷一,頁26)

(魟)魟魚所處有之,腹內有肪,味最腴,今吳中呼為鯿魚。(卷四,頁173)

(穀)楚人呼乳為穀,今木中白汁如乳,故亦名穀。吳俗取斧斫樹,以椀盛汁,用以團金,呼為穀樹汁。惡木易生,皮斑者為楮,白者為穀,其實如楊梅,不可食。(卷九,頁409)

分烏為三種,言魟魚味最腴,穀樹有汁,實不可食,可補徵引文獻之不足,蓋皆親眼所見,親耳所聞,甚至親口所嘗,故能言之親切有味如此。

5 考辨用心

名物有同名異實、異名同實,以致名實混淆不清者;亦有名實迥然不同,而張冠李戴者。古來文獻雖多有解說,然有時眾說紛紜,益增考辨之困難,此則有賴於研究者細心、耐心地加以釐清了。《圖說》云:

(雎鳩)師曠《禽經》:「魚鷹也,亦曰白鷢,亦名白鷢。」……白鷢似鷹而非梟。〈釋鳥〉:「雎鳩,王雎」、「楊鳥,白鷢」,各一種。朱《傳》亦云:「水鳥,狀類鳧鷖。」若錢氏《詩詁》為杜鵑,或謂似鴛鴦者,並謬。(卷一,頁7)

(葭)葭類不一,其實三種:中空、皮薄、色白者,葭也,蘆也,葦也。因其始生、未秀、長成,故異其名,一也;似葦而小,中空、皮厚、色蒼者,菼也,薍也,蒹也,荻也,可為曲

薄者，一也；似葦而細，高數尺，而中實者，蒹也，今以之作
廉蒲，一也。其莖皆如竹，其葉皆如箬，其華皆名芀。……
《詩》中所稱有五：葭與葦也，蒹也，菼與萑也。讀者不辨，
何怪舛訛。（卷五，頁228）

（萑）今益母草有紅、白花二種：紅花者，即《爾雅》所謂
「蘈」也；白花者，即《爾雅》所謂「萑」也。莖葉相類，生
川谷間，性宜卑濕。（卷五，頁263）

睢鳩即魚鷹，而非宋人錢文子《詩詁》所言之杜鵑，或世人所謂似鴛
鴦者，此與李時珍及今人顏重威、高明乾所言相合[19]。《詩經》中葭、
葦、蒹、菼、萑，讀者常混為一談，徐氏詳加考辨，區分為三，葭與
葦一類，即今之蘆葦，禾本科，蘆葦屬；菼與萑一類，即今之荻，禾
本科，芒屬，此皆與今人陸文郁、潘富俊、吳厚炎所考相合。唯徐氏
謂蒹自為一類，與今人以為蒹即荻之未秀者，不甚相同[20]，然徐氏區
分如此之細，誠屬不易。蘈與萑，徐氏以為同為益母草，因花色不同
而有二名，所說與《本草綱目》相同[21]，而更為簡明。上列三例，皆
顯示徐氏考辨之用心。

6 闡發詩意

　　上文三節（四）之六曾言及《圖說》案語中常有闡發詩意者，其

19　（明）李時珍：《本草綱目》（臺北市：鼎文書局，1973年），頁1481。顏重威：《詩
　　經裡的鳥類》（臺中市：鄉宇文化事業公司，2004年），頁15。又高明乾，同注10，
　　頁2。

20　陸文郁，同注10，頁15、35。又，潘富俊，同注10，頁58、102。又，吳厚炎，同注
　　11，頁86、87。

21　李時珍云：「凡物，花皆有赤白……，萑、蘈名本相同，但以花色分別之，其為一物
　　無疑矣！」同注19，頁555。

實在徵引文獻中亦常摘錄有關詩旨、比興之類的資料，此亦其書之一大特色，如：

> （桃蟲）《埤雅》：「……《詩》曰：『肇允彼桃蟲，拚飛維鳥。』言成王懲管、蔡之亂，于是始信小物之能成大，不敢不慹也。」（卷一，頁70）
>
> （蜉蝣）《名物解》：「蜉蝣，輕也。朝生暮死，故謂之渠略，生于夏月陰陽氣之卑濕而浮游者，故其為物不實而小。曹君無篤厚之德而從其小體，若此刺其甚矣！」（卷三，頁142）
>
> （鱮）《正義》：「……《箋》以一鱮若大魚，則強筍亦不能制，不當以敝敗為喻。言小魚易制，喻文姜易制。」（卷四，頁178）

所引文獻，分別論及〈周頌‧小毖〉、〈曹風‧蜉蝣〉、〈齊風‧敝笱〉之詩旨或比興，各家所言，與《毛詩》之〈詩序〉、《傳》、《箋》頗為吻合，如〈小毖〉箋云：「毖，慎也。天下之事當慎其小，小時而不慎，後為禍大，故成王求忠臣早輔助己為政，以救患難。」〈蜉蝣〉序云：「刺奢也。昭公國小而迫，無法以自守，好奢而任小人，將無所依焉。」〈敝笱〉序云：「刺文姜也。齊人惡魯桓公微弱，不能防閑文姜，使至淫亂，為二國患焉。」[22] 足見徐氏之論詩意，乃以漢學之古文家為宗尚。其引宋人蔡卞《毛詩名物解》之說多達十九次，超過主張廢〈序〉之朱熹《詩集傳》，殆亦以其說《詩》多本《毛詩》之故。

22　（漢）毛亨傳、鄭玄箋，（唐）孔穎達疏：《毛詩正義》（臺北市：藝文印書館，1985年），頁745、268、198。

（二）《毛詩名物圖說》之疏失

1 插圖稍粗

徐鼎名列《民國吳縣志》藝術列傳，工書畫，惜其丹青墨寶今日已不易得。而《毛詩名物圖說》保存其插圖二五五幅，誠屬彌足珍貴。唯國畫以見意為高，動植物之生態圖則以逼真為尚。西畫之透視工筆，纖毫畢現者最適宜使用於近世生物學。若以此為標準衡之，徐氏所繪草木蟲魚鳥獸諸圖難免稍嫌粗略。此或與康熙四十六年（1707）滿清閉關自守後，郎世寧之流的工筆畫更難流行有關。茲錄《圖說》插圖四幅：舜（卷八，頁377）、鴻雁（卷一，頁22）、鱯（卷四，頁185）、鯊（卷四，頁187），試與下欄岡元鳳《毛詩品物圖考》各圖相對照，則知岡書所以通行甚廣，蓋以其工筆摹繪，賞心悅目，易於吸引讀者。

2 論斷有誤

　　徐書沈潛鑽研長達二十餘年，插圖雖不及岡書精細，資料之豐贍，考辨之精確，則非岡書所能及，唯百密一疏，論斷有誤者亦在所難免，如：

> （雉）上雉是雄，此雉是雌。……求其雄，淫也；更求其牡，亂也。（卷一，頁21）
> （鷺）楚威王時，有朱鷺合沓飛翔而來舞，則復有赤者，舊鼓吹〈朱鷺曲〉是也。（卷一，頁74）

〈邶風・雄雉〉寫雄雉，〈邶風・匏有苦葉〉寫雌雉，兩者外貌不同，徐氏乃析為二則，分別圖說，未免分之過細。且謂求雄為淫，求牡為亂，以人類男性社會標準評論鳥獸，宜乎王承略評其求之過深[23]。〈陳風・宛丘〉之鷺即鷺鷥，全身潔白，又名白鳥。朱鷺與白鷺雖同屬鸛形目、鷺科的中型涉禽，但王承略云：「實則朱鷺與白鷺外形有較大差異，朱鷺嘴長而下曲，黑色，腳粗短，肉色，羽毛白，略帶淡紅，故又名紅鶴。」[24]徐氏牽合為一，未免疏於區隔。又如：

> （鴞）鴞，惡聲之鳥。《爾雅》曰：「梟鴟」，即此鴞也。梟與鴞音相近。……俗說以為鴞即土梟，非也。蓋土梟，《爾雅》自謂之鸋鴂，即《詩》「流離之子」也。……然則梟也、鴞也、鴟也，一物也。陸《疏》以鴞為鵩者，非。（卷一，頁38）

23　同注7，頁21。
24　同注7，頁75。

梟、鴞、鴟三者同為鳥綱、鴞形目、鴟鴞科猛禽，故徐氏以為一物。
然鴟鴞科有二十二屬，一六〇種，單是中國就有十一屬，二十七種[25]。
早在明代，李時珍即云：「鴟與鴞，二物也，周公合而詠之，後人遂
以鴟鴞為一鳥，誤矣！」[26]蓋鴟是日出性的猛禽，如鷹鷲類，而且有
好幾種；鴞是夜出性的猛禽，同樣也有好幾種[27]。近代學者亦往往分
之，如高明乾以為梟又名鴞、流離、土梟，即長尾林鴞，鴟鴞即斑頭
鵂鶹，鴟即普通角鴞，三者相近而不相同[28]，較徐氏混同為一者縝密
而合理。

3 拆駢為單

在漢語中，複詞主要分成衍聲複詞和合義複詞。聯綿詞是一種重
要的衍聲複詞，雖有兩個音節，卻只有一個詞素。其特徵為：（1）在
語音方面，上下二字往往有雙聲或疊韻的關係，已突破表意文字的藩
籬，成為標音的符號。（2）在詞義方面，義存乎聲，而不存乎形，不
可分開解釋。（3）在字形方面，字隨音轉，形體常不固定。清代以
前，大家對聯綿詞不夠了解，常會將它當作合義複詞，拆開來解釋，
以致鬧了許多笑話，徐氏也不例外，如：

> （狼）狽足前短，能知食所在，狼足後短，負之而行，故曰狼
> 狽。（卷二，頁100）
> （蟋蟀）陰陽率萬物以出入，至于悉蟀，帥之為悉，蟋蟀能帥
> 陰陽之悉者也。（卷三，頁140）

---

25 同注10，高明乾，頁77。
26 同注19，李時珍，頁1482。
27 同注19，顏重威，頁41。
28 同注10，高明乾，頁77、178、314。

（茹藘）草之盛者為蒨。牽別為茹，連覆為藘，故名茹藘。
（卷六，頁274）

狼狽，非雙聲非疊韻，又做狼貝；蟋蟀，疊韻，又作悉蟀、蟋蟀、螅
蟀；茹藘，疊韻，又作蒤藘，轉作蒤蘆。既收入《新編聯綿詞典》[29]，
又有各種異文，其為聯綿詞應無疑義，而徐氏逐一依字面分析，牽強
附會，難免見笑於方家。即以狼而言，凶狠矯捷，從未聞有後足短
小，賴狽而行者，而所謂狽者，不過是虛構的動物而已。其他如釋即
令（卷一，頁50脊令）、鴛鴦（卷一，頁63）、蜉蝣（卷三，頁142）、
蜘蛛（卷三，頁152蠨蛸）等也都有類似毛病，不贅。

4 信偽迷真

徐氏腹笥甚深，徵引極廣，然有時囿於時代，不知抉擇，致蹈
《孟子》：「盡信書，不如無書。」[30]之譏，例如：

（牛）馬屬陽，牛屬陰，故乾為馬，坤為牛。（卷二，頁94）
（羆）熊羆皆壯毅之物，屬陽，故《書》以喻不二之臣，
《詩》以為男子之祥也。（卷二，頁115）
（豕）豕，水畜也，故《易》曰：「坎為豕。」（卷二，頁119）

物有雌雄，性有剛柔，然必分獸之陰陽，甚至援引〈說卦〉乃至五行
以說之，亦殊無謂。又如：

---

29 高文達主編：《新編聯綿詞典》（鄭州市：河南人民出版社，2001年），頁227、445、
364。
30 《孟子・盡心下》，同注1，頁308。

（鳳凰）蓋鳳總凡鳥也。雄曰鳳，雌曰皇，色備五彩，音中六律，天下文明之物也。（卷一，頁72）

（騶虞）雖騶虞之獸不見《爾雅》，而太公《六韜》、《淮南子》並稱文王拘羑里，散宜生得騶虞獻紂。及按之《山經》，諸儒之說不為無據。（卷二，頁92）

（蜮）前闊後狹，頗如蟬狀，故《抱朴子》言「狀如鳴蜩也。」腹軟背硬，有如鱉，故陸璣言「形如鱉也。」（卷三，頁160）

鳳凰、騶虞、蜮皆傳說之物，而繪聲繪影，解說之餘，復圖其形，此在誌異之書則無妨，在徵實之籍則不宜。誠如其說，則龍亦見於〈秦風‧小戎〉，〈小雅‧蓼蕭〉、〈周頌‧載見〉[31]，《圖說》何以不錄？王承略評其「為傳說中的鳳凰、麟繪圖，則顯得近乎迂腐，畫蛇添足。」[32]所言甚是。至如高明乾列為「傳說中的動物」，附於全書之末[33]，則無可議。又如：

（鶬）蓋倉庚知分，鳴鶬知至，故陽氣分而倉庚鳴，可蠶之候也；陰氣至而鶬鳴，可績之候也。（卷一，頁42）

（宵行）宵飛，腹下光者，〈月令〉所謂「腐草化為螢」是也；長如蛆蠋，尾後有光，無翼，不飛者，即宵行也，俗名螢蛆，《明堂月令》所謂「腐草化為蠋」是也。（卷三，頁153）

（蜾蠃）諸說不同，或謂捕蟲為糧，或云祝為己子，蓋物類變

---

31 同注22，頁237、349、735。

32 王承略：〈毛詩名物圖說提要〉，夏傳才、董治安主編：《詩經要籍提要》（北京市：學苑出版社，2003年），頁222。

33 高明乾，同注10，頁327-332。

化不可度。蚱蟬生于轉丸，衣魚生于瓜子，則桑蟲之化為蜂，
不足異也。（卷三，頁158）

倉庚、鵙之鳴，猶正月梅、杏之開花，八月栗實之成熟，乃是物候之
有定時者，是一種自然現象，並非禽鳥具有知分、知至的特異功能。
腐草化為螢，蜾蠃以螟蛉為子，都是古人觀物不夠精細的錯誤，《圖
說》引陶弘景之說（卷三，頁158）已證其非，而徐氏還在大談物類
變化，真是膠柱鼓瑟。

五　結論

經由以上的論述，可以發現：

（一）徐鼎的《毛詩名物圖說》是現存最早的圖文並茂的《詩
經》名物著作。成書於乾隆三十六年，受時代風氣影響，所以偏重漢
學的訓詁考據，資料豐贍，考辨精確，頗有學術價值。

（二）《圖說》內容涵蓋《詩經》草木蟲魚鳥獸二五五種的考據
及插圖。編排體例可分為標舉物名、安排插圖、引用文獻、加注案語
四項。案語中又包括解說音義、注明俗名、考辨名實、區分品種、描
述性狀、闡發詩意、評騭得失。體例嚴謹，條理井然，就二百餘年前
之古書而言，誠屬難能可貴。

（三）全書有體例畫一、宗主漢學、繁簡適中、重視目驗、考辨
用心、闡發詩意六大特色，但亦有插圖稍粗、論斷有誤、拆駢為單、
信偽迷真等四項疏失。整體而言，瑕不掩瑜，手此一編，對《詩經》
之欣賞與研究皆大有助益。如能持與岡元鳳的《毛詩品物圖考》參觀
比較，甚至以現代學者之研究成果詳加檢覈，當更能突顯二書之異同
與得失。

《毛詩名物圖說》與
《毛詩品物圖考》異同論

一　前言

　　人類俯仰天地之間，生命之所賴，生活之所資，無不與天文、地理、動植物、器物等息息相關，故發而為文，名物詞彙往往奔馳於筆端而不自覺。但名物有名實之殊，古今雅俗之變，隔時異地，有時就難以知曉。是以有名物就不能不有訓詁，名物訓詁在古籍訓詁中往往居其半，其重要性由此可見。唯名物之考釋，若徒託空言，無論對其名稱、性狀等描述得如何詳細，終究只能托諸懸想，而無法使讀者有具體的認識。早自漢代，即有鄭玄、阮諶《三禮圖》，晉有郭璞《爾雅圖》十卷、《爾雅圖讚》二卷，梁有《毛詩圖》三卷，唐有《毛詩草木蟲魚圖》二十卷[1]，經籍之有圖，可說由來已久。可惜這些古圖均已亡佚，今所得見者，如聶崇義之《三禮圖集注》二十卷、楊復之《儀禮圖》十七卷、託名郭璞之《爾雅音圖》三卷，皆是趙宋以後之書，至於《毛詩》之圖考，在中土首推徐鼎之《毛詩名物圖說》（1771），在東瀛則數岡元鳳之《毛詩品物圖考》（1785），二書圖文互為經緯，時代如此接近，性質如此相類，要皆為研讀《詩經》時不可不備之要籍。可惜世人徒聞其名而罕究其書，余秉承孔子「多識於

1　（日本）岡元鳳：《毛詩品物圖考》（臺南市：新世紀出版社，1975年），卷末木孔恭跋，頁1。

鳥獸草木之名」(《論語‧陽貨》)之教,曾先後完成〈毛詩品物圖考述評〉、〈毛詩名物圖說述評〉二文略加闡發。[2]意猶未盡,覺得有將二書排比並論之必要,故續撰此文,以見其異同。就犖犖大端而言,二書可分為五同十異。以下先介紹其人其書,繼而比較其異同。

二　徐鼎罔元鳳其人及其書

(一)徐鼎及其《毛詩名物圖說》

徐鼎,字寶夫,又字時東,一作峙東,號雪樵,清江蘇吳縣人,優貢生。曹地山(秀山)尚書校士玉峰,鼎詩、古制藝、書畫皆列第一,名噪一時。其書學(宋)黃山谷(庭堅),詩宗唐人,其畫山水,初學(清)謝林村(淞洲),後宗(明)沈石田(周)。著有《毛詩名物圖說》及《靄雲閣詩文集》。《民國吳縣志》卷七十五有傳。[3]唯不夠詳明,連生卒年都無可考。

鼎之時代,正值清中葉,是國力鼎盛之時,在學術上也進入了全盛期,亦即乾嘉考據學發達的時期,無論吳派、皖派、揚州學派,皆以語言文字學為利器,宗尚漢學,實事求是,為考據而考據,名家輩出,成績十分輝煌。在《毛詩名物圖說》成書前後,重要的《詩經》學著作,如惠棟〈毛詩古義〉、戴震〈毛鄭詩考證〉、段玉裁《詩經小學》、崔述《讀風偶識》、洪亮吉〈毛詩天文考〉、焦循〈毛詩陸璣疏

2　莊雅州:〈毛詩品物圖考述評〉,中國經學研究會第8屆中國經學國際學術研討會論文(臺北市:臺灣大學中國文學系,2013年),頁41-56。又:〈毛詩名物圖說述評〉,中國訓詁學會第11屆中國訓詁學國際學術研討會論文(臺南市:嘉南藥理科技大學,2013年),頁1-17。

3　曹允源、李根源纂:《民國吳縣志》(南京市:江蘇古籍出版社,《中國地方志集成》本,1991年),卷75上列傳藝術一,頁30。

考證〉，王引之〈詩經述聞〉，或尚未出版，或屬零星考證，惜未聞徐
鼎與時賢之間有何交往，他對清代《詩經》學著作也未嘗有任何引
用，至於與《詩經》名物密切相關的本草學及《雅》學著作亦復如
此。雖然徐鼎對當時的著作置之不論不議，但是其學術蘄向則無疑與
當時漢學考證的風氣若合符節，可見時代與個人之間是息息相關的。

乾隆三十六年（1771）辛卯十一月朔，徐鼎為《詩經名物圖說》
寫了一篇自序，對成書的緣由有詳細的交代，其要點有三：其一，作
者童年時其兄授以《毛詩》三百篇，即有志於博考名物，到《圖說》
殺青，歷時長達二十年。其二，此書不僅博採群籍，而且詢諸芻蕘，
甚至親自目驗，始行圖寫、注釋。其三，此書原本包括禮器、樂器、
服飾、舟車、旌旂，因尚未寫定，故先將鳥獸蟲魚草木梓行於世。[4]

坊刻本行世之後，日本早在江戶時代文化五年（1808）就由北條
士伸（蠖堂）校刊覆刻（清）養真堂本行世。[5]臺灣則直至一九八〇
年才由臺北大化書局收入《詩經動植物圖鑑叢書》影印出版。目前最
新的版本是二〇〇六年北京清華大學出版的王承略的點校解說本，整
體看來，流通並不廣泛。本論文即以點校解說本為文本，凡有引用，
僅括弧加注卷數、頁碼。

（二）岡元鳳及其《毛詩品物圖考》

岡元鳳（1737-1786），日本浪華河內（大阪府東部）人，字公
翼，通稱慈庵、尚達、元達，號白洲、澹齋、魯庵、隔九所。生於櫻
町天皇元文二年（清乾隆2年丁巳），卒於光格天皇天明六年（清乾隆
51年丙午），年五十。自幼有神童之稱，以醫為業，嗜物產學，雜植

---

4 （清）徐鼎纂輯，王承略點校解說：《毛詩名物圖說·自序》（北京市：清華大學出
版社，2006年），頁1。

5 王曉平：《日本詩經學文獻考釋》（北京市：中華書局，2012年），頁398。

藥草於庭園，又善於詩，有片山北海之混沌社，頗為著名，受文辭於菅谷甘谷。主要著作為《毛詩品物圖考》。[6]

　　岡元鳳之時代與徐鼎相近，正值乾隆年間，中國著名的《詩經》學、《雅》學、《本草》學者和他重洋睽隔，未聞有所交往。在日本則屬於江戶時代，也就是德川幕府時代，學術界深受中國漢文化影響，以儒學為主流，尤其朱子學更受幕府當局重視，但宗奉王守仁的陽明學派、回歸孔孟的古學派、研究日本古來之道的國學派也有一定的勢力。在自然科學方面，適於實用的本草學、農學與醫學等蓬勃發展。以荷蘭語言媒介的歐洲近代科學陸續傳入，稱之為蘭學。[7]

　　在《詩經》學方面，江戶時代十分發達，除漢、唐、宋、明、清《詩經》著述爭相傳入外，[8]日本學者的《詩經》相關著作，據張文朝《日本における詩經學史》的著錄即有朱子學派五十六名、陽明學派一名、敬義學派二十六名、古義學派十七名、古文辭學派四十一名、古注學派二十九名、折衷學派十八名、考證學派三名，其他七十五名，共二六六名，而岡元鳳正屬於其他類的十六名本草學者之一。[9]

　　天明四年甲辰（1784）孟冬，《毛詩品物圖考》殺青，那波師曾寫了序，木孔恭寫了跋，岡元鳳也有一篇自序，但未標明時間。今日本大阪府立中之島館藏有天明五年杏林軒五車堂刊本，應是最早的板本。[10]寫作經過雖不得其詳，但木孔恭跋語謂此書係岡氏「說詩之

6　張文朝編譯：《江戶時代經學者傳略及其著作》（臺北市：萬卷樓圖書公司，2014年），頁263。

7　張文朝編譯：《日本における詩經學史》（臺北市：萬卷樓圖書公司，2012年），頁118、132、139、140。

8　同注7，頁103-120。

9　同注7，頁121-181。又王曉平，同注5，頁409-442。又王曉平：《日本詩經學史》（北京市：學苑出版社，2009年），頁101-139亦有詳細介紹。

10　（日本）井上了：〈大阪府立中之島圖書館藏毛詩品物圖考雕題について〉《懷德堂センター一報》2004年），頁77。該論文承楊晉龍教授提供，謹此誌謝。

暇，遍索五方，親詳名物」的心血結晶，[11]想必是多年努力的成果。
該書出版之後，一時洛陽紙貴，再版多次。甚至連海峽兩岸亦有不少
板本，包括：光緒十二年（1886）上海積山書局翻石印本、宣統二年
（1910）上海掃葉山房石印本、一九六七年臺北廣文書局影印本、一
九七五年臺南新世紀出版社影印本、一九八〇年臺北大化書局《詩經
動植物圖鑑叢書》影印本，一九八五年北京中國書店影印本，二〇〇
二年濟南山東書報出版社王承略據掃葉山房點校解說本，二〇〇八年
西南師範大學、人民出版社《域外漢籍珍本文庫》第一輯影印積山書
局本，板本極多，足見流行之廣。本論文即以新世紀影印積山書局本
為文本，注明引用卷數、頁碼，必要時再參酌點校解說本。

三　《毛詩名物圖說》與《毛詩品物圖考》之五同

（一）圖文並茂

　　名物之研究，徒託空言，難免瞎子摸象；只有圖像，也難見其生
態。唯有圖文相輔相成，始能相得益彰。《毛詩》名物之有專書，自
三國陸璣《毛詩草木鳥獸蟲魚疏》以降，實繁有徒；《毛詩》名物之
有圖繪，有梁之《毛詩圖》三卷、唐之《毛詩草木蟲魚圖》二十卷、
宋馬和之《毛詩圖》，惜皆久失其傳。將二者整合為一，在《本草》
之類，雖然屢見不鮮，在《毛詩》則屬鈞天廣樂，難得一聞。徐鼎自
云：「物狀難辨者，繪圖以別之；名號難識者，薈說以參之。」（〈發
凡〉）岡元鳳也說：「余便纂斯編以便幼學，固欲一覽易曉，不要末說
相軋。毛、鄭、朱三家為歸，有異同者會稡群書而折之，采擇其物，
圖寫其形，要以識其可識者耳。」（〈自序〉）足見二書皆圖文並茂，

---

11 同注1。

互為經緯。不僅希望讀者對生物形態能直觀感知，有具體印象；透過文字考辨，可以了解重要經說，而無疑義，而且希望經由圖文的相互印證，能進而辨明物性，探討詩旨。如此做法，在當時的確是相當具有創意，對於三百篇的解讀更是助益匪淺。

（二）重視鄉土

　　徐鼎係江蘇吳縣人，《毛詩名物圖說》中提及吳地、吳俗、吳中、吳人者近三十次，如：「（烏）以吳地所產驗之，有此三種烏，即今所謂老鴉也。」（卷一，頁26）「（貊）今吳俗稱人嗜睡者謂之貊睡。」（卷二，頁107）「（鱤）今吳中呼為剛腮魚。」（卷四，頁185）「（蕨）今吳人呼之為鱉腳菜。」（卷五，頁221）此外，提及俗呼、南方、今人者不下十次，如：「（鳧）今俗呼為野鴨陣。以其狀類鴨也。」（卷一，頁33）「南方螽類甚多：大而青色者螽螽，小于螽螽而作聲者如馬扎、紡織皆是。」（卷三，頁132）「（諼草）今人采其花跗，令乾，貨之名黃花菜。」（卷五，頁257）蓋亦皆與地緣密切相關。徐氏所以具有如此濃厚的鄉土意識，是因為吳語是其母語，吳地是其故鄉，也是他長期活動的地區，他喜歡田野調查，用當時的方俗之名來溝通古今、南北、雅俗之異，也是解說古代中原名物的一種重要方法。

　　岡元鳳是日本江戶時代的人，日語是他的母語，雖然因為屬於漢文化圈的緣故，使用漢字寫作，但《詩經》時代與他當時的環境顯然差異極大，而且《毛詩品物圖考》是寫給自己的同胞閱讀，所以他在書中大量使用本土資料也是不足為奇的。這主要表現在三方面：一是採擷日人的著作，如引用稻生若水的《毛詩小識》十次、江村如圭的《詩經辨解》七次，貝原益軒的《太和本草》、松岡恕庵的《詩經名義考》、佚名的《物類品隲》各一次。二是介紹日本的物產，如：

「（荇菜）此方荇菜圓而稍羨，又不若蓴之尖也。彼中書多言蓴似荇而圓，蓋土產之異也。」（卷一，頁1）此言中日品種不同。「（木瓜）享保中來漢種，官園在焉。」（卷三，頁9）此言木瓜係由中國傳入。三是交代日本的異稱，如「（蔞）蔞蒿，和謂之沼蒿，又名伊吹艾，江州伊吹山多生。」（卷一，頁3）「鳩，古云『也埋法禿』，對『異園法凸』。今人偏呼綠色者為『也埋法禿』，是青鵻也，鴿為『異園法凸』。」（卷四，頁2）此以日音稱之。諸如此類，對比較生物學或中日交流史的研究都是有參考價值。

（三）考辨名實

正名實為先秦諸子語言觀的核心，也是名物學研究的首要之務。但正如荀子所言：「名無固宜」、「名無固實」，[12] 名實的考辨並非易事，因為名物受到時間、空間變化的影響，有古今、雅俗之異，以致產生許多名實相混的現象，絕對不能使用簡單的異名對位，而須對文獻仔細考辨，對名物性狀精確描述。《圖說》對此常特別著墨，如：

> 鶠，尾長，翅短，土黃色，六翮乘風輕勁，其翮堪為箭羽。空中盤旋，無微不見，亦捉鳥兔食之。鶠，音團，雕類也，與上「鶉之奔奔」之鶉異。（卷一，頁60）
> 葭，葦類也。其初生曰葭，一名蘆，又名薍；其長成曰荻，至秋堅成謂萑。（卷五，頁253）
> 讀者混唐棣為常棣者誤，且讀常棣為棠棣音者，則又誤矣！（卷八，頁351）

---

12 （清）王先謙：《荀子集解・正名篇》（臺北市：藝文印書館，1988年），頁586。

〈小雅‧四月〉:「匪鶉匪鳶。」之鶉為戾天猛禽,〈鄘風‧鶉之奔奔〉之鶉為草伏小鳥,此同名而異實。葭、薍、薙、荻、萑名稱雖殊,實為各個成長階段之異名,並非不同的植物,此為異名而同實。唐棣、常棣實非一物,常棣、棠棣並非同音,此異名異物,徐氏皆區別甚明。

《毛詩品物圖考》對名實之釐清也相當留意,如:

> 《圖經》:「鼠梓,楸屬。」鼠李一名鼠梓,或云即此(楰),
> 然花實都不相類,恐別一物而同名爾。(卷三,頁19)
> 虺,一名蝮,有牙,最毒。(卷六,頁8)
> 薍、萑、葭,荻也;葦,蘆也;蒹別為一種,見本條。(卷一,頁6)

楰,即鼠梓,鼠李亦名鼠梓,岡元鳳以為二者同名而異實,其說與徐鼎(卷九,頁408)不同。虺是毒蛇,一名蝮,此異名而同實。薍、萑、葭、荻一物,葦、蘆一物,蒹別為一種,三者異名異實,不可相混,其說與徐鼎相合。

(四)區分品種

生物的品種數以百萬計,在生物學上,依其層次有界、門、綱、目、科、屬之分,即使同一科屬還可因大小、性別、產地、功用等細分許多種,或者產生異稱。例如鵲(喜鵲)是鳥綱、雀形目、鴉科的中體型鳥類。鴉科在全世界共有二十五屬一一三種,遍布世界各地,單是中國就有十四屬三十種。[13]《爾雅》、《說文》早就略知區分品種

---

13 高明乾、佟玉華、劉坤:《詩經動物解詁》(北京市:中華書局,2005年),頁30。

的重要性。《圖說》也注意及此，如：

> 《詩》有赤豹，《山海經》幽都之山有玄豹，《爾雅》有白豹，
> 《洞冥記》有青豹。《本草》云：「文如錢者名金錢豹，如艾葉
> 者名艾葉豹。」又，西域有金線豹，此皆別毛色異其名也。
> （卷一，頁123）
> 葭類不一，其實三種：中空、皮薄、色白者，葭也，蘆也，葦
> 也，因其始生、未秀、長成，故異其名，一也；似葦而小，中
> 空、皮厚、色蒼者，菼也，萑也，薍也，荻也，可為曲薄者，
> 一也；似葦而細，高數尺，而中實者，蒹也，今以之作簾菭，
> 一也。（卷五，頁228）
> 《爾雅》蘩、蒿、蔚、著、莪、蔏、蕭七種，並見於《詩》。
> 而《本草》又有茵陳蒿、邪蒿、同蒿各種，亦蒿之醜也。（卷
> 七，頁314）

豹因毛色而有赤豹、玄豹、白豹、青豹、金錢豹、艾葉豹、金線豹之
別。葭類有三種，又因其生長階段而有異稱。蒿在《詩經》中有七
種，在《本草》中亦有數種，足見種類繁多。《圖說》又曾歸納《詩
經》馬之名色異稱者，得驪、駱、雒、驃等逾二十種（卷二，頁
81），文長不錄。

《圖考》對於中日品種之異，同一生物種類之殊亦相當留意，如：

> 白哥羅貌淡紅花者，近時花圃多出之，稻氏所見，蓋此也，但
> 未見有至數十莖者（卷一，頁22）
> 倭中不產鴛鴦，時有海舶來者。（卷四，頁16）
> 傳：「小曰羔，大曰羊。」○〈伐木〉：「既有肥羜」，羜，未成

羊也。〈苕之華〉:「牂羊羵首」,牂羊,牝羊也。〈生民〉:「先生如達」,達,小羊也。「取羝以軷」,羝,牡羊也。○羊生海島者為綿羊。(卷五,頁2)

白哥羅貌為蓍草之日名,在日本只有淡紅花者,未見《本草圖經》所謂三、五十莖者,此中日品種有別。鴛鴦更是舶來品,非日本所產,正如象(卷五,頁6)、魴(卷七,頁1)、鱧(卷七,頁4)一般。羊因大小、牝牡而有羖、羔、達、羊、牂、羝諸名,甚至還有與山羊相對的綿羊。岡元鳳已知就《詩經》不同篇章加以歸納,可以廣見聞而有助於讀經。

(五)描述性狀

　　訓詁方式有直訓,有推因,有義界,[14]現在使用最多的是義界。在名物訓詁中,以事物的種屬、形狀、顏色、數量、形制大小、性別、性格、情態、聲音、質地、材料、用途、產地、相關時間、所在……各方面下定義,設立界說,就是一種義界。[15]歷代學者如陸璣、郭璞、陸佃、羅願、朱熹、李時珍等對名物多多少少都有所描述。徐鼎《圖說》在博稽群籍之餘,也常根據目驗,對動、植物進行具體的描繪,如:

　　(鶉)形如雞而小,毛斑色,短尾。雄者足高,雌者足卑。其性畏寒,其雄善鬥。夜則群飛,晝則草伏。人能以聲呼之,畜令鬥搏。今吳中呼為鵪鶉。(卷一,頁27)

---

14 林師景伊(尹):《訓詁學概要》(臺北市:正中書局,1972年),頁59。
15 黃建中:《訓詁學教程》(武漢市:荊楚書社,1988年),頁173。

（伊威）此蟲濕生，多足，大者長半寸餘，灰色，背有橫紋慼起，常蟄著地鼠背，故有婦、姑諸名。室無人掃多有之。（卷三，頁151）

（芫蘭）蔓延墻垣，七、八月開花，小而長，如鈴，其色紫白。結實，中一子，有白絨一條。今吳中呼為婆婆針線色。（卷五，頁255）

鶉之雌雄、形狀、性格、情態，伊威之大小、習性，芫蘭之花色、果實，皆描摹甚瞭，若再配合圖繪，涵泳「鶉之奔奔」、「伊威在室」、「芫蘭之支」等詩句時更覺得栩栩如生了。

岡元鳳懸壺濟世，對《本草》之學比徐鼎更為熟悉，《圖考》在描述生物性狀時雖然著墨較少，但亦不忽略，如：

（蘡薁）蘡薁，其葉並花實皆與葡萄相髣髴，但實小，熟則色黑，小兒食之。（卷一，頁23）

（甘棠）棠梨，野梨也。……，山中處處有之。樹似梨而小，葉有團者、斜者、三叉者，實如小楝子，有赤白，味不佳。（卷三，頁2）

（鶉）《本草》：「鶉大者如雞雛，頭細而無尾，有斑點。雄者足高，雌者足卑。無斑者為鵪，有斑者為鶉。」此方未見無斑者。（卷四，頁6）

以葡萄譬薁，梨譬甘棠、雞雛譬鶉，再略加描摹其實、其葉、其頭、其斑點，配合圖繪，則其性狀已呼之欲出了。鵪鶉一條，雖無案語，但所引《本草》已有所描述，且知《圖說》蓋亦嘗寓目，故有暗用其文之處。

四　《毛詩名物圖說》與《毛詩品物圖考》之十異

（一）書名方面

　　《毛詩名物圖說》與《毛詩品物圖考》都以《毛詩》為文本，因為齊、魯、韓三家詩早已先後亡佚，今存《詩經》完本只有《毛詩》，且最早的名物專書《毛詩草木鳥獸蟲魚疏》，最權威的教科書《毛詩正義》都以《毛詩》為題。名物一詞，首見於《周禮》，如〈天官・庖人〉云：「庖人掌共六畜、六獸、六禽。辨其名物。」（唐）賈公彥疏云：「此禽獸等，皆有名號物色，故云辨其名物。」[16] 禽獸及蟲魚草木只是狹義的名物，廣義的名物還包括天文、地理、宮室、冠服、衣飾、禮器、農器、兵器等專有名詞。[17]而所謂名，是代表事物形式的名號，物是代表事物實質的內容。聞名往往可以知實，故曰名物。至於品物一詞首見於《周易・乾卦・彖辭》：「雲行雨施，品物流形。」[18]品物猶言眾物、萬物，其內容與名物並無二致，只是側重其品類眾多而已。《圖說》言有圖繪，有解說，《圖考》言有圖繪，有考證。解說有助於考證，考證必資於解說，也是各有所重。若言解說是述多於作，考證是述作兼而有之，則二書適得其反。唯此恐非二氏當年確定書名時考慮所及，不必求之過深。

（二）篇卷方面

　　《毛詩名物圖說》共九卷，卷一為鳥，卷二為獸，卷三為蟲，卷

16　（漢）鄭玄注，（唐）賈公彥疏：《周禮注疏》（臺北市：藝文印書館，1985年），頁59-60。

17　程俊英、梁永昌：《應用訓詁學》（上海市：華東師範大學出版社，1986年），頁119。

18　（魏）王弼、（晉）韓康伯注，（唐）孔穎達疏：《周易正義》（臺北市：藝文印書館，1985年），頁10。

四為魚，卷五至卷七為草，卷八、九為木。其次第與孔子「多識於鳥獸草木之名」相近，而補足蟲魚，與《爾雅》之草、木、蟲、魚、鳥、獸，三國時陸璣的《毛詩草木鳥獸蟲魚疏》俱有不同。大概是尊聖之故，同時在生物進化的層次上，動物高於植物吧？《毛詩品物圖考》共七卷，卷一、卷二為草部，其餘各卷分別為木部、鳥部、獸部、蟲部、魚部，其次序與孔子之言不同，與《爾雅》草、木、蟲、魚、鳥、獸的次序也有出入，倒是與陸璣的《毛詩草木鳥獸蟲魚疏》完全吻合，可能是以陸《疏》為取法的圭臬吧？

綜觀二書內容，皆局限於《毛詩》的草、木、蟲、魚、鳥、獸，是狹義的名物，而非廣義的名物。其實，徐鼎嘗自言：「其它禮樂、冠裳、車旂諸圖，後續梓行。先之鳥獸蟲魚草木者，猶《詩》之始〈國風〉，而終〈雅〉、〈頌〉也歟？」（《毛詩名物圖說・自序》）且藏於北京國家圖書館的稿本，在鳥獸草木蟲魚之後有禮器、樂器、雜器、兵器、冠服、衣裳、佩用、車制，皆殘缺不全；在殘存的目錄中還提到定星圖、〈大東〉總星圖、公劉相陰陽圖、十五〈國風〉地理圖等，更未及措手。（王承略《毛詩名物圖說・點校說明》）足見徐氏長期經營，有志囊括《毛詩》全部名物加以圖說，可惜未能全部完成。至於《圖考》，從所有序跋中看不出岡元鳳有任何跨越草木蟲魚鳥獸的企圖。這一方面是《圖考》出版後兩年，岡元鳳即已辭世，另一方面，是他身為《本草》學者，天文、地理、器物之類非其所長，所以沒有徐鼎那樣的雄心壯志吧？

（三）宗尚方面

在宗尚方面，《圖說》宗主漢學，《圖考》則兼宗漢宋。這是二書極重要的分水嶺。

中國在明中葉以後，楊慎、焦竑等提倡實學，滿清入關之後，大

儒如顧炎武、黃宗羲等更是力矯晚明王學末流空疏之弊，但著述談說
往往出入漢宋。乾隆之初，惠、戴崛起，漢幟大張，考據訓詁之學日
盛，宋學遂闇然不彰。[19]《詩經》學亦復如此。《圖說》成書之時，正
是漢學昌熾之際，當然也沾染了時代風氣。徐氏雖未表明自身的學術
立場，但觀其引用文獻，朱熹《詩集傳》僅十三次，不及毛《傳》、
鄭《箋》、孔《疏》的十分之一，則知其嚴重失衡。再觀其書內容，
特重訓詁考據，引用陸璣《詩疏》、《雅》學、《本草》系列及《說
文》之說多達六百餘次，與洪湛侯所謂的「《詩經》清學」四點特
色：訓詁成績卓著、篇義以古為尚、揭示古音規律、憑藉證據立論相
較，[20]除不談古音外，亦大致相合，足見其漢、宋立場實昭然若揭。

　　岡元鳳在《圖考‧自序》中明揭：「毛、鄭、朱三家為歸，有異
同者會稡群書而折之。」毛、鄭為漢學，專宗訓詁考據；朱子為宋
學，崇尚義理而亦不廢格致之學。《圖考》對兩大派文獻之引用，均
在兩百次左右，可謂兼宗漢宋，此與同一時期中國乾嘉學派之偏於考
據者大不相同，可能是由於江戶時代的學術以儒學為主流，朱子學派
聲勢鼎盛，古學派亦有相當勢力的緣故吧！岡氏在評論各家說法時，
也表現出獨立自主，不偏漢宋的精神。無論其說是否為後世所贊同，
其力主客觀公正的精神則是不容置疑的。

（四）體例方面

　　體例是編寫一本書時，如何編排內容、規劃形式的原則，是高層
次的分析，高度的概括。一本書有沒有條理，有沒有方法，端視是否
有嚴謹而統一的體例。徐鼎在編寫《圖說》時，卷首有〈發凡〉七
條，明定全書的體例，岡元鳳的《圖考》則缺乏類似的資料。但這並

19　梁啟超：《清代學術概論》（臺北市：里仁書局，2009年初版五刷），頁58。
20　洪湛侯：《詩經學史》（北京市：中華書局，2002年），頁497-501。

不是說它沒有體例，只是沒有寫出來而已。讀者只要細心整理，還是可以得出一些要點來。茲將二書的體例列表比較如次：

《毛詩名物圖說》與《毛詩品物圖考》體例比較表

書名 體例	《毛詩名物圖說》	《毛詩品物圖考》
標題	標舉物名	標舉詩句
插圖	圖上文下	隨意插圖
引文	專主漢學	兼宗漢宋
評述	加注愚按	隨文評述
	1.解說音義	1.考訂文字
	2.注明俗名	2.標注讀音
	3.考辨名實	3.考辨名實
	4.區分品種	4.區分品種
	5.描述性狀	5.描述性狀
	6.闡發詩意	6.罕說詩意
	7.論斷得失	7.論斷得失
	8.絕無闕疑	8.頗有闕疑

檢視上表各項，可以發現，二書的內容相近，體例也大同小異，這些項目有些已在上文提到，有些下文會詳說，所以在此只提出兩點略加比較：

1 標題

　　《圖說》各卷之中臚舉物名以為標題，其次序依照《詩經》中出現之先後，但不交代篇名，如草部先〈周南·關雎〉的荇（卷五，頁209），次〈周南·葛覃〉的葛（卷一，頁211），次〈周南·卷耳〉的

卷耳（卷五，頁213）。一物重出者，不復圖說，僅在首見時略加交
代，如卷一頁九黃鳥，附見同物異名的倉庚、鳥嚶。至於同名異物
者，則各分圖說。如〈召南・摽有梅〉的梅為酸果（卷八，頁349），
〈秦風・終南〉的梅為楠木（卷九，頁394），故分見兩條。《圖考》
各卷之中則臚舉詩句以為標題，亦依《詩經》中出現之先後為序，如
草部依序為「參差荇菜」（卷一，頁1）、「葛之覃兮」（卷一，頁1）、
「采采卷耳」（卷一，頁2）。但僅有詩句，物名蘊藏在詩句之中。倘
有相關詩句，則採互見方式，如「有鳴倉庚」條云：「見黃鳥條。」
（卷四，頁11）二書之標題體例各有短長，唯如王承略在《圖說》點
校解說中加注篇名，或如宣統本《圖考》在圖旁加標物名，則可謂折
衷至當了。

2 評述

　　《圖說》在引用文獻之後，除七十五條，如卷一頁三十五鵏、頁
四十鵜、頁五十二隼，只有引文沒有按語外，大多數都加注「愚按」
進行考辨，不僅涇渭分明，而且內容十分豐富。《圖考》則或在引文
後加上「按」字，加以評述；如卷一頁二荇菜、卷一頁七虆；或在圓
圈之下出以案語，如卷一頁三十一蓷、卷一頁三十七茹藘；或採夾敘
夾議方式，引文與案語交錯出現，如卷一頁九蘋、卷一頁二十三唐。
可說隨文評述，並無定則。

　　整體而言，《圖說》體例畫一，多能嚴格遵行；《圖考》則自由多
變，難免為例不純。所謂「事豫則立」，信然。

（五）插圖方面

　　《圖說・發凡》云：「茲編所輯，置圖於上，分列注釋於下。」
（〈發凡〉，頁3）各物都是圖在上，文在下，體例一致。各卷圖文之

數量分別為：鳥名三十八、獸名二十九、蟲名二十七、魚名十九、草名八十八、木名五十四，合計二五五種。各條一名一物，一物一圖，十分整齊，絕無有圖無文，或有文無圖者，《詩經》出現之草木蟲魚鳥獸大抵略備。《圖考》則收詩二五八條，圖二一一幅，圖文之位置靈活多變，要以文上圖下占百分之七十以上，為數最多。詩文之分配，通常是一圖一物，但亦有二物共一圖者，若重新檢視，則插圖之數量分別為草七十六種、木四十五種、鳥三十九種、獸二十三種、蟲二十三種、魚十六種，合計二二二種。此外，闕疑不詳者有十五種，有詩無圖者間亦有之，甚至有《詩經》品物詩句《圖考》失收者，故其數量較《圖說》稍少。

徐鼎工書畫，《圖說》保存其插圖二五五幅，誠屬彌足珍貴。《圖考》之插圖，據木孔恭跋，係出自畫人橘國雄之手。唯國畫以見意為高，動植物之生態圖則以逼真為尚，西畫之透視工筆，纖毫畢現者最適宜使用於近世生物學，若以此為標準衡之，則徐氏所畫草木蟲魚鳥獸諸圖難免稍嫌粗略，不若岡書以工筆摹繪，賞心悅目，易於吸引讀者。茲錄《圖說》、《圖考》之蜩、鱮、蒹（分別見於《圖說》，頁146、191、287；《圖考》，卷六，頁5、卷七，頁5、卷一，頁18），兩相對照，則岡書通行之廣所以遠過於徐書者，可以思過半了。

唯若以圖之精確性而言，則又不可以一概而論。岡書梓行未久，中井履軒即曾手批《毛詩品物圖考雕題》加以品評，摘其圖文之謬者數十百條，其中插圖失真者不下三十條，如：

（參差荇菜）凡荇、蓴根著於水底者，其莖甚長，隨水之淺□，此圖無長莖，且沒釵股形，又不見葉浮水面之勢□失之。
（振鷺于飛）此圖殊不得白鷺狀，但肖五位而已，何也？
（魚麗于罶鱨鯉）頭較小，無顒形，喙較尖，口較收，凡鱨所

以異於常魚者，此圖皆失之。[21]

中井履軒為江戶時代最重要的朱子學派《詩經》學家，著有《詩雕題》、《詩雕題略》、《詩逢原》等書，不僅鑽研經學，對天文學、解剖學等西洋科學也有很深的造詣。[22]所言縱然不完全正確，至少也不是無根之言。十年前，韓國學者南基守、高載祺也曾通過對毛《傳》、朱《集傳》、《爾雅》、陸璣《詩疏》、《本草綱目》等的檢討及中、韓植物圖錄的比對，發現《毛詩品物圖考》所畫的草本植物正確的四十九種，畫得不正確的有二十五種，另有幾種未曾畫圖。[23]三分之二的正確率誠然不甚理想，但就兩百多年前的古書而言，這樣的成果已屬難能可貴了。至於《圖說》迄未見相類似的檢驗，希望將來也有專家學者去進行研究。

21　同注10，頁78、88、92。

22　王曉平《日本詩經學史》同注9，頁101-106。

23　（韓國）南基守、高載祺：〈毛詩品物圖考所見之草本植物考〉，《詩經研究叢刊》第六輯（北京市：學苑出版社，2004年），頁215-230。

（六）引文方面

引用文獻是行文立論及繪製插圖的重要依據，同時也可看出作者學術的蘄向。《圖說》宗主漢學，引文以毛《傳》、鄭《箋》、孔《疏》、陸璣《詩疏》、《雅》學、《本草》系列及《說文》之說為主，訓詁考據氣氛特為濃厚。《圖考》則以毛《傳》、鄭《箋》、朱子《集傳》為依歸，漢宋兼宗，兩派引用均在兩百次左右，有異同或補苴者，則在圓圈下會萃群書加以辨說。二書之宗尚不同，上文言之已瞭，茲不贅。

就引書種類而言，《圖說》引用文獻多達一三六種，舉凡經傳子史、漢宋經說、《山經》、《本草》，甚至方志、士人之言，只要有助於說解者，徐氏無不博蒐慎取，唯所錄多為宋元以前古書，不無貴古賤今之傾向，與乾嘉考據學中之吳派較為接近。《圖考》引用文獻六十餘種，僅及其半，蓋中國《詩經》學相關著作輸入日本者雖為數不少，若論取材之左右逢源，東瀛自不如中土方便。唯日人著作如稻生若水《毛詩小識》引十次，江村如圭《詩經辨解》引七次，《太和本草》、松岡恕庵各引一次，此則非《圖說》所得見。引用明人著作在十家以上，亦較《圖說》之引三、四家者為多，而不取清人著作，則為二家所同。

就引書繁簡而言，《圖說》全書二五五則，最短者僅三十餘字（如薁〔卷六，頁302〕、萊〔卷七，頁317〕），最長者不過五百餘字（如騶虞〔卷二，頁91〕）；引證最少者僅一家（如烏〔卷一，頁26〕、馬〔卷二，頁81〕），最多者不過九家（如鷹〔卷一，頁69〕、蟊斯〔卷三，頁129〕）。一般說來，大約兩百餘字，引證三、四家居多，可說繁簡適中，修短合度。岡氏既以毛、鄭、朱為宗，其《圖考》自然效法三家，力求簡潔明快，一句可了，不煩二句；一家可

明，不引二家。其文字最長者如「六月莎雞振羽」（卷六，頁5）不過一七六字，「魚麗于罶鱨鯊」（卷七，頁4）亦僅一三七字。其引文家數最多者，如「其檉其椐」（卷三，頁22）不過八家，「于以采蘋」（卷一，頁4）亦僅六家。最少者只有一家，如「自牧歸荑」（卷一，頁8）、「隰有荷華」（卷一，頁15）亦所在多有，甚至有有圖無文者六條，如「有兔爰爰」（卷五，頁7）、「蠶月條桑」（卷六，頁6），不似《圖說》每條皆有圖有文，可謂十分簡明。

就引書體例而言，《圖說》或並稱作者、書名，或用作者、書名簡稱，或單稱作者、或單稱書名，體例並不一致。《圖考》在這方面亦相差不遠，此固古人引書之常例，不足為怪。

（七）論斷方面

上文言及《圖說》在引文之後，每以「愚按」加以評述，《圖考》則隨文評述，並無定則，此但就體例言之，若論其評述之內容，則各有優劣。

在優點方面，二書皆重視目驗，考辨用心。如《圖說》分烏為三種（卷一，頁26），言魴魚味最腴（卷四，頁175），穀樹有汁，實不可食（卷九，頁409），皆親身體驗，可補徵引文獻之不足。又如謂雎鳩即魚鷹（卷一，頁7），葭、菼、蒹宜分三類（卷五，頁228），蘮與蕍因花色不同而有二名（卷五，頁263），與《本草綱目》或近人考辨亦相近。[24]至於《圖考》之描述性狀，如謂芩分兩種（卷二，頁2），楚葉如參（卷三，頁1），隼性猛而不悍（卷四，頁13），亦多得之於目驗。又如據陸《疏》謂菟絲與女蘿分明二物，毛、朱皆非（卷二，

---

24 雎鳩見高明乾等，同注13，頁3。葭、菼、蒹見吳厚炎《詩經草木匯考》（貴陽市：貴州人民出版社，1992年），頁79-87，唯吳厚炎以為蒹為萑之未秀者，僅二類。蘮、蕍見（明）李時珍：《本草綱目》（臺北市：鼎文書局，1973年），頁1481。

頁6），謂鱣非盈車大魚，注家多誤（卷七，頁2），皆足以見其論斷之明確。唯《圖考》案語較少、較短，且常依傍前說，決其是非或加以申論，不似《圖說》之彌綸前言，自出機軸。

在缺點方面，《圖說》勇於論斷，有時難免失誤，如分雄雉、雌雉為二條，又謂求雄為淫（卷一，頁21），未免失之於鑿；牽合朱鷺、白鷺為一（卷一，頁74），亦不夠縝密。此外，將狼狽（卷二，頁100）、蟋蟀（卷三，頁140）、茹藘（卷六，頁274）等聯綿詞拆開來解釋；以陰陽五行解說牛（卷二，頁94）、豕（卷二，頁119）；對鳳凰（卷一，頁7）、騶虞（卷二，頁92）、螮（卷三，頁160）等傳說之物，繪聲繪影加以圖說，皆難免拆駢為單、信偽迷真之譏。至於《圖考》論斷之不夠嚴謹者尤屢見不鮮，如將葛與葛藟併為一類，理由僅是「毛氏無解」（卷一，頁2），可說尊毛已甚，然陸璣以降乃至徐鼎（卷五，頁211、215）及近代新說均分兩類。又如混同梟、鴞、鴟為一物（卷四頁11），其誤與徐鼎相類，中井履軒早已指陳其謬。[25] 又如以莪屬菊科（卷二，頁3），南基守等以為應是播娘蒿，屬十字花科。[26] 若斯之比，皆有詳加訂正之必要。此外，岡氏對鳳凰（卷四，頁19）、麟（卷五，頁1）、騶虞（卷五，頁4）、螮（卷六，頁9）、龍（卷七，頁7）等傳說之物，也如徐氏一般加以稱述或繪圖，此固古人之通病。整體而言，《圖說》與近代新說相合者較多，這可能是徐氏沈潛著述長達二十年，且中土之實物及參考資料較日本豐富的緣故吧？

（八）闕疑方面

《圖說》收錄《詩經》動物一一三種、植物一四二種，合計二五五種，不僅數量比《圖考》多出三十三種，即使以今日《詩經》生物

---

25 同注10，頁87。

26 同注23，頁227。

專書如陸文郁《詩草木今釋》收植物一三二種，潘富俊《詩經植物圖鑑》收植物一三五種，高明乾等《詩經動物解詁》收動物一一三種衡之，亦無遜色。[27]雖然《詩經》的動植物未必盡萃於斯，如《圖考》中的「林有樸樕」（卷三，頁2）、「山有扶蘇」（卷三，頁11）、「象弭魚服」（卷五，頁9）、「龍旂陽陽」（卷七，頁7）不見於《圖說》者即有十餘條，但只要收入《圖說》者，徐氏無不用心稽考，勇於論斷，絕無付諸闕如者。反觀《圖考》注明未詳者多達十五條，如：

> （無折我樹檀）未詳。（卷三，頁16）
> （維熊維羆）羆未詳。（卷五，頁10）
> （為鬼為蜮）倭中未聞有此物。（卷六，頁9）

對於文獻不足，無從解說之處採取闕疑的方式，不失為一種慎重其事的態度。如蜮本為傳說中的異物，在文中只錄短狐、含沙射人等說法，不圖其影，且說「倭中未聞有此物」，確實是穩當的。但檀既引《集傳》：「檀皮青滑澤，材彊靭，可為車。」則如近代學者解為榆科的青檀，應是順理成章的事。[28]熊，《本草綱目》早已分為熊、羆、魋三類，言之綦詳，且有插圖，[29]而岡氏不能充分運用既有的材料，進而蒐集更多的文獻，乃輕易付闕，豈不可惜？

（九）詩意方面

詩意的闡發是解讀《詩經》的重要工作，但從〈詩序〉以降，各

---

27 陸文郁：《詩草木今釋》（臺北市：長安出版社，1975年）。潘富俊：《詩經植物圖鑑》（臺北市：貓頭鷹出版社，2001年初版9刷）。高明乾等，同注13。

28 陸文郁，同注27，頁51。潘富俊，同注27，頁134。

29 （明）李時珍，同注24，頁1553。

家立論往往異說紛紜，或著重於政治教化，或偏主於文學賞析；或自歷史文化切入，或從名物訓詁著眼，其道多端，其說自然各有異同。《圖說‧自序》云：「不辨其象，何由知物？不審其名，何由知義？」徐氏在引文或案語中，常透過草木蟲魚鳥獸表達有關詩旨、比興的看法，不下四十次，如：

> 《埤雅》：《孟子》所謂「為叢驅爵者鸇。」即此是也。《詩》曰：「鴥彼晨風，鬱彼北林。」言穆公能庇其所賴，而賢者處之如此。且〈黃鳥〉仁，〈晨風〉義，而秦之良士以仁死，賢臣以義生。故〈黃鳥〉曰：「哀三良也。」而〈晨風〉以刺「棄其賢臣。」（卷一，頁36）
>
> 麟鳳龜龍謂之四靈。舊說麟肉角，鳳肉味，皆云有武而不用。蓋麟性仁厚，趾不踐物，定不抵物，角不觸物，皆言仁厚也，故《詩》以況之。（卷二，頁83）
>
> 樛木下垂，故葛藟得以附而生，以況后妃下逮，故眾妾得以附而進。（卷五，頁215）

〈黃鳥〉、〈晨風〉引（宋）陸佃《埤雅》，以秦穆公與群臣關係為說；〈麟之趾〉以麟性仁厚比振振公子；〈樛木〉以樛木下垂，葛藟攀附，比后妃與眾妾之事，所說皆與〈詩序〉互為表裡，充分顯示其宗主漢學之態度。其書引陸佃《埤雅》一〇七次，引羅願《爾雅翼》三十六次，引蔡卞《毛詩名物解》十九次，多遠過於主張廢〈序〉之朱熹《詩集傳》，同是宋人之書，而懸殊若此，亦以諸書或重訓詁考據，或以其說《詩》多合於〈詩序〉之故。

《圖考》那波師曾序云：「是故欲知其義者，先求於其性；欲求於其性者，先求於其物；欲求於其物者，先求於其形；其形不可常

得，圖解其庶幾乎！」可見日本學者也了解動植物的性狀與詩意的理解有密切的關係。岡氏在《圖考》偶然也會提及動植物所要表現的詩意，例如：

> 菁菁者莪《傳》：「莪，蘿蒿也。」○……按蘿蒿今人呼為朝鮮菊，葉似青蒿而細，又似胡蘿蔔葉，四月開白花，類茼蒿。〈蓼莪〉所謂「匪莪伊蒿」，蓋以相似而起興也，蒿即青蒿。（卷二，頁3）
>
> 時維鷹揚《裴氏新書》：「鷹在眾鳥間若睡寐然，故積怨而後全剛生焉。」《詩‧大雅》：「唯師尚父，時維鷹揚」，言其武之奮揚也。（卷四，頁18）

謂莪蒿外形相似，故以起興；鷹性勇猛奮揚，故以比師尚父。此類解說，的確有助於讀《詩》。可惜為數至尠，主要還是要讀者自行以意逆志。這固然顯現岡氏作為一位本草學者的客觀，但就身兼《詩經》學者而言，終不能不說是一個缺憾。

（十）影響方面

《圖說》與《圖考》二書性質相類，時代相近，堪稱姊妹作。唯出版兩百餘年來，際遇不同，炎涼有別，此則無可奈何。

徐書出版於乾隆三十六年（1771），日本早在一八〇八年即有覆刻本梓行，但終滿清之世，國內反而未聞有其他刊本出現，學界罕所引用，更未見同類著作踵繼而起。民國以後，甚至一九四九年以後，版本亦極少，耳目所及，只有《詩經動植物圖鑑叢書》本及王承略點校解說本。除了少數書籍及學位論文偶有引用外，甚至連陸文郁、潘富俊、吳厚炎、高明乾等《詩經》名物專書都未曾提及，身後寂寞，

可以想見。不過，隨著點校解說本的出版，情況理應有所改善，本人
所以連寫兩篇拙作加以介紹，其意在此。

反觀岡書，情況大有不同，雖則一七七八年淵在寬即有《詩疏圖
解》出版，但側重繪畫，文字僅有陸璣《詩疏》、毛晉《廣詩疏》及
本草之類，無所考證，[30]影響並不顯著。而《圖考》則圖文並茂，考
辨用心，自一七八五年出版後即洛陽紙貴，再版多次。不僅當時朱子
學派《詩經》學名家中井履軒以《雕題》加以評述，馬場克昌的《詩
經物產圖譜》、小原良直的《詩經名物圖解》、細井洵的《詩經名物圖
解》也相繼問世，[31]其風行之廣，影響之大，不難想像。即使在中
土，其受歡迎之盛況，亦未稍減，如魯迅《朝華夕拾》說當其童蒙時
期曾讀此書，[32]即可略窺一斑。近年來，海峽兩岸皆曾多次影印，許
多《詩經》箋注及名物專書也往往加以參考。不過研究論文則屬鳳毛
麟角，足見仍有拓展空間。

五　結論

綜觀上列論述可以發現：

（一）徐鼎的《毛詩名物圖說》及岡元鳳的《毛詩品物圖考》都
是兩百多年前的《詩經》名物專書，時代相近，價值亦相埒，可以單
獨研究，也可以排比並論。可惜為文探討者罕見其人，因而不揣淺
陋，在分別為文述評之後，又以此文進行比較。

---

30 同注9，王曉平：《日本詩經學史》，頁137。2011年8月武漢大學出版社印行之《古
　繪詩經名物》即是此書之新版。
31 同注6，頁169、170，又，同注5，頁442。
32 魯迅《魯迅全集·朝花夕拾·阿長與山海經》（北京市：人民出版社，1996年），冊
　2，頁248。

（二）揚之水《詩經名物新證》曾說：

> 圖文並茂的兩部名著，則是徐鼎的《毛詩名物圖說》和日人岡
> 元鳳的《毛詩品物圖考》。徐氏教學為業，而自幼用心《詩
> 經》名物；岡元鳳畢生從醫，精于本草，兩家都很注重實踐，
> 並且頗有實事求是的精神。比較而言，徐圖的文字說明更詳細
> 一些，即所謂「博引經、傳、子、史外，有闡明經義者，悉捃
> 拾其辭」（〈發凡〉）。而就圖的工致與準確來說，則岡氏稍勝。
> 總之，這兩本書可以說是這一類題目中總結性的著作了。[33]

所言十分精覈，堪為定論。若稍加分析比較，則二書計有五同，即：
圖文並茂、重視鄉土、考辨名實、區分品種、描述性狀。又有十異，
即：書名、篇卷、宗尚、體例、插圖、引文、論斷、闕疑、詩意、影
響。若斯之比，即本論文論述之要點。唯此但就大略言之，其實大同
之中必有小異，大異之中亦難免小同，固不可一概而論。

　　（三）在比較異同之餘，二書之高下亦略可得知。大抵《圖說》
體例畫一、旁徵博引、勇於論斷、繁簡適中、闡發詩意，此為其長；
而偏主漢學、插圖稍粗、論斷有誤、通行不廣，則為所短。《圖考》
兼宗漢宋、頗採和說、行文簡明、圖繪精美、流傳甚廣，此為其長；
而體例未純、文獻不足、圖文有誤、罕說詩意，則為所短。要之，二
書各有優劣，倘能截長補短，再輔以近代名物新說、新圖，則對《詩
經》學之研究皆大有裨益。

---

33 揚之水：《詩經名物新證》（北京市：古籍出版社，2000年），頁2。

從文字學與文學角度探討《詩經》重章疊詠藝術

一 緒論

無論就章法結構而言，或就語言藝術而言，重章疊詠都是《詩經》最顯著而重要的特色之一。

重章一詞，首見於（唐）孔穎達《毛詩正義》，疊詠一詞，首見於（清）姚際恆《詩經通論》[1]。前者側重於形式，後者側重於方式[2]。兩者析言固然有別，渾言則不分。大抵上，凡是詩篇中有兩章以上，其字句、結構相類似，思想、情感也大同小異，只是更換一、兩個字或幾個字，一再反覆詠唱，就叫作重章疊詠。也可以叫複疊、複沓、連環詩或重章疊唱、重奏復沓、重複回沓。

《詩經》所以會採取重章疊唱，與其音樂文學的本質有密切關係。古代詩、樂、舞同出一源，三者形式雖然不同，共通之處就是具有節奏，無論語言、聲音、動作莫不有其自然規律的重複。詩是一種語言藝術，平仄、押韻的迴環往復，情意的回應與重複，都是一種節奏，但為了使詩的表達極盡聲情之美，所以在詩、樂、舞三者逐漸各

---

1 孔穎達說：「詩本畜志發憤，情寄於辭，故有意不盡，重章以申殷勤。」見《毛詩正義》卷一（臺北市：藝文印書館《十三經注疏》本，1993年），頁34。姚際恆說：「惟此疊詠，故為風體……風詩多疊詠體。」見《詩經通論》（臺北市：河洛圖書出版社，1978年），頁22。

2 朱孟庭：《詩經重章藝術》（臺北市：秀威資訊科技公司，2007年），頁11。

自發展之後，仍然乞靈於節奏感最為強烈的音樂，使作品的表現更能抑揚頓挫，一唱三歎，這種情形正如舞之不能離樂一樣。音樂有聲樂、器樂之分，顧頡剛認為不配樂的歌謠無取乎往復重沓，只有樂章因奏樂關係，一定要往復重沓好幾遍；魏建功則認為重奏復沓是歌謠表現最要緊的方法之一。他們的說法都有近代的歌謠為證[3]，雖然針鋒相對，但都承認《詩經》的重章疊詠與音樂關係十分密切，所以余培林說：「《詩三百篇》章節多複疊，當是受音樂的影響；而詩文的長短，詩義的斷續，當也與音樂有關。」[4]孫克強、張小平也說：「音樂曲調的重複回沓……在旋律、節奏、重音、力度等各方面形成一種和諧的對應關係，從而獲得一唱三歎、餘音繚繞的音樂藝術效果。」[5]他們所說，是一點兒也不錯的。

二 《詩經》重章疊詠的類型

《詩經》二〇五篇，分章者有二七一篇，其分章與重章疊詠的關係，糜文開、黃振民、王錫三等都有詳細的分析與統計[6]，但能兼顧

---

3 顧頡剛：〈從詩經中整理出歌謠的意見〉、〈論詩經所錄全為樂歌〉，魏建功：〈歌謠表現法之最要緊者——重奏復沓〉，見《古史辨》第三冊下編（臺北市：藍燈出版公司，1993年），頁589-592，608-657，592-608。

4 余培林：〈三百篇分章歧異考辨〉，《國文學報》第20期（1991年6月），頁1。

5 孫克強、張小平：《教化百科——詩經與中國文化》（開封市：河南大學出版社，1995年），頁197。

6 糜文開：〈詩經的基本形式及其變化〉謂《詩經》三〇五篇中三章連環詩一〇八篇，非三章連環詩一二〇篇，共二二八篇，見《詩經欣賞與研究》（臺北市：三民書局，1964年），頁484-494。黃振民：〈詩經篇章結構形式之研究〉，謂《詩經》由完全疊詠之章組成者一三〇篇，由疊詠之章與獨立之章混合組成者七十四篇，合計二〇四篇。見《詩經研究》，頁391-395。王錫三〈論詩經以聲為用的複沓結構〉謂《詩經》二至五章詩複沓者一七四首，六章以上詩複沓者三首，合計一七七首，見《第二屆詩經國際學術研討會論文集》（北京市：語文出版社，1996年），頁262-269。各家統計雖有參差，但均肯定重章疊詠是《詩經》的基本形式，也是重要特徵之一。

風雅頌分章與重章疊詠的類型者則為朱孟庭的《詩經重章藝術》，她將《詩經》的重章疊詠分成三大類十一小類，綱舉目張，最為醒目[7]。今僅就三大類各舉一例說明如下：

（一）完全重章

在包含二章或二章以上的詩作中，全詩各章均以複疊的形式，有的是通篇同一詩章複疊，有的則是一篇之中有兩種重章，如〈召南・小星〉：

> 嘒彼小星，三五在東。肅肅宵征，夙夜在公，實命不同。
> 嘒彼小星，維參與昴。肅肅宵征，抱衾與裯，實命不猶。

全詩二章，每章五句。一、三句重複疊詠，二、四、五句變換疊詠。在《詩經》分章的二七一篇作品中，完全重章共一三〇篇，占了百分之四十八，為數最多。

（二）不完全重章

並非全篇各章均複疊，而是數章複疊、數章獨立，或各章部分複疊、部分不複疊，或二者混合之，如〈小雅・漸漸之石〉：

> 漸漸之石，維其高矣。山川悠遠，維其勞矣。武人東征，不皇朝矣。
> 漸漸之石，維其卒矣。山川悠遠，曷其沒矣。武人東征，不皇出矣。

7　同注2，頁42-60、頁225-228。

有豕白蹢，烝涉波矣。月離于畢，俾滂沱矣。武人東征，不皇
他矣。

全詩三章，一、二章複疊，三章則僅四、五句與前二章複疊。在《詩
經》分章的二七一篇作品中，不完全重章之疊詠共五十五篇，占百分
之二十點三。

（三）部分複疊

零散見於詩篇中的重複疊詠句及變換疊詠句，如〈邶風‧旄丘〉：

旄丘之葛兮，何誕之節兮？叔兮伯兮，何多日也？
何其處也？必有與也。何其久也？必有以也。
狐裘蒙戎，匪車不東。叔兮伯兮，靡所與同。
瑣兮尾兮，流離之子。叔兮伯兮，褎如充耳。

全詩四章，一、三、四章之第三句重複疊詠「叔兮伯兮」，第二章
一、二句與三、四句變換疊詠。在《詩經》分章的二七一篇作品中，
部分複疊共五十四篇，占百分之十九點九。

以上三類合計二三九篇，占《詩經》分章二七一篇作品中的百分之
八十八點二，而未重章疊詠的僅有三十二篇，占百分之十一點八，可見
重章疊詠確實為《詩經》主要而顯著的表達形式與創作方式。

三　《詩經》重章疊詠的技巧

詩是音樂文學，也是語言的藝術，重章疊詠與音樂、文學、語言
文字均有密切關係，但詩樂早已失傳，所以要探討《詩經》重章疊詠
的寫作技巧，只能從語言文字學與文學兩方面著手：

（一）在語言文字學方面

1 重複

重複又稱重疊，把相同的字詞、句子甚至段落一再使用就是重複。重複可以強調語意、和諧節奏，是文學創作的重要規律之一。在各種重複中，與重章疊詠關係最密切的應屬相同句的重複使用。根據裴普賢《詩經相同句及其影響》一書的研究，《詩經》中的相同句多達二六五組，出現在各篇中計六一六篇次，平均每篇擁有相同句兩句而有餘。最短的是「揚之水」（〈王風·揚之水〉）等三字句，最長的是「是以有譽處兮」（〈小雅·蓼蕭〉）等六字句。相同句在篇中的位置，有篇首、篇中、篇末；章首、章中、章末及半章與隔句的不同[8]。裴氏對《詩經》的相同句作了地毯式的探討，至為詳盡。朱孟庭在其研究基礎上將重複疊詠分為：（1）間隔重複，（2）單句重複（又分重於章首、重於章中、重於章末），（3）連續重複（又分章首連續、章中連續、章末連續、交錯重複）[9]，層次更為分明。

2 易字

所謂易字，是在具有相同句數、整齊句式的對應詩句上，變換了其中的某一字、某一詞或某一句；而這些變換的部分之間，無論語義、節奏、思想、情感仍多相同或相近，可以承接或互補。朱孟庭將變換疊詠分為換字疊詠、換詞疊詠、換句疊詠、交錯字句四類[10]，例如〈鄭風·有女同車〉：

8　裴普賢：《詩經相同句及其影響》（臺北市：三民書局，1974年），頁131-132。

9　同注2，頁21-35。

10　同注2，頁35-42。

　　有女同車，顏如舜華。將翱將翔，佩玉瓊琚。彼美孟姜，洵美
　　且都。
　　有女同行，顏如舜英。將翱將翔，佩玉將將。彼美孟姜，德音
　　不忘。

全詩分為二章，每章六句。第一句「車」易為「行」，第二句「華」易
為「英」，第四句「瓊琚」易為「將將」，都屬於字詞的抽換；第六句
「洵美且都」易為「德音不忘」則屬於換句疊詠，句意已有所變化。

3 換韻

　　《詩經》是中國韻文之祖，除了〈周頌〉八篇因為聲響緩慢而悠
長，舞蹈動作舒緩而從容，不押韻之外，其餘百分之九十八的詩作都
叶韻[11]。所謂叶韻，是把同一個音色的音節，亦即同一個韻的字每隔
若干字之後重複出現。不僅能使作品產生一種迴環的音樂美，同時也
便於誦讀，易於記憶。不同的韻表示不同的情意、不同的段落，所以
《詩經》除了少數篇章如〈陳風‧月出〉三章一韻到底之外，換韻就
成了重章疊詠的重要手段。例如〈唐風‧葛生〉前二章：

　　葛生蒙楚，蘞蔓于野。予美亡此，誰與？獨處！
　　葛生蒙棘，蘞蔓于域。予美亡此，誰與？獨息！

首章楚、野、處押陰聲魚部（ɑ）韻，口腔暢通無阻，有獨立荒野，
四顧茫茫之意。次章棘、域、息換押入聲職部（ək）韻，舌根堵塞，
聲音短促，蓋悼亡悲情，哽咽難以成聲了。此二章有重複，有易字，

11　夏傳才：《詩經語言藝術新編》（北京市：語文出版社，1998年），頁69-70。

有換韻，重複見其同，易字與換韻則是同中有異，三者交相為用，充分發揮中國語言文字的美妙。

（二）在文學方面

1 對稱

　　對稱是以一條線為中軸，左右兩邊均等，給人一種均衡、雅致的韻律般的美感。這種美感普遍存在於萬事萬物之中，如日月疊璧、植物的花葉、動物的眼睛、礦物的晶體，甚至於自己的形體莫非如此。所以對稱成為美學的一條重要規律，舉凡音樂、美術、建築、舞蹈、戲劇等都經常加以運用，文學中的韻文、駢文、對聯等運用亦廣。《詩經》中的重章疊詠也是一種對稱結構，只要是兩章以上，無論章數多少，都可採行，正如幾何圖形的兩軌形、三角形、正方形、五角星形、六邊形都可形成對稱一般。例如〈邶風・北門〉：

> 出自北門，憂心殷殷。終窶且貧，莫知我艱。已焉哉！天實為之，謂之何哉！
> 王事適我，政事一埤益我。我入自外，室人交徧讁我。已焉哉！天實為之，謂之何哉！
> 王事敦我，政事一埤遺我。我入自外，室人交徧摧我。已焉哉！天實為之，謂之何哉！

全詩分為三章，二、三章均為七句，各句字數同為四、六、四、六、三、四、四，結構相同，只是略易幾字，並由錫部（ek）韻換成文（ən）、微（əi）部通韻而已。首章亦七句，前四句雖與後二章前四句不相對稱，但末三句則與後二章末三句完全相同，使全詩結構既緊湊，又有變化，也是得力於對稱。

2 互文

對稱在求形式的整齊畫一，求同之中，如果不加以變化，則容易流於板滯累贅，所以在易字、換韻之際，需要注意上下、左右、正反、先後、深淺、輕重、主次、繁省之分，其變化的技巧極多，如互文、翻疊、層遞皆是較為常見者。所謂互文，是上下文字都只講出部分意思，須合在一起，互相補充，才能看出完整的文義。又稱互辭、互言、參互、互說、互文相足、互文見義。《詩經》由於語言簡樸，為節省文字、變化字面，所以互文使用的頻率相當高。詩篇中互省互補的詞句可能涉及單句、對句或同一首詩中的數章[12]。其中與重章疊詠關係密切的是章與章之間的互文，例如〈小雅‧蓼莪〉五、六章：

> 南山烈烈，飄風發發。民莫不穀，我獨何害？
> 南山律律，飄風弗弗。民莫不穀，我獨不卒！

此兩章末二句的意思，是說一般人沒有不幸福美滿的，我為何遭到這種禍害，無法終養父母。第五章只言遭到禍害，未提及禍害的原因；第六章只言未能終養父母，未提及未能終養的後果，須兩章參看，始完整表現出昊天罔極的痛苦。

3 翻疊

黃永武說：「翻疊是運用翻筆產生新意，使原意翻上一層，在形式上是兩個相反的意思，結合在一起，反覆成趣。」[13]詩篇後一章在前一章的意義之上，又加上一層新的意義，可以產生深淺、親疏、輕

---

12 何慎怡：〈詩經互文修辭手法〉《第四屆詩經國際學術研討會論文集》（北京市：學苑出版社，2000年），頁675-684。

13 黃永武：《中國詩學——鑑賞篇》（臺北市：巨流圖書公司，1992年十刷），頁130。

重的層次感。如果由淺而深，由疏而親，由輕而重，就叫上疊；反之，即為下疊[14]。例如〈鄭風・子衿〉前二章：

> 青青子衿，悠悠我心。縱我不往，子寧不嗣音？
> 青青子佩，悠悠我思。縱我不往，子寧不來？

此為女子思其所歡之詩。由於久候情人不至，此女子在揣想對方爽約的原因時，先是抱怨對方為何不捎個音訊過來，繼而責怪對方為何不親自前來。親臨比起捎信是更親、更重的動作，也是更深的情感，這樣的心理變遷，顯示女子的疑慮、埋怨和思念都更加深刻了。同時，「子寧不嗣音」翻疊為「子寧不來」，伸縮文身，由五字恢復為四字，長句、短句交替使用，寓變化於整齊規律之中，這也是使詩句變得更為生動活潑的一種方法。

4 層遞

沈謙說：「說話行文時，針對至少三種以上的事物，依大小、輕重、本末、先後等一定的比例，依序層層遞進的修辭方式，是為層遞。」他將層遞分為單式層遞（又分前進式、後退式）、複式層遞（又分反復式、並立式、雙遞式）兩大類[15]，說法最為清晰。翻疊只具備兩種事物，而遞進則至少須有三種以上的事物，層次更為複雜，意思當然也更為深入。例如〈魏風・碩鼠〉：

> 碩鼠碩鼠，無食我黍！三歲貫女，莫我肯顧。逝將去女，適彼樂土。樂土樂土，爰得我所！

---

14 同注2，頁62-69。
15 沈謙：《修辭學》（臺北市：空中大學，2000年修訂再版），頁507-523。

　　碩鼠碩鼠，無食我麥！三歲貫女，莫我肯德。逝將去女，適彼
　　樂國。樂國樂國，爰得我直！
　　碩鼠碩鼠，無食我苗！三歲貫女，莫我肯勞。逝將去女，適彼
　　樂郊。樂郊樂郊，誰之永號！

此詩純用比體，諷刺賦稅過重的暴政，遂將貪得無厭的在上位者比為
大老鼠。首章斥責碩鼠不該竊食秋收的黍稷，次章呵斥不該糟蹋夏長
的麥子，最後更痛斥碩鼠竟然將春生的禾苗也摧殘殆盡了。黍稷在古
代是一般人的主食，麥子是較為珍貴難得的糧食，禾苗則根本是尚未
長大卻是希望所託的作物。碩鼠食髓知味，肆意摧殘，從普通的主食
到珍貴的糧食，甚至連尚未成熟的作物都不放過，詩人怒火逐層遞
進，不斷深入，真是苛政猛於虎！

四　《詩經》重章疊詠的特色

　　重章疊詠是《詩經》的主要寫作技巧之一，對楚辭、漢賦、古
詩、樂府詩、民歌都曾產生廣泛的影響，但從律詩、絕句盛行之後，
受到格律的限制，就不再使用這種寫作技巧，由於後繼乏人，《詩
經》重章疊詠的特色就顯得彌足珍貴了。

（一）集中風雅

　　在《詩經》當中，重章疊詠多集中於〈國風〉與〈小雅〉之中，
〈大雅〉及〈三頌〉則極為罕見。根據王錫三的統計，《詩經》三〇
五篇，複沓一七七篇占百分之五十五，其中〈國風〉一六〇篇，一三
一篇複沓占百分之八十二；〈小雅〉七十四篇，四十一篇複沓占百分
之五十六；〈大雅〉三十一篇，只有三篇複沓占百分之十；〈三頌〉四

十篇，複沓者僅有二篇占百分之五[16]。朱孟庭的統計則重章疊詠者〈國風〉一四七篇占百分之九十二，〈小雅〉六十八篇占百分之九十二，〈大雅〉二十篇占百分之六十五，〈三頌〉四篇占百分之十，合計二三九篇占百分之七十八[17]。二家統計相差六十二篇，百分之二十三，由於前者為短篇論文，既無複沓類型，更無複沓篇目，與後者迥然不同，故難以較論。其出入關鍵，可能是對於部分複疊是否應納入重章疊詠的看法有所不同的緣故吧！不過，對於重章疊詠集中於〈國風〉與〈小雅〉，王錫三倒是有較詳細的討論，他認為〈三頌〉多為合樂伴舞的祭祀詩，聲音緩慢，以不分章不疊句的一章形式為典型。〈大雅〉為西周時代作品，音樂特點為廣大、蕭穆、疏遠、典重，且多長篇，語言古奧典重，句法韻律較少變化，所以篇章形式絕少複沓；而〈小雅〉則為東周時代的作品，篇章短小，語言清新活潑，句法韻律靈活和諧，與〈國風〉接近，由於吸收了民歌的音樂特色，所以多用複沓形式。〈國風〉為十五個地區的民間音樂，只有篇章短小，並不斷地進行重章疊句，反覆吟咏，才便於傳習，便於記憶，這也是〈國風〉多複沓形式的主要原因。他將這些現象歸納為「以聲為用」的不同[18]，無疑是相當正確的。

（二）篇章簡短

（漢）許慎《說文解字》云：「章，樂竟為一章，从音、十，十，數之終也。」[19]《詩經》本為音樂文學，故其分章，與音樂有絕

---

16 同注6，王錫三：〈論詩經以聲為用的複沓結構〉，頁262-269。

17 同注2，頁226-228。

18 同注16。

19 段玉裁：《說文解字注》三篇上（臺北市：洪業文化事業公司，2005年增修一版三刷），頁103。

對關係。全書凡三○五篇，總章數一一四一章，各篇章數多寡不一，不分章者三十四篇，分二章者四十篇，分三章者一一一篇，分四章者四十七篇，分五章者十六篇；六章以上至十六章者合計五十七篇，為數不多[20]。其中一章詩皆不複沓，二章詩複沓者為三十五篇，三章詩為九十七篇，四章詩為三十三篇，五章詩為九篇，複沓比例數占百分之八十一；六章以上詩複沓者僅有三篇，複沓比例僅占百分之九[21]。可見複沓諸詩篇章簡短者居多，而這些短詩又多見於〈國風〉與〈小雅〉，王錫三認為〈國風〉本為民間音樂，〈小雅〉則受其影響，兩者泰半為抒情作品，篇幅本即不長，由於演唱的需要，將一些短詩的節奏和韻律加以藝術處理，使其演唱時間延長，造成一種回環往復，一唱三歎，既和諧又動聽的藝術效果，這恐怕是短篇詩歌多用複沓的原因吧！至於六章以上長詩，多見於〈大雅〉及〈商頌〉、〈魯頌〉，不是敘事詩就是祭祀詩，與民間音樂的抒情作品性質不同，故無取乎複沓[22]。至於〈周頌〉，全為單章的祭祀詩，雖然篇章簡短，但內容簡單、肅穆，聲情遲緩、凝重，故亦不必講求一唱三歎的音樂效果。此在上文言之已瞭，不復贅。

（三）回環往復

集中〈風〉、〈雅〉，篇章簡短是重章疊詠呈現在《詩經》裡的現象，若純粹就重章疊詠本身而言，則其特色為回環往復、靈活變化及餘韻無窮。其中回環往復更是重章疊詠的核心特色，無論是章法結構或語言藝術，是思想情感或音樂效果，這類篇章總是無往不復，一唱

---

20 同注6，王錫三：〈論詩經以聲為用的複沓結構〉，頁269。糜文開、朱孟庭的統計大
　致相同，見〈詩經的基本形式及其變化〉，頁482-483，《詩經重章藝術》，頁19。

21 同注6，王錫三：〈論詩經以聲為用的複沓結構〉，頁269。

22 同上注，頁268。

三歎，此在緒論早已再三言之，此處僅稍舉實例加以印證。如〈周南・葛覃〉三章疊詠，分別展現三幅畫境，首章是黃鳥和鳴的幽谷，次章女主角在谷中、家中奔波勞作，三章是女主角向保姆透露歸寧父母的心聲。段落分明，章法綿密，如果只有一章，是無法表現這種跳躍相接的情節的。又如〈小雅・鼓鐘〉，四章疊詠，描寫一支大型鐘鼓樂隊的演奏，全詩以鐘鼓為主，引領琴、瑟、笙、磬、雅、南、龠各種樂器爭相鳴響，金聲玉振，熱鬧非凡。以最精鍊的文字表現豐富而生動的內容，真能充分發揮詩的語言的妙用。再如〈鄭風・將仲子〉三章疊詠，以杞、桑、檀為中介，將初戀少女徘徊於父母兄弟與情人之間的心理矛盾刻畫得入木三分。另外〈周南・芣苢〉以「采采芣苢」為主旋律，以「薄言采之」等六句加以應和，只有「采」、「有」、「掇」、「捋」、「袺」、「襭」六個動詞不斷變化，其餘完全重疊，但節奏明快，韻律優美，彷彿在聆賞拉威爾（M. Ravel）的〈波雷露舞曲〉，以不同的樂器反覆演奏同樣的旋律，在音量上逐漸增強，給人的感覺不是單調乏味，而是不如此再三迴環，不足以酣暢表達節奏、旋律、和聲之美。

（四）靈活變化

《詩經》純出天籟，一切順乎自然，雖以四言為主，而一至八字句亦所在多有[23]；雖以韻文為主，但不押韻者閒亦有之，而且韻例多達數十種[24]。同樣的，重章疊詠在《詩經》中絕不是簡單而呆板的重複，而是在類型、字句、韻律、思想情感各方面都極盡靈活變化之能事。如《詩經》的重章疊詠有三大類十一小類，面貌極多，通常為二

---

23 同注11，頁23-29。

24 王力：《詩經韻讀・楚辭韻讀》（北京市：中國人民大學出版社，2004年），頁35-99。本文所言《詩經》韻及擬音皆依此書。

章聯詠、三章疊詠居多，但如〈周南‧關雎〉之第二章和第四、五章跳格疊詠則屬僅見[25]。又如〈唐風‧葛生〉四章「夏之日，冬之夜」與五章「冬之夜，夏之日」，語序一經顛倒，更生時光流轉，日復一日，年復一年之感，而喪偶之痛也因而永無終期。再如〈召南‧草蟲〉首章一、二、四、七句（蟲、螽、忡、降）押侵部（əm）韻，二章二、四、七句（蕨、惙、說）押月部（at）韻，三章亦二、四、七句（薇、悲、夷）脂（ə）微（əi）部通押，首章與二、三章韻腳位置有所區別，這是因為首章第一句以「喓喓草蟲」起興，與二、三章以「陟彼南山」直敘其事有所不同的緣故。另如〈周南‧桃夭〉賀人嫁女，三章疊詠，首章「灼灼其華」寫眼前的新娘美貌，二章「有蕡其實」和三章「其葉蓁蓁」則為遙祝將來子孫滿堂、福蔭無窮之辭，透過時間的推移及對桃樹形狀變化的描摹，將詩意拓展得更為寬廣，而婚禮熱烈的場景也推到了高潮。

（五）餘韻無窮

　　詩是語言的黃金，貴乎凝鍊生動，韻味雋永。《詩經》的重章疊詠不止在反覆吟詠的過程中，讓我們得到一唱三歎，擊節稱賞的快感，在掩卷之後，也常有言有盡而意無窮的美感。（清）方玉潤說：「〈蒹葭〉三章只一意，特換韻耳。其實首章已成絕唱，古人作詩，

---

25 周嘯天主編：《詩經楚辭鑒賞辭典》（成都市：四川辭書出版社，1990年），頁6，本文詩例之分析多參考此書及下列各書：高葆光：《詩經新評價》（臺中市：中央書局，1969年）。朱守亮：《詩經評釋》（臺北市：臺灣學生書局，1984年）。程俊英主編：《詩經賞析集》（成都市：巴蜀書社，1989年）。金啟華、朱一清、程自信主編：《詩經鑒賞辭典》（合肥市：安徽文藝出版社，1990年）。程俊英、蔣見元：《詩經注析》（北京市：中華書局，1991年）。余培林：《詩經正詁》（臺北市：三民書局，2005年修訂二版）。趙達夫等：《詩經三百篇鑒賞辭典》（上海市：上海辭書出版社，2007年）。

多一意化為三疊,所謂一唱三嘆,佳者多有餘音,此則興盡首章,不可不知也。」[26]對於此一觀點,王厚懷曾有專文加以反駁,認為〈蒹葭〉首章雖然已成絕唱,但若無後兩章詩的逐層加深,絕不能是好詩[27]。其實,三百篇重章疊詠者不止意思層層加深者比比皆是,就連言近旨遠,餘音繞樑者也不在少數。例如〈衛風・伯兮〉三、四章疊詠,抒發思婦的愁思,至「願言思伯,使我心痗。」戛然而止,這位閨中少婦的結局如何?她日夜思念的丈夫將來真能衣錦榮歸嗎?會不會喋血沙場,拋骨異鄉呢?留給讀者無窮想像的空間。又如〈鄘風・柏舟〉二章疊詠,寫送別之情,但送別背景,已渺茫難求,詩中的意象只有一再重現的飄飄遠去的小舟,其餘全是空白,卻為讀者的聯想留下更多的空間,抒發的情感也具有更大的概括性。再如〈小雅・我行其野〉三章疊詠,描寫一位棄婦在空曠的荒野踽踽獨行,茫茫無所歸,留給讀者的是無限的同情、惆悵和遺憾。

五　《詩經》重章疊詠的效果

重章疊詠所以能成為《詩經》的一大特色,固然有其時代背景與形成因素,但也是由於其本身在創作與欣賞方面具有許多美好的效果,所以才會使得詩人樂此不疲,蔚然成風。而在比《詩經》更自由的新詩成為詩壇主流之後,也常可見到一唱三歎的作品出現,如余光中的〈民歌〉、〈搖搖民謠〉、〈鄉愁四韻〉、〈踢踢踏〉、〈在多風的夜晚〉,瘂弦的〈斑鳩〉、〈歌〉、〈山神〉、〈巴比倫〉、〈希臘〉、〈庭院〉

26　方玉潤:《詩經原始》(北京市:中華書局,1986年)。

27　王厚懷:〈蒹葭三章只一意特換韻辨〉,《黃岡師範學院學報》28卷1期(2008年2月),頁31-33。

皆是顯著的例子[28]。所以重章疊詠在今日仍然是值得探討的問題：

（一）利於傳唱

　　古代書寫工具不便，文盲比例又高，許多著作，往往依賴口耳相傳，到了後世才著於竹帛。韻文，尤其是民謠，有整齊的形式、鏗鏘的韻腳，原本就便於背誦，如果再配合音樂的伴奏、篇章的複沓，那就更能傳唱不衰，廣為流傳，《詩經》中所有重章疊詠的作品，無論是短篇的〈衛風‧河廣〉、〈王風‧采葛〉，或長篇的〈豳風‧東山〉、〈小雅‧南山有臺〉，各章的結構和用詞大同小異，其含意也相似或相近，整齊之中有所變化，使人印象深刻，既易於記憶吟誦，又便於反覆詠唱，配合管弦，更是洋洋盈耳。即使在詩樂分離之後，這些作品仍然易讀易誦，廣為人們所喜愛。

（二）裨於理解

　　詩是語言的藝術，語言本身有模糊性、歧義性，以致有言不盡意的問題，詩用字特別精簡，又講究婉轉含蓄，往往含而不顯，藏而不露，以期得到不著一字，盡得風流的效果，因此詩意艱澀費解者更是俯拾皆是，此即所謂「詩無達詁」。不過，重章疊詠的作品，每一章節除少數詞語略作更換外，基本的語義、句法都是相同或相近的，如果此章字詞有疑義，也許可以從其他相應的章節找到解決的線索。例如〈秦風‧終南〉次章：「終南何有？有紀有堂。」紀、堂語義難解，（清）王引之根據上章「終南何有？有條有梅。」認定條、梅既是植物，紀、堂也應相同，紀讀為杞，堂讀為棠，都是叚借字，他的

28　余光中：《余光中經典作品》（北京市：當代世界出版社，2007年），頁157、161、163、185、226；瘂弦《深淵》（臺北市：晨鐘出版社，1970年），頁8、17、40、89、98、197。

說法怡然理順，就是一個有名的例子[29]。此外，呂珍玉有〈詩經疊章相對詞句訓詁問題探討〉論文[30]，朱孟庭《詩經重章藝術》結論亦有「訓詁效用」專項[31]，皆可參考。

（三）強化主題

主題是文學作品裡的中心思想，是一篇作品的靈魂，也是作者寫作的目的，凝聚了作者的思想情感，表現了作者對客觀事物的深刻認識。它原本是音樂術語，指音樂的核心主旋律，往往再三出現，才能突顯其重要性。《詩經》中的重章疊詠就具有這種作用，如〈邶風·北風〉前二章反覆渲染北風的凜冽、雪勢的密集，強調逃離暴政的意志。又如〈小雅·鴻雁〉三章疊詠，都以哀鴻遍野起興，逐層發展，連屬而下，既深化了主題，也增強了詩歌的藝術張力。再如〈衛風·淇奧〉分三章，由外而內，反覆吟咏，突出了君子的形象，使讀者印象更為深刻。另如〈小雅·鹿鳴〉寫君臣宴會的歡樂，三章都以鹿鳴起興，以管弦繁會、觥籌交錯營造了和諧而熱烈的氣氛，最後才點出希望群臣為國效勞的主題。

（四）加強抒情

思想、情感、想像是文學主要的內容，而詩是情感的藝術，以抒情為主，不宜說理。無論親情、愛情、友情、鄉情，都是詩永遠表現不完的題材，有了深摯的情感，詩的創作才有動力，詩的欣賞才有魅力。抒情的手法極多，重章疊詠正是其中重要的一環。例如〈王風·

---

29 王引之：《經義述聞》卷5（臺北市：廣文書局，1963年），頁138。

30 呂珍玉：〈詩經疊章相對詞句訓詁問題探討〉，《東海中文學報》第12期（1998年12月），頁67-74。

31 同注2，頁236-241。

采葛〉分三章寫相思情感,一日不見,如三月、如三秋、如三歲,每章只更易一字,而把懷念情人愈來愈強烈的情感生動地展現出來。又如〈召南・殷其雷〉分三章,在反覆咏唱中加深表達妻子對丈夫的思念之情,展示了女主角抱怨、理解、讚歎、期望等多種情感交織起伏的複雜心態。再如〈小雅・菀柳〉前兩章反覆詠歎,宣洩詩人對暴君憤懣之情,比擬中有雙關,呼告中有託諷,採用了各種不同的修辭技巧。另如〈豳風・東山〉四章前四句都反覆詠歎「我徂東山,慆慆不歸。我來自東,零雨其濛」,烘托出悲涼濃郁的氣氛,配合各章的內容,創造出感人至深的意境,而不覺其重複累贅。

(五)聯繫內容

詩篇分章,既表現了音樂的段落,也呈現了作品的章法結構。文章貴乎段落分明,詩篇的重章疊詠表面上好像混淆了結構與段落,其實各章同中有異,彼此或有層次的不同,或有互相補充、彼此聯繫的妙用,除非板滯累贅,否則對詩篇的結構只有正面的助益,絕無任何妨礙。例如〈召南・鵲巢〉三章分詠婚禮的親迎、迎回、禮成三個過程,而鳩住鵲巢分別用「居」、「方」、「盈」三字,有一種數量上遞進的關係。又如〈魏風・伐檀〉三章復沓,除換韻反覆詠歎,有力地表達伐木者對剝削者的反抗情緒外,還在內容上有逐段補充的作用。再如〈唐風・揚之水〉三章都以揚之水起興,並以此引起人物,暗示當時的形勢與政局頗為微妙,而詩的情節也層層推進,到最後才點出將有政變發生的真相,自有詩意的內在邏輯存在。

(六)提升意境

意境是指文學作品中和諧、廣闊的自然和生活圖景,滲透著作者

含蓄、豐富的情思而形成的能誘發讀者想像和思索的藝術境界[32]。它主要是用意象作基本元素，以聲色之美去渲染它，烘托它，以思想、情感、想像去使其飛揚。重章疊詠是一種反覆渲染，再三烘托的技巧，對於意境的提升自然有所裨益。如〈鄭風・有女同車〉短短兩章，首章寫女子面貌姣好，儀態大方，次章則進而讚嘆女子品德高潔，昇華到更高的精神境界，怎能不令人傾慕，難以自己呢？又如〈周南・漢廣〉、〈秦風・蒹葭〉，更是一種可望而不可即，知其不可而求之的境界。全詩迷離惝恍，再三詠歎，將它們視為對美女的一往情深，固已清空一氣，淒婉欲絕，但若視為對美好理想的執著追求，無畏失敗，那又是更為高遠、更為悲壯的心靈境界。千百年來，它們所以膾炙人口，傳誦不衰，實在是有其道理的。

六　結論

綜合以上論述，可以發現重章疊詠無論就章法結構或語言藝術而言，都是《詩經》的一大特色。它源自詩樂的密切關係，也是語言文字與文學的自然發展。透過語言文字的重複、易字、換韻，文學的對稱、互文、翻疊、層遞等手段，成就了許多一唱三嘆，令人低迴的佳作。在《詩經》中，其類型有完全重章、不完全重章、部分複沓等多彩多姿的面貌；同時，展現了集中風雅、篇章簡短、回環往復、靈活變化、餘韻無窮等特色。由於它具有利於傳唱、裨於理解、強化主題、加強抒情、聯繫內容、提升意境等效果，所在才會使得先秦詩人樂此不疲，蔚然成風，並對後代產生深遠的影響。雖然在格律詩盛行的時代，它長期沉寂，幾成絕響，但在崇尚自由的新詩成為詩壇主流

---

32 姚鶴鳴：《文學概論精講》（北京市：北京大學出版社，2001年），頁135。

的今日，它又為部分詩人所採用，創作了不少具有民謠風的作品。因此，無論研究古典或現代，重章疊詠在今日還是有其時代價值。

《詩經》文學價值析論

一　前言

　　經學是古代文化的百科全書，也是中國文化的泉源。其本質依現代的圖書分類，《易》屬哲學類（原為卜筮之書），《書》及《春秋》屬歷史類，《詩》屬文學類，《禮》屬社會科學類。但經孔子講授於杏壇，漢武帝立於學官，其地位巋然獨尊，庠序用以教學，朝廷以之取士，士子用以修己治人，甚至以〈禹貢〉治河，以〈洪範〉察變，以《春秋》斷獄，以《三百篇》當諫書，[1]二千年來，對中國乃至漢文化圈各國的政治、經濟、社會、文化產生無與倫比的影響。其範圍由六經而五經、七經、九經、十經、十一經、十二經、十三經，[2]其研究方式也形形色色，多彩多姿，相形之下，對其本質的鑽研往往闇然不彰。到了近代，經典的地位日趨沒落，而回歸原典的風氣反而重新受到重視。即以《詩經》而言，素有「葩經」之號，形式華美、內容豐富，無論抒情、寫景、敘事都極盡錯綜複雜之能事，臻至極高的藝術境界，開啟後世無數法門。二十餘年來，筆者在中正、東海、玄奘、東吳、元智等校博、碩士班講授經學專題課程，往往以「《詩經》的文學價值」為題，略加介紹，雖整齊各家之說，卑之無甚高

1　章權才：《兩漢經學史》（臺北市：萬卷樓圖書公司，1995年），頁186。按：此為漢人盛傳平當、夏侯勝、董仲舒、王式之事。
2　莊雅州：《經學入門》（臺北市：臺灣書店，1997年），頁2-6。

論，卻可增進認識的深度，奠定鑒賞的基礎，因此擬擴大論述的觸角，重新加以寫定，藉供學界教學研究之參考。

二　形式方面

　　文學創作的載體是文字，文字是語言的紀錄。語言有語音、詞彙、語法三要素，透過這些要素的組織運用，於是以字構成詞，造成句，組成段落篇章，展現出詞彙豐富、句法靈活、章法多變、韻律自然等形式美。孔子說：「《詩》、《書》執禮，皆雅言也。」[3]又說：「不學詩，無以言。」[4]可見《詩經》能成為文學經典，與其語言藝術的美妙有密切關係，所以兼有學習語言文字的重要功用，對中國語言文字的推廣與發展影響極其深遠。

（一）詞彙豐富

　　詞是語言中最活躍、最敏感的基本單位，其總彙即是詞彙。詞彙包含單音詞與複音詞，據向熹的統計，《詩經》全書凡二九五五六字，使用的單字有二八二六個，複音詞近一千條。[5]由於一字多義的關係，單音詞大約為三九〇〇多個，加上複音詞，《詩經》的詞彙大約是五千個左右。[6]在二千五百年前，此一數量已經算是十分豐富，足以充分表達詩人的思想、情感與想像。這些詞彙依其類型，可分為：

3　《論語‧述而》，（宋）朱熹：《四書集注》（臺北市：臺灣書店，1959年），頁82。

4　《論語‧季氏》，同上注，頁140。

5　向熹：《詩經詞典‧後記》（成都市：四川人民出版社，1987年二版），頁935。

6　夏傳才：《詩經語言藝術新編》（北京市：語文出版社，1998年），頁2。

1 名詞

孔子說：「《詩》可以興，可以觀，可以群，可以怨。邇之事父，遠之事君。多識於鳥獸草木之名。」[7]據清人徐鼎《毛詩名物圖說》的統計，《詩經》收鳥名三十八、獸名二十九（其中馬又分38）、蟲名二十七、魚名十九、草名八十八、木名五十四。[8]此外，建築名八十八、服飾名六十五、各類器物名三百餘，天文星象、節氣物候、地理地貌、方位處所、生物部位、民族名稱、人物稱謂及其他各類抽象概念的名詞尤不計其數。[9]這些名詞塑造了許多鮮活的意象，用以抒情、寫景、敘事，無往而不利。代名詞對名詞起替代、指示作用，性質相類，不贅。

2 動詞

雖有形形色色的名詞，如果沒有動詞穿梭其間，則人物形同木偶，動物等如標本，日月風雲也只成為布景。但有了生動活潑的動詞之後，連山水都會含笑，植物也婀娜多姿了。《詩經》中的動詞十分豐富，如表達視覺的有觀、相、監、瞻望等；表達聽覺的有聞、訌、讒、闐等；與口腔有關的有言、茹、歌、咨詢等；與手部有關的有採、挹、投、授等五十餘個；與行動有關的有徂、履、登、馳等二十餘個，與心理有關的有思、樂、畏、傷悲等，對人的行為與動作的描寫，可說既廣泛又細膩。至於自然界、生物界的動詞也相當複雜，不贅。

7　《論語・陽貨》，同注3，頁143。

8　莊雅州：〈毛詩名物圖說述評〉，第11屆中國訓詁學國際學術研討會論文，中國訓詁學會主辦，嘉南醫療科技大學承辦，2013年5月，頁4。

9　盛廣智：《詩三百精義述要》（長春市：東北師範大學出版社，1988年），頁227。

3 形容詞

　　形容詞用以表示事物的形態、性質、數量或地位，可加強名詞的聲色之美。《文心雕龍‧物色篇》說：

> 灼灼狀桃花之鮮，依依盡楊柳之貌；杲杲為日出之容，漉漉擬雨雪之狀；喈喈逐黃鳥之聲；喓喓學草蟲之韻；皎日、嘒星，一言窮理；參差、沃若，兩字窮形。並以少總多，情貌無遺矣！[10]

　　形容詞的使用，確實可以「寫物既隨物以宛轉；屬采附聲，亦與心而徘徊。」[11]《詩經》中的形容詞或為單詞，如旨、皇、冽、白；或加詞頭，如有賣、其鏜；或加詞尾，如烝然、沃若；或為連綿詞，如窈窕、逍遙、踟躕、參差。而更常見的是疊字，在三百篇中幾乎有三分之二的篇章都曾出現，如耿耿、怛怛、嘒嘒、坎坎。其類型變化多端，增添不少意趣，渲染諸多色彩。副詞（限制詞）用以修飾動詞、形容詞，有時也修飾名詞性謂語或整個句子，性質與形容詞相近，不贅。

4 虛詞

　　虛詞包含關係詞（又分介詞、連詞）及語氣詞。本身雖抽象，缺乏實質意義，卻可以貫通字、詞、句、段間的前後關係，也可表達喜、怒、哀、樂各種不同的語氣，使詩文錯落有致，生動而有情韻，

---

10 （梁）劉勰撰，范文瀾注：《文心雕龍注》（臺北市：明倫出版社，1973年），頁693-694。

11 同上注，頁693。

可說功用甚宏。《詩經》中虛詞雖僅二十個左右，使用的頻率卻極高，如之字使用九九八次，兮字使用三十一次，矣字使用二〇七次，也字使用九十次。[12]其餘如言、已、焉、哉、于、乎、只、且、止、思、而、旃、其、者、何、斯等亦屢見不鮮。這些虛詞或用在句首，或用在句中，而以用在句末者居多，有些後世文言文仍然習用，有些則已罕見。

此外，就詞的構成而言，可分為單音詞與複音詞，複音詞可分為單純複音詞與複合複音詞。單純複音詞又可分為聯綿詞（又可分雙聲詞、疊韻詞、非雙聲疊韻詞、疊音詞）、象聲詞、譯音詞。複合複音詞又可分為複合法複音詞（又可分聯合式、偏正式、後補式、動賓式、主謂式、綜合式）、附加法複音詞、重疊法複音詞。[13]《詩經》中的詞彙亦可如此劃分，限於篇幅，不贅。

（二）句法靈活

《詩經》句法以四言詩為主，雜言詩（包含一、二、三、五、六、七、八言詩）為輔，例如：

> 桃之夭夭，灼灼其華。之子于歸，宜其室家。
> 桃之夭夭，有蕡其實。之子于歸，宜其家室。
> 桃之夭夭，其葉蓁蓁。之子于歸，宜其家人。（《周南·桃夭》）[14]
> 緇衣之宜兮，敝，予又改為兮。適子之館兮，還，予授子之粲兮。（〈鄭風·緇衣〉）（頁160-161）

---

12 同注6，頁5。

13 宋均芬：《漢語詞彙學》（北京市：知識出版社，2002年），頁70-146。

14 （漢）毛亨傳、鄭玄箋，（唐）孔穎達疏：《毛詩正義》（臺北市：藝文印書館，1985年），頁36-37。下文凡引用《詩經》，皆據此版本，僅注明頁碼，不復加注。

式微，式微！胡不歸？微君之故，胡為乎中露？（〈邶風・式
微〉）（頁92）

坎坎伐檀兮，寘之河之干兮，河水清且漣猗。不稼不穡，胡取
禾三百廛兮？不狩不獵，胡瞻爾庭有縣貆兮？彼君子兮，不素
餐兮？（〈魏風・伐檀〉）（頁210）

〈桃夭〉全詩皆四言；〈緇衣〉的「敝」、「還」為一字句；〈式微〉的
「式微」為二字句，「胡不歸」為三字句，「胡為乎中露」為五字句；
〈伐檀〉的「坎坎伐檀兮」為五字句，「寘之河之干兮」、「河水清且
漣猗」為六字句，「胡取禾三百廛兮」為七字句，「胡瞻爾庭有縣貆
兮」為八字句。據統計，《詩經》三○五篇，共有七二四八句，其中
四字句六五九一，占百分之九十一，五字句三六九，占百分之五，三
字句一五八，占百分之二，其餘六字句八十五，七字句十九，二字句
十四，一字句七，八字句五，都不到百分之一。[15]這些雜言詩也多夾
雜四言，可見四言詩為《詩經》骨幹。四言詩是從二二式的句型變來
的，形式整齊，節奏分明，具有對稱和諧的美感，這些四言詩影響了
《楚辭》中的〈天問〉、〈橘頌〉，兩漢魏晉的四言詩，乃至箴、銘、
頌、贊等文體，就連日常習用的成語也多為四字句。

如果《詩經》中全部詩句都是整齊的四字句，那又會淪為單調呆
板，所以詩人順其自然，參雜了許多一至八字的雜言，（唐）成伯璵
《毛詩指說》云：

三百篇造句大抵四言，而時雜二三五六七八言。意已明則不病
其短；旨未暢則無嫌于長。短非蹇也，長非冗也。[16]

---

15 同注6，頁28。
16 蔣善國：《三百篇演論》，頁236、盛廣智：《詩三百精義述要》頁232、張啟成《詩

這種四言與雜言交相為用的句式，完全符合內容決定形式的原則，整齊和諧與參差錯落合而為一，十分靈活，具有強烈的表現力，耐人吟誦。漢魏六朝的樂府民歌、歷代文人的雜體詩歌，甚至唐宋以後的詞曲，都可說是其支與流裔。

　　周滿江從文法的觀點將《詩經》的句式分為：（1）並列式、（2）主謂分列式、（3）感嘆式、（4）問答式、（5）設問式、（6）排比式、（7）句中鑲嵌虛字式、（8）雜言式。[17]許師詩英（世瑛）〈詩經句法研究兼論其用韻〉，更用現代語法學與聲韻學對《詩經‧國風》及〈小雅〉鹿鳴之什、南有嘉魚之什、魚藻之什進行詳細的分析，每一句是敘述句、表態句、有無句或判斷句，是簡句、繁句或複句，每一個詞的詞類、作用與結構是什麼？每一個句子的關係如何？都追根究柢，鉅細靡遺，頗便於解讀與欣賞，[18]可惜未成全璧，即邃歸道山。至於楊合鳴的《詩經句法研究》是這方面的專書，分為主謂式、謂主式、述賓式、賓述式、狀中式、述補式、介賓式、賓介式、定中式、連動式、兼語式、並列式、重疊式、襯字式、省略式、複句等十六章，並發現《詩經》的句法有五個鮮明的特點：據單音節劃分詩句、句加襯字、將詞語並列或重疊、句子成分多省略、將詞序倒置，[19]也值得特別留意。

（三）章法多變

　　章法是文思進行的理則，其具體的表現是利用剪裁與布局，對文

　　經入門》頁108皆引此言，所言良是，然《通志堂經解》本、《四庫全書》本《毛詩指說》皆無可考，待查。

17　周滿江：《詩經》（臺北市：國文天地雜誌社，1990年），頁124-125。

18　許世瑛：《許世瑛先生論文集》（臺北市：弘道文化事業公司，1974年）冊三，頁1-526。

19　楊合鳴：《詩經句法研究》（武漢市：武漢大學出版社，1993年），凡256頁。

學作品進行內部的組織構造和總體安排，這是文學作品形式的重要環節，而分章正是顯而易見的工作。《詩經》三〇五篇，可分一一四六章，各篇多則十六章，少則一章；各章多則三十一句，少則二句。不分章的只有〈周頌〉全部三十一篇，〈商頌〉的〈那〉、〈烈祖〉、〈玄鳥〉三篇，其餘二十七篇，分三章者一一二篇，分四章者四十五篇，分二章者四十篇，合計一九七篇，占三分之二，可見《詩經》短篇體制居多，同時也可看出，《詩經》的結構既有特色，又變化自如，十分靈活。[20]《文心雕龍‧章句篇》云：

> 夫人之立言，因字而生句，積句而成章，積章而成篇。篇之彪炳，章無疵也；章之明靡，句無玷也；句之清英，字不妄也。振本而末從，知一而萬畢矣![21]

章句是作者設情置言、裁文匠筆的重要手段，也是讀者剖析結構，鑑賞文術的主要線索。對分章的不同見解，會影響文意的體會，如〈周南‧關雎〉，毛公分三章，鄭玄分五章，後代注家，各有所從，莫有定準。須從內容、文字、用韻等觀之，才能決定取捨。[22]黃振民〈詩經詩篇篇章結構的分析〉按章數多少分類，對三百篇的篇章結構進行詳細的分析，[23]可以參閱。

　　《詩經》語言結構的最大特色是重章疊詠。凡是詩篇中有兩章以上，其字句、結構相類似，思想、情感也大同小異，只是更換一兩個字或幾個字。一再反覆詠唱，就叫作重章疊詠。例如：

20　同注6，頁37-41。

21　同注10，頁570。

22　余培林：〈三百篇分章歧異考辨〉《國文學報》20期（1991年6月），頁1-24。

23　黃振民：《詩經研究》（臺北市：正中書局，1982年），頁313-396。

青青子衿，悠悠我心。縱我不往，子寧不嗣音？

青青子衿，悠悠我思。縱我不往，子寧不來？

挑兮達兮，在城闕兮。一日不見，如三月兮。（《鄭風・子衿》）（頁149-150）

這與《詩經》音樂文學的本質有密切關係。音樂文學無論語言、聲音、動作莫不有其自然規律的重複，所以三百篇的平仄、押韻往往迴環往復，情意也經常回應與重複。《詩經》分章者二七一篇，其中完全重章者一三○篇，不完全重章者五十五篇，部分複疊者五十四篇，合計二三九篇，約占分章各篇的百分之八十八點二，可見重章疊詠確實是《詩經》主要而顯著的表達形式與創作方式。這種藝術技巧，在語言文字學方面，使用重複、易字、換韻；在文學方面，使用對稱、互文、翻疊、層遞。其特色是集中風雅、篇章簡短、迴環往復、靈活變化、餘韻無窮；其效果則為：利於傳唱、裨於理解、強化主題、加強抒情、聯繫內容、提升意境。拙作〈從文字學與文學角度探討詩經重章疊詠藝術〉都有簡要介紹，[24]朱孟庭更有《詩經重章藝術》專書詳細探討，[25]不贅。

（四）韻律自然

《詩經》為百代韻文之祖，其韻律主要表現在節奏、協韻與錯綜。所謂協韻，是把同一個音色的音節，亦即同一個韻的字，每隔若干字後重複出現，也就是押韻，可使作品產生一種迴環的音樂美，既便於誦讀，又易於記憶。《詩經》除了〈周頌〉的〈清廟〉、〈昊天有

---

24 莊雅州：〈從文字學與文學角度探討詩經重章疊詠藝術〉，《章法論叢》第五輯（臺北市：萬卷樓圖書公司，2011年），頁248-252。

25 朱孟庭：《詩經重章藝術》（臺北市：秀威資訊科技公司，2007年），凡252頁。

成命〉、〈時邁〉、〈噫嘻〉、〈武〉、〈酌〉、〈還〉、〈般〉八篇完全不叶韻外，其餘百分之九十八都押韻。[26]六朝以後學者，以當時語音讀古代韻文，讀之不合，往往改讀字音，以求諧和，因而有改讀、韻緩、改經、通轉、叶音、本音等種種名目。[27]到了明代陳第《毛詩古音考‧自序》才提出：「時有古今，地有南北，字有更革，音有轉移，亦勢所必至也。」[28]徹底澄清了觀念。清儒顧炎武進而廣泛蒐集古音資料，採用歸納韻腳、離析唐韻以求古音、改變唐韻入聲的分配等科學的方法，古音學始日益昌明，[29]而《詩經》韻的研究始終是清儒的重要利器，如顧炎武《音學五書》中有〈詩本音〉，段玉裁《六書音均表》中有〈詩經韻分十七部表〉，孔廣森有《詩聲類》，王念孫有《詩經群經楚辭韻譜》，江有誥《音學十書》中有《詩經韻讀》[30]，可見《詩經》韻在古音研究中極其重要。

要研究《詩經》的押韻，不能不先了解其韻例。除了句首用韻的「起韻」（如〈秦風‧晨風〉：「鴥彼晨風，鬱彼北林。」的鴥、鬱），句中用韻的「中韻」（如〈小雅：無羊〉：「汎汎揚舟，載沈載浮。」的汎、沈）外，最常見的是句末用韻的「收韻」。顧炎武《日知錄》首先歸納《詩經》的韻腳為三種，江永《古韻標準》舉《詩經》韻例二十二條，孔廣森《詩聲類》擴為二十七條，丁以此《毛詩正韻》更擴為七十三條，[31]雖愈析愈密，未免瑣碎，其最基本的仍數顧炎武所說：

---

26 王力：《詩經韻讀‧楚辭韻讀》（北京市：中國人民出版社，2004年），頁71。

27 陳新雄：《古音研究》（臺北市：五南圖書出版公司，1999年），頁9-23。

28 （明）陳第：《毛詩古音考‧自序》（臺北市：廣文書局，1966年，《音韻學叢書》本），頁5。

29 同注27，頁56-70。

30 同注27，頁58、98、104、116、127。

31 張鵬飛：〈清代詩經音學研究述評〉《詩經研究叢刊》第17輯（北京市：學苑出版社，2009年），頁119-122。

古詩用韻之法，大約有三。首句、次句連用韻，隔第三句而於第四句用韻者，〈關雎〉之首章是也。凡漢以下詩，及唐人律詩之首句用韻者，源於此。一起即隔句用韻者，〈卷耳〉之首章是也。凡漢以下詩，及唐人律詩之首句不用韻者，源於此。自首至末，句句用韻者，若〈考槃〉、〈清人〉、〈還〉、〈著〉、〈十畝之間〉、〈月〉、〈素冠〉諸篇，又如〈卷耳〉之二章、三章、四章，〈車攻〉之一章、二章、三章、七章，〈長發〉之一章、二章、三章、四章、五章是也。凡漢以下詩，若魏文帝〈燕歌行〉之類，源於此。自是而變，則轉韻矣！……然亦莫非出於自然，非有意為之也。[32]

可見《詩經》用韻出於自然，而後世格律詩的韻例均以《詩經》為嚆矢。

　　王力說：「密韻是《詩經》的最大特點。句句用韻、交韻、抱韻，都是密韻。」[33]所謂交韻，就是兩韻交叉進行，單句與單句押韻，雙句與雙句押韻，如〈小雅・皇皇者華〉：「皇皇者華，于彼原隰。駪駪征夫，每懷靡及。」（頁315）抱韻也是四句兩韻，但是第一句與第四句押韻，第二句與第三句押韻。如〈大雅・大明〉：「有命自天，命此文王。于周于京，纘女維莘。」（頁542-543）[34]《詩經》的特殊韻例不少，如隔章押韻的「遙韻」。[35]〈周南・麟之趾〉：

32　（清）顧炎武著，黃汝成集釋：《日知錄集釋》（臺北市：世界書局，1962年）卷21，頁486。

33　同注26，頁68。

34　同注26，頁63-68。

35　同注26，頁81-84。

麟之趾，振振公子。于嗟麟兮！

麟之定，振振公姓。于嗟麟兮！

麟之角，振振公族。于嗟麟兮！（頁44-45）

各章的末尾「麟」字就是遙韻。正如王力所說的《詩經》的用韻，有兩個最大的特點。第一是韻式多種多樣，為後來歷代所不及；第二是韻密，其密度也是後代所沒有的。[36]都是特別值得注意。

　　《詩經》學與古音學的研究相輔相成，相得益彰。《詩經》的研究促進了古音學的發展，古音學的進步提升了《詩經》的鑑賞。古韻分部與時俱進，愈分愈密，顧炎武分十部，江永分十三部，段玉裁分十七部，戴震分二十五部，孔廣森分十八部，王念孫分二十一部，江永誥分二十一部，章炳麟分二十三部，黃侃分二十八部，錢玄同分二十八部，曾運乾分三十攝，王力分二十九部，羅常培、周祖謨分三十一部，陳新雄分三十二部。[37]這些古音學家大抵可分考古派與審音派，前者陰陽二分，韻部較少；後者陰陽入三分，韻部較多。[38]由於上古時代沒有韻書，古人對韻的觀念又不甚清楚，加上時空的不同，所以不同韻部例外通用的現象勢所難免。此即孔廣森所主張的對轉、通韻，江有誥所主張的通韻、合韻、借韻，章太炎先生所倡的旁轉、對轉、次旁轉、旁對轉之類。[39]向熹有〈詩經的通韻和合韻〉、陳師伯元（新雄）有〈毛詩韻譜、通韻譜、合韻譜〉[40]，可參閱。此外，《詩

36　同注26，頁35。

37　同注27，頁306附表。

38　同注27，頁168-169。

39　同注27，頁108-115，135-137，142-152。

40　向熹：《詩經語文論集‧詩經的通韻和合韻》（成都市：民族出版社，2002年），頁187-218。陳新雄：〈毛詩韻譜、通韻譜、合韻譜〉，《中國學術年刊》10期（1989年2月），頁37-68。

經》句尾虛字運用十分普遍,其作用只在加強語氣或表示感歎,本身不算是押韻,所以韻腳應落在前一個字,此理顧炎武《詩本音》早已言之:

> 凡詩中語助之辭,皆以上文一字為韻,如兮、也、之、只、矣、而、哉、止、思、焉、我、斯、且、忌、猗之類,皆不入韻。[41]

在三百多年前,對《詩經》韻例分辨已如此清晰,歸納已如此詳細,真是令人感佩。諸如此類,都是在查檢《詩經》韻時不可不知的。

三 內容方面

文學的內容,就是指作品中通過藝術形象,所反映的社會生活和作家的主觀思想、感情、審美評價的統一體。它的構成要素有題材、主題、情節等。[42]《詩經》的內容,在當時,反映了詩人的思想、情感、想像,也記錄了時代與社會的影像。到了後代,不但成為挹之不盡的文學經典,也成為考查周代的重要史料。《詩經》的內容,多彩多姿,究竟可分為多少類,各家說法至為紛歧,今擇要分為:

(一)歷史的吟詠

歷史悠久的民族多有歌頌古代歷史傳說的史詩流傳到後代,如希臘有荷馬史詩《奧德賽》、《伊利雅特》,印度有《羅摩衍那》、《摩訶

---

41 (清)顧炎武:《音學五書・詩本音》(臺北市:廣文書局,1966年),《音韻學叢書》本)卷一,頁1〈關雎〉「寤寐求之」下注。

42 姚鶴鳴:《文學概論精講》(北京市:北京大學出版社,2001年),頁59-60。

婆羅多》兩大史詩，英國有《貝奧武甫》，德國有《希爾德‧布蘭特之歌》，芬蘭有《卡列瓦拉》，亞美利亞有《薩遜的大衛》，中美洲印第安人有《波波爾‧烏》，非洲幾內亞有《松迪亞塔》。[43]德國大哲學家黑格爾（Georg Wilhelm Friedrieh Hegel）卻說：

> 中國人卻沒有民族史詩，因為他們的觀照方式基本上是散文性，從有史以來，最早的時期就已形成一種散文形式安排的井井有條的歷史實際情況，他們的宗教觀點也不適宜於藝術表現，這對史詩的發展也是一個大障礙。[44]

固然，「有史家之絕唱，無韻之〈離騷〉。」之稱的《史記》，[45]李長之根據全體性、客觀性、發展性、造型性四個理由稱之為中國的史詩，[46]但它只是散文，不是詩，缺乏史詩的要件。倒是《詩經》中的部分篇章足以當之史詩而無愧，可能因為篇幅不夠長，數量不夠豐富，才為黑格爾所忽略吧？底下，依照歌詠的對象，將《詩經》中的史詩分為三組：

1 殷商史詩

　　〈商頌〉中的〈玄鳥〉、〈長發〉、〈殷武〉三首詩寫契因玄鳥而降生，為受命之始；相土繼承並發展了他所創造的基業；成湯革命，滅夏建商，更進一步奄有天下；其後漸趨式微，到了高宗武丁，再度中

---

43 廖群：《詩經與中國文化》（香港：東方紅書社，1997年），頁91-92。
44 （德國）黑格爾著，朱孟實譯：《美學》（臺北市：里仁書局，1983年），冊四，頁167。
45 魯迅：《漢文學史綱》（臺北市：風雲時代出版公司，1990年），頁158。
46 李表之：《司馬遷的人格與風格》（臺北市：里仁書局，2008年），頁343-345。

興，進軍荆楚，重振國威。〈玄鳥〉的「天命玄鳥，降而生商。」（頁793）〈長發〉的「有娀方將，帝立子生商。」（頁800）都有神話色彩。

2 周人史詩

記載周人開國的詩篇有〈大雅〉中的五篇：〈生民〉歌頌周人始祖后稷出生的傳奇及其教民稼穡的偉大貢獻；〈公劉〉敘述公劉為避戎狄侵擾，舉族遷豳，並且厚殖民生，艱難創業；〈綿〉描寫古公亶父（太王）遷居岐下周原，勵精圖治；〈皇矣〉突顯文王伐崇伐密，為周人滅商奠定基礎；〈大明〉讚揚武王牧野翦商，擁有天下的盛況。這些篇章，比較完整地表現周民族在政治、軍事、生產方面篳路藍縷，辛勤奮鬥的歷程，也具體地勾勒出幾位先公、先王憂國愛民的英勇形象。既不似〈商頌〉那樣粗具梗概，也不似〈周頌〉那樣空洞地歌頌。不僅具有很高的歷史價值，其故事情節、人物刻畫、敘事、抒情、議論的技巧，也都有相當高的藝術成就，是《詩經》史詩中的傑作。像后稷出生成長的神話、公劉、古公亶父的教民墾荒、文王的伐崇伐密、武王的牧野會戰都寫得十分生動，為人們所愛讀。

3 西周史詩

西周統一中原之後的史詩幾乎都是戰爭詩，如〈小雅〉的〈采薇〉、〈出車〉、〈六月〉寫的是討玁狁，〈采芑〉記述的是伐荆楚，〈大雅〉的〈江漢〉、〈常武〉則是敘說與淮夷、徐戎的戰爭。可見西周立國之後，強敵環伺，為了開疆拓土，抵禦外侮，經常動用武力，這些篇章正是當時政局的反映。其中寫得最好的是〈采薇〉，清人方玉潤《詩經原始》評其「絕世文情，千古常新。」[47]劉熙載《藝概》評其

---

47 （清）方玉潤：《詩經原始》（北京市：中華書局，2012年六版），頁341。

「雅人深致，正是借景言情。」[48]《世說新語‧文學篇》謂東晉謝玄
與謝安閒談，極力推崇「昔我往矣，楊柳依依。今我來思，雨雪霏
霏。」（頁334）為三百篇最佳名句，[49]其為人推重如此。

趙沛霖《詩經研究反思》對中國是否有史詩、歷代史詩研究成
就、史詩研究中肯定與否定兩種對立傾向、五四以後史詩研究的進
步，[50]都有所討論，可以參閱。

（二）鬼神的頌讚

宗教祭祀活動中詠唱的讚頌神靈、祖先，祈福禳災的詩歌，叫作
祭祀詩。古代祭天於郊，祭祖先於宗廟，故祭祀詩又稱郊廟歌。古代
科學不發達，人們震懾於大自然威力的偉大，目眩於宇宙萬象的神祕
莫測，因而原始宗教的信仰十分普遍。到了周王朝崛起，雖然人文精
神日益高漲，但尊祖敬宗的觀念更加深入人心，鬼神信仰的風氣仍然
居高不下。所以《左傳‧成公十三年》說：「國之大事，在祀與
戎。」[51]在古人心目中，祭祀活動與民族、社會乃至國家都有密不可
分的關係，《詩經》中，祭祀詩屢見不鮮，只是其反映的一端而已。

《詩經》的祭祀詩有廣義、狹義之分。廣義的祭祀詩包含純祭祀
詩、頌讚詩，部分農業詩和史詩。狹義的祭祀詩則純屬人神相接，上
通天帝以祈福禳災。[52]後者在《詩經》中不下二、三十篇，主要集中
在〈周頌〉，如〈清廟〉、〈思文〉之緬懷先公先王的盛德，以其成功

---

48 （清）劉熙載著，袁津琥校注：《藝概注稿》（北京市：中華書局，2014年三刷），
　　頁389。

49 劉（宋）劉義慶：《世說新語》（臺北市：藝文印書館，1968年），頁146。

50 趙沛霖：《詩經研究反思》（天津市：天津教育出版社，1989年），頁72-89。

51 （晉）杜預注，（唐）孔穎達疏：《左傳正義》（臺北市：藝文印書館，1985年12
　　月），頁460。

52 同注50，頁32。

告於神明；〈載芟〉、〈良耜〉、〈豐年〉在宗廟祭祀中祈求農業豐收；
〈我將〉、〈武〉、〈賚〉、〈般〉、〈酌〉、〈桓〉之頌武王之功業，可能就
是《左傳》的〈大武〉六章，孔子所稱的「盡美而未盡善」者也。[53]
此外，〈商頌〉的〈那〉、〈烈祖〉，〈國風〉的〈采蘩〉、〈采蘋〉，〈小
雅〉的〈楚茨〉、〈信南山〉、〈甫田〉、〈大田〉，〈大雅〉的〈既醉〉、
〈鳧鷖〉亦皆屬之。〈清廟〉為四始之一，三頌首篇，其詩云：

> 於穆清廟，肅雝顯相。濟濟多士，秉文之德。對越在天，駿奔
> 走在廟。不顯不承，無射於人斯。（頁706-708）

《禮記‧樂記》云：「〈清廟〉之瑟，朱絃而疏越，一倡而三嘆，有遺
音者矣！」[54]肅穆之情，令人起敬，樂音氤氳，久久不絕，不愧為祭
祀詩的代表作。

與西洋的祭祀詩相較，中國的祭祀詩，據洪湛侯的歸納，有三個
特點：（1）祭祀詩是詩歌、音樂、舞蹈結合的歌舞劇。（2）其內容往
往雜糅祝頌、詠史、慶豐收、記宴飲的內容。（3）收入《詩經》中的
祭祀詩絕大部分都是祭祀祖先的，而詩中關於神的形象都只有空洞、
抽象的敘述，缺乏細緻、具體的描寫。[55]由此引申，《詩經》的祭祀詩
充滿強烈的人文主義的理性精神，具有濃厚的社會、政治意義以及宗
教功能，也是值得注意的。

趙沛霖《詩經研究反思》對祭祀詩和宗教、祭祀詩的認定、歷代

53　《左傳‧宣公十二年》：「武王克商，……又作〈武〉……其六曰：『綏萬邦，屢豐
　　年。』」同注51，頁397-398。《論語‧八佾》：「子謂〈韶〉，盡美矣，又盡善也。謂
　　武盡美矣，未盡善也。」同注3，頁59。
54　（漢）鄭玄注，孔穎達疏：《禮記正義》（臺北市：藝文印書館，1985年），頁665。
55　洪湛侯：《詩經學史》（北京市：中華書局，2002年5月），頁657-658。

祭祀詩研究的成績與特點、歷代祭祀詩研究中幾個爭論的問題、一九
四九年後祭祀詩研究的特點，[56]都有所討論，可以參閱。

（三）政治的寫照

《詩經》的體裁有風、雅、頌之分。風有十五〈國風〉，凡一六〇
篇，多為民間作品；雅有〈小雅〉七十四篇、〈大雅〉三十一篇，多
出自士大夫之筆；頌有〈周頌〉三十一篇、〈魯頌〉四篇、〈商頌〉五
篇，多為士大夫代主祭者所作之廟堂文學。雅之名義，說法甚多，[57]
而時代最早，影響最大者厥為〈詩大序〉所云：「雅者，正也，言王
政之所由廢興也。政有小大，故有〈小雅〉焉，有〈大雅〉焉。」
（頁18）可見《詩經》的政治詩以《雅》為主，而以其他為輔。良以
出仕為古代知識分子主要的出路，也是最好的出路。仕途生活整天與
政治為伍，當然有關政治的詩篇也就以士大夫為大宗了。《詩經》的
政治詩，主要可分為：

1 頌讚詩

據胡念貽統計，頌讚詩的數量，在《詩經》中約占四分之一以
上。[58]除了祭祀詩多少含有頌禱的內容外，《詩經》中也不乏頌讚當時
的政治人物，如〈大雅〉中的〈崧高〉、〈烝民〉、〈江漢〉、〈常武〉，
〈小雅〉中的〈六月〉、〈采芑〉、舊說歌頌了周宣王時的名臣，如尹
吉甫、召虎、方叔、申伯、仲山甫等；〈魯頌〉的〈駉〉、〈有駜〉、
〈泮水〉、〈閟宮〉歌頌了時君魯僖公；〈鄘風‧定之方中〉之美衛文
公；〈衛風‧淇奧〉之美衛武公；〈衛風‧碩人〉之美莊姜；〈大雅‧

56　同注50，頁27-46。

57　同注2，頁75-76。

58　胡念貽：〈詩經中的頌贊詩〉，《詩經學論叢》（臺北市：崧高書社，1985年），頁413。

韓奕〉之頌韓侯。這些作品有些是內容空洞的應酬詩，但也有用心描繪，在藝術上頗有可取者，不可一概而論。

2 宴饗詩

民以食為天，世界各文明古國如埃及、印度、巴比倫、希臘、羅馬等同樣都有許多宴饗活動，但如古代中國留下許多宴饗詩則絕無僅有。[59]在古代，宴飲的場合極多，包含祭祀、農事、燕禮、射禮、鄉飲酒禮、聘禮、王師大獻等，所以《詩經》中的宴饗詩，即有〈小雅〉的〈鹿鳴〉、〈常棣〉、〈伐木〉、〈魚麗〉、〈南有嘉魚〉、〈蓼蕭〉、〈湛露〉、〈彤弓〉、〈桑扈〉、〈頍弁〉、〈賓之初筵〉、〈瓠葉〉；〈大雅〉的〈行葦〉；〈魯頌〉的〈有駜〉，不下十餘篇。正如《禮記·學記》所云：「〈宵雅〉肄三，官其始也。」[60]宴饗掃除了君臣上下階級的隔閡，溝通了感情，拉近了距離，而那種君臣和樂的氛圍，也可激發青年學子仕進的動機。趙沛霖說：「宴飲詩不但突出了禮樂文化的道德實質，而且活生生地展現了它的外在形式，為我們保留下禮的動態原貌。」[61]就此觀點而言，宴飲詩還是有其特殊價值。

3 戰爭詩

戰爭是人類最愚蠢，也最難以避免的行為，在人類歷史上，完全西線無戰事的時間十分短促。《詩經》中純粹以戰爭為題材的有〈小雅〉的〈出車〉、〈六月〉、〈采芑〉，〈大雅〉的〈江漢〉、〈常武〉，相傳都是宣王時代的作品。以性質言，為戰爭詩；以功用言，為西周史詩，此之謂「兼類」。這些詩寫得氣壯山河，相當傳神。此外，與戰

---

59 同注50，頁61-64。

60 同注54，頁650。

61 同注50，頁67。

爭有關的，如〈邶風‧擊鼓〉,〈王風〉的〈揚之水〉、〈伯兮〉,〈豳風〉的〈東山〉、〈破斧〉,〈小雅〉的〈采薇〉、〈杕杜〉、〈漸漸之石〉也都頗有可觀。

田獵與軍事演練有關，可附焉。《詩經》田獵詩有〈周南‧兔罝〉、〈召南‧騶虞〉,〈鄭風〉的〈叔于田〉及〈太叔于田〉,〈齊風〉的〈還〉及〈盧令〉,〈秦風‧駟驖〉、〈小雅〉的〈車攻〉及〈吉日〉。〈車攻〉為秦獵碣〈石鼓文〉所從出，繪聲繪色，十分生動。

4　諷諭詩

政治詩中最為後代看重的，莫過於諷諭詩。〈詩大序〉云：「至於王道衰，禮義廢，政教失，國異政，家殊俗，而變風、變雅作矣！」（頁16）《詩經》的諷諭詩，在〈大雅〉有〈民勞〉、〈板〉、〈蕩〉、〈桑柔〉、〈瞻卬〉；在〈小雅〉有〈節南山〉、〈正月〉、〈十月之交〉、〈雨無正〉、〈小旻〉、〈小弁〉、〈巧言〉、〈何人斯〉、〈巷伯〉、〈蓼莪〉、〈大東〉、〈四月〉、〈北山〉、〈苕之華〉、〈何人斯〉，不下二、三十首。這些詩主要是夷王、厲王、幽王乃至平王東遷以後一段時間的作品，當時昏君暴虐，小人當道，政治腐敗，時代黑暗。貴族詩人蒿目時艱，或諷刺在上位者的作威作福，如〈瞻卬〉：「人有土田，女反有之。人有民人，女覆奪之。此宜無罪，女反收之。彼宜有罪，女覆說之。哲夫成城，哲婦傾城。」（頁694）；或深惡讒人之陷害忠良，如〈巷伯〉：「取彼讒人，投畀豺虎。豺虎不食，投畀有北，有北不受，投畀有昊。」（頁429）；或震懾於天崩地裂的災異，如〈十月之交〉：「爗爗震電，不寧不令。百川沸騰，山冢崒崩。高岸為谷，深谷為陵。哀今之人，胡憯莫懲？」（頁407）；或痛心於死喪離散的人禍，如〈桑柔〉：「亂生不夷，靡國不民。民靡有黎，具禍以燼。於乎有哀，國步斯頻。」（頁653-654）；甚至對天帝、祖先的信仰也起了

激烈的動搖，如〈小雅‧節南山〉：「昊天不傭，降此鞠訩。昊天不
惠，降此大戾。」（頁395），千載之下讀之，猶不禁令人掩卷長嘆。

（四）民生的反映

《詩經》反映的人民生活主要在十五〈國風〉，其時代大部分是
東周初年到春秋中葉的作品，小部分是西周中葉以後到平王東遷以前
的產物；其地域以黃河流域為主，最南亦在長江以北，是古代中國文
化的中心地區。[62]〈國風〉不僅記載了周代的風土人情，即使貨幣、
天文、職官、土地制度、飲食等文化史資料也留下不少，[63]是了解古
人生活的重要文獻，值得特別重視。

1 勞動生產

人類的勞動生產歷經採集、漁獵、畜牧到農業，在《詩經》當中
多多少少都有所反映，如〈周南〉的〈芣苢〉、〈召南〉的〈采蘩〉、
〈采蘋〉之言採集；〈召南‧騶虞〉、〈齊風〉的〈還〉及〈盧令〉之
言狩獵；〈周頌‧潛〉之言捕魚；〈王風‧君子于役〉、〈小雅〉的〈無
羊〉、〈鴛鴦〉、〈大雅‧公劉〉、〈魯頌‧駉〉之言畜牧，皆是飢者歌其
食，勞者歌其事，可以略窺各種勞動的情景，但寫得最詳盡的莫過於
農事詩。周民族以農立國，在〈生民〉、〈公劉〉、〈綿〉等史詩都可看
到后稷以降發展農業的苦心。《詩經》的農事詩至少有〈豳風‧七
月〉、〈小雅〉的〈楚茨〉、〈信南山〉、〈甫田〉、〈大田〉、〈周頌〉的
〈臣工〉、〈噫嘻〉、〈豐年〉、〈載芟〉、〈良耜〉，這些作品多為祭祀詩，
可見農業生產看天吃飯，反本報功是久遠的傳統。又由於豳原為周民

---

62 同注2，頁70-72。

63 孫克強、張小平：《教化百科──詩經與中國文化》（開封市：河南大學出版社，1995
年），頁40-43。

族的根據地，這些農事詩又可能都以豳龠吹奏，所以又有「豳風」、「豳雅」、「豳頌」之稱。[64]詩中對於農時、農耕技術、農產品、農村副業、農業思想都有所反映。[65]單就農業生產技術而言，拙作〈詩經與呂氏春秋農業生產技術史料之比較〉發現，無論是農時的掌握、土地的耕耘、作物的栽培、田間的管理、農產的收穫，與《呂氏春秋》的〈上農〉、〈任地〉、〈辯土〉、〈審時〉四篇都有驚人的吻合，兩者可以在實務與理論上交互印證，彼此補充，[66]同樣是研究先秦農業的重要史料。

2 民間習俗

　　人是社會動物、群居生活，久而久之，會形成獨特的風俗習慣。不同的時空，有不同的風俗習慣，制約人們的思想與行為。《詩經》既然網羅了先秦五百多年的歌詠，自然也保存了豐富的民俗文化，可惜研究者寥寥可數，周蒙的《詩經民俗文化論》是這方面的專著，他以專題形式，探討了〈大雅‧生民〉的宗教文化、生殖文化，〈豳風‧七月〉、〈小雅‧甫田〉、〈衛風‧竹竿〉等的蠟祭與儺禮，〈秦風‧黃鳥〉的人殉和人祭；〈小雅‧蓼蕭〉、〈大雅‧卷阿〉、〈周南‧麟之趾〉、〈大雅‧綿〉等的四靈文化，此外，還有酒文化、採藥民俗、蝃蝀傳說、氣象先兆、天文星象、生兒育女、天父稱謂等種種禮俗。[67]可見民俗文化的範圍相當寬廣，還有許多探討的空間。徐華龍有《國風與民俗研究》、孫述山有《詩經中的民俗資料》[68]亦可參閱。

64　同注50，頁93-96。

65　曾雄生：《中國農學史》（福州市：福建人民出版社，2012年二刷），頁52-63。

66　莊雅州：〈詩經與呂氏春秋農業生產技術史料之比較〉，《第四屆詩經國際學術研討會論文集》（北京市：學苑出版社，2000年），頁218-236。

67　周蒙：《詩經民俗文化論》（哈爾濱市：黑龍江教育出版社，1994年），凡270頁。

68　徐華龍：《國風與民俗研究》（北京市：中國民間文藝出版社，1988年），孫述山：《詩經中的民俗資料》（臺東縣：著者印行，1978年）。

3 民生疾苦

在階級分明的古代，平民百姓是最底層的群眾，擔當勞動生產的重任，分攤兵役與勞役，也繳交繁重的租稅。在承平之世，可以安居樂業，衣食無憂，但到了政治腐敗、社會動盪時的時代，則慘遭壓迫剝削，生活困頓，生命財產毫無保障，於是產生了許多變風、變雅中的社會詩。〈詩大序〉云：「治世之音安以樂，其政和；亂世之音怨以怒，其政乖；亡國之音哀以思，其民困。」（頁14）正是最好的寫照。從〈唐風・鴇羽〉、〈豳風・七月〉，可以看到當時人民終年勤苦，無衣無褐，連父母妻子都無法安養的慘狀；從〈周南・小星〉、〈邶風〉的〈擊鼓〉、〈式微〉、〈王風・君子于役〉、〈魏風・陟岵〉、〈豳風・東山〉、〈小雅〉的〈四月〉、〈北山〉、〈小明〉、〈采綠〉、〈綿蠻〉、〈何草不黃〉可以看出王事沒有止息，小吏及平民忙於兵役與徭役，妻離子散，無可告訴的痛苦；從〈邶風〉的〈北門〉、〈北風〉、〈鄘風・相鼠〉、〈衛風・芄蘭〉、〈齊風・敝笱〉、〈魏風・碩鼠〉、〈陳風・墓門〉、〈小雅・黃鳥〉可以看出統治階級的貪得無厭、橫徵暴斂，使得小老百姓忍無可忍，發出強烈的反抗與譴責。相形之下，在上位者坐享其成、荒淫無恥的劣行，激起了人們的咒罵，像〈邶風・新臺〉、〈鄘風〉的〈牆有茨〉、〈鶉之奔奔〉、〈齊風・南山〉、〈陳風・株林〉就是在表達這樣的控訴。〈國風〉的怨刺詩，比起〈小雅〉的諷諭詩，內容更深刻，語氣更激烈，藝術價值更高，影響後世自然也更為深遠。

（五）愛情的抒發

愛情是人類社會普遍的現象，文學的重要主題，[69]愛情詩是詩中

---

69 王立分中國文學十大主題為惜時、相思、出處、懷古、悲秋、春恨、遊仙、思鄉、

的重要類別之一。狹義的情詩，指戀愛與相思的詩歌；廣義的情詩還
包括婚姻和夫妻生活的詩歌。《詩經》中的情詩，通常指廣義而言。
其數量說法不一，最保守的估計有四、五十首之多，約占全書的六分
之一，除少數幾篇收入〈小雅〉之外，絕大部分收在〈國風〉，尤以
〈鄭風〉、〈衛風〉最為著名。近代，郭沫若編纂《卷耳集》，收錄
《詩經》情詩四十首，即以〈國風・卷耳〉為名。〈國風〉的第一首
〈關雎〉就是最有代表性的情詩，不僅為四始之一，也是三百篇之
首，情詩在《詩經》中的重要性由此可見。

　　《詩經》中的情詩約可分為幾類：

1　戀愛的甜蜜

　　如〈召南・野有死麕〉、〈邶風・靜女〉、〈鄘風・桑中〉、〈鄭風〉
的〈野有蔓草〉、〈溱洧〉、〈齊風・東方之日〉、〈魏風・十畝之間〉、
〈陳風〉的〈東門之枌〉、〈東門之楊〉皆是。〈野有死麕〉的「舒而
脫脫兮，無感我帨兮，無使尨也吠。」（頁66）〈溱洧〉的「維士與
女，伊其相謔，贈之以勺藥。」（頁182）可以想見當時風氣之開放、
愛情之自然、率真。

2　相思的甘苦

　　如〈周南〉的〈關雎〉、〈漢廣〉、〈邶風・終風〉、〈王風〉的〈采
葛〉、〈大車〉，〈鄭風〉的〈狡童〉、〈褰裳〉、〈子衿〉、〈陳風・月
出〉、〈秦風・蒹葭〉皆是。〈關雎〉的「求之不得，寤寐思服。悠哉
悠哉，輾轉反側。」（頁21）是單方面的相思；〈子衿〉的「青青子
衿，悠悠我心。縱我不往，子寧不嗣音？」（頁179）是暫別的相思。

黍離、生死。其中相思就是愛情。王立：《中國古代文學十大主題——原型與流變》
（臺北市：文史哲出版社，1994年），凡318頁。

〈終風〉的「終風且霾，惠然肯來？莫往莫來，悠悠我思。」（頁79）則是失戀後的相思。可見愛情的變化是複雜多端的。

3 反抗的無奈

如〈鄘風・柏舟〉、〈鄭風・將仲子〉是也。〈將仲子〉的「仲可懷也，父母之言亦可畏也。」（頁162）勇敢地反抗禮教的約束；〈柏舟〉的「之死矢靡它，母也天只！不諒人只。」（頁109）更是誓死反抗改嫁的壓力。

4 婚姻的美滿

如〈周南・桃夭〉、〈鄭風・女曰雞鳴〉、〈齊風・著〉、〈唐風・綢繆〉、〈豳風・伐柯〉皆是。〈桃夭〉的「桃之夭夭，灼灼其華。之子于歸，宜其室家。」（頁37）祝賀新婚的喜慶；〈女曰雞鳴〉的「宜言飲酒，與子偕老。琴瑟在御，莫不靜好。」（頁169）描述夫婦的恩愛，令人生羨。

5 被棄的辛酸

如〈邶風・谷風〉、〈衛風・氓〉、〈王風・中谷有蓷〉是也。〈谷風〉的「不我能慉，反以我為讎，既阻我德，賈用不售。昔育恐育鞠，及爾顛覆。既生既育，比予于毒。」（頁91）〈氓〉的「女也不爽，士貳其行。士也罔極，二三其德。」（頁135）寫盡新婚的宴爾之樂、婚後的同甘共苦、色衰的無情背棄，有喜、有怨、有悲、有恨、有企望、亦有絕望，並稱為棄婦詩的雙璧。

6 悼亡的悲戚

如〈唐風・葛生〉是也。〈葛生〉的「冬之夜，夏之日。百歲之

後，歸于其室。」（頁228）生離死別之情，百年同穴之慟，令人不忍
卒讀。

　　對於《詩經》情詩的解讀，從古有三變：漢唐時，毛傳、鄭箋、
孔疏標榜「文王之化」、「后妃之德」及附會歷史上的人和事；宋代朱
熹、王柏等從衛道出發，把這些詩視為淫詩，甚至主張刪汰；五四運
動以後，恢復情詩的本來面目，百花齊放，對情詩的藝術手法、形象
的刻畫、心理的描寫、語言的藝術、想像的虛擬、情景的融合、結構
的完整，都有專題探討，創獲不少。[70]

四　技巧方面

　　文學創作是一種複雜的精神勞動，作者的思想、情感、想像，透
過文學的形式，轉化成曼妙的篇章，必先經過種種技巧的表達，包含
構思作品的主題、選擇寫作的題材，決定作品的形式與結構、語文風
格的採用。[71]三百篇雖出自眾手，各極其妙，但綜合觀之，其技巧仍
有可得而言者：

（一）抒情方式

　　談到詩的起源，《尚書‧堯典》云：「詩言志，歌永言，聲依永，
律和聲。」[72]〈詩大序〉也說：「詩者，志之所之也，在心為志，發言
為詩。」（頁13）二者皆主張詩是在言志，而不像（晉）陸機那樣強
調隱情的重要性，其實志既然是心之所之，當然包含思想、情感、想

70　同注55，頁682-684。

71　張雙英：《文學概論》（臺北市：文史哲出版社，2002年），頁82-96。

72　（漢）孔安國傳，（唐）孔穎達疏：《尚書正義》（臺北市：藝文印書館，1985年），
　　頁46。

像在內，所以〈詩大序〉緊接著說：「情動於中而形於言。言之不足，故嗟歎之；嗟歎之不足，故永歌之；永歌之不足，不知手之舞之，足之蹈之也。」（頁13）可見它也承認情感的重要性，只是認為情感應該用禮義來加以引導和限制而已。[73]無論如何，濃烈的情感終究是詩的主要原動力，比起其他文學體裁，詩都富於情感色彩，即使敘事詩也總是運用抒情的筆調敘事，這是詩區別於其他文體的最基本、最顯著的特點。[74]

《詩經》的抒情方式，主要有二種：

1 直抒胸臆

（梁）鍾嶸《詩品・序》：「至乎吟詠情性，亦何貴於用事。……觀古今勝語，多非補假，皆由直尋。」[75]這段話容或不無爭議，至少對於《詩經》而言，頗為貼切。因為上古詩人感發興懷，往往直抒胸臆，罕依書卷，不賴典故。情詩如〈鄭風・狡童〉的「彼狡童兮，不與我言兮。維子之故，使我不能餐兮！」（頁173）〈唐風・綢繆〉的「綢繆束薪，三星在天。今夕何夕？見此良人。子兮子兮，如此良人何？」（頁222-223）對愛情的追求，天真爽朗；對新娘的美麗，喜不自勝，都是由衷之言，毫無矯飾。悲悼詩如〈唐風・葛生〉的「葛生蒙楚，蘞蔓于野。予美亡此，誰與獨處？」（頁227）〈小雅・蓼莪〉的「無父何怙？無母何恃？出則銜恤，入則靡至。」（頁436）夫婦生死暌隔之悲，父母雙雙亡故之慟，呼天搶地，更是痛徹肺腑。至於怨刺詩，如〈小雅・正月〉的「心之憂矣，如或結之。今茲之正，胡然厲矣？燎之方揚，寧或滅之。赫赫宗周，褒姒滅之。」（頁399-400）

---

73 童慶炳：《新編文學理論》（北京市：中國人民出版社，2011年），頁94-97。

74 同注42，頁92。

75 （梁）鍾嶸：《詩品》，《歷代詩話》（北京市：中華書局，1992年），頁4。

〈鄘風・鶉之奔奔〉:「鶉之彊彊,鵲之奔奔。人之無良,我以為君。」(頁114)褒姒、宣姜禍國殃民,詩人胸中塊壘,不吐不快,故直指其人,加以咒詛,其正言直陳,不曲折,不隱晦,有如此者。

2　含蓄不露

　　《禮記・經解》云:「溫柔敦厚,詩教也。」[76]〈詩大序〉云:「上以風化下,下以風刺上。主文而譎諫,言之者無罪,聞之者足以戒,故曰風。」(頁16)基於溫柔敦厚的傳統,或避免直言賈禍的下場,三百篇作者往往也有隱約其辭,含蓄不露,意在言外,耐人尋味者。如〈周南・卷耳〉:「采采卷耳,不盈頃筐。嗟我懷人,寘彼周行。」(頁33)表面上只寫女子采卷耳,而懷念行人,無心採集,遙望遠方,思念正殷,皆不難想見。〈陳風・月出〉:「月出皎兮,佼人僚兮。舒窈糾兮,勞心悄兮。」(頁255)融情於景,託月寄情,明月美人,相得益彰,令人味之,亹亹不倦。〈豳風・東山〉:「我徂東山,慆慆不歸。我來自東,零雨其濛。我東曰歸,我心西悲。制彼裳衣,勿士行枚。蜎蜎者蠋,烝在桑野。敦彼獨宿,亦在車下。」(頁295)征人久戰得歸,悲喜交集,細雨織愁,滿目蒼涼,其近鄉情怯之意盡在不言中了。〈衛風・氓〉:「桑之未落,其葉沃若。于嗟鳩兮,無食桑葚。于嗟女兮,無與士耽。士之耽兮,猶可說也。女之耽兮,不可說也。」(頁135)善用比興,形象鮮明地對比年輕與色衰,而男女不平等的憾恨也躍然紙上,體物寫志,已臻上乘。〈魏風・碩鼠〉:「碩鼠,碩鼠,無食我黍。三歲貫女,莫我肯顧。逝將去女,適彼樂土。樂土樂土,爰得我所。」(頁211)諷刺國君不修其政,重歛傷民,而通篇純用比體。具體生動,深得言者無罪之妙。〈秦風・蒹

76　同注54,頁845。

葭〉：「蒹葭蒼蒼，白露為霜。所謂伊人，在水一方。遡洄從之，道阻
且長。遡游從之，宛在水中央。」（頁241）表面上在寫美人可望不可
即，而空靈虛幻，可象徵一切執著的追求與悲壯的失敗，令人神往，
又使人悵惘，真是只可意會，難以言傳。朱光潛《詩論》云：「以極
經濟的語言喚起極豐富的意象和情趣就是『含蓄』、『意在言外』和
『情溢乎詞』。嚴格地說，凡是藝術的表現（連詩在內），都是象徵，
凡是藝術的象徵都不是代替或翻譯，而是暗示，凡是藝術的暗示都是
以有限寓無限。」[77]信然。

（二）賦比興的技巧

現代的文學創作理論講寫作的基本技巧，主要分為敘述、描寫、
抒情、議論，不同的文體各有所偏，但亦有融為一體，混雜使用者。
古之言《詩經》作法，則主六義中的賦比興，如與現代之寫作技巧參
看，則其義益明，其效更宏。

1 賦

（宋）朱熹《詩集傳》說：「賦者，敷陳其事而直言之也。」[78]賦
主要就是敘述法，這是沒有爭議的。例如〈大雅・生民〉：「誕寘之隘
巷，牛羊腓字之。誕寘之平林，會伐平林。誕寘之寒冰，鳥覆翼之。
鳥乃去矣，后稷呱矣。實覃實訏，厥聲載路。」（頁591-592）這是歷
敘周始祖后稷，由於母親姜嫄踩上了上帝足跡而懷孕，后稷出生後被
棄的一段充滿靈異的神話傳說，敘述綦詳。賦之鋪述，其道多端，陳
鍾凡《中國韻文通論》即分為順敘、對敘（分單對、複對）、疊敘
（又分疊字、疊句、疊調）、鋪敘（列舉數事，依次敘之）、排偶（複

---

77 朱光潛：《詩論》（臺北市：正中書局，1970年臺三版），頁77-79。

78 （宋）朱熹：《詩集傳》（臺北市：中新書局，1974年，《五經讀本》）卷一，頁2。

用對敘），[79]言之甚詳。然賦之作法並非局限於敘述，（梁）劉勰《文心雕龍・詮賦篇》云：「賦者，鋪也。鋪采敷文，體物寫志也。」[80]賦既然可以體物寫志，而詩之言志，又包含思想、情感、意志，則賦之為用，自然十分寬廣。廖柏昂〈詩經賦法初探〉將賦之藝術特色析為概括性、形象性、抒情性、想像性。[81]夏傳才《詩經語言藝術新論》更將賦的藝術細分為：抒情（又分直抒胸臆、意在言外）、寫景狀物（又分形神俱似、情景交融）、敘事（又分鋪敘鋪陳、對話設問和反問），[82]可謂貫通古今，能見其全。

2 比

　　（宋）朱熹《詩集傳》說：「比者，以彼物比此物也。」[83]比就是譬喻法，主要包含明喻、隱喻和借喻。例如〈衛風・碩人〉：「手如柔荑，膚如凝脂，領如蝤蠐，齒如瓠犀，螓首蛾眉。」（頁129）這段文字連用了四個明喻，來描繪衛莊公夫人姜氏手指、皮膚、脖子、牙齒的柔細潔白，再用兩個隱喻，來形容其額頭、眉毛的姣好，準確細膩，刻畫入微。又如〈周南・螽斯〉：「螽斯羽，詵詵兮。宜爾子孫，振振兮。」（頁35-36）喻人子孫眾多，宛如螽斯，只有喻依，而省略了喻體和喻詞，也是一種高明的譬喻技巧。夏傳才〈說比的藝術〉將比分為比體詩、明喻、隱喻、借喻、比擬五類。[84]明喻、隱喻、借喻是修辭學中譬喻格最重要的類別，也是一般人談《詩經》的比都會談到的。比體詩是通過詠物來寄託自己的思想感情，《詩經》中只有

---

79 陳鐘凡：《中國韻文通論》（北京市：中華書局，2015年）。

80 同注10，頁134。

81 廖柏昂：〈詩經賦法初探〉，《詩經學論叢》，同注58，頁395-411。

82 同注6，頁112-131。

83 同注78，卷一，頁3。

84 同注6，頁132-142。

〈周南・螽斯〉、〈魏風・碩鼠〉、〈豳風・鴟鴞〉、〈小雅・鶴鳴〉，其實是全篇借喻。比擬則是直接把人比作物，或把物比成人，又稱轉化。也就是描述一件事物時，轉變其原來性質，化成一種本質截然不同的事物，予以形容敘述的修辭方法。[85]例如〈小雅・大東〉：「跂彼織女，終日七襄。雖則七襄，不成報章。」（頁440）是擬人；〈周南・兔罝〉：「赳赳武夫，公侯干城。」（頁40）是擬物。比擬可以物我交融，極態盡妍：也可抒情狀物，維妙維肖。將它列入六義的比，確實可使比充實不少。

3 興

　　歷代學者對於興的看法至為紛歧。朱熹《詩集傳》說：「興者，先言他物，以引起所詠之詞也。」[86]由於《詩經》中的興字多當作「起」或與起有關的意思，如「發動」、「助長」、「興盛」來解釋，而且《毛傳》注明「興也」的一一六篇也都在首章中使用興體，所以朱熹的說法最能得到一般學者的認同。例如〈邶風・谷風〉：「習習谷風，以陰以雨。黽勉同心，不宜有怒。」（頁89）首二句寫天候陰霾，聯想到丈夫的暴戾，也烘托夫婦失和的氣氛，就是一個佳例。所以簡單地說，興就是出現在篇章前面的聯想法。夏傳才〈說興的藝術〉認為興有三類：（1）不取其義：即朱熹所說：「全不取其義」，只有發端起情和定韻的作用。如〈秦風・黃鳥〉：「交交黃鳥，止于棘。誰從穆公？子車奄息。誰此奄息，百夫之特。」（頁243）（2）有比喻意義：即毛、鄭所說的「託物起興」、「興寓美刺」，在《詩經》中最為普遍。如〈召南・鵲巢〉：「維鵲有巢，維鳩居之。之子于歸，百兩御之。」（頁46）（3）交代背景，渲染氣氛：即鍾嶸所說：「文已盡而

85 沈謙：《修辭學》（臺北縣：空中大學，1995年），頁276。
86 同注78，卷一，頁1。

意有餘」，如：〈小雅：苕之華〉：「苕之華，芸其黃矣。心之憂矣，維
其傷矣！」（頁526）[87]興義難曉，夏說巧為彌縫，將各種異說融於一
爐，使興義更為豐富，讀者得以各取所需。至其所說：「起興就是從
觸動詩人感情的事物展開聯想，它是形象思維的第一階段。」[88]則確
實是顛撲不破。

（三）修辭手段

　　黃慶萱說：「修辭學是研究如何調整語文表意的方法，設計語文優
美的形式，使精確而生動地表出說者或作者的意象，期能引起讀者之
共鳴的一種藝術。」[89]這個定義對修辭學的方式、原則、內容本質、
目的都已談到了，相當周延。修辭學成為一門有體系的學問，是近代
的事，但實際上的運用卻由來已久，《詩經》中屢見不鮮。清儒已注
意及之，如姚際恆分為錯綜、音節、摹寫、複疊、映襯、互文、倒
裝、雙關、排偶、曲繞、賦比興等十一種；方玉潤分為錯綜、音節、
摹寫、複疊、映襯、互文、倒裝、排偶、曲繞、賦比興等十一種。[90]
近代學者言者尤多，如周滿江《詩經》所列有借代、映襯、對比、摹
狀、引用、呼告、誇飾、倒反、對偶等九種；[91]向熹《詩經語言研究》
有比興、借代、誇飾、擬人、諧音、對偶、排比、設問、墊襯、詠
歎、頂針、懸想、變文、互詞等十四種；[92]洪湛侯《詩經學史》有摹

87　同注6，頁147-155。趙沛霖：《詩經研究反思》對比興的界說與性質也有所析論，同
　　注50，頁280-296。
88　同注6，頁156。
89　黃慶萱：《修辭學》（臺北市：三民書局，1994年增訂七版），頁9。
90　朱孟庭：《清代詩經的文學闡釋》（臺北市：文津出版社，2007年），頁112-134、
　　241-254。
91　同注17，頁128-129。
92　向熹：《詩經語言研究》（成都市：四川人民出版社，1987年），第六章〈詩經的修
　　辭和章法〉。

繪、借代、比喻、比擬、雙關、誇飾、襯托，對比、對偶、排比、層遞、複疊、引用、詠歎、修辭格的綜合運用等十五種；[93]羅敬之有譬喻、借代、摹狀、移就、比擬、呼告、鋪張、倒反、設問、感歎、層遞、鑲嵌、複疊、節縮、省略、同字異義、同義異字、反覆、對偶、錯綜、頂真、倒裝等二十二種；[94]黃振民〈詩三百篇修辭之研究〉所收更有譬喻、擬人、示現、鋪張、映襯、因果、轉進、層進、設問、詰問、撥言、辨言、呼告、感嘆、借代、移就、引用、轉品、警句、鑲嵌、錯綜、對偶、倒裝語句、排比、頂真、節縮、省略、省筆、疊字、反覆等三十種；[95]張西堂《詩經六論》所言亦相垺。[96]可見三百篇詩人運用修辭相當廣泛而純熟，對修辭格的形成與發展當大有貢獻。

修辭格在《詩經》中運用最多的應數譬喻，比擬為數亦不少，所以比能與賦、興並列於六義之中。底下介紹《詩經》中其他修辭格七種，以概其餘：

1 借代

如〈邶風・新臺〉：「燕婉之求，籧篨不鮮。」（頁106）籧篨指竹蓆，借代臃腫不能俯仰的衛宣公。〈衛風・氓〉：「既見復關，載笑載言。」（頁135）復關借代居住在復關的氓。

2 映襯

如〈小雅・十月之交〉：「高岸為谷，深谷為陵。」（頁409）以高山深谷互易其位，見地震之烈。〈小雅・蓼莪〉：「民莫不穀，我獨何

93　同注55，頁695-697。

94　羅敬之：〈談詩經國風的修辭〉，《詩經研究論集》（臺北市：臺灣學生書局，1983年），頁141-149。

95　同注23，頁397-465。

96　張西堂：《詩經六論》（上海：商務印書館，1957年）。

害？」（頁437）以人皆善養父母，襯托自己獨罹寒苦之害。

3　摹狀

如〈邶風‧雄雉〉：「雄雉于飛，泄泄其羽。」（頁56）以雄雉鼓翅，摹其舒緩自得之狀。〈小雅‧鹿鳴〉：「呦呦鹿鳴，食野之苹。」（頁315）呦呦摹鹿鳴之聲。

4　示現

如〈魏風‧陟岵〉：「陟彼岵兮，瞻望父兮。父曰嗟予子行役，夙夜無已。上慎旃哉！猶來無止。」（頁209）登山瞻望，而父之謦欬如在眼前。〈大雅‧文王〉：「文王陟降，在帝左右。」（頁533）祭祀文王，而文王宛如在上帝左右。

5　誇飾

如〈王風‧采葛〉：「彼采葛兮，一日不見，如三月兮。」（頁153）一日不見，如三月之久，亟言思念之深。〈大雅‧崧高〉：「崧高維嶽，駿極于天。」（頁669）四嶽高聳，直上青天，亟言山嶽之高。

6　轉品

如〈豳風‧七月〉：「取彼斧斨，以伐遠揚。」（頁282）遠揚之「揚」，揚起之枝條，動詞作名詞用。〈小雅‧信南山〉：「上天同雲，雨雪雰雰。」（頁461）雨雪之「雨」，名詞作動詞用。

7　頂真

如〈周南‧關雎〉：「窈窕淑女，寤寐求之。求之不得，寤寐思服。」（頁21）「求之」在二句之末，三句之首，如針之相頂。〈邶

風‧凱風〉：「凱風自南，吹彼棘心。棘心夭夭，母氏劬勞。」（頁85）
「棘心」二字在二、三句，首尾蟬聯，上遞下接。

（四）意境與風格

美學就是藝術哲學，任何學術發展到了終極，都進入哲學境界，文學創作亦然，所以需講美學。意境與風格是美學的兩大重要範疇，古人創作時雖然完全不知其為何物，但創作的成果，後人卻往往可以藉此來加以品鑒。

1 意境

所謂意境，是指文學作品中和諧、廣闊的自然和生活的圖景，滲透著作者含蓄、豐富的情思而形成的能誘發讀者想像和思索的藝術境界。[97]它是中國所獨有，最具特色的美學範疇之一，濫觴於先秦老莊、《易傳》，又受到玄學、佛學的影響，在魏晉開始發展。劉勰的「思表纖旨，文外曲致。」（《文心雕龍‧情思篇》）鍾嶸的「文已盡而意有餘」、「味之者無極」（《詩品‧序》）都已為意境理論做了奠基工作。到了唐宋以後，王昌齡《詩格》詩有「物境」、「情境」、「意境」三境之說，釋皎然《詩式》「取境」之說，司空圖《詩品》強調的「韻外之致」、「味外之旨」、「象外之象，景外之景」、「不著一字，盡得風流」，嚴羽《滄浪詩話》主張的「透徹玲瓏，不可湊泊，如空中之音，相中之色，水中之月，鏡中之象，言有盡而意無窮」，都使境界理論臻於成熟，後來再經謝榛、陸時雍、王夫之、梁啟超、王國維等人的推闡更跨入新的世紀。[98]

---

97 同注42，頁135。
98 韓林德：《境生象外》（北京市：生活‧讀書‧新知三聯書店，1995年），頁58-66。
　古風：《意境探微》（南昌市：百花洲文藝出版社，2001年），頁33-143。

在《詩經》中，塑造意境最常見的手段是情景交融，這是從比興的形象思維出發的技巧，最有名的例子是〈秦風‧蒹葭〉：「蒹葭蒼蒼，白露為霜，所謂伊人，在水一方。遡洄從之，道阻且長。遡游從之，宛在水中央。」（頁241）採擷了蒹葭、白露、霜、伊人、水、道幾個意象，巧加布置，蒼茫的景色、飄渺的伊人、深沈的渴慕，情景融合無間，構成一種朦朧迷離而又濃郁醇厚的美感，最得風人情致。此外，〈周南‧葛覃〉、〈鄭風‧風雨〉、〈王風‧君子于役〉、〈邶風‧北風〉、〈豳風‧七月〉、〈豳風‧東山〉、〈陳風‧月出〉、〈小雅‧采薇〉、〈小雅‧谷風〉也都具有此種美感。

情景交融之外，有些無景之境，純屬心中之境，或託物言志，寄情於物；或描寫細節，抒發幽思；或直抒胸臆，表達隱衷，也可創造另一種類型的意境。[99]例如〈邶風‧柏舟〉：「汎彼柏舟，亦汎其流。耿耿不寐，如有隱憂。微我無酒，以敖以游。」（頁74）全詩五章，緊緊環繞「隱憂」的主題發展，將主人公的心理、性格、氣質和感情展現無遺，沈鬱悲涼，令人鼻酸。除譬喻外，絕無景物可以寄情，而其心境之深，亦夐不可及。此外，〈邶風‧匏有苦葉〉、〈邶風‧谷風〉、〈鄘風‧載馳〉、〈衛風‧考槃〉、〈鄭風‧出其東門〉、〈陳風‧衡門〉、〈小雅‧祈父〉、〈小雅‧何人斯〉也是同一類型的作品。

2 風格

所謂風格是作家在作品的內容與形式統一中所顯現出來的獨特的創作個性，亦即文學作品中所流露的特殊風味與品格。[100]它是作家藝術成熟的標誌，讀者欣賞的橋樑，批評家評論的標準。風格的探析是相當複雜的事，《文心雕龍‧體性篇》曾把風格分為八類，即典雅、

99　同注9，頁265。
100　同注42，頁154。

遠奧、精約、顯附、繁縟、壯麗、新奇、輕靡，[101]對後世影響極大。後來（唐）司空圖《詩品》分風格為二十四，皎然《詩式》分為十九，（宋）嚴羽《滄浪詩話》以九品定詩風高下，姜夔《詩說》立有四種高妙，（明）周履靖《騷壇祕語》有辨體十九字，（清）袁枚《小倉山房續詩品》有三十六品，所分更為細密。[102]近代陳望道《修辭學發凡》受到《文心雕龍》影響，將風格分為四組八種，即：簡約與繁豐（以文辭分）、剛健與柔婉（以氣象分）、平淡與絢爛（以色味分）、謹嚴與疏放（以格律分），[103]體系井然，頗有可取，但流傳最廣的仍數桐城派古文家所分的陽剛與陰柔二體，[104]其實也就是陳望道所謂的剛健與柔婉，以其最為簡便，故世人津津樂道。只是範圍不夠全面，重點較為突出而已。

早在春秋時代，孔子即說：「〈關雎〉樂而不淫，哀而不傷。」[105]就是從中庸哲學評價〈周南·關雎〉的藝術風格。劉熙載《藝概》云：「穆如春風，蕭雝和鳴，〈雅〉、〈頌〉之懿，兩言可蔽。」[106]即〈雅〉貴典重文雅，正如〈大雅·烝民〉所言「穆如春風」；〈頌〉貴和諧莊嚴，正如〈周頌·有瞽〉所言「蕭雝和鳴」。方玉潤《詩經原始》評〈豳風·七月〉云：

> 今玩其辭，有樸拙處，有疏落處，有風華處，有典核處，有蕭散處，有精微處，有淒婉處，有山野處，有真誠處，有華貴處，有悠揚處，有莊重處，無體不備，有美必臻。晉唐後陶、

101 同注10，頁505。
102 王更生：《文心雕龍研究》（臺北市：文史哲出版社，1979年增訂版），頁366。
103 陳望道：《修辭學發凡》（臺北市：臺灣學生書局，1963年），頁251-271。
104 蔣伯潛：《體裁與風格》（臺北市：正中書局，1954年），頁257-258。
105 同注3，頁58。
106 同注48，頁221。

謝、王、孟、韋、柳田家諸詩，從未臻此境界。[107]

更是從多元角度探討全詩中不同風格的詩句，而讚歎其彼此渾然一體，已臻天人合一境界。《詩經》多民歌，又是上古之作，近代學者如郭預衡、洪湛侯、周滿江往往重視其渾樸自然的風格。[108]也就是真實地反映現實生活，率真地表達感情，不無病呻吟，不矯揉造作，也沒有雕琢的痕跡。如〈召南‧摽有梅〉、〈野有死麕〉、〈邶風‧谷風〉、〈靜女〉、〈鄘風‧柏舟〉、〈衛風‧氓〉、〈王風‧黍離〉、〈君子于役〉、〈采葛〉、〈鄭風‧女曰雞鳴〉、〈齊風‧東方未明〉、〈魏風‧伐檀〉、〈碩鼠〉、〈豳風‧七月〉、〈小雅‧無羊〉、〈十月之交〉、〈大東〉、〈北山〉，皆是其例。渾樸自然可說是《詩經》整體的風格，但個別作品隨著詩的內容和詩人身分、性格的不同，甚至時代、地域、民族、文體的差異而有風格上的變化。意境與風格的研究，學界較少留意，大有拓展的空間。

五　結論

綜觀上述析論，可以發現：

（一）《詩經》為上古文學作品，上乏所承，而豐富之詞彙、靈活之句法、多變之章法、自然之韻律，往往自出機軸，開創後世辭賦、詩詞曲形式之無數法門，故被譽為百代韻文之祖。

（二）十五〈國風〉、二〈雅〉、三〈頌〉之內容，無論歷史的吟詠、鬼神的頌讚、政治的寫照、民生的反映、愛情的抒發，無不深刻反映先秦五百年的歷史文化、民土風情、社會人生，留給我們珍貴的

107　同注47，頁306-307。

108　洪湛侯：《詩經學史》，同注55，頁687-688。周滿江《詩經》，同注17，頁121-123。

史料，也對後世文學產生無與倫比的影響，後世之詠史詩、祭祀詩、頌讚詩、社會詩、戰爭詩、諷諭詩、田園詩、山水詩、愛情詩無不由此蛻變而出。

（三）三百篇的寫作技巧，舉凡抒情方式、賦比興技巧、修辭手段、意境與風格，亦為後代文人墨客取法的範本，非獨韻文而已。中國如無《詩經》，則《楚辭》以下的文學，面目恐大有不同，甚至無由產生，《詩經》之文學價值，由此可見一斑。

《詩經》與音樂關係析論

莊雅州、張蕙慧

一 前言

在古希臘神話中，藝術分別由文藝九女神掌管，而九女神合稱繆斯（Muses），其中尤以詩歌、音樂、舞蹈三者關係最為密切。上古時代，無論中西，藝術起源之初，詩、樂、舞都是同出一源。到了後來，文明日進，分工益細，三種藝術才逐漸分立：音樂專取聲音為媒介，趨重和諧；舞蹈專取肢體形式為媒介，趨重姿態；詩歌專取語言為媒介，趨重意義。[1]但三者關係仍然是藕斷絲連，互為奧援，所以今天我們在研究中國第一本詩歌總集——《詩經》時，不能摒樂舞不言，尤其是音樂，與詩更是密切相關，是研究《詩經》的重要課題。我們夫婦三十幾年前結褵，親友曾以文學與音樂聯姻相祝福。多年來雖則琴瑟和鳴，但教學、研究始終各自為政，罕所交集，今因參加《詩經》與禮制研討會之便，擬合撰本論文，庶幾相互激發，或可略有「他山之石，可以攻錯」的作用吧！

二 詩樂本質

詩與音樂是兩種關係最為密切的姊妹藝術，要探討其分合之故，

---

1 朱光潛：《詩論》（臺北市：正中書局，1970年臺三版），頁109。

宜從其本質的異同著手。朱光潛《詩論》開宗明義即說：

> 想明白一件事物的本質，最好先研究它的起源，猶如想了解一
> 個人的性格，最好先知道他的祖先和環境，詩也是如此。[2]

他將〈詩的起源〉列為該書首章，充分顯示他「自起源求本質」的觀
點。不過，我們特別要注意的是，他談起源的目的是為了「明白一件
事物的本質」，顯然本質是更早、更重要的關鍵，所以我們擬直接從
本質談起，再談詩樂的起源。

（一）詩的本質

詩是語言的藝術，語言是一種人為的音響・具有語音、詞彙、語
法三個要素，語音是語言的外部形式，詞彙與語法合而為語義，是語
言的核心。最初的詩只是歌謠，到了四、五千年前，有了文字，以字
形為外殼，字音、字義為核心，才開始用文字作為語言的載體，也才
開始有了形諸竹帛的文學，有了詩。文學作品，尤其是詩，是最有文
彩的文字，正如（梁）劉勰《文心雕龍・情采篇》所說：

> 故立文之道，其理有三：一曰形文，五色是也；二曰聲文，五
> 色是也；三曰情文，五性是也。五色雜而成黼黻，五音比而成
> 韶夏，五情發而為辭章，神理之數也。[3]

這樣的說法，與文字的形、音、義三要素正相呼應。若再仔細分析，

2　朱光潛：《詩論》，同上注，頁1。

3　（梁）劉勰著，范文瀾注：《文心雕龍注》（臺北市：文光出版社，1973年），頁
　　537。

形文包括字句、辭藻、對偶；聲文包括錯綜、協韻、節奏；情文包括意象、典故。[4]這些要素，經過種種寫作技巧的運用，諸如構思作品的主題、選擇寫作的題材、決定作品的形式與結構、採用語文的風格，[5]於是在形文方面，產生字詞錘鍊的藻飾美、形式對稱的整齊美、句式多樣的變化美；聲文方面，產生節奏和諧的抑揚美、異音相從的錯綜美、同聲相應的回環美；情文方面產生深刻感人的情意美、具體生動的意象美、超越時空的想像美。整體而言，就形成了聲色爭妍、情采均衡、意境高遠、風格多元的特色。[6]單就詩而言，其特色主要應為：

1 濃烈的情感，
2 豐富的想像，
3 生動的意象，
4 凝鍊的字句，
5 優美的韻律，
6 跳躍的結構，
7 圓融的意境。[7]

這些特色結合在一起，不僅區隔了詩與散文、小說、戲劇等其他語言藝術，也突顯了詩與其他藝術的不同。

---

4 莊雅州：〈論漢字之特質及其與文學體裁之關係〉，《紀念林尹教授百年誕辰論文集》（臺北市：文史哲出版社，2009年），頁203-225。

5 張雙英：《文學概論》（臺北市：文史哲出版社，2002年），頁82-96。

6 莊雅州：〈論漢字與中國文學美感的關係〉，《第二十一屆中國文字學國際學術研討會論文集》（臺北市：東吳大學，2010年），頁432-446。

7 向錦江、張建業：《文學概論新編》（北京市：北京師範學院，1988年），頁9-13。姚鶴鳴：《文學概論精講》（北京市：北京大學出版社，2001年），頁92-94。張雙英：《文學概論》，同注5，頁109-124。

（二）音樂的本質

　　音樂是音響的藝術，也是表情藝術，《禮記‧樂記》將音響分為三個層次：

> 人心之動，物使之然也，感於物而動，故形於聲，聲相應，故
> 生變，變成方，謂之音。比音而樂之，及干戚羽旄，謂之樂。[8]

聲只是表示情緒的人為音響；將清濁高下的變化列成一定的格調，是為音；比照音而配合以樂器以及跳舞用的道具，則是所謂的樂。所以音樂是藝術化的聲響。聲響根據連貫性、對比性、新穎性、平衡性等原則，經過複調、調式、調性、配器、曲式等作曲技巧的運作，[9]於是產生音色美、節奏美、曲調美、和聲美，這四種美感是音樂的四大要素。所謂音色是不同物體振動狀態所產生的聲音屬性；節奏是聲音在時間中的出現與消失的有序組織形式，是音在時間中先後出現的間隔而構成的秩序；曲調又稱旋律，是由不同的音高在時間中有機結合而構成的；和聲是兩個或多個相同高度或不同高度的音同時發響的效果。[10]這四大要素構成一支支美妙動聽的樂曲。

　　音樂藝術主要特色為：

　　　1 音樂是聲音的藝術，
　　　2 音樂是聽覺的藝術，

8　（漢）鄭玄注，（唐）孔穎達疏：《禮記正義》（臺北市：藝文印書館，1985年），頁662。

9　王次炤主編：《音樂美學》（北京市：高等教育出版社，1994年），頁45-67、40-45。

10　郭長揚：《音樂美的尋求》（臺北市：樂韻出版社，1991年），頁43-63。王次炤主編：《音樂美學》，同上注，頁31、35、37、39。

　　3　音樂是感情的藝術，

　　4　音樂是時間的藝術，

　　5　音樂是表演的藝術。

易言之，音樂藝術是以聲音作為基本的表現手段，以情感為主要表現內容，它通過表演在時間中展開，最終訴之於人的聽覺的藝術形式。[11]這些特色結合在一起，不僅區隔了同為表情藝術的舞蹈，也突顯了音樂與其他藝術的不同。

（三）詩樂本質的比較

1 詩樂本質相通之處

　　詩與音樂在形態上是兩門迥然不同的藝術，但在本質上實頗有相通之處，舉其要者，有：

　　（1）音樂是聲音的藝術、聽覺的藝術，其物質材料是音響，須透過聽覺的感知，才能實現其存在價值。詩歌是語言的藝術，聲文是其三大要素之一，與音響及聽覺也有密切關係。而最重要的是詩與音樂都以節奏為共同的命脈，在詩主要為平仄的變化，及字句之長短、聲調之高低、語氣的輕重緩急；在音樂則為樂音的強弱交替、循環往復，兩者都使作品產生規律性、生命力，可以相輔相成，相得益彰。

　　（2）音樂是感情的藝術，它透過節奏、旋律、和聲等要素對情感的模擬和表現，比其他的藝術作品來得直接，而音樂喚起聽眾曾經經歷過的情感體驗，使其產生共鳴的力量，也比其他藝術作品來得強烈。[12]詩不宜議論，只宜抒情，沒有激情，就沒有詩。其抒情方式或

11　齊易、張文川：《音樂藝術教育》（北京市：人民出版社，2002年），頁19-25。

12　張蕙慧：〈音樂語言相通論〉，奧福音樂協會《奧福教育年刊》第6期（2004年1月），頁62。

直抒胸臆，或含蓄不露，無論如何，抒情都是詩區別於其他文體的最基本、最顯著的特點。

（3）音樂是時間的藝術，與雕塑、繪畫等空間藝術不同。它在時間裡展開，在時間裡流動，我們欣賞音樂，首先從細節開始，從局部開始，直到全曲奏（唱）完，才會給我們留下整體印象，而音樂形象也就是在時間的運動中逐漸呈現、展開、發展、結束的。[13]詩節奏的綿延、情感的抒發、詞語有序結構的呈現，同樣是在時間中逐漸發展變化。而意象的塑造也是在時間的流動中逐漸成形的。意象，使詩具有繪畫性，對抒發情感、烘托主題、呈現意境，作用極大。

（4）音樂是表演的藝術，必須要通過演奏、演唱等二度創作才能完成，離開了表演，譜面上的音樂作品就無法轉化為流動的音響，自然也失落了存在的意義。[14]同樣地，詩以詞語建構的文字形象，只有通過讀者的再創造想像活動，才能以一種動態的、多層次的立體形象，活在審美主體的心中，才真正完成主客體共同塑像的過程，並為主體所接受。[15]

由於詩與音樂相通之處如此之多，所以在遠古時代，兩者才能融合無間，同出一源。厥後二者雖分道揚鑣，各自成為獨立的藝術，而仍能相互支援，合作無間，其故亦在此。

2 詩樂本質相異之處

詩與音樂成為兩種獨立的藝術，緣由多端，有先天的，有後天的；有內在的，有外在的，以下僅就先天的、內在的本質論之。

（1）就材料而言，詩是語言藝術，其材料主要是語言，後來又

13　齊易、張文川：《音樂藝術教育》，同注11，頁23。

14　曹理主編：《普通學校音樂教育學》（上海市：上海教育出版社，1993年），頁18。

15　羅小平編著：《音樂與文學》（北京市：人民音樂出版社，1995年），頁20-21。

以文字為載體,語言文字有形、音、義三要素,以之為材料,就有形文、有聲文、有情文,不僅可以耳治,也可以目治。尤其重要的是,這種材料是形音義的結合體,可以直接地、清晰地、嚴密地表達內心的思想、情感、意志。音樂則是音響的藝術,音響藝術化之後,產生音色、節奏、曲調、和聲等要素,主要都靠聽覺來感受。尤其重要的是,其材料是抽象的、非語義性的,它僅能依靠各種不同音響的運動,來塑造音樂形象,來模擬文學、繪畫、哲學的內容,來表達內心的思想、情感、意志。

(2)就腦科學而言,人類有左右大腦;左大腦處理語言、閱讀,書寫運算及時間感覺,以邏輯思維為主,以知性見長,又稱語言腦、優勢腦;右大腦則處理表象運動,形象記憶、空間關係,主管音樂、情感等,以形象思維為主,以感性取勝,又稱啞腦、音樂腦。[16]可見詩歌所以成為語言藝術,音樂所以成為表情藝術,乃是先天就注定的,它們所以會同出一源,會密切合作,是因為大腦皮層中有特別的聯合區,把各種感覺通路聯繫起來,而且右腦雖然負責音樂的官能感覺(例如節奏),擔任了音樂活動的主要角色,但若缺乏左腦的配合,則無法對音樂語言(例如旋律、和聲)進行認識、分析與記憶,整個音樂活動能力勢必大受斲傷。所以複雜的音樂活動,事實上必須左右大腦通力合作。[17]

(3)就藝術分類而言,美國最著名的女美學家蘇珊・朗格(Susan K. Langer)認為:「藝術是人類情感的符號形式的創造。」[18]

---

16 張蕙慧:〈腦科學與音樂教育關係析論〉,藝術與人文領域國際研討會——音樂戲劇教育之運用專題演講,新竹教育大學(2011年11月),頁3。

17 葉純之、蔣一民:《音樂美學導論》(北京市:北京大學出版社,1988年),頁54-56。

18 蘇珊・朗格著,劉大基、傅志強、周發祥譯:《情感與形式》(臺北市:商鼎文化出版社,1991年),頁51。

而符號種類極多，主要可分為推論性符號（包含語言、歷史、科學和數學的計算公式等）和表象性符號（包含儀式、巫術、神話、宗教和藝術等）兩大系統，藝術符號是表象性符號的一種。[19]她以基本幻象作為各種藝術分類的原則，如：繪畫、雕塑、建築的基本幻象是虛幻的空間，音樂是虛幻的時間，舞蹈是虛幻的力，戲劇是虛幻的經驗和歷史，[20]唯獨詩的基本幻象較難處理，這是因為詩以語言為材料，語言為推論性符號，藝術卻是表象性符號，才會有所扞格，最後她以生活幻象勉強解決這個問題。[21]足見詩與音樂的本質頗有不同。現代一般藝術的分類，分為實用藝術、造型藝術、表情藝術、綜合藝術、語言藝術，詩屬於語言藝術，音樂屬於表情藝術，[22]那就不會有這個問題了。

　　（4）就審美過程而言，詩由於具有語義性，所以創作之後，讀者可以直接欣賞，各自解讀；也可以配合聲樂、器樂幫助聆賞。但音樂作品不具有語義性，創作之後，通常須通過演奏、演唱，將紙面的樂譜化為具體生動的聲符，才能為聽眾所聆賞。這是音樂特別重視技藝，與戲劇、舞蹈、電影等並稱為表演藝術的理由，也是它區別於其他藝術門類的重要標誌。

　　詩與音樂在本質上雖然頗有相通，但也有不少迥然不同之處，因而終不能不分離為兩種不同的藝術。

---

19 張蕙慧：〈從情感與形式探討蘇珊朗格的音樂審美論〉，《新竹師院學報》第18期（2004年6月），頁388。

20 劉大基：《情感與形式‧譯者前言》，同注18，頁17-18。

21 蘇珊‧朗格著，劉大基、傅志強、周發祥譯：《情感與形式》，同注18，頁237-272。

22 彭吉象：《藝術概論》（北京市：北京大學出版社，2000年八版），頁270。

三 詩樂同源

　　詩、樂、舞都是古老的藝術，究竟起於何時？其原始狀態及彼此關係若何？由於時代綿邈，實物罕存，[23]已難以考徵，但一般學者都認為詩、樂、舞同出一源，除上述詩樂本質相通外，還有幾個理由：

（一）古典文獻

　　先秦兩漢文獻提及詩、樂、舞同源者為數不少，舉其要者，如：

> 帝曰：「夔！命汝典樂，教冑子。……詩言志，歌永言，聲依永，律合聲，八音克諧，無相奪倫。」夔曰：「於！予擊石拊石，百獸率舞。」（《尚書・堯典》）[24]
>
> 誦《詩三百》，弦《詩三百》，歌《詩三百》，舞《詩三百》。（《墨子・公孟》）[25]
>
> 昔葛天氏之樂，三人操牛尾，投足以歌八闋。（《呂氏春秋・古樂》）[26]
>
> 詩言其志也，歌詠其聲也，舞動其容也，三者本於心，然後樂器從之。（《禮記・樂記》）[27]
>
> 詩者，志之所之也，在心為志，發言為詩，情動於中，而形於

---

23 青海大通縣上孫家寨出土的舞蹈紋彩陶盆上所繪的形象生動的踏歌舞，可證明新石器時代樂舞同源，尚不足以直接證明詩樂同源。見敏澤：《中國美學思想史》（濟南市：齊魯書社，1987年），第一卷，頁45。

24 （漢）孔安國傳，（唐）孔穎達疏：《尚書正義》（臺北市：藝文印書館，1985年），頁46。

25 （清）孫詒讓：《定本墨子閒詁》（臺北市：世界書局，1969年三版），頁275。

26 陳奇猷校釋：《呂氏春秋校釋》（臺北市：華正書局，1985年），頁284。

27 （漢）鄭玄注，（唐）孔穎達疏：《禮記正義》，同注8，頁682。

言，言之不足，故嗟歎之，嗟歎之不足，故永歌之，永歌之不足，不知手之舞之，足之蹈之也。(《毛詩正義・詩大序》)[28]

這些文獻不但指出了詩、樂、舞三者之間的聯繫，而且肯定了思想、情感對三者之作用，正因為詩、樂、舞都出自生命內在的韻律節奏，都在表達心中的喜、怒、哀、樂，所以可用音樂來加以統合。[29]其中特別值得注意的是：《墨子・公孟》指出《詩經》三百篇有誦、弦、歌、舞各種表達方式；〈詩大序〉顯示漢代學者用心追尋《詩經》三百篇之由來，都足以證明詩、樂、舞同源與《詩經》具有密切關係。

(二) 後代遺跡

禮失求諸野，古典文獻所不及者，有時可依後代遺跡加以補足。朱光潛《詩論》說：

就人類詩歌的起源而論，歷史與考古學的證據遠遠不如人類學與社會學的證據之重要，因為前者以遠古詩歌為對象，渺茫難稽；後者以現代歌謠為對象，確鑿可憑。我們應該以後者為主，前者為輔。從這兩方面的證據看，我們可以得到一個極重要的結論，就是：詩歌與音樂、跳舞是同源的，而且在最初是一種三位一體的混合藝術。[30]

28　(漢) 毛亨傳，鄭玄箋，(唐) 孔穎達疏：《毛詩正義》(臺北市：藝文印書館，1985年)，頁41。

29　張蕙慧：〈詩樂舞合一論〉，奧福教育協會《奧福教育年刊》第7期 (2005年1月)，頁68。

30　朱光潛：《詩論》，同注1，頁8。

近代，西方學者對於非洲、澳洲土人的研究，以及中國學者對於邊疆少數民族的研究，所得到的詩、樂、舞同源證據極多。例如，澳洲土人的考勞伯芮舞（Corroborries）、卡羅舞（Kaaro）就是載歌載舞，以簡單而狂熱的情緒表現簡單而狂熱的節奏。[31]又如藏族的囊瑪、堆謝、夏姆謝，維吾爾族的賽乃姆、木卡姆，蒙古族的安代、雲南彝族的高斯比，更以旋律的歌唱性配合節奏的舞蹈性，豐富多彩，充分表現各民族詩、樂、舞的高度發展。[32]這些都是古代原始藝術的活化石。

（三）藝術感通

所謂藝術感通，是一種特殊的感知活動，由於心靈上的「共感覺」（synesthesia）及審美上的「移情作用」（empathy），使得原本不同的藝術類型在心靈上有所契合。於是甲藝術引起乙藝術的靈感與新意，進而興起新的創造動機，再進而創造出含有原藝術品中的若干元素的藝術品來。[33]詩、樂、舞的物質材料與表現形式原本迥然不同，所以能互相應和，彼此闡發，以至於密切相連，甚至同出一源，乃是由於三者的藝術本質有相同之處，都以節奏為重要元素，都擅長抒發內心的情感，都在時間中綿延發展，可以互相感通的緣故。詩、樂、舞之間不僅可以兩兩感通，而且三者之間也可以環環相扣，彼此感通，因而臻至水乳交融，渾然一體的境界。這是詩、樂、舞同源在藝術原理上的根據。

---

31 同上注，頁8-10。

32 簡其華：〈少數民族的民歌與歌舞〉，薛良編：《音樂知識手冊》第一集（北京市：中國文聯出版公司，1993年六刷），頁546-550。

33 許天治：《藝術感通的研究》（臺北市：臺灣省立博物館，1987年），頁11-24。

四 《詩經》成書

上面從詩樂本質的異同探討詩樂分合的原因，又從詩樂舞合一追溯上古時代詩樂的原始狀態。到了《詩經》時代，詩樂早已各自成為獨立的藝術，但因兩者關係十分密切，難分難解，所以《詩經》的成書及其後的發展，仍然深受其影響。今先談《詩經》的成書。

（一）《詩經》的編訂

《詩經》三〇五篇，是中國第一本詩歌總集，非一時一地一人之作。其時代，上起周初，下迄春秋中葉（西元前十一世紀至前六世紀），約五百年；其地域，以黃河流域為主，最南亦在長江以北，為古代文化中心區；其作者，除〈巷伯〉、〈節南山〉、〈崧高〉、〈烝民〉等詩句自表者最為可信外，其餘古籍所載及〈詩序〉標明者不下四、五十篇，有些不無根據，有些則不可盡信。[34]這麼多不同時空的作品究竟是誰將它們收集起來，編纂成書呢？關於此點，從古以來，有采獻、刪詩、整理三說，這些幾乎都與音樂相關。

1 采獻

《漢書・藝文志》說：

> 古有采詩之官，王者所以觀風俗得失，自考正也。[35]

此外，《左傳・襄公十四年》、《漢書・食貨志》、（漢）劉歆〈與揚雄

---

34 莊雅州：《經學入門》（臺北市：臺灣書店，1997年），頁70-72。

35 （漢）班固撰，（唐）顏師古注，（清）王先謙補注：《漢書補注》（臺北市：藝文印書館，1982年，頁878。

書〉、（漢）何休《春秋公羊傳注》也都有類似的紀錄。采詩之官，有
遒人、行人、軒車使者；采詩的時間有暮春、有八月之說；采詩的方
式有遒人采詩，也有年老無子之別。所采之詩主要來自民間，獻給太
師，演奏給王者聆賞，以便讓王者可以從民歌當中了解政教得失及風
俗美惡。[36]這種說法雖然有（清）崔述《讀風偶識》、（日本）青木正
兒《中國文學概說》、夏承燾〈采詩和賦詩〉等表示質疑，但據史學
家的研究，采詩本是氏族的遺風，到了漢武帝時，還曾設立樂府，采
詩夜誦，所以應當還是可信的。否則，古代交通那麼不便，地區那麼
遼闊，時間那麼漫長，書寫工具那麼困難，十幾國的詩篇怎麼可能集
中在一起？[37]采詩主要對象為十五〈國風〉，至於獻詩則指〈雅〉、
〈頌〉，《國語・周語・上》云：

> 故天子聽政，使公卿至於列士獻詩，瞽獻曲，史獻書，師箴，
> 瞍賦，矇誦，百工諫。[38]

此外，《國語・晉語》、《左傳・昭公十二年》、《毛詩・卷阿・傳》也
有類似的紀錄，這些詩主要用以諷諫或歌功頌德，有些本身已是歌
曲，可能集中到樂官手中，配以管弦，獻給天子或諸侯。從〈雅〉、
〈頌〉中部分詩句，如：〈小雅・節南山〉：「家父作誦，以究王訩。」
〈小雅・何人斯〉：「作此好歌，以極反側。」〈大雅・民勞〉：「王欲
玉女，是用大諫。」〈大雅・崧高〉：「吉甫作誦，其詩孔碩。」觀
之，其說應可信。[39]

---

36 張善文、馬重奇編：《詩經漫談》（臺北市：頂淵文化公司，1997年），頁24-26。

37 莊雅州：《經學入門》，同注34，頁72。

38 （三國・吳）韋昭注：《國語・周語・上》（臺北市：臺灣商務印書館，1956年），
　　頁4。

39 周滿江：《詩經》（臺北市：國文天地雜誌社，1990年），頁36-37。

2 刪詩

刪詩是《詩經》學史上一大公案，《史記‧孔子世家》云：

> 古者詩三千餘篇，及至孔子，去其重，取可施於禮義，……三
> 百五篇，孔子皆弦歌之，以求合韶、武、雅、頌之音。[40]

孔子是否刪詩，自古以來，聚訟紛紜，贊成者有班固、鄭玄、陸璣、
陸德明、孔穎達（《毛詩正義‧序》）、歐陽修、邵雍、程頤、朱熹、
顧炎武，反對者有孔穎達（《毛詩正義‧詩譜序》）、鄭樵、葉適、朱
彝尊、趙翼、崔述、方玉潤、魏源、梁啟超、屈萬里。當代學者大半
反對，其理由極多，與音樂有關者，如：

> 吳公子季札在魯觀樂，樂工為他所奏的各國風詩的詩名及次序
> 和今本《詩經》基本相同。孔子指斥鄭聲淫，但是鄭詩仍然保
> 留在今本《詩經》中。
> 負責演奏詩篇的樂師矇瞍，全靠記憶，要把三千篇詩全部記
> 得，恐非易事。[41]

由於太史公將孔子刪詩歸結到孔子正樂，或者可說由孔子正樂引出刪
詩之說，宜乎雙方攻守常會涉及詩樂關係，因辨證繁複，不贅。

---

40 （漢）司馬遷撰，（日本）瀧川資言注：《史記會注考證》（臺北市：洪氏出版社，
1981年），頁759-760。

41 李曰剛：《中國文學流變史》（三）詩歌編上（臺北市：聯貫出版社，1976年），頁
13-24。

3 整理

　　孔子刪詩之說雖然不可信，但《詩經》在編輯的過程中，一定是經過一番篩選整理的工夫，則是無可疑。否則這些作品非一時一地一人之作，而表現在《詩經》的差異性卻極少。例如：體裁大致上是一致的，用韻也是一致，而在〈國風〉中竟找不到多少民間方言，顯然是經過一番修改潤色，整齊畫一過的。[42]雖然文獻不足，難以指明是何人所為，但合理的推測應該是以太師為首的樂官，因為采獻的篇章都保存在太師和樂官手邊，這些詩在許多方面都相當參差，對語言文字和音樂缺乏修養的人是無法勝任整理重任的。而太師負責教國子以六詩，樂官在燕饗賦詩時也要負責演奏、演唱，都需要有一個固定的教材和樂歌底本，所以由他們擔任這個工作是順理成章的。[43]

　　孔子是繼太師之後，對《詩經》進行整理甚至重編的最重要人物，《論語·子罕篇》說：

　　　　吾自衛返魯，然後樂正，〈雅〉、〈頌〉各得其所。[44]

魯襄公二十九年（西元前544年），孔子八歲時，吳公子季札在魯觀樂，所見〈國風〉的次序是〈豳風〉、〈秦風〉在〈魏風〉、〈唐風〉之前，〈頌〉則沒有周、魯、商之分，根據六十年後的夫子自道，今本的次第顯然是經孔子整理過的。[45]孔子整理《詩經》的方法，主要是從音樂著手。孔子的音樂造詣極高，擊磬、鼓瑟、彈琴、唱歌、作曲無

42　郭沫若：〈關於周代社會的商討〉，《郭沫若全集》歷史編第三卷〈奴隸制時代〉（北京市：人民出版社，1984年），頁102-103。

43　周滿江：《詩經》，同注39，頁40。

44　（宋）朱熹集注：《四書集注》（臺北市：臺灣書店，1971年），頁94。

45　屈萬里：《詩經詮釋》（臺北市：聯經出版事業公司，1986年三版），頁5-11。

所不精。徐復觀認為從《論語》看，孔子對於音樂的重視，遠出於後世尊崇他的人們的想像之上，可說是中國歷史上第一位最明顯而又最偉大的藝術精神的發現者。[46]正由於他深刻了解詩樂的關係密不可分，所以先從審音協律，整理樂曲開始，順便修訂音韻、字句，訂正方言、訛字，整理〈風〉、〈雅〉、〈頌〉凌亂的次序，最後將三〇五篇樂章全部弦歌一遍，以求符合古樂、雅樂的要求。《詩經》經孔子整理，並作為教材之後，才正式成為定本，一直流傳至今，影響十分深遠。

（二）《詩經》的分類

《詩經》是中國第一本詩歌總集，也是最古老的典籍之一，各篇內容及形式諸多不同，在編輯成書時，如果不加以分類，勢必凌亂不堪，難以卒讀。今天我們所看到的《詩經》分成〈風〉、〈雅〉、〈頌〉三大部分，其中〈風〉分為周南、召南、邶、鄘、衛、王、鄭、齊、魏、唐、秦、陳、檜、曹、豳，凡十五國，一六〇篇。〈雅〉分〈大雅〉、〈小雅〉，凡一〇五篇。〈頌〉分周、魯、商，凡四十篇。這樣的分類層次分明，井井有條，卻是前無所承，完全是編訂者篳路藍縷，開創出來的，具有非凡的意義。

首先提到《詩經》編次的是《周禮‧春官‧大師》：

　　大師……教六詩；曰風、曰賦、曰比、曰興、曰雅、曰頌。[47]

「六詩」，漢代的〈詩大序〉稱之為「六義」，（唐）孔穎達《正義》云：

46　徐復觀：《中國藝術精神》（臺北市：臺灣學生書局，1979年六版），頁5。

47　（漢）鄭玄注，（唐）賈公彥疏：《周禮注疏》（臺北市：藝文印書館，1985年），頁354-356。

〈風〉、〈雅〉、〈頌〉者，詩篇之異體；賦、比、興者，詩文之
異辭耳。[48]

亦即以〈風〉、〈雅〉、〈頌〉為體裁，以賦、比、興為作法。〈風〉是
用賦、比、興作的，〈雅〉、〈頌〉也是如此，故將體裁與作法錯綜在
一起談。至於〈風〉、〈雅〉、〈頌〉的意義，到了〈詩大序〉才提出
解釋：

〈風〉，風也。教也，風以動之，教以化之。……上以風化
下，下以風刺上。主文而譎諫，言之者無罪，聞之者足以戒，
故曰風。
〈雅〉者，正也，言王政之所由廢興也。政有小大，故有〈小
雅〉焉，有〈大雅〉焉。
〈頌〉者，美盛德之形容，以其成功告於神明者也。[49]

由於《詩》之分類，廣泛牽涉到三百篇的體制、內容、性質與音樂的
關係、流傳和編訂過程，以及《詩經》成書之前的狀況等等，所以後
人看法十分紛歧。[50]趙沛霖說：「〈風〉、〈雅〉、〈頌〉的分類主要根據
是音樂，即詩所合之樂，其他種種不同，都是由此而決定。」[51]這種
說法目前已得到大部分學者的贊成。基於本論文的範圍，下面論
〈風〉、〈雅〉、〈頌〉的意義，即以此為準，其他不同說法一筆帶過。

---

48 （漢）毛亨傳，鄭玄箋，（唐）孔穎達疏：《毛詩正義》，同注28，頁15-16。
49 同上注，頁12-18。
50 趙沛霖：《詩經研究反思》（天津市：天津教育出版社，1989年），頁209。
51 同上注，頁215。

1 風

〈風〉詩涵義，古來說法不一，據蔣善國《三百篇演論》歸納得到八種，張西堂《詩經六論》所蒐，更多達十二種，即：（1）風風說、（2）風教說、（3）風動說、（4）風化說、（5）風刺說、（6）風俗說（以上〈毛詩序〉）、（7）風土說（鄭樵《六經奧論》）、（8）風雨之風（鄭樵《詩辨妄》）、（9）民俗歌謠之辭（朱熹《詩集傳》）、（10）風諷說（梁啟超〈釋四詩名義〉）、（11）風氣說（章炳麟）、（12）聲調說（顧頡剛〈詩經所錄全為樂歌說〉）。[52]真是言人人殊，莫衷一是。

朱熹《詩集傳》云：

> 〈風〉者，民俗歌謠之詩也。謂之風者，以其被上之化以有言，而其言又足以感人，如物因風之動有聲，而其聲又足以動物也。[53]

采詩之初，〈國風〉是徒歌的民間歌謠，以其出自脣吻，如風之流動，故謂之風。此種說法十分合理，故影響極大，如梁啟超的風諷說、章炳麟的風氣說都是類似的說法。這些詩用的是土話，所記多為土產及本地風光，其內容輕揚和婉如風，可以教化民眾，也可以諷諫在上位者。各種不同說法都從而可以互相貫通，並行不悖。以其涵義豐富，因而人各為言，初無定準。至於十五〈國風〉的不同，則是不同地域曲調的不同，猶如今之河南腔、山東腔。

---

52 蔣善國：《三百篇演論》（上海市：商務印書館，1931年），頁195-197。張西堂：《詩經六論》（上海市：商務印書館，1957年），頁106-107。

53 （宋）朱熹：《詩集傳》，《五經讀本》（臺北市：中新書局，1974年），頁5。

2 雅

〈雅〉詩涵義，前賢說法亦多，據張西堂《詩經六論》徵引，共有七說，即：（1）正也（〈毛詩序〉）、（2）萬舞（鄭玄《詩‧鼓鐘》箋）、（3）樂歌（王質《詩總聞》）、（4）烏鴉之鴉（鄭樵《詩辨妄》）、（5）一種樂器（章炳麟〈大疋小疋說‧上〉）、（6）秦聲烏烏（同上）、（7）中原正聲（梁啟超〈釋四詩名義〉）[54]。

張西堂認為雅為樂器之說較正確，因為《詩‧小雅‧鼓鐘篇》：「以雅以南，以籥不僭。」三個「以」字並列疊敘，可見「雅」、「南」、「籥」都是樂器之名，後來演變成為聲調之名。[55] 蔣善國也說：

> 雅之名稱大概發源於樂器，《周禮》「應雅」注說：「雅狀如漆筒而弇口，大二圍，長五尺六寸，以羊革鞔之，有兩紐疏畫。」歌誦雅詩時，大概作此種樂器，遂相沿以為樂歌之名。周時名此樂器為雅樂，與俗樂不同。[56]

他們的說法，以本經證本經，又以他經證本經，確實信而有徵，難以懷疑。至於大小雅之分，張西堂臚列四種：（1）以政治分（〈毛詩序〉）、（2）以音樂分（〈毛詩序〉孔疏、程大昌《詩論》、鄭樵《六經奧論》）、（3）以道德分（蘇轍《詩集傳》）、（4）以辭體分（嚴粲《詩緝》），也是以音樂分之說為可信。[57]

---

54 張西堂：《詩經六論》，同注52，頁109-110。

55 同上注，頁110。

56 蔣善國：《三百篇演論》，同注52，頁208。

57 張西堂：《詩經六論》，同注54，頁110。

3 頌

　　〈頌〉詩的涵義，蔣善國、張西堂都提到〈詩大序〉、阮元、王國維之說，但都認為不夠完整，應加上樂器之說。[58]朱孟庭《詩經與音樂》據之增補為五，即：（1）頌贊說（《毛詩序》）、（2）宗廟樂歌說（蔡邕《獨斷》、鄭樵《通志・昆蟲草木略》）、（3）舞容說（阮元《揅經室集・釋頌》）、（4）聲緩說（王國維〈說周頌〉）、（5）樂器說（楊名時《詩經劄記》引文貞公、金鶚《求古錄禮說・釋庸》）其說較為完整。[59]

　　〈頌〉為宗廟祭祀的樂歌，詩、樂、舞合一，聲音、動作都十分緩慢，阮元以舞容釋之，王國維以聲緩釋之，確實能見其特色，但只見片面，未見全面；只知其然，不知其所以然，故張西堂乃從古文字通假、頌詩內證、歌舞用鐘、宗廟儀式用鐘等四方面，論證鏞鐘為〈頌〉的主要樂器，故云：「然則，〈頌〉之異於〈風〉、〈雅〉；〈頌〉之所以得名，是由於『庸鼓』之『庸』無疑。」[60]其說從音樂探討頌得名之故，與風、雅一致，可從。至於周、魯、商三頌的不同，朱孟庭從時代、地域、內容、功用、體製、風格等方面，認為其音樂的表現應當有所不同，但其詳已不可知。[61]

　　以上依據傳本，分《詩經》為風、雅、頌三類，但後世又有在三類之上，加上第四類──南者，也就是把〈周南〉、〈召南〉從十五〈國風〉中獨立出來。

　　南字涵義，蔣善國歸納為五說，張西堂則增為六說，即：（1）南

---

58 蔣善國：《三百篇演論》，同注52，頁213-215。張西堂：《詩經六論》，同注52，頁111-115。

59 朱孟庭：《詩經與音樂》（臺北市：文津出版社，2005年），頁104-108。

60 張西堂：《詩經六論》，同注52，頁115。

61 朱孟庭：《詩經與音樂》，同注59，頁110-114。

化（〈毛詩・序〉）、（2）南樂（《詩・小雅・鼓鐘》傳）、（3）南國（《詩・周南・樛木》傳）、（4）南面（（宋）劉克《詩說》）、（5）詩體（崔述《讀風偶識》）、（6）樂器（郭沫若《甲骨文字研究・釋南》）。蔣善國贊成南音之說，仍主分《詩》為三體；張西堂則贊成樂器之說，主張《詩》應分四體。[62]

四體之說，（宋）蘇轍《詩集傳》首肇其端，王質《詩總聞》、程大昌《詩論》承之，其後（清）顧炎武《日知錄》、崔述《讀風偶識》、梁啟超〈釋四詩名義〉、陸侃如、馮沅君《中國詩史》續發其論。他們的理由主要認為南是一種樂器，演奏的古樂與十三〈國風〉不同。而且孔子論《詩》，從來未曾提到「國風」，只因漢人傳詩，誤以「國風」二字置於〈周南〉之前，二南才成為〈國風〉的一部分，因此南應為獨立的詩體。[63]

反對二南獨立者亦不乏其人，如（清）陳啟源《毛詩稽古編》、馬瑞辰《毛詩傳箋通釋》、魏源《詩古微》、胡承珙《毛詩後箋》，近人朱東潤《詩三百篇探故》、高亨《詩經今注》等。其理由主要為《周禮》六詩、《毛詩》六義都只提到風、賦、比、興、雅、頌，未曾提到南。南不是樂名，而像國風一樣，都是地名。《左傳・隱公三年》稱〈召南〉中的詩篇〈采蘩〉、〈采蘋〉為風，《周禮・大師》、《禮記・樂記》、《荀子・儒效》論《詩》都風、雅、頌三類並舉，而不及南，可見南非獨立的詩體。[64]

整體而言，一般學者還是公認《詩》分風、雅、頌三類，而不提

---

62 蔣善國：《三百篇演論》，同注52，頁200-207。張西堂：《詩經六論》，同注52，頁101-106。

63 趙沛霖：《詩經研究反思》，同注50，頁216-218。洪湛侯：《詩經學史》（北京市：中華書局，2002年），頁22-23。

64 高亨：《詩經今注・詩經簡述》（上海市：上海古籍出版社，1980年），頁3-4。

南之一類。但三類、四類之爭並非毫無意義，趙沛霖說：

> 應當注意它們各自的合理成分和彼此一致的方面。例如從音樂
> 的角度分類，二者的方向就相一致，只是層次不同而已：
> 《詩》分三類說是一個層次，《詩》分四類說是在它的基礎上
> 的進一步劃分，即將〈國風〉又分為土樂的「風」和以「南」
> 為其音樂特點的「南」，顯然這是更深一步的層次。[65]

這種說法可謂相當持平。

　　此外，還有依據「六詩」、「六義」，將《詩經》分為風、賦、
比、興、雅、頌六類者，這或許可用以說「古者詩三千餘篇」(《史
記‧孔子世家》)，而不能論詩三百篇，可置之不論。[66]

五　詩樂相輔

　　《詩經》經過孔子正樂整理，作為杏壇的教科書，基本上已成為
定本。在《詩經》通行的時代，詩樂早已各自獨立，但因兩者關係密
不可分，誠如劉勰《文心雕龍‧樂府》所言：「詩為樂心，聲為樂
體。」[67]所以仍然是相輔相成，相得益彰。

(一)入樂的爭議

　　音樂有徒歌，有樂歌，也就是有聲樂，有器樂。《詩經》在采獻
之時，可能有徒歌，有樂歌，但正式成書之後，是否已全部入樂，就

65　趙沛霖：《詩經研究反思》，同注50，頁218。

66　同上注，頁218-223。

67　(梁)劉勰著，范文瀾注：《文心雕龍注》，同注3，頁102。

有引起爭議的可能了。

《詩三百篇》全是樂歌，先秦以迄唐代都深信不疑，絕無異辭。到了宋代，程大昌《詩論》首先提出詩有入樂、不入樂之分，後來朱熹《詩序辨說》、陳暘《樂書》、焦竑、顧炎武《日知錄》皆從其說。但另一方面，仍然維持《詩經》三百零五篇全部入樂的，為數更多，包括馬端臨《文獻通考》、吳澄《校定詩經・序》、陳啟源《毛詩稽古編》、顧鎮《虞東學詩詩說》、馬瑞辰《毛詩傳箋通釋》、俞正燮《癸巳存稿》、魏源《詩古微》、皮錫瑞《經學通論》、康有為《新學偽經考》，甚至近代顧頡剛〈論詩經所錄全為樂歌〉、張西堂《詩經六論》、何定生〈詩經與樂歌的原始關係〉，羅倬漢《詩樂論》也都是主張《詩經》所錄全是樂歌。對於正反兩方的意見，黃振民、趙沛霖、洪湛侯都有引述，只是詳略不同而已。[68]黃振民將入樂作品又分為「有定」（正歌）、「無定」（散歌），後來馮浩菲《歷代詩經論說述評》更將歷代說法分為三百篇皆入樂、十三國之詩等不入樂、十三國之詩等入樂、三體中皆有入樂不入樂者四種，所引家數增多，內容更加詳細，[69]文繁不贅。

綜觀歷代各家說法，入樂一派已為學界所普遍接受，其理由有：

1 入樂實例

《詩經》各篇是否入樂，最好直接從《詩經》本身去考察，何定生〈從《詩經》本身看詩樂關係〉[70]就做了這樣的嘗試，其例甚多，聊舉三則：

---

68 黃振民：《詩經研究》（臺北市：正中書局，1982年），頁271-288。趙沛霖：《詩經研究反思》，同注50，頁224-230。洪湛侯：《詩經學史》，同注63，頁39-46。

69 馮浩菲：《歷代詩經論說述評》（北京市：中華書局，2003年），頁20-34。

70 何定生：《定生論學集》（臺北市：幼獅文化事業公司，1978年），頁23-42。

簡兮簡兮，方將萬舞。……左手執籥，右手秉翟。(〈邶風‧簡
兮〉)

鼓鐘欽欽，鼓瑟鼓琴，笙磬同音。以雅以南，以籥不僭。(〈小
雅‧鼓鐘〉)

有瞽有瞽，在周之庭。設業設虡，崇牙樹羽。應田縣鼓，鞉磬
柷圉。既備乃奏，簫管備舉。喤喤厥聲，肅雝和鳴，先祖是
聽。我客戾止，永觀厥止。(〈周頌‧有瞽〉)[71]

〈簡兮〉描寫萬舞，有樂器「籥」，有舞羽「翟」，可說詩樂舞合一。
〈鼓鐘〉樂器有鐘、瑟、琴、笙、磬、雅、南、籥；熱鬧非凡，可能
是無算樂。〈有瞽〉為周天子祭祀之詩，所舉樂器有應、田、縣鼓、
鞉、磬、柷、圉、簫、管，場面更見隆盛。詩篇中經常描寫音樂演奏
的盛況，可見詩樂關係之密切。

　　從另一方面看，在典禮中詩樂往往並用，更足以證明二者關係密
不可分。李清筠〈從文獻考索詩經入樂問題〉就曾全面檢索《儀
禮》、《周禮》、《禮記》、《左傳》、《國語》、《論語》所載用於禮樂的詩
篇，得到的結論是：

若進一步探究，則詩篇入樂的情形，應該有以下三種：先樂後
詩、即樂即詩、先詩後樂。第一種情形，多為〈頌〉一類的作
品，或用作祭祀的詩篇，或用作舞曲的歌辭；第二種情形，則
集中於〈雅〉一類的詩，且多是專為佐禮之行而作的樂詩；第
三種情形，則集中於〈風〉一類的詩，及〈雅〉的部分詩篇，

71 〈簡兮〉見《毛詩正義》，同注28，頁99-100。〈鼓鐘〉見該書，頁452。〈有瞽〉見
該書，頁731-733。

這些詩最初並不入樂，而是在采詩、獻詩之後才入樂的。這些入樂的詩篇，就其功用而言，大致又可別而為三：佐禮、教化和娛樂抒志。〈雅〉、〈頌〉二類詩篇，大體用以佐禮，〈小雅〉的部分詩篇和〈國風〉，則可用以觀民風，施教化、娛賓客和顧情志。[72]

所言頗能得先秦詩樂並用的實情，可取信於人。

2 文獻佐證

先秦兩漢古典文獻提及《詩經》入樂者屢見不鮮，趙沛霖、洪湛侯所舉即有：

> 吳公子札來聘，……請觀於周樂。使工為之歌〈周南〉、〈召南〉，曰：「美哉！始基之矣，猶未也，然勤而不怨矣。」為之歌〈邶〉、〈鄘〉、〈衛〉，曰：「美哉淵乎，憂而不困者也。吾聞康叔、武公之德如是，是其衛風乎！」……（《左傳·襄公二十九年》）
> 誦《詩三百》，弦《詩三百》，歌《詩三百》，舞《詩三百》。（《墨子·公孟》）
> 詩者，中聲之所止也。（《荀子·勸學》）
> 三百五篇，孔子皆弦歌之，以求合韶、武、雅、頌之音。（《史記·孔子世家》）
> 古者教以詩、樂，誦之，弦之，歌之，舞之。（《詩經·鄭風·子衿》毛傳）

---

72 李清筠：〈從文獻考索看詩經入樂問題〉，臺灣師範大學《教學與研究》第12期（1990年6月），頁127-159。

行人振木鐸徇於路，以采詩。獻之大師，比其音律，以聞於天
子。(《漢書‧食貨志》)

國史采眾詩時，明其好惡，令瞽矇歌之，其所無主，皆國史主
之，令其可歌。(《鄭志‧答張逸》)[73]

這些文獻，學派、性質各有不同，但都肯定《詩經》所錄全為樂歌，
甚至詩、樂、舞還是密切結合的。入樂所以深入人心，殆與這些典籍
的記錄有所關聯。

3 入樂條件

李清筠探討《詩經》入樂問題時，先指出《詩三百篇》具有四個
入樂的條件：

（1）詩本具音樂性。
（2）中國音樂文學的傳統。
（3）周代時詩樂關係的認識。
（4）周代的音樂發展。[74]

所言能兼顧詩樂的本質、音樂文學的傳統以及周代的時空背景，可彌
補上述兩種說法的不足，增強《詩經》入樂說的信度。

（二）詩樂的交響

從詩樂舞合一到詩篇的創作、蒐集，到《詩經》的整理成書，甚

---

73 趙沛霖：《詩經研究反思》，同注50，頁225。洪湛侯：《詩經學史》，同注68，頁38-
39。
74 李清筠：〈從文獻考察看詩經入樂問題〉，同注72，頁127-135。

至到《詩經》的推廣，無論是先樂後詩、即樂即詩或先詩後樂，詩樂的關係始終如影隨形，親如姊妹，甚至渾然一體，這是因為詩樂的本質相通，詩中有音樂性的成分，音樂中有詩性的成分。[75]在此，我們也可以此來檢驗《詩經》與音樂的關係。

1 《詩經》的篇章

詩是語言文字的藝術，以字詞為最基本的單位，詞有單音詞，有複音詞，除了藉音表義外，其音還有聲調平仄的變化，當組合成句時，就變成有節奏變化的魔術方塊。而在音律上，平仄涉及長短律、高低律、節拍律，[76]非常有音樂美感，也是詩歌生命力的泉源，在《詩經》中，平仄不像後代那樣嚴格，而是純任自然韻律，如〈鄭風·子衿〉：「青青子衿，悠悠我心。」為「平平仄平，平平仄平」，平仄犯複，但念來悠揚悅耳，如改為「青青子衿，我心悠悠。」反有扞格之感。朱光潛說：

> 從前文學批評家常用的「氣勢」、「神韻」、「骨力」、「姿態」等詞，看來好像有些玄虛，其實他們所指的，只是種種不同的聲音節奏。[77]

節奏之重要由此可見。

在音律上還有音色律，把同一音色的音節隔若干時間就讓它重複

---

75 羅小平謂音樂的文學性，包括敘述性、戲劇性、典型性；文學的音樂性包括語言的和諧、音調抑揚、節奏美、象徵主義詩人追求的音響模式、音樂因素的文學表現力，當然，這是就現代的藝術而言。見《音樂與文學》，同注15，頁21-32。

76 謝雲飛：《文學與音律》（臺北市：東大圖書公司，1978年），頁14-28。

77 朱光潛：《藝文雜談》（合肥市：安徽人民出版社，1981年），頁80。

出現，就是韻文中所謂的押韻。[78]《詩經》中的押韻不像後代格律詩
那麼呆板，而是十分自由，〈周頌〉甚至有八篇完全不叶韻。據顧炎
武《日知錄》歸納，《詩經》的韻例有三種，江永《古韻標準》歸納
為二十二種，孔廣森《詩聲類》擴為二十七種，丁以此《毛詩正韻》
更擴為七十三種。[79]但最常用的還是顧炎武所歸納的三種韻例，如：

> 關關雎鳩，在河之洲，窈窕淑女，君子好逑。(〈周南‧關雎〉)
> 蓼蓼者莪，匪莪伊蒿。哀哀父母，生我劬勞。(〈小雅‧蓼莪〉)
> 濬哲維商，長發其祥。洪水芒芒，禹敷下土方。(〈商頌‧長
> 發〉) [80]

〈關雎〉一、二、四句叶韻，即唐人律詩之首句用韻。〈蓼莪〉二、
四句叶韻，即漢唐之首句不用韻。〈長發〉每句都叶韻，即後代之句
句用韻。這些都是出於自然，並非有意為之，影響後世卻極為深遠。
王力說：《詩經》的用韻有兩個最大的特點：第一是韻式多種多樣，
為後來歷代所不及；第二是韻密，其密度也是後代所沒有的。[81]這是
值得特別留意的。

　　押韻可使作品產生一種迴環往復的音樂美，宛如跳圓舞曲或跳芭
蕾舞，既便於誦讀，也易於記憶。《詩經》的詞彙中有許多雙聲或疊
韻的聯綿詞，如黽勉、蒹葭、崔嵬、綢繆，在很短的時間內就重複出
現相同的聲母或韻母，也是一種同聲相應的迴環之美。甚至連以義相

78　謝雲飛：《文學與音律》，同注76，頁23-26。

79　張鵬飛：〈清代詩經音學研究述評〉，《詩經研究叢刊》17輯（2009年6月），頁119-
　　122。

80　〈關雎〉，見《毛詩正義》，同注28，頁20。〈蓼莪〉，見該書頁436-437。〈長發〉，見
　　該書，頁800-804。

81　王力：《詩經韻讀‧楚辭韻讀》（北京市：中國人民出版社，2004年），頁35。

合的合義複詞，也常有雙聲疊韻的關係。

迴環往復在《詩經》的章法結構中運用極廣，那就是重章疊詠。此與音樂文學的本質有密切關係。詩樂舞都具有節奏感，而音樂的節奏感尤其強烈，在詩樂舞各自獨立之後，詩仍乞靈於音樂，使作品的表現更能抑揚頓挫，一唱三嘆。例如：

> 彼采葛兮，一日不見，如三月兮。　彼采蕭兮，一日不見，如三秋兮。　彼采艾兮，一日不見，如三歲兮。（〈王風・采葛〉）
> 漸漸之石，維其高矣。山川悠遠，維其勞矣。武人東征，不皇朝矣。　漸漸之石，維其卒矣。山川悠遠，曷其沒矣。武人東征，不皇出矣。　有豕白蹢，烝涉波矣。月離于畢，俾滂沱矣。武人東征，不皇他矣。（〈小雅・漸漸之石〉）
> 旄丘之葛兮，何誕之節兮？叔兮伯兮，何多日也？　何其處也？必有與也。何其久也？必有以也。　狐裘蒙戎，匪車不東。叔兮伯兮，靡所與同。　瑣兮尾兮，流離之子。叔兮伯兮，褒如充耳。（〈邶風・旄丘〉）[82]

在《詩經》全書中，完全重章者（如〈采葛〉）一三〇篇，不完全重章者（如〈漸漸之石〉）五十五篇，部分複疊者（如〈旄丘〉）五十四篇，三類合計二三九篇，在《詩經》分章作品二七一篇中占百分之八十八點二。這種技巧具有利於傳唱、裨於理解、強化主題、加強抒情、聯繫內容、提升意境等效果，是《詩經》章法結構與語言藝術的一大特色。[83]

82　〈采葛〉，見《毛詩正義》，同注28，頁153。〈漸漸之石〉，見該書，頁523-526。〈旄丘〉，見該書頁92-94。

83　莊雅州：〈從文字學與文學角度探討詩經重章疊詠藝術〉，《章法論叢》第五輯（臺北市：萬卷樓圖書公司，2011年），頁247-269。

黃維樑〈文學的音樂性〉說：

> 談文學的聲律，就是談它的聲音、韻律、節奏之類；用西方的
> 術語來說，就是音樂性。諸種文學體裁中，詩的音樂性最強。
> 詩能誦，可歌；自遠古以來，不分中外，詩的音樂性彰彰可
> 聞。[84]

文中所謂的音樂性，指的就是節奏、平仄、雙聲、疊韻、疊字、押
韻。古今中外，詩無不講究音樂性，即使在不必押韻，不講平仄，無
須重章疊詠的今日，自然的音樂性仍然是詩的重要元素。何況在古
代，詩的韻律更是不可或缺，而這個音樂性，可說來自詩的本質，也
來自詩樂的相互激盪。

2 《詩經》的樂曲

《莊子》〈天運篇〉、〈天下篇〉、《禮記・經解》都曾提到《詩》、
《書》、《禮》、《樂》、《易》、《春秋》六經，但秦漢以後，只傳《五
經》，不見《樂經》，古文家以為《樂經》原有，亡於秦火，今文家則
以為樂本無書，所謂樂是附於《詩》的樂譜，[85]不管真相如何，樂譜
的亡佚，對於《詩經》樂曲的研究都是無可彌補的缺憾。唐代之後雖
有《開元風雅十二詩譜》之類，終究只是仿古之作，《詩經》古樂宛
如鈞天廣奏，邈乎難聞。[86]由於詩樂互為表裡，所以樂亡之後，《詩
經》樂曲的研究，只能從《詩經》文字本身去推測了。

---

84 黃維樑：〈文學的音樂性〉，《臺灣詩學》學刊三號詩與音樂專輯（2004年6月），頁
49。

85 王靜芝：《經學通論》（臺北市：環球書局，1972年），頁31-33。

86 張世彬：《中國音樂史論述稿》（香港：友聯出版社，1975年），頁294-295。

（1）《詩經》的曲式

近幾十年，隨著音樂藝術研究的深入，陰法魯、高亨、家浚、張世彬等學者根據詩篇內容、章法、句式、字數、用韻以及詩句感情起伏等特點，以今推古，逐步探索，推求出不少《詩經》樂曲的歌唱形式，都有篳路藍縷之功。[87]而系統最全面的是楊蔭瀏的名著《中國古代音樂史稿》，他將〈國風〉、〈雅〉的曲式分成十種：

a 同一曲調的重複，如〈周南・桃夭〉。

b 每個曲調的後面加上副歌，如〈召南・殷其雷〉。

c 每個曲調的前面加上副歌，如〈豳風・東山〉。

d 在一個曲調的重複中間，對某幾節音樂的開始部分作局部的變化，如〈小雅・苕之華〉第三節、〈秦風・車轔〉第二、三節。

e 在一個曲調重複前加上總的引子，如〈召南・行露〉。

f 在一個曲調重複後加上總的尾聲，如〈召南・野有死麕〉。

g 兩個曲調各自重複，聯接起來，構成一首歌，如〈鄭風・丰〉、〈小雅・魚麗〉。

h 兩個曲調有規則地交叉輪流，聯成一首歌，如〈大雅・大明〉。

---

87 陰法魯：〈詩經重章中的亂〉，《北京大學學報》1964年3期，頁65-70，高亨：〈上古樂曲的探索〉，《文史述林》（北京市：中華書局，1980年12月），頁41-79，家浚：〈詩經音樂初探〉，《音樂研究》1981年1期。洪湛侯《詩經學史》曾歸納他們的曲式為獨唱、齊唱、問答體（如〈芣苢〉）、對唱（如〈溱洧〉、〈女曰雞鳴〉）、伴唱、幫唱（如〈揚之水〉、〈北風〉、〈木瓜〉、〈漢廣〉）、唱詞中增加的插句和道白（如〈陟岵〉、〈那〉），見注63，頁746。又，張世彬依西方音樂歸納〈風〉、〈雅〉、〈頌〉重複曲式有AA式、AB式、AAA式、AAB式、ABB式等數十種，尤為具體，同注86，頁21-26。

i 兩個曲調沒有規則地交叉輪流，聯成一首歌，如〈小雅‧斯干〉。

j 在一個曲調幾次重複前，用一個總的引子，在其後，又用一個總的尾聲，如〈豳南‧九罭〉。[88]

這些曲式讓我們可以了解先民為了表達他們豐富的思想和情感，已經如何運用了重複的規律、整齊變化的規律，掌握了有助於音樂邏輯思維的重要因素，創造了許多樂曲的變異形式。[89]

　　楊氏的努力，深受學界的肯定，凡是論及《詩經》曲式的，幾乎都會採用他的說法，至多只是重新歸類，或略加合併、補充、修改而已。如朱孟庭《詩經與音樂》將楊氏所未論及的〈頌〉也納入，而得出：a、一個曲調的重複，b、一個曲調重複外，另有一總合性的曲子，c、多曲調的組合三大類，下分十小類、十五目，[90]條分縷析，更臻細密，可以參閱。

（2）《詩經》的亂

　　先秦大型樂曲有亂，載籍多有明確記載，如：

師摯之始，〈關雎〉之亂，洋洋乎盈耳哉！（《論語‧泰伯》）[91]
昔正考父校商之名〈頌〉十二篇于周大師，以〈那〉為首。其輯之亂曰：「自古在昔，先民有作。溫恭朝夕，執事有恪。」

---

88 楊蔭瀏：《中國古代音樂史稿》（臺北市：丹青圖書公司，1985年），第一冊，頁54-58。

89 同上注，頁58。

90 朱孟庭：《詩經與音樂》，同注59，頁139-155。

91 （宋）朱熹：《四書集注》，同注44，頁89。

（《國語・魯語・下》）[92]

子夏對曰：「今夫古樂，進旅退旅，和正以廣，弦匏笙簧，會守拊鼓。始奏以文，復亂以武，治亂以相，訊疾以雅。君子於是語，於是道古，脩身及家，平均天下，此古樂之發也。」（《禮記・樂記》）[93]

〈商頌・那〉：「自古在昔」數句出現在篇末，可知亂指歌曲的結尾而言。到了戰國時代，屈原作〈離騷〉時，正式將歌辭末段冠以「亂曰」，這個音樂術語就更為人們所熟悉了。

亂之涵義，自古以來，學者如（漢）王逸、孫詒、（宋）郭茂倩、樓陰、朱熹、（清）劉寶楠、蔣驥、劉台拱多有解釋，而說法不一。近代學者陰法魯、楊蔭瀏也都有具體的解說。[94]趙沛霖舉其要者，有五種異說：

a 亂為理亂。（何晏《論語集解》引鄭玄《論語注》）

b 亂為樂之卒章，包括整首歌詞。（朱熹《論語集注》）

c 亂為合樂的組成部分。（劉台拱《論語駢枝》）

d 亂為樂之卒章，亦為歌詞之卒章。（陰法魯〈詩經樂章中的亂〉）

e 亂在歌詞之外，另有樂曲。（楊蔭瀏《中國古代音樂史稿》）

這五種說法，經過整理辨證後，趙沛霖認為陰法魯博稽眾說，最為周延，歸納結論為：亂處於篇末，有兩個含義：在內容上是全篇要旨的

---

92 （三國・吳）韋昭注：《國語・魯語・下》，同注38，頁70。

93 （漢）鄭玄注，（唐）孔穎達疏：《禮記正義》，同注8，頁686。

94 趙沛霖：《詩經研究反思》，同注50，頁240-241。

指歸，是統理全文的結尾，在音樂曲調上，是臨終的高潮，是全曲結束的樂章。[95]所言簡明扼要，有助於對《詩經》古樂「亂」之理解。

除了曲式和亂之外，趙沛霖《詩經研究反思》還曾論及《詩經》音樂的藝術風格特點及曲調特點，值得一讀。[96]

（三）詩樂的運用

相傳周公制禮作樂，充滿人文氣息的禮樂文明不僅為兩周八百年的封建制度、宗法社會奠定了基業，也為影響深遠的六經提供了生長茁壯的沃土。廖群認為周代的禮樂文化是《詩經》的母體或載體，《詩經》是這一土壤中開出的奇葩，[97]這是一點兒也不錯的。《詩經》的推廣，不僅有賴於音樂的相輔相成，也與禮制的運用息息相關。

1 《詩經》用樂的禮制

禮是個人行為的規範，社會生活的準繩，國計民生，事無大小，幾乎都與禮有直接、間接的關係，禮的運用，包含吉、凶、軍、賓、嘉，無所不在，詩樂是行禮的重要輔翼，各種典禮的場合，幾乎無不用樂，也幾乎會有詩篇配合演出，來表達行禮者的思想、情感，來烘托典禮的氣氛。朱孟庭《詩經與音樂》有專章討論《詩經》典禮用樂，其主要項目為：

> 祭禮用樂：又分祭祖用樂、祭天地用樂。
>
> 燕禮用樂：又分燕群臣用樂、燕有功諸侯用樂、燕朋友用樂。

---

95 同上注，頁239-241。又，張世彬《中國音樂史論述稿》以為亂相當於西方音樂的卡農，可補傳統說法之不足，同注86，頁49。

96 同上注，頁242-245。

97 廖群：《詩經與中國文化》（香港：東方紅書社，1997年），頁41-63。

　　　　射禮用樂：又分射時用樂、射燕用樂、射祭用樂。

　　　　軍禮用樂：又分軍事行役用樂、閱兵用樂。

　　　　附論：禁樂之禮——婚禮。[98]

至於典禮用《詩》樂方式則可分為：奏詩、歌詩、笙詩、管詩、賦詩、籥詩、簫詩、舞詩。[99]

　　底下綜合兩者，就祭禮、燕禮、射禮、軍禮各舉一例以明之。

（1）祭禮用《詩》樂

　　〈周頌・執競〉云：

> 執競武王，無競維烈。不顯成康，上帝是皇。自彼成康，奄有四方，斤斤其明。鐘鼓喤喤，磬筦將將。降福穰穰，降福簡簡，威儀反反。既醉既飽，福祿來反。[100]

此祭武王，下及成康之詩，讚美其開國功業莫之與競。「鐘鼓喤喤，磬筦將將」二句，見其典禮之盛況，表達天佑宗周，福賜後人的願望。用詞巧妙，頗能表現〈詩大序〉：「頌者，美盛德之形容，以其成功告於神明者也。」[101]之意。

（2）燕禮用《詩》樂

　　《儀禮・鄉飲酒禮》云：

98　朱孟庭：《詩經與音樂》，同注59，頁338-365。

99　同上注，頁366-390。

100　（漢）毛亨傳，鄭玄箋，（唐）孔穎達疏：《毛詩正義》，同注28，頁720。

101　同上注，頁18。

乃間歌〈魚麗〉，笙〈由庚〉；歌〈南有嘉魚〉，笙〈崇丘〉；歌
〈南山有臺〉，笙〈由儀〉。[102]

堂上鼓瑟唱〈魚麗〉之歌，堂下則笙奏〈由庚〉之曲；堂上鼓瑟唱
〈南有嘉魚〉之歌，堂下則笙奏「崇丘」之曲；堂上鼓瑟唱〈南山有
臺〉之歌，堂下則笙奏〈由儀〉之曲。宴饗之間，表演了〈魚麗〉、
〈南有嘉魚〉、〈南山有臺〉三首〈小雅〉之詩、〈由庚〉、〈崇丘〉、
〈由儀〉三首今佚之詩。氣氛輕盈和樂，達到賓主盡歡的效果。

（3）射禮用《詩》樂

〈小雅‧賓之初筵〉二章云：

籥舞笙鼓，樂既和奏。烝衎烈祖，以洽百禮。[103]

此為詠大射之詩。全詩五章，每章十四句，完整地反映了射禮中射、
祭、燕、舞的儀節。首章言燕而後射，次章言祭而後射。祭中有籥舞
及吹笙擊鼓的樂舞表演，樂舞和諧相配，令人心曠神怡。

（4）軍禮用《詩》樂

〈邶風‧擊鼓〉云：

擊鼓其鏜，踊躍用兵。土國城漕，我獨南行。[104]

---

102 （漢）鄭玄注，賈公彥疏：《儀禮注疏》（臺北市：藝文印書館，1985年），頁93。
103 （漢）毛亨傳，鄭玄箋，（唐）孔穎達疏：《毛詩正義》，同注28，頁492。
104 同上注，頁80。

此為戍卒思歸而不得之詩。一開頭以鏜鏜鼓聲激勵士氣，戍卒拿著武器，踴躍奮進，進行軍事操練。其他同袍忙著構築工事，加固城池，固然艱苦，但戍卒奉派南征，則更是危險的任務。鼓是用途廣泛的樂器，不僅祭祀鬼神、饗射燕飲、徵召學子、傳達緊急事故，都用得到，在軍事上振作士氣、號令進退，也非它莫屬，其重要性可見一斑。

2 《詩經》用樂的樂器

音樂具有典禮、娛樂、教化等功能，與禮往往相提並論，甚至成為禮的一部分。樂器是從事禮樂活動的重要工具，在吉、凶、軍、賓、嘉各項禮儀進行時，除了徒歌外，只要有音樂伴奏或演奏，就須用各種樂器來完成表演，襄佐禮儀的進行。傳統的樂器種類繁多，依照製作材料分成金、石、土、革、絲、木、匏、竹八類，即八音是也。現代則分為打擊樂器、管樂器、弦樂器三大類。據楊蔭瀏統計，周代見於記載的樂器約有近七十種，其中見於《詩經》的有二十九種。[105] 陳溫菊《詩經器物考釋》則分為三大類二十四種，加上架設樂器的設備，共二十七種，其目為：

> 打擊樂器：鞉鼓、鼖鼓、賁鼓、鼗鼓、應、田、縣鼓、鐘、鏞、庸、磬、缶、鉦、圉。附錄：虡、業、樅（崇牙）。
> 管樂器：簧、笙、籥、篪、管、簫、壎。
> 弦樂器：琴、瑟。

各種樂器都介紹其形制、材料、紋飾、演進歷史，闡述其作用與含意。並對於樂器在詩篇中的地位給予合理的安排與解釋，各樂器盡量

---

105 楊蔭瀏：《中國古代音樂史稿》，同注88，第一冊，頁38。

附錄實物圖片。根據該書的小結,《詩經》中出現樂器的有二十八篇,鼓類八種二十五見、鐘類三種十六見、瑟十一見、琴九見、笙簧九見、磬四見,其餘在三次以下。其用途,祭祀九次、宴樂七次、比喻想像六次、軍禮二次、婚禮一次、役事一次,有三首不確定。[106]此外,朱孟庭《詩經與音樂》〈詩經中的器樂〉一章介紹《詩經》的樂器二十七種,歸併異名同實者為二十四種,對其名稱、源流、形制、特色、樂音等都有所說明,並綜合整理《詩經》中關於此一樂器的章句,也是圖文並茂,十分翔實,並可參閱。[107]其書俱在,不贅。

3 《詩經》用樂的功能

《禮記‧經解》云:

> 入其國,其教可知也。其為人也,溫柔敦厚,《詩》教也;疏通知遠,《書》教也。廣博易良,《樂》教也;絜靜精微,《易》教也;恭儉莊敬,《禮》教也:屬辭比事,《春秋》教也。(《禮記‧經解》)[108]

此一說法耳熟能詳,以致提到詩樂的功能時幾乎都會聯想及之。其說固然能突顯詩教、樂教的重點,卻容易限縮對詩樂功能的思考,甚至連詩教、樂教的功能也未能作宏觀的了解。底下簡要地談談《詩經》的功能、音樂的功能,以及詩樂相輔相成的功能。

---

106 陳溫菊:《詩經器物考釋》(臺北市:文津出版社,2001年),頁72-111。
107 朱孟庭:《詩經與音樂》,同注59,頁264-335。
108 (漢)鄭玄注,(唐)孔穎達疏:《禮記正義》,同注8,頁845。

（1）《詩經》的功能

先秦兩漢古籍提及詩的功用者為數不少，舉其要者，如：

> 詩言志，歌永言，聲依永，律和聲。（《尚書·堯典》）[109]
>
> 子曰：「小子何莫學夫詩？詩可以興，可以觀，可以群，可以怨。邇之事父，遠之事君，多識於鳥獸草木之名。」（《論語·陽貨》）[110]
>
> 故正得失，動天地，感鬼神，莫近乎詩。先王以是經夫婦，成孝敬，厚人倫，美教化，移風俗。（《毛詩正義·詩大序》）[111]

〈堯典〉「詩言志」是儒家傳統的說法。志為心之所之，包含思想、情感、意志，但較側重理性的認識，而較少個人情感抒發的成分。可以和祭祀、典禮、慶功、戰爭、政治、外交等等活動直接聯繫在一起，也就因而拓寬了詩的表現範圍。[112]到了孔子提出詩可以興、觀、群、怨，也就是藉詩來培養想像力，提高觀察力，增進人際關係，抒發個人憤懣，這就使詩的抒情成分大為提升。同時，他主張運用詩中的道理來侍奉父母，服侍君主，還能認識許多鳥獸草木之名，顯然是以學詩作為個人品行修養和培養知識的工具。他對前人藝術的社會功用進行總結，既有前人的經驗，又有自己的創造。[113]而〈詩大序〉將詩的功用擴充到天地鬼神、群倫教化，既注意到詩對人的思想情感的作用，又將《詩經》定位為教化的百科全書。由〈堯典〉而孔子而

---

109 （漢）孔安國傳，（唐）孔穎達疏：《尚書正義》，同注24。
110 （宋）朱熹集注：《四書集注》，同注44，頁143。
111 （漢）毛亨傳，鄭玄箋，（唐）孔穎達疏：《毛詩正義》，同注28，頁14-15。
112 李澤厚、劉綱紀主編：《中國美學史》（臺北市：里仁書局，1986年），頁618。
113 敏澤：《中國美學思想史》，同注23，頁149。

〈詩大序〉，可以看出儒家《詩經》學思想的演變。至於〈經解〉以溫柔敦厚來突顯詩教，則是表示國君善於運用《詩經》來教化百姓，可以形塑中華民族溫良恭儉讓的性格，[114]影響極為深遠。

（2）音樂的功能

　　古籍論及音樂的功用者，為數更多，略舉數例，如：

> 樂在宗廟之中，君臣上下同聽之，則莫不和敬。閨門之內，父子兄弟同聽之，則莫不和親。鄉里族長之中，長少同聽之，則莫不和順。故樂者，審一以定和者也，比物以飾節者也，合奏以成文者也。足以率一道，足以治萬變。（《荀子・樂論》）[115]
>
> 故治世之音安以樂，其政平也；亂世之音怨以怒，其政乖也；亡國之音悲以哀，其政險也。凡音樂通乎政，而移風平俗者也，俗定而音樂化之矣。故有道之世，觀其音而知其俗矣；觀其政而知其主矣。（《呂氏春秋・適音》）[116]
>
> 樂行而倫清，耳目聰明，血氣和平，移風易俗，天下皆寧。（《禮記・樂記》）[117]

《荀子・樂論》是中國歷史上第一篇完整的音樂美學專著，為了駁斥墨子非樂觀點，他比孔孟更強調音樂的社會作用。他認為大家共同聆賞同一音樂或歌曲，因為受到音樂旨趣及律動、節奏的刺激，則可能產生相同的感情和反應，這在心理學上是有相當根據的。同時，他注

---

114 孫克強、張小平：《教化百科——詩經與中國文化》（開封市：河南大學出版社，1995年），頁128-150。

115 梁啟雄：《荀子柬釋》（臺北市：河洛圖書出版社，1974年），頁278。

116 陳奇猷：《呂氏春秋校釋》，同注26，頁273。

117 （漢）鄭玄注，（唐）孔穎達疏：《禮記正義》，同注8，頁682。

意到和為樂之精神,節為樂之組織,文為樂之完成。[118]顯示他已深刻
體認音樂的美學意義。《呂氏春秋》雜取各家之長,論樂八篇歸宗於
儒家,旁參道家及陰陽家。他認為音樂是時代背景的反映,是社會民
眾的心聲。審音可以知政,音樂與治道相通,故古之賢王以之作為教
化的工具。[119]這樣的思想,在《禮記‧樂記》中也不斷出現。〈樂
記〉認為音樂雖然無形無象,而以統同為能,滲透力既強且速,其功
用不僅止於個人,而且能遍及社會,感召萬化。又樂本於情,以理治
人,人或違抗,以情感人,往往能潛移默化,所以移風易俗,必待於
樂。[120]音樂可以移風易俗,也是儒家的重要主張。至於〈經解〉云:
「廣博易良,樂教也。」(清)孫希旦《禮記集解》云:「廣博,言其
理之無不包;易良,言其情之無不順。」[121]情理皆能兼顧而不流於奢
侈,誠有得於樂教。曾焜宗謂音樂教育功能的特色有四:情理交融、
自由舒暢、沈潛久遠、均衡統整,[122]亦可作為注解。

(3)詩樂的功能

在功能方面,詩樂相提,甚至詩禮樂並論者為數亦不少,如:

> 興於詩,立於禮,成於樂。(《論語‧泰伯》)[123]
> 夫樂者,樂也,人情之所必不免也。故人不能無樂,樂則必發
> 於聲音,形於動靜,而人之道,聲音動靜,性術之變盡是矣!
> 故人不能不樂,樂則不能無形,形而不為道,則不能無亂。先

---

118 張蕙慧:《中國古代樂教思想研究》(臺北市:文津出版社,1991年),頁90-91。
119 同上注,頁126。
120 同上注,頁148。
121 (清)孫希旦:《禮記集解》(臺北市:文史哲出版社,1976年),頁1149。
122 曾焜宗:《音樂教育的功能》(高雄市:復文圖書出版社,1997年),頁81-95。
123 (宋)朱熹集注:《四書集注》,同注44,頁87。

王惡其亂也，故制〈雅〉、〈頌〉之聲以道之，使其聲足以樂而不流，使其文足以辨而不諰，使其曲直繁省廉肉節奏足以感動人之善心，使夫邪汙之氣無由得接焉；是先王立樂之方也。（《荀子‧樂論》）[124]
樂由中出，禮自外作。樂由中出，故靜；禮自外作，故文。大樂必易，大禮必簡。樂至則無怨，禮至則不爭，揖讓而治天下者，禮樂之謂也。暴民不作，諸侯賓服；兵革不試，五刑不用；百姓無患，天子不怒，如此則樂達矣。合父子之親，明長幼之序，以敬四海之內，天子如此，則禮行矣。（《禮記‧樂記》）[125]

詩以言志，樂以和詩，詩樂相須而行，《荀子‧樂論》言之甚明，此為本論文主旨所在，固不待多言。不特此也，樂由中出，禮自外作；樂主同，禮主異；樂敦和，禮別宜；樂靜而禮文，禮樂雖相反而實相成，《禮記‧樂記》亦言之至瞭。透過樂之中介，詩、禮亦得以密切合作。詩、樂、禮三者關係，孔子「興於詩，立於禮，成於樂」，所言最為簡明深刻。蓋以音樂啟發情志，並取得語言知識，再以禮克己歸仁，約束人之行為。情感、理智兩相調和之後，進而以音樂加以融洽，始能完成人格教育，既成己，又成物。此為詩禮樂合一之妙用，亦為孔門成德之方。

先秦詩樂相輔相成，不啻姊妹藝術。到了秦漢之後，周樂散亡，詩樂始漸行漸遠，終至成為兩門獨立的藝術。周樂散亡的原因有四說，即：亡於衰周說，亡於暴秦說，亡於說義說，樂本無經說，各家

124　梁啟雄：《荀子柬釋》，同注115，頁277。
125　（漢）鄭玄注，（唐）孔穎達疏：《禮記正義》，同注8，頁667-668。

聚訟紛紜，斷定匪易，[126]但無論如何，詩樂的關係已是進入另一個階段了。

六　結論

綜觀上述析論，可以發現：

（一）詩樂關係是《詩經》學上重要而複雜的議題，它涉及詩樂藝術的本質、起源，乃至《詩經》的成書、發展，孔子的正樂，刪詩等一系列問題，所以自古以來，探討的人更僕難數，成果十分豐碩，但疑難亦不少。本論文擬結合經學與音樂學兩方面的研究成果，間雜淺見，庶幾對科際整合略盡綿薄。

（二）詩樂本質的異同，是詩樂分合的根本原因。詩是語言藝術，音樂是音響藝術，本質各異，但亦有相通之處，所以能同出一源，厥後成為相輔相成的姊妹藝術，乃至分道揚鑣，皆以此故。

（三）追溯《詩經》的起源，在上古時代，因本質相通，故詩樂舞同出一源，此從古典文獻、後代遺跡、藝術感通之理，皆可得到明證。

（四）到了《詩經》時代，詩樂雖已各自成為獨立的藝術，但因兩者關係十分密切，難分難解，所以《詩經》的成書，無論采獻、整理，或〈風〉、〈雅〉、〈頌〉三大部分的分類，都與詩樂關係不可分割。

（五）《詩經》通行的時代，詩樂仍是密不可分，所有詩篇都已入樂，不僅《詩經》的篇章、樂曲呈現詩樂交響，就是《詩經》在各種禮儀運用的場合乃至詩樂的功用也是相輔相成。

（六）秦漢之後，周樂散亡，詩樂的關係漸行漸遠，已是進入另一個階段了。

---

126 洪湛侯：《詩經學史》，同注63，頁705-706。

輯二　三禮之屬

從科學觀點探討《周禮》

一 前言

在群經之中，《周禮》糾葛最多。雖然歷代訓詁、考辨、研究《周禮》的著作汗牛充棟，但直至今日，這本古老的著作仍然有許多不解之謎，諸如其來歷、作者、〈冬官〉佚失與否，都成為聚訟的焦點，而且迄無定論。[1]如果拋開這團亂絲，直接去研讀原典，我們也會發現它文字奧衍，典制繁多，動輒陷入難解的泥淖。幸虧近世瑞安孫詒讓的《周禮正義》博採眾說，疏通明細，林師景伊的《周禮今註今譯》簡易曉暢，一紙風行，都帶給我們不少方便，解決不少問題。不過，基本上他們都是經學家，而且格於著述的體例，對於其中的科技材料不免有所疏忽。因而我在此採擷昔賢今人的研究成果，重加整理闡述，以期引起大家的注意，或者稍可表達我對先師的感念之忱吧！

1　《周禮》的來歷，或云始見於文帝時，或云景帝時，或云武帝時，或云王莽居攝時；《周禮》的作者，或云為周公，或云為戰國時人，或云為劉歆；〈冬官〉佚失與否，或云〈冬官〉已佚，或云未亡，異說紛紜，詳見侯家駒《周禮研究》第二章〈周禮之謎〉。

二　《周禮》科技材料的內涵

（一）天文

〈春官〉有保章氏，掌管日月星辰的觀測：有馮相氏，掌管曆法的推算。對於星象的觀測，是「晝參諸日中之景，夜考之極星。」（〈考工記‧匠人〉）當時用土圭測量，所得到的夏至日影長度為「尺有五寸」（〈地官‧大司徒〉），這個數據可能是這方面最古老的記錄。夜間除了考察極星外，當然還得觀測其他星象的變化，而二十八宿正是觀測的最重要座標，所以「二十八星」一詞在《周禮》中屢見不鮮。從〈考工記‧輈人〉所載「大火」、「鶉火」、「伐」、「營室」這些星名，也已隱約可看到「四象」的影子了。[2]在時間的推算方面，除了充分掌握「冬日致日，春秋致月。」（〈春官‧馮相氏〉）也就是二至二分外，還有〈夏官〉的挈壺氏以漏壺來計算一日時刻的變化，至於〈春官〉的眂祲氏主要是在觀測氣象，其所掌「十煇之灋」對於日暈的結構已有詳細的記錄。

（二）數學

〈天官〉有司會之官，專司會計之事，每日、每月、每歲都須考成。〈地官〉有保氏之官，所教教材——六藝中的九數，據鄭眾注，可能即是九章算術。在〈考工記〉中，保存不少先秦度量衡的史料，如長度單位的尋、常、仞、尺、寸，重量單位的垸、鋝、鈞、倗、䤼，容量單位的䰜、豆、升、觳等，〈㮚氏〉還記載了嘉量的形制，

2　四象即將二十八宿分為四組：東方蒼龍，南方朱鳥，西方白虎，北方玄武。先秦典籍未見記錄，但〈考工記‧輈人〉所提及的「大火」、「鶉火」、「伐」、「營室」分屬四象，則隱約已有四象的蹤影。近年曾侯乙墓出土的漆箱蓋上有二十八宿及青龍白虎圖像，更可證明至遲在戰國初年以前已有四象之說。

這些都是彌足珍貴的。此外，〈輈人〉、〈輪人〉有簡單的分數表示法，〈車人〉提到矩、宣、欘、柯、磬折等各種角度，〈弓人〉更提及用圓弧的長度來衡量弓背彎曲的角度，也都可以表現出當時的數學水準。

（三）物理

（1）力學：〈考工記〉中無論對車輪或弓矢的設計、製造和檢驗，都已具備了初步的力學知識，如〈國有六職〉云：「輪已庳，則于馬終古登阤也。」與滾動摩擦理論有關；〈輪人〉云：「水之以眡其平沉之均也。」與浮力理論有關；〈矢人〉云：「羽豐則遲，羽殺則趯。」與空氣動力理論有關。此外，〈輪人〉提及斜面的應用，〈輈人〉記載了慣性的現象，也都受到科技史學者的重視。

（2）聲學：從鐘、鼓、磬的製造中也累積了不少寶貴的經驗，如〈鳧氏〉云：「鐘大而短，則其聲疾而短聞；鐘小而長，則其聲舒而遠聞。」說明了鐘振動的振幅和聲音響度有關，又如〈磬氏〉云：「（磬聲）已上，則摩其旁；已下，則摩其耑。」說明了發音頻率與板的厚度、面積有關。這些經驗都是符合聲學原理的。

（四）生物

〈考工記·梓人〉云：「天下之大獸五：脂者、膏者、臝者、羽者、鱗者。……外骨、內骨、卻行、仄行、連行、紆行、以脰鳴者、以注鳴者、以旁鳴者、以翼鳴者、以股鳴者、以胸鳴者，謂之小蟲之屬。」所謂大獸即脊椎動物，前二類按實用觀點分類，後三類按外部形態分類，標準顯然不一致。〈地官·大司徒〉分為毛、鱗、羽、介、臝，則較為合理。此種五行動物分類法對後世頗有影響。所謂小蟲即無脊椎動物，它們依形態結構、行動方式及發音部位來區分，究竟各指哪些動物，實在不易明確了解。此外，〈考工記·國有六職〉

云：「橘逾淮而北為枳，鸜鵒不逾濟，貉逾汶則死，此地氣然也。」
涉及生物分布界線、物種可變的概念，在生物學史上也頗有價值。

（五）農學

（1）農業：《周禮》特別重視「土宜之灋」，〈夏官‧職方氏〉敘
述了九州所適宜發展的農作物，〈地官‧大司徒〉也分別說明五種不
同地形所適宜生長的植物。遂人進而將田地分為上地、中地、下地三
等，頒給農民。為了增進農業生產，〈地官〉草人「掌土化之法以物
地」，司稼「掌巡邦野之稼而辨穜、稑之種」，〈秋官〉薙氏「掌殺
草」，蟈氏「掌去鼃黽」，舉凡施肥、選種、除草、殺蟲皆有一定的方
法。〈考工記‧匠人〉除了採取畎畝法的耕作方法外，還設計了一套
井田制的排灌系統，相當進步，使許多人懷疑那只是一種理想而已。

（2）林業：從中央到地方，有山虞、林衡、封人、掌固、司
險、職方氏、閭師、山師等負責林業，無論森林保護或植樹造林，都
已得到應有的重視。

（3）畜牧業：〈夏官〉有馬質以相馬術評議馬價，有圉師管理養
馬的馬廄，更有校人負責馬的繁育，以「凡馬，特居四之一」來調配
牝牡比例，以「執駒」來保護幼馬，以「攻特」來閹割公馬，改良品
種。當牲畜生病時，還有〈天官〉的獸醫為其治療，而且分「療獸
病」、「療獸瘍」，也就是內、外兩科呢！

（六）化學

（1）釀酒：〈天官‧酒正〉云：「辨五齊之名：一曰泛齊，二曰
醴齊，三曰盎齊，四曰緹齊，五曰沈齊。」五齊可能是指五種不同原
料的酒，也可能是釀酒過程中的五個階段[3]，但無論如何，都表示當

3　《中國科學文明史》，頁66：「有人認為『五齊』是釀酒過程中的五個階段：『泛

時的釀酒技術已經相當進步。

（2）陶瓷：〈考工記〉有陶人製甗、盆、甑、鬲、庾，旅人製簋、豆，採取分工合作的方式。所製的器皿必須「器中膊，豆中縣。」可能已是後世使用模子、拉車、旋車等的濫觴了。

（3）冶鑄：〈考工記〉攻金之工有築氏、冶氏、鳧氏、㮚氏、段氏、桃氏各司所職，他們依據所製器皿的不同，採用六種不同的合金——六齊。在冶鑄時，㮚氏還透過煙氣的觀察、火候的控制，以確定進行青銅澆鑄的最佳時間，透過「權之」、「準之」、「量之」以保證鑄造的品質。

（4）練染：〈考工記〉設色之工有「畫、繢、鍾、筐、慌」五個工種，〈天官〉有染人，〈地官〉有掌染草，也都從事練染的工藝。慌氏在練絲帛時，要用各種溶液浸漬脫膠，又用日光暴曬，交替進行七日七夜。鍾氏染羽時，「三入為纁，五入為緅，七入為緇。」畫、繢之工施彩時，「雜五色」，「後素功」，手續上也都相當複雜。

（七）機械

（1）製車：〈考工記〉對於車子的設計、製造和檢驗解說極為詳細，可說是世界最早的製車大全。每部車子分別由輪人製造輪子，輿人製造車廂，輈人製造車轅，再加以組合。單是對於輪子就提出十項嚴格的要求準則，其技術水準之高可見一斑。

（2）製武器：〈考工記〉由弓人、矢人、冶氏製造弓箭，對於製造弓、弦的六種原料，箭鏃的長短、大小，箭鋌的長短，鐵管和箭羽

齊』是發酵開始時發生二氧化碳氣體，把部分穀物沖到液面上來；『醴齊』階段逐漸有薄薄的酒味了；氣泡很多，還發生一些聲音，是『盎齊』階段；顏色改變，由黃到紅為『緹齊』階段；氣泡停止，發酵完成，糟粕下沉就是最後的『沉齊』。也有人把『五齊』解釋為五種原料不同的酒。」

的設置等，都有翔實的規定。此外，築氏為削，冶氏為殺矢、戈、戟，桃氏為劍，對於各種武器的形制、大小、重量亦有明確的記載。

（3）製樂器：〈考工記〉由鳧氏為鐘，韗人為鼓，磬氏為磬，對於樂器的形制和調音方法都言之綦詳。

（八）建築

〈考工記‧匠人建國〉首先介紹了建設城邑之前求水平、定方位的測量技術，接著就是王都的規劃制度，包括整個城市的規模，城門的數量，交通幹道，祖、社、市、朝的布局，以及明堂的建築設計。「匠人為溝洫」以下，則介紹了溝洫水利設施以及堤防的形制、版築的技術等。這些資料在我國建築史上，都具有重要的地位。

（九）醫學

上古時代巫、醫原本不分，但在《周禮》時代，巫、醫已經分道揚鑣，〈天官〉中有關醫藥的官吏，計有醫師、食醫、疾醫與瘍醫。醫師主管醫藥行政，收藏藥物以供醫事，並負責保管病歷與年終考績。食醫相當於營養師，不斷變化菜餚來調整王的飲食。疾醫相當於內科醫師，主要在於醫治萬民的四季流行病——痟首疾、痒疥疾、瘧寒病、嗽上氣疾。瘍醫相當於外科醫師，治療方法不外敷藥與動手術。此外，還有獸醫，專為牲畜治病。在環境衛生的整理與維護方面，則由〈秋官〉的蜡人、庶氏、柞氏、薙氏、翦氏、赤犮氏、蟈氏、壺涿氏負責。

三 《周禮》科技材料的研究方法

（一）參考傳統文獻

　　《周禮》是二千多年前的古書，若想要從原典直接探討科技材料，必然遭遇許多障礙，如古體字、異體字的辨認，假借、方言的通讀，典章名物的理解等，都必須借助於歷代重要的注釋，才能迎刃而解。鄭玄《注》網羅諸家，裁以己意，賈公彥《疏》考究名物制度，發揮鄭氏之學，孫詒讓《周禮正義》疏通古義，論說周詳，林師景伊《周禮今註今譯》注釋簡要，譯文顯豁，都是可以參考的。在《周禮》中，〈考工記〉是科技材料的大宗，所以單獨研究的論著，也儼然有由附庸蔚為大國之勢，如宋林希逸的《考工記解》、明徐光啟的《考工記解》、清戴震的《考工記圖》、程瑤田的〈考工創物小記〉、阮元的〈考工記車制圖解〉，都頗有參稽的價值。此外，有些古籍，如《尚書》、《詩經》、《墨子》、《管子》、《山海經》、《呂氏春秋》、《齊民要術》、《營造法式》等，與《周禮》同樣含有不少古代科技的素材，也應該取來加以比較研究。推而廣之，則《十通》、《二十五史》，乃至《古今圖書集成》……在全面而深刻的研究時也都有翻閱的必要。當然，我們在使用這些傳統文獻時，也需注意避免其謬誤曲解之處，如鄭玄《注》雖能反映漢代的科技水準，但為戴震、孫詒讓匡糾補正之處為數亦不少，而戴、孫之書在科技昌明的今日，自然也呈現不少瑕疵。

（二）借重現代科技

　　科技是人類智慧經驗的結晶，改善生活的利器，沒有前人辛勤的耕耘，就不會有後人的突飛猛進，沒有後人的精密理論，就不易理解前人的心血成就，更遑論去加以發揚光大或匡謬補缺了。追求進步與

真理是人類的特性，如《周禮》〈地官‧大司徒〉：「以土圭之灋測土深，正日景。」鄭《注》：「凡日景於地千里而差一寸。」這種說法雖然得到許多人的盲目崇信，但南北朝時就有人表示懷疑，唐朝一行更在全國設立十二個觀測站，量出子午線一度的長度為一三二點○三公里，而徹底打破「損益寸千里」的謬說。當然，近代測量子午線一度的長度為一一一點二公里，又可以修正一行的疏失了。又如〈考工記‧輪人〉云：「輪已庳，則於馬終古登阤也。」王謙的解釋是：「輪子太小，馬拉起來就好像經常上斜坡……。根據滾動摩擦的理論，滾動時的阻力和輪子的半徑成反比；輪越小，滾動時的阻力也就越大，馬就越難拉了。……但也有學者認為這種看法不太符合當時科學發展的水平，對這段論述應該從力的合成與分解的角度來研究才比較恰當。……這兩種見解各有根據，但不管是哪一種，都證明〈考工記〉的論述是正確的。」（《中國古代物理學》，頁34-37）這樣的解釋面面俱到，又符合現代力學理論，絕非傳統文獻所能及。再如〈考工記〉：「金有六齊，」聞人軍云：「從現代合金知識來看，應該說大體上是合理的。一般青銅含錫百分之十七至二十最為堅利，『六齊』中的斧斤和戈戟之齊正與此相當。大刃和削、殺矢要求鋒利，即更高的硬度，含錫量相應增加，但韌度不及斧斤和戈戟。『六齊』中把鐘鼎類的含錫量定為百分之十四點三左右，……（這時）樂鐘的機械、工藝和聲學綜合性能最優。……鑒燧要經磨製，面呈灰白之色，而不怕剛脆，故含錫類最高。」（《考工記導讀》，頁30-31）如此的解說也相當合理而有說服力。

（三）旁徵考古文物

近代考古學發達，地不愛寶，甲骨、鐘鼎、簡牘、帛書，乃至石器、陶俑、車馬、宮室紛紛出土。這些地下文物或可印證文獻之記

載，或可糾正前人之謬說，或可補充古史之不足，實在是彌足珍貴而須善加利用的。在研究古代科技時，這些考古文物更是重要的資料。例如清儒程瑤田以古戈、古劍、古鐘、古爵、古斧、古矛等研究〈考工記〉的相關記載，就能別開生面，得到良好的成績，但在車制方面，則因缺乏實物佐證，而未能遠軼前人。民國以後，河南安陽殷墟和輝縣等地發現了古車遺跡，才使許多車制中的問題迎刃而解。又如曾侯乙墓出土的編鐘，經過許多學者以電鏡掃描，X光透視，化學定量分析，對其成分、設計、音色、高音都已瞭若指掌，而有些學者採取建立模型、科學計算的方式，也使人們對鐘鼓的聲學特性得到更深刻的了解，〈考工記〉中鐘鼓的奧祕自此幾已揭發無遺。再如晉國侯馬、古晉城、燕下都、趙邯鄲等春秋戰國城市遺址的出土，證明了〈考工記〉所載「匠人營國」的規劃方式基本上是可信的，其有裨於古代建築的研究自不待言。

四　《周禮》科技材料的評價

（一）優點

　　《周禮》中許多科技的材料，尤其是〈考工記〉經過古今學者的研究，已經呈現其價值，而得到應有的肯定。如「金有六齊」記載銅錫配比的規律可以說是世界現存最古的青銅合金資料，而冶鑄時有關火候控制的文字即近世光測高溫術的先河，都蜚聲中外。又如「輪人為輪」、「弓人為弓」等有關車輛、武器的製造多符合力學原理，「鳧氏為鐘」等有關樂器的製造多符合聲學原理，在物理學史上亦均有其顯著的地位。《周禮》的科技材料不僅置之先秦古籍中顯得十分突出，即使與當時的外國科技著作相較亦無遜色。如聞人軍推崇〈考工

記〉「弓人」、「矢人」有關空氣動力學的知識比起亞里斯多德認為拋射體沿直線前進的理論遠為高明得多。（《考工記導讀》，頁43）荀萃華也推崇「梓人」大獸、小蟲之分，比之亞里斯多德分動物為有血動物和無血動物要進步得多。（〈我國古代的動植物分類〉，（《考工記導讀》，頁105引）當然，這並非是國人的敝帚自珍，連西方學者對《周禮》也常交相稱讚，如 Needham 就認為〈考工記〉中的冶金術「是文明古籍中關於青銅鑄造術的最早的遺產之一。」（《考工記導讀》，頁34引）所以《周禮》中的科技材料是相當有價值，值得珍視的。

（二）缺點

　　無可諱言，《周禮》中也有不夠精密，甚至違反科學的資料。例如〈地官‧大司徒〉謂夏至日景長度「尺有五寸」，李約瑟就認為這種計算「含有如此多的不確定因數，如日期、地點、表高、長度的單位性質等都有問題。」（《中國之科學與文明》（五）曹謨譯本，頁176）又如㮚氏所載的「準之」、「量之」；〈陶人〉、〈瓬人〉所載的陶人、瓬人之間的區別，「膊」的形制、用途，都因語焉不詳，而讓讀者困惑難解。然而最嚴重的缺點莫過於全書中充滿了迷信的色彩，據統計，《周禮》涉及祭祀職責的，計一百五十九職，占周官職守的將近二分之一。（《中國古代佚名哲學名著評述》第一卷，頁403）如〈天官〉的女祝、〈春官〉的大卜、卜師、卜人、龜人、占人、筮人、大祝、詛祝、司巫、男巫、女巫等，顧名思義，固可無論，連掌天星的保章氏也要「以觀妖祥」，掌除蠱物的庶氏也要「以攻禜攻之」，就未免走火入魔了。所以天神、地祇、人鬼、物魅在《周禮》中幾乎無所不在，而且作者還深信不疑，認為「凡六樂，一變而致羽物及川澤之示，……六變而致象物及天神。」（〈春官‧大司樂〉）真是匪夷所思。此外，《周禮》還瀰漫了陰陽五行色彩，單看三兆、三

易、四簋、四豆、五味、五藥、六食、六飲、七命、七就、八次、八舍、九職、九賦這些數字的格套更僕難數，就曉得它已深受陰陽五行的籠罩，往往牽強傅會而不自知。〈夏官・職方氏〉所載九服，每服方五百里，總計面積為一萬萬方里，幾為我國領土的五倍，只不過是其中一個可笑的例子而已。由此可見，除鬼神迷信外，陰陽五行的迷霧也是導致《周禮》不合科學的重要因素。

（三）影響

由於《周禮》躋身於三禮，甚至十三經之列，成為我國的經典，其影響力自然既深且鉅。在實際方面，如〈考工記〉分工合作的精神、生產管理的制度、精心設計的思想、系統工程的觀念，乃至於製車、造箭、琢玉、鑄鐘的技術，有形無形中，對我國手工業的發展都發揮了一定的影響力。又如「匠人營國」的幾個基本原則也成為漢以後歷代王朝規劃都城的典範。在理論方面，許多古代科技名著如（宋）李誠的《營造法式》，（明）朱載堉的《樂律全書》、李時珍的《本草綱目》，（清）朱琰的《陶說》都喜歡援引，甚至推闡《周禮》的說法。有些理論，如沈括《夢溪筆談》卷十八所論的「弓有六善」，雖然未曾明引《周禮》，但實際卻不出〈考工記〉的籠罩。近代科學技術日益發達，許多外國的科技史學者都喜歡研究《周禮》，如李約瑟的《中國之科學與文明》，皇皇十餘鉅冊，徵引及發揮《周禮》的文字俯拾皆是。近年，國內學術界也有急起直追之勢。所以《周禮》科技材料的影響可說方興未艾呢！

五 結論

綜合以上所述，竊以為從科學的觀點來看，《周禮》有幾點特別

值得我們注意：

（一）《周禮》〈天官〉以下五篇本為理想與現實的混合物，〈考工記〉本為手工業生產技術的紀錄，最初都無意於科技材料的保存，更無意於科學原理的闡發，但在今天看來，《周禮》，尤其是〈考工記〉部分，卻成為研究古代科技史的重要材料，真是無心植柳柳成蔭。

（二）《周禮》所載的科技材料遍及天文、數學、物理、生物、農學、化學、機械、建築、醫學各領域，層面廣袤，其中尤以〈考工記〉所載有關機械、化學資料最為豐富，所蘊含的物理、化學原理最為具體，其他領域也都各有其特色，如能與《詩經》、《墨子》、《管子》、《呂氏春秋》等古籍相互闡發印證，對我國先秦科技的水準也就不難略知梗概了。

（三）由於傳統貴道賤器的觀念作祟，《周禮》雖然被尊為經書，但其中的科技材料顯然未得到應有的重視，因而有待開發的天地仍然相當遼闊。現代科技發達，考古文物又紛紛出土，實在是研究《周禮》科技材料的大好時機，唯傳統文獻中亦有不少資料值得參考，不宜忽略。一般文史學者縱使不從事於這方面的探討，但對昔賢今人的研究成果也應略加留意，如此研讀《周禮》時才不致誤解、曲解或茫然不知所解。

（四）《周禮》固有其科學的一面，但亦有不夠精密，甚至違反科學的一面，我們應客觀地加以釐清，公平地予以定位。同時宜設身處地，了解古代社會原本迷信充斥，科技與迷信往往同出一源，那就不致過分苛責古人了。

參考書目

《周禮注疏》　鄭玄注　賈公彥疏　藝文印書館

《周禮正義》　孫詒讓　臺灣商務印書館

《周禮今註今譯》　林景伊　臺灣商務印書館

《周禮研究》　侯家駒　聯經出版事業公司

《考工記圖》　戴　震　《皇清經解》本

《考工創物小記》　程瑤田　《皇清經解》本

《考工記導讀》　聞人軍　巴蜀書社

《中國之科學與文明》　李約瑟　臺灣商務印書館

《中國科學文明史》　木鐸出版社

《中國天文學史》　陳遵媯　明文書局

《中國古代數學簡史》　李　儼　九章出版社

《中國古代物理學》　王　謙　臺灣商務印書館

《中國生物發展史》　李亮恭　中華文化復興運動推行委員會

《中國農業科技發展史略》　郭文韜　中國科學技術出版社

《中國化學史話》　明文書局

《中國機械科技之發展》　葛迪棣　中華文化復興運動推行委員會

《中國建築史》　葉大松　中國電機技術出版社

《中國醫藥史話》　明文書局

《夢溪筆談校證》　胡靜道　世界書局

《中國古代宗教初探》　朱天順　谷風出版社

《儀禮》喪葬神祕文化析論

一 前言

　　《儀禮》是中國古代世俗禮儀的寶典，五禮中的各種重要禮儀，除了軍禮之外，幾乎都有詳盡的記載，其中專記凶禮喪葬之儀的有四篇：〈喪服〉記載親屬為死者穿五等孝服和服喪期的規定。〈士喪禮〉記載士遭遇父母之喪，從始死到入殮的禮節，有招魂、赴君、弔襚、為銘、沐浴、飯含、襲屍、設重、小殮、大殮、君臨、三日成服、哭奠、筮宅、卜葬日等儀節。〈既夕禮〉是〈士喪禮〉的下篇，記載出殯、遷柩、陳明器、大遣奠、下葬、反哭等儀式。〈士虞禮〉記載士埋葬父母後，回家舉行的安魂禮，主要為饗神和饗尸，兼記虞祭後的卒哭、祔、小祥、大祥、禫等祭名。這些活動分別處理死者遺體及奉養死者精神，有的來自遠古的習俗，有的出自巫祝的設計，有的經過儒家的改造，委曲繁瑣，出入幽冥，往往充滿宗教神學色彩，在古代稱之為數術，近世或謂之巫術，亦即今之所謂神祕文化。這是對正統文化的補充、扭曲、衝突，企圖對未知領域進行思索、詮釋與對應，表現得撲朔迷離，神祕莫測。這種文化，無論古今中外，都無孔不入，在生死之學中尤其顯得重要，所以本論文擬針對《儀禮》喪葬之禮中幾個具有濃厚神祕文化色彩的儀節，介紹其行禮過程，並探討其文化意涵，最後闡明其特色。庶幾對《儀禮》的解讀有所助益。

二　《儀禮》喪葬神祕文化的儀節

（一）復禮

　　古人平時在燕寢起居，病重時則移至堂後的「適室」，又稱正寢，天子、諸侯的正寢稱為路寢，那是齋戒和生病時才用的、正性情的地方。彌留之際，用極輕薄的棉絮放在病人的鼻孔前，測量其呼吸，叫作「屬纊」。綿絮不動了，表示氣絕，此即所謂「壽終正寢」。但是家屬不忍心接受這個殘酷的事實，不願放棄最後一線機會，所以先「行禱於五祀」[1]無效，又乞靈於復禮。

　　《儀禮‧士喪禮》云：

> 復者一人，以爵弁服簪裳於衣，左何之，扱領於帶。升自前東
> 榮，中屋，北面，招以衣曰：「皋！某復。」三，降衣於前。
> 受用篋，升自阼階，以衣尸。復者降自後西榮。（頁408-409）

為士行復禮的「復者」，只有一人，但依階級高低，復者人數也遞增，如卿大夫二人，諸侯三人，天子四人。[2]其身分，〈士喪禮〉鄭玄注：「復者，有司招魂魄也。天子則夏采、祭儀之屬，諸侯則小臣為之。」（頁408）所復之處也不一，如士只在自家屋頂，國君則如《禮記‧檀弓》所云：「君復於小寢、大寢、小祖、大祖、庫門、四郊。」[3]幾乎廣及國君生前常去的地方。至於招魂所用的衣服，《禮

1　《儀禮‧既夕禮‧記》，見（漢）鄭玄注，唐賈公彥疏：《儀禮注疏》（臺北市：藝文印書館，1985年），頁474。此下，凡引《儀禮注疏》皆用此本，僅隨文交代篇名、頁碼，不復加注。

2　（清）黃以周《禮書通故》（臺北市：華世出版社，1976年），頁250。

3　漢鄭玄注，唐孔穎達疏：《禮記正義》（臺北市：藝文印書館，1985年），頁151。以下凡引《禮記正義》皆用此本，僅隨文交代篇名、頁碼，不復加注。

記‧喪大記》云：「君以卷，夫人以屈狄；大夫以玄赬，世婦以禮衣；士以爵弁，士妻以稅衣。」（頁762）都是以死者身分所能穿著的最尊貴衣裳為之。

行復禮時，士之復者將死者爵弁服的上衣、下裳相連，搭於左肩，又將爵弁服的衣領插進自己腰帶，以防滑落。然後用梯子由正屋的東角爬上去，登上屋脊中央最高處，向著北方幽暗處，揮舞衣裳長聲喊叫死者的名字：「噢！某某，快回來呀！」殷禮質樸，行復禮時，無論尊卑，復者就是如此直呼其名（《禮記‧喪服小記》，頁601，鄭玄注），到了尚文的周代，則對天子只能喊「天子復矣！」（《禮記‧曲禮下》，頁79）對諸侯只能喊：「皋，某甫復矣！」（《禮記‧曲禮下》，頁93）由於周代貴族女子為了別婚姻，重姓，不以名行，所以也是稱字（《禮記‧喪大記》，頁763）。如此連呼三次，才將衣裳扔到南簷堂前，堂前有人將它接過來裝在竹箱，登上東階進入室內，將它蓋在屍體上，復者則從屋頂北邊的西角下屋。這時，死者完全沒有復活的跡象，家屬才不得不接受事實，開始辦喪事。

至於《禮記‧雜記上》云：「諸侯行而死於館，則其復，如於其國。如於道，則升其乘車之左轂，以其綏復。」（頁709）又云：「大夫、士死於道，則升其乘車之左轂，以其綏復。如於館死，則其復，如於家。」（頁710）〈喪大記〉亦云：「其為賓，則公館復，私館不復。其在野，則升其乘車之左轂而復。」（頁762）所言多為卿大夫以上之變禮，在〈士喪禮〉中當然不會提及。

（二）奠禮

今日喪禮中，「奠」字觸目可及，但其真正含義，一般人往往不甚了然。早在甲骨文中，就有奠字，其義是以酒尊置於架上，以示祭

祀[4]。《說文解字》云：「奠，置祭也。从酉，酉，酒也，丌其下也。禮有奠祭。」（清）段玉裁注云：「〈士喪禮〉、〈既夕禮〉，祭皆謂之奠，葬乃以虞易奠。」[5]唐‧孔穎達疏《禮記‧檀弓下》「奠以素器」亦云：「奠謂始死至葬之時祭名。以其時無尸，奠置於地，故謂之奠也。」（頁169）都言之甚暸，所以周師一田《古禮今談‧奠與祭》說：「祭是通稱，而奠則是喪禮既葬之前的專稱。……在既葬之前，合稱奠祭則可，單稱祭而略去奠字則不可。」[6]區別十分清楚，有助於名實的釐清。

從始死到安葬，三個月之間，所行奠禮不下數百回，歸納言之，其名有九，其主要儀節如下：

1 始死奠

〈士喪禮〉：「奠脯、醢、醴、酒。」（頁409）《禮記‧檀弓上》云：「始死之奠，其餘閣也與！」（頁127）初死，倉卒之際，不忍心一下子就換新食品，即以生前尚未享用，收藏起來的酒食奠之。

2 小斂奠

死後第二天舉行小斂，在適室內為屍體裏上層層布衾。隨即舉行小斂奠，其器則匕、鼎、俎、籩、豆、布巾，其物則牲體、醴、酒、脯、醢，另有舉鼎人、右人、左人、夏祝、執事等在旁襄禮，一舉一動，《儀禮‧士喪禮》記載綦詳（頁427），不贅。

4　馬如森：《殷墟甲骨學》（上海市：上海大學出版社，2007年），頁308。

5　（漢）許慎撰，（清）段玉裁注：《說文解字注》（臺北市：洪葉文化公司，2005年增修一版三刷），頁202。

6　周何：《古禮今談》（臺北市：國文天地出版社，1992年），頁221。

3 大斂奠

《禮記・王制》說：「天子七日而殯，七月而葬。諸侯五日而殯，五月而葬。大夫、士、庶人三日而殯，三月而葬。」（頁239）士死後三日，將屍體移至堂上，放入棺材，叫大斂，大斂後停柩待葬叫殯。大斂是喪葬中最重要的儀節，其奠禮也相當隆重。奠品的陳列是：「醴、酒北面。設豆，右菹。菹南栗，栗東脯。豚當豆，魚次，腊特于俎北。醴、酒在籩南。巾如初。」（〈士喪禮〉，頁435）禮儀與小斂奠大同小異。

4 朝夕奠

大斂之後，停柩期間，基於延續生前晨昏定省之例，家屬每天早晚各有一次奠祭，叫朝夕奠，也各有一場哭泣，叫朝夕哭，其他時間就不再哭泣。〈士喪禮〉云：「祝先出，酒、豆、籩、俎序從。」（頁439）先後次序與大斂奠相同。

5 朔月奠

每月初一舉行的奠祭叫朔月奠，又稱朔奠。〈士喪禮〉云：「用特豚、魚、腊、陳三鼎如初。東方之饌亦如之。無籩，有黍稷，用瓦敦，有蓋，當籩位。」（頁439）其序則為「醴、酒、菹、醢、黍、稷、俎。」（頁439）可見和大斂奠有同有異。

6 薦新奠

〈士喪禮〉云：「有薦新，如朔奠。」（頁440）薦新奠是獻五穀、瓜、果等時新之物，儀式和朔月奠相同。

7 遷祖奠

〈既夕禮〉云：「質明，滅燭。徹者升自阼階，降自西階，乃奠如初，升降自西階。」（頁451）停柩期滿，啟殯，將靈柩遷往祖廟，有司先將堂上陳設的舊奠撤除，接著陳設新奠，就叫遷祖奠。其位置在柩西席前，與從奠相同。

8 祖奠

〈既夕禮〉云：「祖，還車，不還器。祝取銘，置於茵。二人還重，還左。布席，乃奠如初。」（頁455）遷祖奠後，靈柩將啟行，又行祖奠，祭道路之神，表示向祖廟辭行，也是陳三鼎，如遷祖奠。

9 大遣奠

啟殯次日，為安葬之日，清晨設奠，有如送親之去，故謂之大遣奠；是為安葬遺體而設，又名葬奠。這是葬前最後一次為死者舉行奠祭，所以特別隆重。依照禮數，士只能用特牲三鼎，此時據〈士虞禮〉（頁463-465）記載，特別准用少牢五鼎的規格，也就是羊、豕、魚、腊、鮮獸（兔）各一鼎，此即所謂攝盛。在柩車東面陳設了四豆、四籩。四豆盛脾析（羊胃）、蜱醢（蚌肉醬）、葵菹（腌菜葵）、蠃醢（蝸牛醬）；四籩盛棗、糗（米餅）、栗、脯（乾肉）。此外還有醴和酒。奠祭後就發引、下葬、反哭，正式結束葬儀。

（三）為銘設重

1 為銘

死者既往，唯恐日後其身分無法分辨；同時也為了使路過的人知道宅中有喪事，所以有為銘之儀，〈士喪禮〉云：

> 為銘各以其物，亡則以緇長半幅，經末長終幅，廣三寸，為銘
> （本作「名」）于末曰：「某氏某之柩」。竹杠長三尺，置于
> 宇，西階上。（頁412）

銘，以旌旗表明柩之所在，又名明旌、銘旌。不同身分的人，其旌旗
各有不同，如《周禮·春官·司常》云：「司常掌九旗之物。……王
建大常，諸侯建旂，孤卿建旜，大夫、士建物。」[7]銘旌也就依照生
前旌旗形制，只是易仍為尺，尺寸較小而已。國君所命之士就用原有
雜帛（物）旌旗，無命之士生前無旗，只能用一條上黑下赤的布代
替，上端黑的部分長一尺，下端赤的部分長二尺，布寬三寸，將死者
的名字寫在下端，寫的是：「某氏某之柩」。《禮記·喪服小記》云：
「復與書銘，自天子達於士，其辭一也。男子稱名，婦人書姓與伯
仲，如不知姓則書氏。」（頁601）可見銘上的文字在尚質的殷代，無
論貴賤都相同。但到了尚文的周代，則比照復禮的稱呼。婦人則因重
姓不重名，所以書姓及排行，與復禮略有不同。

　　銘寫好之後，用一根長三尺的竹竿懸掛起來，暫時豎立在屋簷
下、西階上。等設重之後，就繫在重上，遺體安葬時，銘旌與茵同時
放進壙中，重則埋入地下。

2 設重

　　重是用來懸掛銘旌的木樁。在始死之日，行過襲禮，屍體放入冒
（屍袋）之後，開始設重，〈士喪禮〉云：

> 重木刊鑿之，甸人置重于中庭，參分庭一在南。夏祝鬻餘飯，

7　（漢）鄭玄注，（唐）賈公彥疏：《周禮注疏》（臺北市：藝文印書館，1985年），頁
　　420-421。以下凡引《周禮注疏》皆用此本，僅隨文交代篇名、頁碼，不復加注。

> 用二鬲于西牆下。冪用疏布久之，繫用靲縣于重，冪用葦席，
> 北面，左衽。帶用靲賀之，結于後。祝取銘置于重。（頁423）

重是將木樁砍削後鑿孔做成的，因為下面懸掛物品相重累，所以叫作
重。士重長三尺，與銘旌相等，大夫以上遞增，各有等差。甸人將它
放在庭，距堂三分之二的地方。夏祝將飯含剩下的米煮成粥，裝在兩
個鬲，以橫木分別掛在重的兩端，鬲口用粗布覆蓋，再用葦席捲成喇
叭形，將重木和兩鬲四周圍裹起來，然後用竹篾帶重複綁緊。祝取銘
旌懸掛在重木之上。晚上在庭中點燃火炬，叫作「設燎」。

　　《禮記‧檀弓下》云：「重，主道也。殷主，綴重焉，周主，重
徹焉。」（頁168）鄭玄注：「始死未作主，以重主其神也。重既虞而
埋之，乃作主。」（同上）可見重和神主牌位的意義相同，在喪葬期
間，重總是隨棺柩移動而改變其所在之庭。虞祭之後，既作木主，殷
人將重木聯結木主，懸之於廟，周人則撤消重木而埋於底下，所以
《禮記‧雜記上》云：「重既虞而埋之。」（頁725）這是殷周制度不
同之處。

（四）飯含

　　死者初死，招魂之後，先用角柶（角質飯匙）楔入死者齒間，以
防口腔緊閉，又淅米於堂，盛米於敦，然後行飯含之禮，〈士喪禮〉
云：

> 商祝執巾從入，當牖，北面，徹枕，設巾，徹楔，受貝奠于尸
> 西。主人由是西牀上坐，東面。祝又受米奠于貝北。宰從立于
> 牀西，在右。主人左扱米實于右，三實一貝。左、中亦如之。
> 又實米，唯盈，主人襲，反位。（頁421）

飯含，大夫以上由賓客為之（《禮記・雜記下》鄭玄注，頁739），士則由喪主——死者之子親行。先撤去死者枕頭和楔齒的角柶。為了避免對屍體的恐懼或厭惡，在屍體的面部罩上一塊布巾，口部剪個洞。然後喪主在牀邊坐下，用角柶從敦中取米，放入死者口中右側，放三匙，再加一枚貝。接著，用同樣的方法在口腔中央和左側放米、貝。然後再往口內放米，直到填滿為止。

飯含，或單稱飯，或單稱含，或合稱飯含；飯、含或有別，或無殊。如《荀子・禮論》：「飯以生稻，唅以槁骨。」[8]就是有別；《周禮・春官・典瑞》：「大喪，共飯玉、含玉。」（頁316）就是無殊。所飯之米，依《禮記・檀弓下》孔穎達疏，天子飯黍，諸侯飯粱，大夫飯稷，天子之士飯粱，諸侯之士飯稻（頁168），統稱為米。所含之玉，依《禮記・雜記下》：「天子飯九貝，諸侯七，大夫五，士三。」（頁749）《公羊傳・文公五年》：「含者何？口實也。」何休注：「天子以珠，諸侯以玉，大夫以璧，士以貝，春秋之制也。」[9]因等級而有質料、數量之分別，而統稱為貝。《禮記・檀弓下》云：「飯用米貝，弗忍虛也。不以食道，用美焉爾。」（頁168）飯含所以用米、貝，是因為米色含五穀雜糧，為維生所需，玉貝為古代貨幣，為生活所不可無。人子希望透過飯含之禮，使長輩有飽食之快，無錢財之窘，不忍心讓死者空著肚子，阮囊羞澀進入冥界，這就是事死如事生之意。

（五）驅邪

君臣之義，臣子有喪，國君除先後派使者前往弔唁和贈衣外，還

8　（清）王先謙：《荀子集解》（臺北市：藝文印書館，1988年），頁611。

9　（漢）何休注，（唐）徐彥疏：《春秋公羊傳注疏》（臺北市：藝文印書館，1985年），頁167。

應親臨撫屍。但喪事是凶中之凶，為了避免邪氣侵犯千金之軀，所以
有專司招福弭災的巫祝隨行作法，〈士喪禮〉云：

> 君若有賜焉，則視斂。既布衣，君至，主人出迎于外門外。見
> 馬首不哭，還入門右，北面，及眾主人袒。巫止于廟門外，祝
> 代之。小臣二人執戈先，二人後。君釋采，入門，主人辟。
> （頁436）

據（清）胡培翬《儀禮正義》說：常禮，君於士，當在既殯之後往
弔，若加恩賜，則來視大斂[10]。國君親臨時，喪主在外門外迎接。巫
守在殯宮之外，喪祝替代巫擔任前導，隨身衛士兩人執戈在前，兩人
執戈在後。祝又為君行釋采之禮，以禮門神，然後國君始入。喪主及
昆弟袒露左臂，迴避國君，表示不敢以凶服接近國君。
　　〈士喪禮〉所記，乃是行襲禮之後，君來視大斂。如在未襲之
前，則《禮記・檀弓下》云：

> 君臨臣喪，以巫、祝、桃、茢，執戈，惡之也，所以異於生
> 也。（頁171）

鄭玄注：

> 桃，鬼所惡，茢，萑苕，可掃不祥。（同上）

---

10 （清）胡培翬：《儀禮正義》（臺北市：復興書局《皇清經解續編》本，1972年），
　　頁8307。卿大夫之喪亦有常禮與恩賜，見徐福全：《儀禮士喪禮既夕禮儀節研究》
　　（臺北市：臺灣師範大學國文研究所碩士論文，1979年），頁213-214。

除巫、祝隨行，衛士執戈外，還用桃枝、苕帚來掃除凶邪之氣。這倒不是厭惡死者，而是厭惡使臣卒的凶邪之氣，且避免影響國君的安全，所以要加以掃除。以桃苕驅邪，在《周禮・夏官・司馬》、《淮南子・詮言篇》、王充《論衡》引《山海經》等古書多有記錄[11]，可見由來已久，其用意與儺相近。

（六）卜筮

古人對自然界有許多奧秘無從了解，對社會人生有不少疑難無法解決，就想到用占卜的方式來請教鬼神，所以《禮記・曲禮》云：

> 卜筮不過三，卜筮不相襲。龜為卜，筴為筮，卜筮者，先聖王之所以使民信時日，敬鬼神，畏法令也；所以使民決嫌疑，定猶與也。故曰：「疑而筮之，則弗非也；日而行事，則必踐之。」（頁59-62）

中國古代占卜方式極多，主要有甲骨卜、蓍草占，占星術和圓夢術[12]，經過長期實踐，被官府欽定的則為甲骨卜和蓍草占兩種，甲骨卜就是卜，蓍草占就是筮。在〈士喪禮〉中，大斂之後，決定墓地和葬日是非常重大的事，所以要稽之於蓍龜：

1 筮宅

活人所居為陽宅，要講究高下、陰陽、方位、廣狹、通風等自然環境；死者所葬為陰宅，當然也要講究吉凶宜否，所以〈士喪禮〉云：

---

11 荊雲波：《文化記憶與儀式敘事——儀禮的文化闡釋》（廣州市：南方日報出版社，2001年），頁89。

12 同上注，頁102。

> 筮宅，冢人營之，掘四隅，外其壤。掘中，南其壤。既朝哭，
> 主人皆往，兆南，北面，免絰。命筮者在主人之右。筮者東面
> 抽上韇，兼執之，南面受命。命曰：「哀子某，為其父某甫筮
> 宅，度茲幽宅，兆基，無有後艱？」筮人許諾，不述命，右
> 還，北面，指中封而筮。卦者在左。卒筮，執卦以示命筮者。
> 命筮者受視，反之。東面，旅占卒，進告于命筮者與主人：
> 「占之曰從。」主人絰，哭，不踊。若不從，筮擇如初儀。
> 歸，殯前北面哭，不踊。（頁440-441）

占筮謀之於鬼神，通常在宗廟舉行，但筮宅則在所選墓域（兆）之南
行之。[13] 先由冢人量度墓地的方向、長寬，在四角掘土，以識別土壤
性質、水泉深淺。喪主和昆弟都前往，為求得吉利，不敢穿純凶服而
去掉絰帶。由家宰命筮，筮者將盛放蓍草的上韇抽開，與下韇一併由
左手拿著，轉身向南面接受筮辭，代表主人宣讀。筮人指著中央所掘
的土以筮卦，記卦的人站在筮人左邊，筮卦結束，筮人把得到的卦給
命筮者看過，然後和眾筮人依序占之，結果若吉，就報告主人，如果
不吉，就要另選一塊地重新占筮。〈士喪禮〉對筮宅過程言之綦詳。
占筮所以用蓍草，是因為蓍草相傳為千年草，一根百莖，具有靈性的
緣故。占筮時用五十根蓍草，經四營十八變得出一個卦，再根據《易
經》來決定行止。以此謀之於鬼神，當然是一種神祕文化。

2 卜日

　　日期有遠近，有剛柔，有吉凶，所以行大事的日期常要透過占卜
以定取捨。〈士喪禮〉云：

13　（清）凌廷堪：《禮經釋例》（臺北市：中央研究院文哲研究所，2002年），頁665。

> 卜人先奠龜于西塾上，南首，有席。楚焞置于燋，在龜東。族
> 長涖卜，及宗人吉服立于門西……占者三人，在其南，北上。
> 卜人及執燋席者在塾西……席于闑西閾外……卜人抱龜燋，先
> 奠龜，西首，燋在北。宗人受卜人龜，示高，涖卜受視，反之。
> 宗人……受命，命曰：「哀子某，來日某，卜葬其父某甫，考降
> 無有近悔。」許諾，不述命，還即席，西面坐，命龜，興。授
> 卜人龜，負東扉，卜人坐作龜，興。宗人受龜，示涖卜，涖卜
> 受視，反之，宗人退。東面，乃旅占。卒，不釋龜，告于涖卜
> 與主人：「占曰某日吉。」若不從，卜宅如初儀。（頁441-442）

在卜日時，喪主、涖卜的族長、宗人是命卜者，卜人、占者、執燋者
是實際操作者。《禮記・曲禮上》云：「外事以剛日，內事以柔日。凡
卜筮日，旬之外曰遠某日，旬之內曰近某日。喪事先遠日，吉事先近
日。」（頁59）孝子不忍速葬其親，故卜葬日先由遠日卜起。顧炎武
《日知錄》謂三代以前擇日皆用天干，秦漢以下使用地支[14]。十干可
為剛柔二系列，剛日為甲、丙、戊、庚、壬，柔日為乙、丁、己、
辛、癸，通考《春秋》書葬，皆用柔日。占卜的儀式在殯宮外舉行。
先準備龜及各種卜具，布席於門橛之西，門檻之外。卜人等接受族長
命龜之辭，即從事占卜。據胡培翬說：凡卜先用陽燧就日光取火，點
燃燋（炬）以保存火種，再吹燋之火以燃荊木做的楚焞，然後用楚焞
之火以灼龜[15]。所灼部位依宗人指示為龜腹甲高起所當灼處。龜甲因
事先已經過整治，鑽鑿變薄，所以遇火即裂，三位占者即依序根據縱
橫的裂紋－兆判定吉凶。吉則確定葬期，不吉則另擇他日再卜。卜所

---

14 （清）顧炎武撰，黃汝成集釋：《日知錄集釋》（臺北市：世界書局，1962年），頁
　　138。
15 同頁6注2，頁8317-8318。

以用龜甲，是因為龜最長壽，而且背圓腹方，正象天圓地方。以龜卜
來決定吉凶宜否，當然也是一種神祕文化。

（七）明器

　　明器又名「藏器」，後世俗稱冥器，是指供給死者在冥界使用的隨
葬器物。在《儀禮・士喪禮》中，筮宅之後，就開始準備製作明器：

> 獻材於殯門外，南面，北上，綪。主人徧視之，如哭椁。獻
> 素、獻成亦如之。（頁441）

明器種類繁多，其材非一，故自北至南，屈而陳之，喪主一一查看。
明器製成後，未經塗飾的素器和經過塗飾的成品，也要獻給喪主過
目。到了飾棺之後，製好的明器要全部陳列出來，〈既夕禮〉云：

> 陳明器于乘車之西。……器，西南上，綪。茵。苞二。筲三：
> 黍、稷、麥。甕三：醯、醢、屑。冪用疏布。甒二：醴、酒，
> 冪用功布，皆木桁久之。用器：弓、矢、耒耜、兩敦、兩杅、
> 槃、匜，匜實于槃中，南流。無祭器，有燕樂器可也。役器：
> 甲、胄、干、笮。燕器：杖、笠、翣。（頁453-454）

明器的陳列，在乘車之西，以西南邊為尊位，以茵（鋪墊）標示起始
位置，分數排屈折陳列，有葦苞兩個、畚箕三個、瓦甕三個、瓦甒兩
個，還有各種用器、燕樂器、行役服公之器、燕居之器，其內容包括
肉類、穀物、調味品、飲料、兵器、農器、飲食器、盥器、樂器、甲
胄、日常生活用品，幾乎生前所用，一應俱全，唯無祭器，因為四命
以上的大夫才有祭器，所以士的明器中沒有祭器。安葬之日，公史宣

讀明器清冊——遣冊，所有明器就隨著棺柩入壙。今天在許多古代文化遺址都有不少遣冊與明器出土，足見其源遠流長。

《禮記・檀弓上》云：

> 孔子曰：「之死而致死之，不仁，而不可為也；之死而致生之，不知，而不可為也。是故竹不成用，瓦不成味，木不成斲，琴瑟張而不平，竽笙備而不和，有鐘磬而無簨虡；其曰明器，神明之也。」（頁144）

〈檀弓下〉又云：

> 孔子謂為明器者，知喪道矣！備物而不可用也。哀哉！死者而用生者之器也，不殆于用殉乎哉！其曰明器，神明之也。塗車芻靈，自古有之，明器之道也。孔子謂為芻靈者善，謂為俑者不仁，殆於用人乎哉！（頁172）

孔子認為對待死者，若以其已死則捐而去之，是不仁的表現；但明明已死，若以生人之道對待他，又是不智的行為，兩者皆不可為。所以明器是折衷於情感與理智之間，把死者當作神明看待，物雖備而無法實用。泥土做的車，草紮的馬，這類明器自古就有了，真是用心良善，反過來說，刻木偶來殉葬，就未免太殘忍了。所以發明明器的人，真是懂得辦喪事的道理。可見儒家深諳事死如事生的道理，但明器不可做得與生人之器一樣，這並非欺騙死者，因為生死終究有別呀！

（八）立尸

尸字在〈士喪禮〉及〈既夕禮〉中屢見，均指屍體而言，但在

〈士虞禮〉與《儀禮》其他篇章中出現的尸則有不同的意涵，〈士虞禮〉云：

> 祝迎尸，一人衰絰奉篚，哭從尸。尸入門，丈夫踊，婦人踊。
> （頁496）

鄭玄注云：

> 尸，主也。孝子之祭，不見親之形象，心無所繫，立尸而主意
> 焉。（同上）

安葬之日，日中舉行虞祭以安魂，親人屍體既已入壙，形象不可得見，故立尸以代表死者接受祭祀，其用意與禫祭除喪後的神主牌位是一樣的。所以《禮記‧坊記》說：「祭祀之有尸也，宗廟之主也，示民有事也。」（頁868）所不同的是：尸是活生生的人，象徵祖先神靈來接受子孫的祭祀，這比起冷冰冰、硬幫幫的神主牌，更有親切感，更能引起子孫的孺慕之思。

尸既然是祖先神靈的代表，其地位自然十分崇高，《禮記‧學記》云：「君之所不臣於其臣者二：當其為尸，則弗臣也；當其為師，則弗臣也。」（頁654）〈曾子問〉亦云：「尸弁冕而出，卿、大夫、士皆下之。尸必式，必有前驅。」（頁385）古代的貴族，代表祖先的尸也有階層的不同，《公羊傳‧宣公八年》：「祭之明日也。」何休注：「禮：天子以卿為尸，諸侯以大夫為尸，卿、大夫以下以孫為尸。夏立尸，殷坐尸，周旅酬六尸。」[16]對尸如此重視，表示古代貴族對祭祀的重視。

---

16 同頁6注1，頁195。

立尸除了因階級而異外，還有種種條件上的限制，首先，尸既然象徵祖先，當然要與祖先具有血緣關係，也就是取同姓之嫡，《禮記・曲禮上》云：「禮曰：君子抱孫不抱子，此言孫可以為王父尸，子不可為父尸。」（頁53）以孫為尸，是因為在宗法制度上，父子不同昭穆，祖孫則昭穆相同。亦即在宗廟中，父子相對而立，祖孫則比並而居，且父子有責善之義，祖輩無強烈責善之職責，與孫輩之間容易以和氣相通[17]。立孫為尸，孫幼則使人抱之，無孫則取於同姓（孔穎達疏，頁53），總之，一定要有血緣關係。其次，〈士虞禮・記〉云：「男，男尸；女，女尸，必使異姓，不使賤者。」（頁507）祭男性，用男尸；祭女性，用女尸，但女尸必用異姓嫡孫之婦，而不可用庶孫之妾之類的賤者。可見性別、嫡庶的區別分也是十分重要的。最後，凡符合上述立尸基本條件的人選，仍須透過卜筮的方式來確定最後的人選。《儀禮・特牲饋食禮》云：

> 前期三日之朝，筮尸，如求日之儀。命筮曰：「孝孫某，諏此某事，適其皇祖某子；筮某之某為尸，尚饗。」乃宿尸。（頁520）

卜筮得吉，才招請尸，其慎重可見一斑。

（九）虞祭

喪葬禮中，遺體安葬之後，家屬回到祖廟和殯宮痛哭，然後中午在殯宮舉行虞祭。〈既夕禮・記〉：「三虞」，鄭玄注：

---

17 林素英：《從古代的生命禮儀透視其生死觀──以禮記為主的現代詮釋》（臺北市：《臺灣師範大學國文研究所集刊》38號，1994年6月）頁132。

虞，喪祭名。虞，安也。骨肉歸於土，精氣無所不之，孝子為
其彷徨，三祭以安之，朝葬，日中而虞，不忍一日離。（頁
473）

賈公彥疏云：

主人孝子，葬之時，送形而往，迎魂而返，恐魂神不安，故設
三虞以安之。（同上）

由於安葬之後，親人遺體不復得見，家屬一時無法接受這麼重大的改
變，所以在反哭之後就趕快舉行虞祭，這不只是在安頓死者的靈魂，
其實也在安慰生者，使其情緒得以安定[18]。
　　士的安魂祭一連舉行三次，〈士虞禮〉云：

始虞，用柔日。……再虞，皆如初。……三虞、卒哭、他用剛
日，亦如初。（頁508-509）

始虞、再虞皆用柔日，亦即天干中的偶數日，如乙、丁，僅隔一日。
三虞、卒哭和其他無名的祭祀則改用剛日，亦即天干中的單數日，如
戊、寅，中間也是間隔一日。士的虞禮有三次，但更高的階層則遞
增，《公羊傳‧文公二年》「虞主用桑」何休注云：「虞祭天子九，諸
侯七，卿大夫五，士三，其奠祭處猶吉祭。」[19]封建宗法制度之嚴謹
由此可見一斑。
　　虞祭由祝主持，儀節的中心是饗神和祭尸。祭品相當豐富，士大

18　周何：《古禮今談》，同頁3注3，頁164-169。
19　同頁6注1，頁164。《禮記‧雜記下》也說：「士三虞，大夫五，諸侯七。」頁749。

夫的虞祭有三俎，包含牲俎（豬）、魚俎、腊俎（兔）。另有兩豆，分別盛葵菹和蠃醢；兩敦分別盛黍和稷。還有盛菜羹的鉶和斟滿醴酒的觶各一。用這些祭品來饗神，祭品放在室的西南隅，叫陰厭。迎尸之後，用九飯饗尸，接著喪主獻酒，向祝和佐食獻酒，喪主之婦再次獻酒肉（亞獻），賓三獻酒肉，三獻之後，為尸餞行，家屬號哭，祝送尸出，主人送賓出，祭禮就此完成。在送尸之後，祭品改置於室的西北隅，叫陽厭。

虞祭是喪葬，有尸，稱之為祭；這是與下葬前之奠祭無尸，且稱之為奠有所不同。三虞之後，隔一日的剛日舉行卒哭，停止無時之哭，改為朝夕一哭，也不再稱死者生名（諱）。次日，將死者的神主牌位送進宗廟，參與祖先的祭祀，叫祔。死後第十三個月有小祥之祭，又叫練祭。二十五月有大祥之祭，祭後親屬釋喪服改著吉服，二十七月舉行禫祭，三年之喪就此結束。卒哭以後的祭祀屬於吉祭，已不在喪葬凶禮之內，故〈士虞禮〉只專講虞祭，在篇末的〈記〉才附帶提到這些吉祭。

三　《儀禮》喪葬神祕文化的意涵

（一）原始宗教

上古時代，無論中外，由於人們對宇宙人生充滿恐懼感、神祕感，原始宗教十分盛行，泛神論的思想充斥於社會各階層。人們認為除了人類及草木蟲魚鳥獸之外，還有無形的、無窮大的世界是鬼神活動的空間。鬼神主要分為三大類，即天神、地祇、人鬼。在喪葬禮中，除了始死，禱於五祀[20]，祖奠，祭道路之神，是地祇之外，其他

---

20 五祀，是戶（住宅門神）、竈（灶神）、中霤（宅門神）、門（都城門神）、行（道路神），詳見張鶴泉《周代祭祀研究》（臺北市：文津出版社，1993年），頁42-44。

的可以說都是人鬼之事，人鬼主要是魂魄理論的產物。《說文》云：
「鬼，人所歸為鬼。」「魂，陽氣也。」「魄，陰神也。」[21]在古人觀
念中，宇宙萬物都是由氣凝結而成的，人也不例外，魂是精神，魄是
軀體。人活著，是魂魄一體，人一死亡，魂魄分離，就成為鬼了，而
靈魂是永遠不死的。所以《禮記・郊特牲》云：「魂氣歸于天，形魄
歸于地，故祭，求諸陰陽之義也。」（頁507）彭林也說：「古代喪禮
包含兩大理路：一是對死者遺體（魄）的處理，二是對死者精神
（魂）的處理。」[22]始死，所以要舉行復禮，就是希望把魂招回來，
起死回生，就像睡覺時，魂離開軀體，待魂回來，人也就醒來一樣。
等到復禮無效，才開始辦理喪禮。這時又怕魂在外飄泊遊蕩，成為野
鬼，所以為銘設重，以便讓亡魂有一個比較固定的依附之處。至於虞
祭中的立尸、饗尸更是以活人代表死者的靈魂來接受子孫的祭祀。飯
含等處理遺體的事也都與魂魄理論有關，筮宅、卜日等也都與鬼神有
關。原始宗教的鬼神理論可以說貫穿在整個喪葬禮儀之中，更是喪葬
神祕文化的理論基礎。沒有這個理論基礎，喪葬神祕文化就不可能產
生，而喪葬禮儀也會大為不同了。

（二）巫祝職掌

　　生民之初，神祕文化逐漸萌芽，人們產生了原始宗教的鬼神觀
念，卻苦於無法直接與鬼神溝通，所以就有賴於專業人員施行法術，
巫覡、巫術也就因而應運而生。《說文》云：「巫，巫祝也。女能事無
形以降神者也。」又：「覡，能齋肅事神明，在男曰覡，在女曰
巫。」[23]隨著神祕文化的發達，巫覡人數漸多，巫術也日益充實。後

21　同注5，頁439。

22　彭林：《中國古代禮儀文明》（北京市：中華書局，2004年），頁216。

23　同注5，頁203-204。

來，在上位者認為人與鬼神溝通之事不能放任民間自由為之，所以就如《尚書・呂刑》以及《國語・楚語下》所講的：「命重、黎絕地天通。」[24]也就是使地天相隔，人神異界，溝通天地的手段已被官派的巫覡所獨占[25]。三代以來，巫覡的功能更加膨脹，他們在參政、治史、歌舞事神、占卜祈禳、驅鬼避邪、預測豐歉、醫療疾病等方面皆優為之，進行巫術活動的領域，幾乎涉及天文、地理、算術、曆法、軍事、歷史、樂舞、醫藥、技藝等方面，在當時的社會中，稱得上是全能的人才，也是上古文化的主要承傳人[26]。人們認為只有像巫覡這樣聰明博學、品格高尚的人才能取得鬼神信任，足以擔任溝通人神的重責大任。所以巫在上古時代，地位極高，權力極大。到了周代，人文精神檯頭，巫的職掌才逐漸萎縮，記言記事、典藏文書獨立為史官；祭祀禮儀、邦國舊典，歸之於祝宗；卜筮擇吉流為卜人、龜人、占人、筮人之類。所以在《左傳》中所記載的巫主要活動，只剩下祓除、降神、占夢、預言、乞雨而已[27]。在〈士喪禮〉中，巫只出現在國君親臨視斂時，隨行驅邪，至於筮宅、卜日則由筮人、卜人為之。其他喪葬活動，從飯含淅米於堂（〈士喪禮〉，頁420），到虞祭執俎而出（〈士虞禮〉，頁500），幾乎都是祝在處理。《說文》：「祝，祭主贊詞者。」[28]相當於今之禮生，人數極多，包含夏祝、商祝、周祝、喪祝，出現的機會十分頻繁，足見巫的地位已大不如前。但無論如何，在喪葬神祕文化中，巫祝、卜人、筮人這些專業人員仍是靈魂人物，共同導引禮儀，使其順暢進行。

---

24 （漢）孔安國傳，（唐）孔穎達疏：《尚書正義》（臺北市：藝文印書館，1985年），頁297。（吳）韋昭注《國語》二（臺北市：商務印書館，1956年），頁73-74。

25 李零：《中國方術正考》（北京市：中華書局，2012年四版），頁10

26 季冬生：《中國古代神祕文化》（合肥市：安徽人民出版社，2011年），頁294-297。

27 劉瑛：《左傳國語方術研究》（北京市：人民出版社，2006年），頁132-135。

28 同注5，頁6。

（三）重視親情

　　人是情感的動物，人際關係的進退應對，都可以看出情感的好惡、深淺。禮所以規範人際關係，其形成與演變自然與情感有不可分離的關係。禮之由來各家說法不一，但儒家始終認為人情是禮的根源，禮是緣情而作，但又回過頭來制約情，使情符合禮的範圍與標準[29]，所以《禮記‧坊記》云：「禮者，因人之情而為之節文，以為民坊者也。」（頁863）在五禮中，凶禮所激盪的情感最為濃烈，因而儀節規範也特別繁雜，《論語‧八佾篇》云：「林放問禮之本。子曰：『大哉問！禮，與其奢也，寧儉；喪，與其易也，寧戚。』」[30]喪葬以哀戚為主，良以親子之間，關係最為深摯，生孩三年，始免於父母之懷，保抱提攜都充滿父母之愛，欲報此德，昊天罔極。一旦天人永隔，衝擊何等深鉅，正如《禮記‧問喪》所云：

> 親始死，雞斯徒跣，扱上衽，交手哭。惻怛之心，痛疾之意，傷腎、乾肝、焦肺。水漿不入口，三日不舉火，故鄰里為之糜粥以飲食之。夫悲哀在中，故形變於外也；痛疾在心，故口不甘味，身不安美也。（頁946）

所謂呼天搶地、椎心泣血、號哭無時、拜踊無數，都不足以形容其哀慟於萬一。此時必須有一套儀節來宣洩其情感，節制其悲痛。從沐浴、襲、小斂、大斂、殯到發引、執紼、窆，所能執行的僅是遺體的處理。至於精神上的慰藉，情感上的安頓，除了無聲非哭，無動不拜

29　劉豐：《先秦禮學思想與社會的整合》（北京市：中國人民大學出版社，2003年），頁102-112。

30　（宋）朱熹：《四書集注》（臺北市：臺灣書店，1971年），頁54。

踊的自然宣洩外，幾乎都有賴於神祕文化的導引。所以《禮記‧檀弓下》云：

> 復，盡愛之道也。（頁168）
> 銘，明旌也，以死者為不可別已，故以旗識之，愛之斯錄之矣，敬之斯盡其道焉耳。（同上）
> 葬日虞，弗忍一日離也。（頁171）

林素英將之貫串而言：

> 由開始的招魂復禮到為銘、設重與作主，均代表生者與死者神魂的相依而不忍分離，並由大小不下百計的饋奠之禮，表示人對鬼神的親敬之意，亦即表示古人的心中自始即不與鬼神相隔，未曾與超越的世界切斷關係[31]。

這些神祕文化與其視為迷信鬼神的主觀意識，不如當做對生者寬慰舒解的有效方式，可以說超越於科學與迷信之上，具有永恆的文化價值。

（四）生死一貫

《禮記‧祭義》云：

> 文王之祭也，事死者如事生，思死者如不欲生。忌日必哀，稱諱如見親，祀之忠也。如見親之所愛，如欲色然，其文王與？（頁808-809）

---

31 同注17，頁172。

所言雖屬喪葬之後的吉祭，但事死如事生的精神應該也是貫穿在整個
喪葬的過程，比起吉祭來，甚至可能更為強烈。先以復禮言之，就是
因為不忍死其親，所以才知其不可為而為之，一定要把親人的靈魂招
回來，就像少不更事的小兒女，要把睡著的父母親搖醒過來一樣。故
《禮記‧問喪》云：

> 孝子親死，悲哀志懣，故匍匐而哭之，若將復生然，安可得奪
> 而斂之也？故曰：三日而後斂者，以俟其生也。（頁947）

其次如飯含之禮，明知死者已無法飲食，但也要飯以米、貝，而且實
米唯盈，這也是因為飲食為維生所需，錢貝為生活所資，所以必須盡
最後飽食之愛，使死者不致空乏其身，孤寂進入陰間。故《公羊傳‧
文公五年》：「含者何？口實也。」何休注云：「孝子所以實親口也，
緣生以事死，不忍虛其口。」[32]安葬之前，奠祭不停，其用意亦無二
致，像朝夕奠就是延續生前晨昏定省之例；像祖奠行告廟之禮，就是
生前出告反面之遺意[33]。又如準備明器，要費心視材、獻素、獻成，
張羅了大批陪葬品，其用意正如黃俊郎所云：

> 明器乃致其事死如事生之意，備物而不可也。民俗學家或以初
> 民相信鬼神存在不滅，於是有以器物隨葬之俗。然就禮意言之，
> 父母恩重，既沒，欲報之德，從何由之？是以喪葬諸多儀節，
> 皆可謂孝子「大象其生」，而直接或間接以事其親之體魄也。

---

32 同注16，頁167。
33 李毓善：〈文化的變遷──由禮記有關喪葬之祀述論說〉（上），《輔仁國文學報》第
　　10集（1994年4月），頁15。

死者未必霑其益，而生者則不敢或忽之，必慎終以報恩[34]。

能洞穿神祕文化之迷霧，透視其文化意涵之底蘊，所言十分中肯。

（五）慎終追遠

《論語・學而篇》云「慎終追遠，民德歸厚矣！」[35]周師一田曾加以闡發說：

> 慎終指喪禮，追遠則是指的祭禮而言，是說社會上如果都能重視喪祭之禮，民風自會歸於醇厚。因為喪禮是為了哀悼親人的亡故而設，祭禮則是為追思遠離人世已久的親人而制；禮的形式、目的雖然有所不同，但都是基於一份真摯而深刻的孝思，則並無二致[36]。

正是這份真摯而深刻的孝思，使得孝子在喪祭之中資於事生以事死，而喪、祭之禮所洋溢的孝思也就可以回過頭來，產生以死教生的效能。這不僅是靠言詞的告示、儀節的薰陶，也是透過神祕文化所醞釀的祖先靈魂不死，生者與死者精神感通的氣氛所達成的，這就是所謂神道設教。而神道設教的力量往往凌駕於人事之上。冥冥之中，彷彿有鬼神在上監臨，讓子孫在喪禮中要戒慎恐懼，致其愛敬，不敢有所怠忽；在祭祀中要「祭如在，祭神如神在。」[37]擴而大之，在日常生活中，要善事父母，晨昏定省；在親人臥病時，要親侍湯藥，悉心照

---

34 黃俊郎：〈小戴禮記之喪禮理論研究〉，《中華學苑》27期（1983年6月），頁139。

35 同注30，頁45。

36 同注18，頁197。

37 《論語・八佾篇》，同注30，頁56。

料；在社會上要移孝作忠，建功立業，甚至希望立身揚名，光耀門庭。所以在五禮之中，最能突顯以死教生、報本反始價值觀的莫過於喪、祭，《禮記・祭統》云：

> 孝子之事親也有三道焉：生則養，沒則喪，喪畢則祭。養則觀其順也，喪則觀其哀也，祭則觀其敬而時也。盡此三道者，孝子之行也。（頁830）

〈經解〉也說：

> 喪、祭之禮廢，則臣、子之恩薄，而倍死忘生者眾矣！（頁847）

喪祭之重要有如此者，而其中神祕文化所發揮的力量尤不可小覷。

（六）等差秩序

先秦是封建政體的宗法社會，倡導禮樂教化不遺餘力的儒家又是最講究倫理道德的，所以《儀禮》喪葬禮中，充滿等差秩序的色彩，其中的神祕文化自然也不例外。首先在家庭中，規範喪禮中為死者服喪的服制及喪期的〈喪服〉就是細密之至的人際關係網絡，親疏遠近，有條不紊（頁337-403）。而在喪葬儀式中，舉凡喪位的尊卑，行禮的輕重也須循規蹈矩，不得躐等。例如擔任喪主的，一定是嫡長子，或是承重孫，其他子孫只能當眾主人。又如立尸，一定是嫡孫，女尸不可用庶孫之妾之類的賤者，足見嫡庶長幼的區別是十分嚴格的。其次，在社會國家中，士為貴族的最低層，有命之士與無命之士在銘旌的形制上就有所不同。大夫以上的貴族與士的禮制更有所區

別，雖則《儀禮・士喪禮》等三篇只講士禮，但各階層的異同在各種典籍中仍然斑斑可考。例如復禮，復者天子四人，諸侯三人，卿大夫二人，士一人，招魂地點、所用衣裳亦各有不同。又如飯含，大夫以上由賓客為之，士則由喪主親行；其米，天子飯黍，諸侯飯粱，大夫飯稷，天子之士飯粱，諸侯之士飯稻；其貝玉，天子九貝，諸侯七貝，大夫五貝，士三貝；天子以珠，諸侯以玉，大夫以璧，士以貝。再如虞祭，天子九，諸侯七，卿大夫五，士三；天子以卿為尸，諸侯以大夫為尸，卿大夫以下以孫為尸。諸如此類，皆足證在封建宗法制度下，階級等差十分森嚴，所以整個社會國家是井然有序的。

四　《儀禮》喪葬神祕文化的特色

（一）古老樸素

周朝粲然大備的凶禮乃是淵源於史前時期簡單的喪葬儀式，其間不知經過幾千、幾萬年的時間，不知歷經多少因革損益，其內容當然積澱了不少舊文化成分[38]。這些成分往往可以在地下出土文物找到痕跡，甚至在現在的民俗裡找到旁證。例如飯含，新石器時代山東大汶口文化、南京青蓮崗文化、四川大溪文化、甘肅齊家文化，在死者口中迸有玉石發現，河南安陽殷墟以及西周墓葬中飯含的貝、玉，更是形形色色，美不勝收，其意義也逐漸由原始信仰的含義轉變為儒家所理解的用意[39]。又如明器，二里頭文化的多處墓葬出現不少隨葬品，主要是陶器，還有少量的銅器、玉器和骨角器。到商代，隨葬品不僅

---

38 常金倉：〈周代喪葬禮儀中的史前文化因素〉，《周代社會生活述論》（長春市：吉林人民出版社，2008年），頁188-197。

39 黃展岳：〈飯含的源流〉，《先秦兩漢考古與文化》（臺北市：允晨文化事業公司，1999年），頁549-551。

數量大增，質量也精美絕倫。而西周明器，數量明顯下降，但使用已經制度化[40]。至於卜筮，考古發掘，在二里頭文化遺址已發現了卜骨，殷周以來的龜卜情況，由於殷墟甲骨和周原甲骨的出土，已很清楚了。占筮則舊說《連山》是夏代之易，《歸藏》是商代之易，《周易》是周代之易，近年在陶文、甲骨文、鐘鼎文中都發現了數字卦，四川彝族也發現一種「雷夫孜」，與易占原理相同，足見易占也是由來已久[41]。戰國以後，陰陽五行合流，對數術產生了極大的影響，神祕文化就更為多彩多姿了。但在《儀禮‧士喪禮》等三篇只有陰陽，沒有五行。日人井上聰《先秦陰陽五行》第三章〈周代喪葬制度中的陰陽觀〉即專講喪葬中的奇偶數字與陰陽思想，如復禮中，復者由東方上屋頂，是陽氣方位，有求生之意；向北方招魂三次，是鬼魂所在，有求陰之義。又如虞祭，基本上是選用柔日（偶數日），取其陰日安靜之意，符合「內事以柔日」的基本原則。而祭品由西南位置（陰厭）轉移到西北位置（陽厭），則表現由陰轉變為陽，由凶祭轉變到吉祭的過程[42]。至於五行，在《儀禮》中只有〈覲禮〉有六色、六方、六玉與四門（頁328-331），言及「東方青，南方赤，西方白，北方黑」，然所言四門，並未依照東南西北五行之順序，似非陰陽五行說大備後之產物[43]，〈士喪禮〉三篇更邈焉無可考，所以說《儀禮》喪葬文化是古老而樸素的。

（二）神祕莫測

數術與巫術原本有區別，陶磊以為：

40　同注38，頁91-92。

41　同注38，頁120-131。

42　（日本）井上聰：《先秦陰陽五行》（漢口市：湖北教育出版社，1997年），頁68-87。

43　李漢三：《先秦兩漢之陰陽五行學說》（臺北市：維新書局，1968年），頁23-24。

兩者都以「事神」為基本特徵，都相信在冥冥之中有一種超自然的力量在支配著人間的一切。但兩者又有不同，表現在兩個方面，一是巫的「事神」帶有赤裸裸地直接性和愚昧性，而術數並不直接事神，而是以占卜的方式來揣測神意。神性的削弱和淡漠，是術數區別於巫術的顯著特徵。二是巫的法與術，更多地表現為一種非理性的愚昧行為，而術數的法與術，雖然有不少的神祕行為，但也有不少的理性認識和行為薈萃其中[44]。

二者今或合稱為「神祕文化」，然則神祕莫測正是其最大特色。在神祕文化中，最重要的理論基礎是鬼神實有，最重要的人物是巫祝，最重要的手段是巫術，而這些都是充滿神祕色彩的。首先，原始宗教認為萬物有靈，因而產生了圖騰崇拜，自然崇拜和鬼靈崇拜[45]。而鬼靈崇拜就是喪葬神祕文化的主要表現，人死之後是否成為鬼靈，在古代，墨子、秦始皇、朱熹等信之，荀子、韓非子、王充等全然否定，孔子、阮瞻、劉基、張居正、方以智等則半信半疑[46]。對於這個問題，直至科學昌明的今日仍然聚訟紛紜，信者恆信，不信者恆不信。因為人類的知識儘管不斷擴大，但不可知的世界永遠是無窮大，而這些無限神祕的世界都是鬼神可以存在與自由往來的空間，這是無可奈何的事。其次，巫祝在古代是從事神祕文化的專業人員，也是中華文化的第一代知識分子。依靠降神、祭祀、驅邪、占卜、祈雨等巫術與鬼神溝通，來揭開宇宙的奧秘，滿足人們對未知世界的需求。在《儀禮》神祕文化中，他們負起使整個喪葬禮儀順暢進行的重責大任。他

44 陶磊：《從巫術到數術──上古信仰的歷史嬗變》（濟南市：山東人民出版社，2008年），頁9。

45 同注26，頁11-21。

46 王玉德：《中華神祕文化》（長沙市：湖南出版社，1993年），頁369-372。

們神通廣大，出入陰陽，可以使鬼神附體，可以預測吉凶，即使在今日仍然罩著一層神祕的面紗，擁有廣大群眾的信仰。最後，所謂巫術，是幻想依靠超自然力量，對客體加強影響或控制的活動，是表達人們的原始信仰和原始宗教觀念的主要手段。其內容十分龐雜，而無不光怪陸離，令人目眩。例如立尸祭祀，就是利用形象交感巫術，俎豆馨香，使子孫產生相似感應、觸染感應，彷彿祖先來格來饗一般[47]。又如卜筮擇吉，也是依靠《周易‧繫辭傳》所謂：「精氣為物，游魂為變，是故知鬼神之情狀，與天地相似故不違。」「極數知來之謂占，通變之謂事，陰陽不測之謂神。」[48]的神祕力量來預測吉凶、判斷宜否的。可以說，如果沒有這類巫術，就沒有神祕文化了。

（三）人文緣飾

　　喪葬儀節一方面繼承遠古遺俗，另一方面也溶入了許多巫祝的創造與推廣，使得原始宗教與神祕文化的氣息更為濃厚。商代是鬼神崇拜鼎盛的時代，無神不祀，無事不卜，神靈體系極為龐雜，喪葬祭祀的儀式十分繁複，從出土的甲骨文不難窺其梗概[49]。到了周代，周公制禮作樂，人文精神丕振，正如《禮記‧表記》所云：「殷人尊神，率民以事神，先鬼而後禮。……周人尊禮尚施，事鬼敬神而遠之，近人而忠焉。」（頁915-916）對於喪葬禮儀一定做了許多改革與制度化的工作。《說文》：「儒，柔也。術士之偁。」[50]儒者敬鬼神而遠之，或相禮，或以六藝為教，與禮儀之因革損益當有密切關係。《禮記‧雜

47　同注11，頁80-82。

48　（魏）王弼、韓康伯注，孔穎達疏：《周易正義》（臺北市：藝文印書館，1985年），頁147、149。

49　楊志剛：《中國禮儀制度研究》（上海市：華東師範大學出版社，2001年），頁54-73。

50　同注5，頁370。

記下》云：「恤由之喪，哀公使孺悲之孔子，學士喪禮。〈士喪禮〉於是乎書。」（頁751）後來今文家根據這類資料，再加上《儀禮》中某些章節的內容與《論語》吻合，於是主張《儀禮》為孔子所作，當然這種說法與賈公彥《儀禮疏·序》云：「至於《周禮》，《儀禮》，發源是一，理有終始，分為二部，並是周公攝政太平之書。」（頁2）都是羌無實據的。現在一般人多以為《儀禮》成書於春秋戰國時代[51]。但無論如何，《儀禮》的發揚光大與儒家的努力還是密不可分的。尤其七十子及其後學所編撰的《禮記》，更是旨在闡發禮經，四十九篇中與喪禮直接相關的就有〈奔喪〉、〈檀弓上、下〉、〈曾子問〉、〈喪大記〉、〈喪服小記〉、〈雜記上、下〉、〈服問〉、〈大傳〉、〈間傳〉、〈問喪〉、〈三年問〉、〈喪服四制〉等十四篇，與祭禮直接相關的有〈祭法〉、〈祭義〉、〈祭統〉三篇，其他篇章零星散見涉及吉凶二禮者更是不一而足，其分量不可謂不重。而最重要的，是它補足了士禮的不足，闡發了禮制背後的義涵，例如〈檀弓下〉云：

> 復，盡愛之道也，有禱祠之心焉。望反諸幽，求諸鬼神之道也；北面，求諸陰之義也。（頁168）
> 飯用米、貝，弗忍虛也。不以食道，用美焉爾。（同上）
> 銘，明旌也。以死者為不可別已，故以其旗識之。愛之斯錄之矣！敬之斯盡其道焉耳。（同上）

其他篇章如：

> 天子飯九貝，諸侯七，大夫五，士三。（〈雜記下〉，頁749）

---

51 莊雅州：《經學入門》（臺北市：臺灣書店，1997年），頁119-120。

士三虞，大夫五，諸侯七。(〈雜記下〉，同上)

復者朝服，君以卷，夫人以屈狄；大夫以玄赬，世婦以襢衣；
士以爵弁，士妻以稅衣。(〈喪大記〉，頁762)

大夫以上的禮制，在此得到了補充；明明是祝史之事的神祕文化，在
此也賦予了人文的意涵，這就是儒家述而不作，以述為作的偉大貢
獻，所以〈郊特牲〉云：「禮之所尊，尊其義也。失其義，陳其事，
祝史之事也。」(頁504)在漢代，《禮記》原本為解經的傳記，但是
隨著時空的轉移，國家制度或世俗儀節很容易有所變遷，而闡明這些
具體現象的性質、意義和作用的抽象道理則可能含有亙古常新的價
值，宜乎到了後代，《禮記》的地位遠超過《儀禮》與《周禮》。不特
此也，在商代，人殉、人葬之風十分普遍，到了春秋時代，如秦穆公
之殉三良，猶存其俗。《孟子‧梁惠王上》云：「仲尼曰：『始作俑
者，其無後乎！為其象人而用之也。』」[52]孔子對作俑尚且抨擊不遺餘
力，對人殉更不待言，所以他主張用備物而不可用的明器加以取代，
可說是折衷至當。像這種勇於改革陋禮的地方，可能為數不少，可惜
文獻無徵罷了。

(四) 影響深遠

《儀禮‧士喪禮》等三篇集先秦喪葬禮儀之大成，相關規定，鉅
細靡遺，頗便施行。尤其漢武帝獨尊儒家，罷黜百家之後，《儀禮》
與其他四經同列於學官，朝廷以之取士，士子研習弗替，影響自然更
為深遠。例如復禮在《楚辭》中有〈招魂〉、〈大招〉二篇可資印證。
到了秦漢時期，在沿襲人死招魂之俗的同時，又出現了招魂葬、招魂

52　同注30，頁164。

奠。《新唐書・禮樂志》、（宋）司馬光《書儀》、朱熹《家禮》、《明會典》等書，亦有招魂的記述，可見宋以後各地仍奉行此禮俗，近代民間招魂儀式則是使用大幡[53]。又如飯含之禮，秦漢時代，海貝被圓形銅錢所取代，含貝從此消失，最常見的是死者口含舌形玉蟬，取義於蟬能蛻變，象徵變形和復活，其含義與先秦典籍所說的飯含顯然不同。魏晉南北朝時期，飯含風氣稍歇，及至隋唐，含銅錢的風氣大盛。新疆高昌墓中，常見死者口含開元通寶及拜占廷金幣、波斯銀幣，顯然是受中原內地的影響。宋元明時期，流行燒冥紙、扔銅錢，死人口含銅錢的習俗漸趨減弱，但始終未絕跡[54]。再如筮宅，後來以附庸蔚為大國，轉變為勘輿，即俗稱看風水是也。它是以陰陽、八卦、五行生克、天人相應、氣論等理論為指導，根據陰宅、陽宅的位置、布局、地形、環境等以測斷吉凶休咎的方術。漢有青鳥子，晉有郭璞青囊術。唐宋以後基本上分為形勢宗（江西派）和理氣宗（福建派）兩大派，理氣宗又分出三元派、三合派、九星派、陽宅派，源遠流長，聲勢浩大，迄今仍深深籠罩喪葬禮儀[55]。禮失求諸野，臺灣今日的喪葬仍然保留擇日擇地、飯含、製魂帛、殉葬品、銘旌等儀節[56]，在東亞漢文化圈中，韓國的喪葬禮儀也仍然保留皋復、奠、設奠、飯含、魂帛、銘旌、朝夕奠、遣奠、虞祭等神祕文化[57]，然則《儀禮》喪葬神祕文化的影響可說無遠弗屆。

53 萬建忠：《中國歷代葬禮》（北京市：北京圖書館出版社，1998年），頁34-40。

54 同注39，頁551。

55 宋會群：《中國術數文化史》（開封：河南大學出版社，1999年），頁315-337。

56 徐福全：《臺灣民間傳統喪葬儀節研究》（臺北市：臺灣師範大學國文研究所博士論文，1984年），頁58、145、170、218、2640。

57 （韓國）李家源監修：《新舊冠婚喪葬——標準儀禮》（漢城市：三榮文化社，1983年），頁51-110。

五　結論

《儀禮》是儒家經典，集先秦禮儀之大成。〈士喪禮〉、〈既夕禮〉、〈士虞禮〉等篇記敘喪葬禮儀委曲繁瑣，出入幽冥，往往充滿宗教神學色彩，此即古之所謂數術，今之所謂巫術，亦即神祕文化是也。

《儀禮》喪葬神祕文化的儀節較重要的有復禮、奠禮、為銘設重、飯含、驅邪、卜筮、明器、立尸、虞祭，這些儀節不止是在安頓死者靈魂，也在安撫家屬的悲慟情緒，具有深刻的文化意涵。析而論之，蓋起源於原始宗教的魂魄理論，經過巫祝的創造與推廣。每一種儀節都盡量讓家屬宣洩深摯的親情，採取事死如事生的方式來表達哀思。這種慎終追遠的孝心產生了以死教生的作用，可以使民德歸厚。這套禮儀受到封建宗法制度及儒家倫理道德的影響，特別講究等差秩序，顯得有條不紊。

綜觀《儀禮》喪葬神祕文化的特色，是古老而樸素，有許多地下出土文物可以為證，卻沒有五行色彩。顯然是經過周文化的洗禮及儒家的改造[58]，所以洋溢著濃厚的人文色彩。後代因革損益，深受影響，不僅今日民間，甚至連東亞漢文化圈都可以看到它的影子。但無論如何，在科學昌明的今日看來，還是光怪陸離，神祕莫測。

---

[58] 曹建墩謂：「目前的考古發現表明，《儀禮》一書所記載的喪葬制度具有濃厚的周文化特徵。」詳見曹建墩：《先秦禮制探賾》（天津市：天津人民出版社，2010年），頁91-94。

經學的新生地──《大戴禮記》

　　一提起經學，大家馬上會想到最基本的要籍──《十三經》，同時曉得《十三經》當中有《禮記》。可是，如果說除了《十三經》中的《禮記》，也就是《小戴禮記》之外，還有一本《大戴禮記》，有些人可能就會覺得茫然。可想而知，曾經讀過本書的人，為數就更少了。

　　經學的範圍，隨著時代不斷在演變，《莊子‧天下篇》所提到的《六經》，漢代所立的《五經》博士，《禮記》都不在其中。東漢時，《小戴禮記》與《周禮》、《儀禮》並稱三禮，才成為經書。南北朝劉宋時立於學官的《十經》以及唐代的《九經》也都包含《小戴禮記》，尤其是孔穎達奉敕撰《五經正義》，於三禮獨取《禮記》，更是使得《小戴禮記》從此唯我獨尊，傳習日盛。相形之下，《大戴禮記》就冷落許多。平心而論，《兩戴禮記》性質相近，價值也相當，而學術上的際遇卻判若天壤，這只能說有幸有不幸了。所幸，宋代史繩祖《學齋佔畢》早就曾說：「先時，嘗併《大戴禮記》於《十三經》末，稱《十四經》。」清代段玉裁提倡的《二十一經》也將《大戴禮記》納入，其餘如朱彝尊的《經義考》、王引之的《經義述聞》等也都列之於經部。所以《大戴禮記》就像海埔新生地一樣，成為經學版圖的一部分已是無可爭議的了。同時，由於《大戴禮記》兩千年來未受到應有的重視，將來可以拓展的空間也就比任何經書都要寬廣，這也可說是不幸中的大幸。因此，現在就讓我們來勘察一下，看看它是否具有開發的價值。

《大戴禮記》的編撰

　　鄭玄《六藝論》說:「今禮行於世者,戴德、戴聖之學也。戴德傳《記》八十五首,則《大戴禮》是也;戴聖傳《禮》四十九篇,則此《禮記》是也。」原來《大戴禮記》是依編撰者命名的。戴德,字延君,西漢梁國人,是戴聖之叔。兩人同從后蒼學《儀禮》,都卓然有成,漢宣帝時同立為博士。德還曾擔任過漢宣帝之子信都王劉囂的太傅,元帝時可能尚在世,其餘生平事蹟則不詳。由於《儀禮》經文簡奧,在研究與教學的過程中必須編選一些參考資料,以便對經文加以解釋、說明或補充,正如《周易》之有《十翼》、《春秋》之有《三傳》一般,《儀禮》之有《記》,乃是十分自然的事。至於這些參考資料的來源,晉陳邵〈周禮論序〉以為刪自《古禮》二〇四篇,《隋書‧經籍志》以為刪自《記》二一四篇(包含河間獻王所得《古文記》一三〇篇及《明堂陰陽記》三十三篇、《孔子三朝記》七篇、《王氏史記》二十一篇、《樂記》二十三篇),唐徐堅《初學記》以為刪自《后氏曲臺記》一八〇篇,眾說紛紜,莫衷一是。他們的說法都是後世推測之詞,並無實據。殊不知漢代流傳的舊記不一而足,多達數百篇,任何一種舊記,只要戴德看得到的,都有可能成為他取材的根據,所以我們實在不必確指他是從哪種舊記刪取的。

　　既然戴德只是《大戴禮記》的編者,那麼這八十五篇的真正作者是誰呢?這更是一個難以答覆的問題,因為古人認為著述是天下的公器,並不像今日這樣重視版權,所以許多著作都不注明作者姓名。我們只能說,這些篇章有些可能是先秦舊籍,大部分則可能是孔門後學分別把他們所聽到或所想到的一些學術資料記載下來。這些資料或與禮義、禮數有關,或與道德、法律、政治、教育、學術、歷史相涉。由於在古代禮的範圍十分廣泛,只要符合天理人情,可以實行的儀

節、制度、規則都可以叫作禮，所以戴德所選取的資料便相當龐雜，也相當豐富。而它們真正的作者並非一時一地之人，早則先秦，晚則西漢，不妨視之為作者多不可考的無名氏的學術著作選集，古代的文化百科全書。

《大戴禮記》的流傳

　　《大戴禮記》成書之後，傳習、引用的都不乏其人。可惜東漢馬融、盧植只為《小戴禮記》作注，經學大師鄭玄遍注《三禮》，也獨遺《大戴禮記》。晉朝陳邵主張：「戴德刪《古禮》二○四篇為八十五篇，謂之《大戴禮》；戴聖刪《大戴禮》為四十九篇，是為《小戴禮》。」（〈周禮論序〉）更令人誤會，以為《大戴禮記》的精華都已收入《小戴禮記》之中，其餘各篇只是糟粕而已，於是傳習的人更少，有些篇章也逐漸散佚。只有梁朝崔靈恩和北周盧辯曾為之作注。崔注已佚，盧注是現存最早的注釋，但已非完璧。隋唐時，《大戴禮記》只剩下十三卷，北宋傳本不一，到南宋韓元吉刊刻十三卷四十篇本問世之後，《大戴禮記》才安定下來，不再亡佚。宋元明學者或單注部分篇章（如朱熹《儀禮經傳通解》注九篇、王應麟專注〈踐阼篇〉），或兼治二戴（如吳澄《三禮考注》、湛若水《二禮經傳測》），而無專注《大戴》之作。到了清代，《大戴禮記》才開始受到學術界重視，遍注全書最有名的有王聘珍的《大戴禮記解詁》、孔廣森的《大戴禮記補注》、汪昭的《大戴禮記注補》，其中又以王氏《解詁》最為嚴謹精審。此外，從事校勘的有朱軾、盧文弨、戴震、汪中、王引之、王樹柟、孫詒讓等人，從事部分篇章箋注的，如莊述祖、洪震煊、王筠、程鴻詔、馬徵麐、宋書升之於〈夏小正〉、洪頤煊、顧宗伊之於〈孔子三朝記〉，阮元之於〈曾子〉十篇，也都各有貢獻。總之，清

代研究《大戴禮記》的學者不下數百人，成績相當輝煌。雖然他們主
要是透過校訂箋注來進行探討，與今日的學術研究方式有所不同，但
他們的辛勤耕耘已為後人的研究奠定很好的基礎，則是不可忽略的。
民國以來，從事《大戴禮記》研究的又寥若晨星，較著名的有李雲光
的《曾子學案》、阮廷焯的《孔子三朝記解詁纂疏》、謝貴安的《大戴
禮記研究》以及拙著《夏小正研究》、《夏小正析論》。而先師高仲華
（明）先生的《大戴禮記今註今譯》以王聘珍《解詁》為藍本，兼採
各家說法，間出新解，尤其便於初學。

《大戴禮記》的內容

　　《大戴禮記》原本有八十五篇，現存明朝的嘉趣堂本（袁裵據韓
元吉本覆刻）僅有十三卷四十篇，三萬八千字左右。也就是始於〈主
言〉第三十九，終於〈易本命〉第八十一，首尾皆佚，中間復缺第四
十三、四十四、四十五、六十一共四篇。而重複的有兩篇，據卷首目
次，重複的是第七十二，考其內容，重複的則為第七十四。高仲華先
生《大戴禮記今註今譯‧自序》曾將這四十篇分為八類，茲據其分類
介紹各篇內容如左：

　　（一）治曆明時：有〈夏小正〉一篇，記一年十二月中各月的星
　　　　　象、物候及農事等。

　　（二）古禮逸文：共五篇。〈諸侯遷廟〉、〈諸侯釁廟〉述諸侯將新
　　　　　神主移入祖廟，殺牲血祭之事。〈朝事〉述朝聘的儀文和意
　　　　　義，屬於外交儀節。〈投壺〉錄賓主宴飲時投壺射矢之事。
　　　　　〈公符〉述諸侯成年加冠之禮。

　　（三）古史舊聞：共四篇。〈武王踐阼〉言周武王即位，請教太
　　　　　師，作銘十七章自我警惕。〈五帝德〉言孔子向宰我論述黃

帝、顓頊、帝嚳、帝堯、帝舜五位帝王的美德。〈帝繫〉言
黃帝以迄夏啟等帝王的世系，並推源其族姓的由來。〈文王
官人〉言周文王對呂尚談論任官用人之事。

（四）孔子三朝記：共七篇，即〈千乘〉、〈四代〉、〈虞戴德〉、〈誥
志〉、〈小辨〉、〈用兵〉、〈少閒〉，分別言設官之制、政刑之
法、三常之禮、事神之節、禮樂之政、用兵之道、君臣之分。

（五）孔門語錄：共五篇，即〈主言〉、〈哀公問五義〉、〈哀公問於
孔子〉、〈衛將軍文子〉、〈子張問入官〉，是孔子與曾子、子
張、哀公之間的問答以及子贛答文子的話，談論有關為君、
識人、崇禮、入仕、衡才等政治道理。

（六）曾子言行：共十篇，包含〈曾子立事〉、〈曾子本孝〉、〈曾子
立孝〉、〈曾子大孝〉、〈曾子事父母〉、〈曾子制言〉（上中
下）、〈曾子疾病〉、〈曾子天圓〉，記述曾子論立身行孝的要
旨和天地萬物變化的道理。

（七）荀賈議論：共四篇。〈禮三本〉、〈勸學〉為荀子論禮之根本
及為學之道。〈禮察〉、〈保傅〉為賈誼論禮之功效及古代教
導太子的禮儀。

（八）明堂陰陽：共四篇。〈盛德〉記聖王施行德政的細目。〈明
堂〉述古代宣明政教的明堂制度。〈本命〉講性命之道。〈易
本命〉根據《易經》陰陽變化之道討論生命哲學。

除了現存的四十篇之外，亡佚諸篇篇目可考的有〈諡法〉、〈王度
記〉、〈辨名記〉、〈三正記〉、〈親屬記〉、〈五帝記〉、〈昭穆篇〉、〈王霸
記〉、〈太學志〉、〈瑞命記〉、〈禮器〉、〈文王世子〉、〈曲禮〉、〈祭
法〉、〈禘於太廟禮〉。綜觀《二戴禮記》可以發現它們有些篇章是相
同的，如《大戴禮記》的〈曾子大孝〉、〈禮察〉、〈哀公問於孔子〉、
〈朝事〉、〈本命〉之與《小戴禮記》的〈祭義〉、〈經解〉、〈哀公

問〉、〈聘義〉、〈喪服四制〉，但大多數並不相同，可見二戴是各自從
舊記中取材，因而才互有異同，陳邵所謂《小戴》刪自《大戴》之說
根本不足採信。

《大戴禮記》的價值

　　《大戴禮記》內容豐富，與《小戴禮記》各有勝義，清儒如錢大
昕、阮元等對它都推崇備至。從現代的角度來看，它至少具備下列幾
方面的價值：

（一）禮儀制度方面：如古禮逸文五篇具體記錄了古代諸侯的喪
　　　祭、朝聘、投壺、加冠諸禮，可以補《儀禮》偏重士禮的不
　　　足。〈明堂〉所載明堂制度也可與《周禮》、《小戴禮記》等
　　　相關資料相互印證。

（二）自然科學方面：如〈夏小正〉可以探討古代的天文、曆法、
　　　氣候、生物。〈曾子天圓〉可以探討古人的宇宙觀。〈本
　　　命〉、〈易本命〉可以探討傳統的生物學及生理學觀點。

（三）學術思想方面：如〈孔子三朝記〉、孔門語錄、曾子言行、
　　　荀賈議論等二十六篇記錄了先秦以至漢初儒家的政治、倫
　　　理、教育等思想，是考察早期儒家思想演變的重要資料。

（四）古史研究方面：如古史舊聞四篇可以用來研究上古歷史及上
　　　古社會，相傳司馬遷《史記‧五帝本紀》就曾取材於〈五帝
　　　德〉及〈帝繫〉。

（五）文獻探討方面：《大戴禮記》有許多篇章與《逸周書》、《荀
　　　子》、《呂氏春秋》、《賈誼新書》、《淮南子》、《史記》、《小戴
　　　禮記》等古籍文字密切相關，可作為校勘或考訂的佐證。

入門參考書目

　　如果本文的介紹能引起您研究《大戴禮記》的興趣，那麼請直接閱讀下列各書：

《大戴禮記解詁》（王聘珍）世界書局
《大戴禮記補注》（孔廣森）復興書局《皇清經解》本
《大戴禮記注補》（汪炤）復興書局《皇清經解續編》本
《大戴禮記今註今譯》（高明）臺灣商務印書館

〈夏小正〉之經傳

　　《博物志》云：「聖人制作曰經，賢者著述曰傳。」換另一個角度說，經就是古書的正文，傳、記就是早期的注釋或參考資料。只因這些書多與儒家聖賢有關，所以大家特加尊崇而已。古代的典籍文字簡奧，義蘊精深，由專家學者加以注釋或撰述參考資料，自然是極有必要的，因而《周易》有了《十翼》，《詩經》有了《毛傳》，《尚書》有了《孔安國傳》，《儀禮》有了〈子夏喪服傳〉、《大、小戴記》，《春秋》有了《公羊》、《穀梁》、《左氏傳》，甚至連〈墨辯〉也有經傳的區別。這些經傳在我國的學術史上占有無與倫比的地位，可是由於年代久遠，也引發不少問題，諸如作者、時代、傳承、篇章、字句、訓詁、義理、價值等，近二千年來都曾激起更僕難數的爭論。一方面使中華學術顯得更多彩多姿，另一方面也留給我們這些後人不少的困惑。〈夏小正〉同樣具有這類問題，現在且分幾方面來加以探討。

一　經傳之分合

　　〈夏小正〉本上古遺籍，單行於世，厥後有人為之作傳，成為古文記二〇四篇之一，漢世，戴德採入《大戴禮記》，此乃我們今日最常見的本子。這個本子並無經傳之類的字眼，我們何以知道它有經有傳呢？王聘珍說得好：「鄭注〈月令〉引〈夏小正〉者九，如正月啟蟄、魚陟負冰、農率均田、丁亥萬舞入學、姜子始蠶，九月丹鳥羞白鳥，十一月王狩，皆是經文首句，故直稱為『夏小正曰』。獨於丹鳥

羞白鳥之下，引『丹鳥也者，謂丹良也。』云云，則以『說曰』二字別之，說曰者，即傳者之說也。是鄭所見本原自有經有傳，此其明證也。又，郭注《爾雅》有引『夏小正曰』者，有引『夏小正傳曰』者，則〈小正〉之有經有傳，至晉時猶未譌也。」（《大戴禮記‧解詁》卷二）此外，陳壽祺說：「今考吳陸璣《毛詩義疏》引《大戴禮夏小正傳》曰：『蘩，遊胡；遊胡，旁勃也。』見《左傳》隱三年正義，則三國時有傳名也。蔡邕《明堂月令論》引《大戴禮夏小正》曰：『陰陽生物之侯，王事之次。』今〈夏小正〉傳無此文，蓋傳本異，則漢時已有傳名也。」（《左海經辨》卷上〈夏小正考〉）程鴻詔也說：「高誘《呂紀》注引爵入于海為蛤、雉入于淮為蜃，並稱『傳曰』。」（《夏小正集說》）綜觀他們的論證，〈夏小正〉在漢晉以前有經傳之分是灼然至明的。

　　其次，很自然地，我們會進而追問：到底何時〈夏小正〉經傳才混合無別呢？王筠云：「今夏覆檢大戴本，有傳無經，此由經傳別行，讀者見經已具傳中，遂魯莽而刪經。以致今之讀者謂此書經傳雜糅，不知僭越經傳者始于後漢之費直，戴德乃前漢宣帝時人也。」（《夏小正正義‧自序》）其意蓋謂自費直以《易傳》附經，才有僭越經傳的現象（這種說法正確與否姑且不論，詳見林麗真〈易傳附經的起源問題〉）。至於〈夏小正〉經傳本自別行，經自經，傳自傳，猶如《熹平石經》、《春秋傳》不載經文，這是漢世經傳通行的一般情況，〈夏小正〉自然也不例外。由於傳中都複舉經文，有人就將別行的經文刪汰，以致何者為經，何者為傳，單靠含有經文的傳，遂難以明辨了，於是懷疑戴德雜糅經傳者大有人在，其實是一種誤解。王筠的說法大抵是不錯的，只是語焉不詳，後文又大談費直以〈象象〉、〈文言〉參錯於卦爻辭中的情形，所以很容易讓人產生錯覺，以為他是在說費直將〈夏小正〉的經傳也僭越了。總之，〈夏小正〉經傳所以難

以分別，是有人「鹵莽而刪經」，至於鹵莽者是誰？則不得而知。

　　首先發現〈夏小正〉應有經傳之分，而又重加釐析的，是宋朝的傅崧卿。他說：「關本、戴禮皆以〈夏小正〉文錯諸傳中，渾渾之書，雜以漢儒文辭，醇駁弗類，且所訓疑有失本指者。乃倣《左氏春秋》，列正文其前，而附以傳。月為一篇，凡十有二篇。釐為四卷，名曰《夏小正戴氏傳》。」（《夏小正戴氏傳·序》）可見當時他所看到的〈夏小正〉，無論是單行的關澮本，或收在《大戴禮》中的集賢殿本，都沒有經傳之分。是他受了《春秋左氏傳》的啟示，才從傳文中將經文釐析出來的，唯傳中仍保留著經文，亦即經文是複舉的。他的《夏小正戴氏傳》共有經文四五五字，傳文二四七二字，茲錄其全經如下：

正　月：啟蟄，鴈北鄉，雉震呴，魚陟負冰，農緯厥耒，初歲祭耒始用暢，囿有見韭，時有俊風，寒日滌凍塗，田鼠出，農率均田，獺獸祭魚，鷹則為鳩，農及雪澤，初服于公田，采芸，鞠則見，初昏參中，柳稊，梅杏杝桃則華，緹縞，雞桴粥。

二　月：往耰黍禪，初俊羔助厥母粥，綏多女士，丁亥萬用入學，祭鮪，榮菫，采蘩，昆小蟲抵蚳，來降燕乃睇，剝鱓，有鳴倉庚，榮芸，時有見稊始收。

三　月：參則伏，攝桑，萎楊，羝羊，螜則鳴，頒冰，采識，妾子始蠶，執養宮事，祈麥實，越有小旱，田鼠化為鴽，拂桐芭，鳴鳩。

四　月：昴則見，初昏南門正，鳴札，囿有見杏，鳴蜮，王萯秀，取荼，秀幽，越有大旱，執陟攻駒。

五　月：參則見，浮游有殷，鴃則鳴，時有養日，乃衣瓜，良蜩鳴，匽之興五日翕望乃伏，啟灌藍蓼，鳩為鷹，唐蜩鳴，初昏大火中，種黍菽糜，煮梅，蓄蘭，頒馬。

六　　月：初昏斗柄正在上，煮桃，鷹始摯。

七　　月：莠藋葦，貍子肇肆，湟潦生苹，爽死，苹莠，漢案戶，寒
　　　　　蟬鳴，初昏織女正東鄉，時有霖雨，灌荼，斗柄縣在下則
　　　　　旦。

八　　月：剝瓜，玄校，剝棗，栗零，丹鳥羞白鳥，辰則伏，鹿人
　　　　　從，駕為鼠，參中則旦。

九　　月：內火，遰鴻鴈，主夫出火，陟玄鳥蟄，熊羆豹貉鼬鼪則
　　　　　穴，榮鞠樹麥，王始裘，雀入于海為蛤。

十　　月：豺祭獸，初昏南門見，黑鳥浴，時有養夜，雉入于淮為
　　　　　蜃，織女正北鄉則旦。

十有一月：王狩，陳筋革，嗇人不簌，隕麋角。

十有二月：鳴弋，玄駒賁，納卵蒜，虞人入梁，隕麋角。

　　傅氏從渾渾古籍中，稽核舊文，剖分乾坤，使讀者有徑可尋，其
功自是不淺。唯上文已經講過，由於〈夏小正〉的經文被魯莽刪去，
從傳文中去釐析經傳並不是容易的事，傅氏用力雖勤，所得自難盡如
人意。《四庫全書總目提要》卷二十一就曾經批評他的書說：「其中如
正月之斗柄縣在下，五月之菽糜、將閑諸則，九月之辰繫于日，十一
月之于時月也萬物不通，皆宜為經文，而誤列於傳。而正月之始用
暢，乃以解初歲祭末，明用暢以祭自此始，宜為傳文，而誤列於經，
皆為未允。」所以自朱熹《儀禮經傳通解》、王應麟《玉海》、金履祥
《夏小正注》以降，研究〈夏小正〉者往往又重加釐析，而各有出
入。單以正月而言，朱熹無「囿有見韭」，「獺獸祭魚」作「獺祭
魚」，「參中」下有「斗柄縣在下」。王應麟無「始用暢」，「囿有見
韭」作「囿有韭」，「寒日滌凍塗」作「滌凍塗」，「獺獸祭魚」作「獺
祭魚」，「參中」下有「斗柄垂在下」，「柳稊」作「柳梯」。金履祥
「獺獸祭魚」作「獺祭魚」，「參中」下有「斗柄縣在下」，「柳稊」作

「柳梯」、「緹縞」作「緹蕩」……。明清以後，為〈夏小正〉作注的不下數十家，他們的見解就更複雜了。綜觀各家異說，主要大概有六個方面：

（一）經傳的爭議：如正月「囿有見韭」，傅崧卿視為經文，朱熹則併入「初歲祭耒」一節之中，當作傳文。

（二）分節的出入：如三月「妾子始蠶」、「執養宮事」，傅崧卿分成兩節，徐世溥《夏小正解》併為一節。

（三）次序的不同：如八月「參中則旦」，孔廣森《大戴禮記補注》以為是七月錯簡。

（四）斷句的區別：如九月「陟玄鳥蟄」，諸錦《夏小正詁》蟄字連下節「熊羆貊貉鼬鼪則穴」為文。

（五）文字的差異：如大戴本十月：「黑鳥浴——……者，何也？鳥浴也者，飛乍高乍下也。」傅崧卿作「黑鳥浴——黑鳥者，何也？鳥也。浴也者，飛乍高乍下也。」

（六）訓詁的歧互：如十一月「嗇人不從」，嗇人，王聘珍《大戴禮解詁》釋為省嗇徒眾之官，孔廣森《大戴禮記補注》釋為小臣給王使令者，洪震煊《夏小正疏義》釋為農人，宋書升《夏小正釋義》釋為田畯。

由此可以看出各家對經傳真面目的看法是何等紛歧，他們的說法往往會涉及經傳分合的問題，卻幾乎沒有兩家是從頭到尾完全相同的。莊述祖云：「蓋以古書之僅存，屢為後人所亂，校書者又別以其意定之，是其所是，而非其所非，迄無所取正，而亂益甚。」（《明堂陰陽夏小正經傳考釋·自序》）確屬一針見血之論，而〈夏小正〉經傳之無法得到定本，也由此可見端倪。

最後要補充說明〈夏小正〉與《大戴禮記》的分合問題。〈夏小正〉自採入《大戴禮記》之後，其單行本日趨寥落是不難想像的事，

至於是否完全絕跡，就很難說了。在《隋書‧經籍志》裡既著錄《大
戴禮記》十三卷，又著錄「〈夏小正〉一卷，戴德撰」，傅崧卿云：「漢
唐志既錄《戴氏禮》矣，此書宜不別見，抑不知取《戴禮》為此書自
何代始？意者隋重賞以求逸書，進書者務多以徼賞帛，故離析篇目而
為此乎？有司受之，既不加辨，而作志者亦不復考。且〈小正〉夏
書，德所撰傳爾，而〈隋志〉云然，可謂疏矣！」（《夏小正戴氏傳‧
序》）他認為〈夏小正傳〉為戴德所撰，那是錯誤的判斷，姑且不論。
而謂漢唐時無單行本別行，至隋始有人自《戴禮》析出以求重賞，有
些學者也頗不以為然。如陳壽祺云：「《史記‧五帝本紀》云：『孔子
所傳宰予問〈五帝德〉及〈帝繫姓〉，儒者或不傳。』〈夏本紀〉云：
『學者多傳〈夏小正〉』，此三篇皆在百三十篇中，太史公時二戴未
出，於〈五帝德〉、〈帝繫姓〉云『或不傳』，而於〈夏小正〉云『學
者多傳』，則當時此篇顯有專行者，如《士禮》十七篇傳自高堂生，
而〈喪服〉一篇，漢以來諸儒多為注解，別行於世，見隋〈經籍志〉，
戴德先有〈喪服變除〉，見《通典》禮四十一，是其證也。」（《左海
經辨》卷上〈夏小正考〉）王筠曰：「蓋齊梁間久有單行本矣！傅氏以
為獻書者離析之，此不必然。《藝文志》既收禮古經及記矣，又收《中
庸》說；既收《筦子》於道家矣，又收〈弟子職〉于《孝經》類，是
其比。」（《夏小正正義‧自序》）洪震煊也說：「唐人引經，或稱〈夏
小正〉，或稱《大戴禮‧夏小正》，或稱《大戴禮》，當由專行本〈小
正〉與大戴本〈小正〉時有不同，諸家引稱，各據本文，無俾淆
雜。」（〈夏小正疏義序〉）可見不僅《大戴禮》成書以前即有單行本
的〈夏小正〉行世，即使在《大戴》至《隋志》之間，很可能也是
《大戴》本及單行本駢行的。《隋志》以後，二本之並行不廢，更無
疑義。尤其自從傅崧卿釐析經傳，風氣既開，治者漸眾，〈夏小正〉
可說由附庸蔚為大國，當然更可以名正言順地稱之為專書而無愧。

二　經傳之時代

　　一提到古籍的作者及成書年代，人們往往為之斷斷不休而難得定論，〈夏小正〉的經傳在這方面也同樣是一個謎團。經文之時代，或說夏，或說周初，或說春秋，或說戰國，甚至有主張是漢朝的；傳文的作者，或說子夏，或說七十子後學，或說公羊、穀梁，甚至有歸之於戴德的。各家的說法，請參閱拙作〈夏小正略說〉（《孔孟月刊》第20卷第1期），在此不多徵引，而僅打算從幾個較有啟發性的說法裡談談自己的觀點。

　　《禮記・禮運》云：「孔子曰：『我欲觀夏道，是故之杞，而不足徵也。吾得夏時焉。』」鄭玄注：「得夏四時之書也，其書存者有〈小正〉。」司馬遷云：「孔子正夏時，學者多傳〈夏小正〉。」（《史記・夏本紀》）蔡邕云：「《戴禮・夏小正》傳曰（按臧庸引盧學士云：『曰字衍』），陰陽生物之候，王事之次，則夏之〈月令〉也。」（《明堂月令論》）後世有許多學者根據他們的說法，主張〈夏小正〉為有夏氏之遺書，固然難以令人信服；但另有一些學者以為先秦典籍裡沒有其他資料可以佐證，從而完全否定司馬遷等的說法，似乎也大可不必。蓋漢儒說法的可信度雖非百分之百，倒也相當值得尊重，如《史記》所記的殷王朝世系與近世出土的卜辭對照，相去並不遠；《說文解字》的古文、籀文，乃至解說，與甲文、金文也往往可以相互參證。那是由於他們有師承，又可以看到許多後世失傳的資料，我們不能因為看不到那些資料，就懷疑他們信口開河。所以〈夏小正〉雖未必為夏代遺籍，但很可能就是孔子得之於杞的文獻。《史記・夏本紀》云：「湯封夏之後，至周封於杞也。」杞是夏之後，〈夏小正〉文字又是那麼古質，怪不得有許多學者會認為〈夏小正〉是夏書了。

　　于省吾云：「〈禮運〉和《史記》所說的如果屬實，則〈小正〉當

為春秋前期杞國人所記。此外，另有一說……，〈小正〉也可能是春秋時期居於夏代舊日領域，沿用夏時者所作。」（〈夏小正五事質疑〉）他對傳統說法作了適度的修正，是相當值得參考的。不過我以為古書的寫作，往往經過長時期的增訂始成為定本，未必完全為一個時代所記。〈夏小正〉記正月「初昏參中」與〈月令〉相同，記五月「初昏大火中」則比〈月令〉早一個月，這是矛盾的。能田忠亮云：「〈夏小正〉在星象記事方面殆無錯簡或誤寫，只有十月『初昏南門見』例外。其星象所顯示的時代當自西元紀元前二千年開始，而參中及織女正東（北）鄉之記事則以西元紀元前六百年左右較為適合。是〈夏小正〉乃從夏代到春秋為止的產物。」（《夏小正星象論》）既然〈夏小正〉一方面反映了春秋時代的星象，一方面又保留了某些邃古的天文資料，如果把它的時代確定在春秋，那這種天文上的矛盾就不易解釋了。所以我認為它很可能是春秋時代杞國人所傳先世舊籍，歷經傳寫補充，始成定本的。至於其原始材料向上可以推到周初呢？商代呢？還是夏朝呢？那就難以考證了。或者有人要從文字的觀點提出質疑，如夏靳云：「今按三代彝器，商時尚屬寥寥，即有之，其銘文亦不過四五字耳，如至卅字為最多矣！再推而上之，至龜甲文字而止，其文字尚幼稚無倫，殷尚如此，夏時何能有此著作？可知是書必非夏時。」（〈漢以前恆星發現次第考〉）殊不知〈夏小正〉有經有傳，傳文時代誠然不可能太早，經文則文字簡短，每節少者二言，多者不過八、九字，其古質不遜於《春秋》甚或卜辭，說它含有某些上古資料，並非完全不可能。何況我並未將它的上限確定在夏或商，因為那是十分困難而危險的。當然，〈夏小正〉裡的某些記事，如「初歲祭耒」、「丁亥萬用入學」、「匽之興，五日翕，望乃伏」、「時有養日」、「時有養夜」……等，從曆法的觀點來看，的確不可能早於周初甚或春秋以前（詳見拙作〈夏小正之曆法〉，《孔孟月刊》第22卷第11

期），所以我將它的下限定在春秋。可見我對漢儒的說法並未一味墨守，也未完全懷疑，而是有所斟酌去取的。

〈夏小正〉經文裡曾提到王、淮、海、鼉之類的字眼，過去的學者都沒有特別加以注意，唯有夏緯瑛獨具隻眼，他說：「在〈夏小正〉的經文裡，有兩個『王』字出現：一曰『王始裘』，一曰『王狩』。這就可以知道，他們的最高統治者是稱王的，當然也是具有國家形式中的王。這個王國在什麼地方呢？它在淮海地區。在〈夏小正〉的經文裡有『雀入于海為蛤』和『玄雉入于淮為蜃』兩條，這不就說出他們在淮海地區了嗎？他們若是看不見淮和海，又怎麼能說淮海的話來呢？正月的經文裡有『梅、杏、杝桃則華』，這些植物開花時期較早，不是黃河流域的情形，在淮河流域是可以的。在二月的經文裡有『剝鼉』一條，這個鼉，就是如今的揚子鱷。揚子鱷是一種古老爬行動物的遺存，它居住在長江的中下游，在長江支流的岸邊生活，其他地區沒有這種動物。淮河流域有它的蹤跡，這就有力的證明，〈夏小正〉和淮海區域有關。」（《夏小正經文校釋》）至於這個王朝的時代，他也認為難以肯定，可能是夏朝末年，可能是殷代的杞國，可能是周代的杞國，也可能是春秋時代的杞國。如眾所周知的，諸侯稱王，在戰國時代是很普徧的現象，在春秋時代則除了吳、楚等少數諸侯外，很少有稱王的（有些學者主張〈夏小正〉為戰國時代的作品，大概就是基於這點考慮吧），所以夏氏不禁懷疑說：「杞是殷的諸侯，又是周的諸侯，在春秋時代是個很弱小的諸侯國，稱『王』有問題，也不能說絕對不能稱『王』，春秋時代的楚國不是也稱『王』嗎？總之，這是個問題，還是不能肯定。」考之古籍，杞國諸侯在周或稱公，如《逸周書・王會篇》有夏公，即杞公；或稱侯，或稱伯，或稱子，則為《春秋》經傳所習見，但從來沒有稱王的記錄。我的看法是這個王不是杞君，而可能是徐駒王、偃王之類的徐君。徐駒王見

於《禮記‧檀弓》，徐偃王見於《韓非子‧五蠹》、《淮南‧人間》、《史記‧趙世家》、《說苑‧指武》、《譙周古史考》、《後漢‧東夷傳》等，彝器中『郤王』之稱尤為習見。今安徽泗縣北八十里有徐城，相傳即為偃王所築。春秋時代在淮海地區稱王的，既然只有徐君，而且徐是伯益之後，使用夏曆，其保存先民的某些文獻，再加以增訂，寫成了〈夏小正〉，是可能的事。這本小書後來傳到同屬夏族，相距又不遠的杞國（據程師旨雲《春秋左氏傳地名圖考》，杞原封河南雍邱，桓公六年遷都山東淳于，僖公十四年遷緣陵，襄公二十九年又遷回淳于），孔子因而有機會在杞國看到〈夏小正〉，也是可能的事。我這種看法雖然也只能算是一種猜測，但不失為對夏氏說法的修正與補充。很希望將來有天文學家按〈夏小正〉的記錄，去推算春秋時代淮海地區的星象，說不定可以有更令人滿意的發現。

　　在有關傳文作者的各種異說中，最發人深省的應該是將著作權歸之於子夏、公羊、穀梁的說法了。王筠云：「黃氏（叔琳）曰：『夏小正，舊傳子夏所作，謬也。』筠未見此說所出，竊以為謂子夏作傳耳。」（《夏小正正義‧凡例》）莊述祖云：「〈夏小正傳〉蓋高、赤之流，學者失其傳，故閭里小知得坿焉。」（《明堂陰陽夏小正經傳考釋》）朱駿聲亦云：「斯傳之作，疑出公羊、穀梁二子手筆，思表纖旨，與《春秋傳》異曲同工。」（《夏小正補傳‧序》）為什麼他們會有這種主張呢？程鴻詔云：「《儀禮‧喪服傳》先儒以為子夏所作。賈公彥謂《公羊傳》有『者何』、『何以』之等，〈喪服傳〉亦有『者何』、『何以』之等，公羊是子夏弟子，師弟相習，語勢相連，得為子夏所作。據賈此言，則小正亦有『者何』、『何以』之等，故或云子夏，或云公羊、穀梁作也。」（《夏小正集說‧篇首》）如果我們檢閱了下列幾段文字，就不難證明程氏所言不虛：

　　〈夏小正‧正月〉：「鴈北鄉——先言鴈而後言鄉者，何也？見鴈

而後數其鄉也。鄉者，何也？鄉其居也，鴈以北方為居。何以謂之？生且長焉爾。九月『遰鴻鴈』，先言遰而後言鴻鴈，何也？見遰而後數之，則鴻鴈也。何不謂南鄉也？曰：非其居也，故不謂南鄉。記鴻鴈之遰也，如不記其鄉，何也？曰：鴻不必當小正之遰者也。」

〈喪服傳〉：「紵者何？不緝也。苴絰者，麻之有蕡者也。……童子何以不杖？不能病也。婦人何以不杖？亦不能病也。」

《公羊傳·僖公十六年》：「曷為先言霣而後言石？霣石，記聞，聞其磌然，視之則石，察之則五。是月者何？僅逮是月也。何以不日？晦日也。晦則何以不言晦？《春秋》不書晦也，朔有事則書，晦雖有事不書。」

《穀梁傳·僖公十六年》：「先隕而後石，何也？隕而後石也。于宋，四境之內，曰宋。後數，散辭也，耳治也。是月者，決不日而月也。」

它們之間的相似，不僅在於同有「者何」、「何以」之等，就連行文語氣也相當接近。尤其《公羊》、《穀梁》與〈夏小正〉之間似乎更有血緣關係。我們若進一步去翻閱一下這三本書，就可以發現它們用詞相近者太多了，如：

△〈夏小正·正月〉：「時有俊風——俊者，大也。大風，南風也。何大於南風也？曰：合冰必於南風，生必於南風，收必於南風，故大之也。」

《公羊傳·隱公七年》：「執之則其言伐之何？大之也。」

△〈夏小正·正月〉：「鷹則為鳩——鷹也者，其殺之時也；鳩也者，非其殺之時也。善變而之仁也，故其言之也，曰『則』，盡其辭也。鳩為鷹，變而之不仁也，故不盡其辭也。」

《穀梁傳·僖公十六年》：「石鷁且猶盡其辭，而況於人乎？」

△〈夏小正·正月〉：「初服于公田——古有公田焉者，古者先服

公田，而後服其田也。」

　　《公羊傳・宣公六年》：「則無人門焉者，則無人閨焉者。」

　　△〈夏小正・正月〉：「乃瓜——乃者，急瓜之辭也。瓜也者，始食瓜也。」

　　《穀梁傳・定公十五年》：「乃，急辭也。」

　　△〈夏小正・七月〉：「秀雚葦——未秀則不為雚葦，秀然後為雚葦，故先言秀。」

　　《公羊傳・文公十六年》：「未成為郎臺，既成為泉臺。」此外，還有「焉耳」、「其或」、「或曰」、「其或曰」、「與」、「善」、「著」……，可說俯拾皆是，可見莊述祖、朱駿聲等人的看法是相當有道理的。

　　過去，傳統的說法認為《儀禮・喪服傳》是子夏所作，《公羊傳》、《穀梁傳》為子夏弟子公羊高、穀梁赤所作，他們都是春秋末或戰國初人，〈夏小正傳〉自然也就是戰國初年的作品。近代有許多學者則以為《儀禮・喪服傳》是漢時河內女子所得，《公羊傳》、《穀梁傳》到漢時始著於竹帛，都是漢人著作（詳見屈萬里《先秦文史資料考辨》），因而〈夏小正傳〉也應當作於漢代。我則以為我們只能說〈夏小正傳〉的作者與《儀禮・喪服傳》、《公羊傳》、《穀梁傳》的作者大概同屬一派，而不能說他們一定是同一個人，自然時代也就不一定要一致。更何況《公羊》、《穀梁》成書雖晚，卻是口耳相傳了好幾代始著於竹帛的，其中含有許多先秦的資料，這是任何學者都不能否認的事實。我們若說〈夏小正傳〉著於竹帛的時間比它們早，在道理上並非講不通的。此外，還有兩點理由更加值得留意：（一）二月「丁亥萬用入學」傳云：「謂今時大舍采也。」大舍采的禮節，漢以後起碼有五種異說，洪震煊云：「以今時舍采之禮定之，傳非漢以後人作也。漢已無復行舍采禮者，故諸儒說舍采之義不定。」（《夏小正

疏義》）（二）《呂氏春秋・十二月紀》、《逸周書・時訓》、《淮南子・時則》等時令類的作品，其時代不是戰國末年就是漢朝初業，它們都充滿陰陽五行的色彩。〈夏小正〉的性質與它們相近，但傳文僅淡淡地提到「日冬至陽氣至始動」（十一月）、「蓋陽氣且睹也」（十二月），可見它並未受到《呂紀》之類的影響，其著成時代當不晚於《呂紀》。夏緯瑛云：「〈夏小正傳〉中不見有陰陽家的思想，當是還沒有受陰陽家的影響，所以可以認為它是戰國早期的作品。」（《夏小正經文校釋》）所言是否過早，容或有商榷的餘地，但若視為戰國末年以前的作品，應該是可以說得通的。至於其作者是誰？那就無可稽考了。

三　經傳之評價

畢沅云：「小正于天象、時制、人事、眾物之情，無不具紀，洵為一代之巨憲。」（《夏小正考注・自敘》）孔廣森也說：「上紀星文之昏旦、雨澤之寒暑，下陳草木秭秀之候，蟲羽飛伏之時，旁及冠昏祭薦耕穫蠶桑之節，先王所以敬授人時，與〈明堂月令〉實表裡焉。」（《大戴禮記補注・篇首》）其書材料之宏富由此可以略窺一斑，而其影響之深遠也就不難想見。拙作〈夏小正略說〉曾稱讚它是時令之先河、農書之嚆矢、天文之淵藪、博物之總匯、文化之龜鑑，可說已給予極高的評價。近年，我又進而就天文、曆法、生物、氣候、人文五方面撰寫專文，詳細分析其內容，因此，有關全書的內容材料方面，此處就不復多言。

依據孔廣森的統計，〈夏小正〉經文僅有四百七十字，卻可分為一百二十一節，每節平均不及四個字，在文字方面自然十分精簡，故傅崧卿說：「辭大氐約嚴，不類秦漢以來文章。」（《夏小正戴氏傳・

序》）它是春秋以前的作品，時代較早，文字自然也較樸質，所以汪
詔云：「較之《逸周書》之〈周月解〉、呂不韋之〈月令〉、《淮南子》
之〈時則〉，尤為古質，決非周秦間人所造。特祖龍灰燼，篆隸承
訛，脫節或所不免，其為古書無庸疑也。」（《大戴禮注補‧目錄》）
這種約嚴古質的文字，有些學者特別激賞，如錢大昕云：「勝於呂不
韋書。」（程鴻詔《夏小正集說》引）安吉云：「（正月魚陟負冰）〈月
令〉改作『魚上冰』，讀上字而知〈小正〉曰陟曰負之化工肖物。〈月
令〉襲〈小正〉之文，往往化神奇為臭腐。」（《夏時考》）甚至連看
來似乎散漫而不整齊的結構，安吉也推崇說：「右記正月之候，補
〈堯典〉之孟春也。以祭耒服田為一篇之大旨，凡〈小正〉紀月候，
皆為農事也。以啟蟄為一月之大旨，凡紀正月，皆紀啟蟄也。雁北、
雉雛、鷹化、雞粥，春陽之來，啟蟄之本也。魚陟、鼠出、柳稊、某
華，啟蟄之效也。風俊、雪澤、鞠見、參中，啟蟄之時也。見韭、采
芸，啟蟄之時物也。凡此類皆以考驗均田、服田之候也。〈小正〉詳
春令，歲之始也；尤詳於正月，春之始也。」（《夏時考》）所言雖不
無穿鑿，也不能說毫無道理。

　　當然，在千百年後的今日，我們站在較客觀的立場，覺得這本書
多少還是有些瑕疵。如正月「鷹則為鳩」、三月「田鼠化為鴽」、五月
「鳩為鷹」、八月「鴽為鼠」、九月「雀入于海為蛤」、十月「雉入于
淮為蜃」，都違反生物學的道理，只是觀察不夠精密所產生的誤會而
已。如正月「寒日滌凍塗」、「農及雪澤」、二月「初俊羔助厥母粥」、
「昆小蟲抵蚳」、三月「羝羊」、四月「執陟攻駒」……這些詞句都過
分古奧，使人不易把握其真正的含意。還有，它取材以天象、物候、
民事為主，內容本來就瑣碎，行文又十分參差，每月記事，或以時間
先後為次，或以性質異同為類，或隨文臚舉，交錯為用，並無定則，
再加上錯簡訛缺比比皆是，就更令人為之目眩了。雖然如此，我們並

不能過分責備作者，因為他（或他們）生在科學並不發達的古代，而且又不是在寫文學作品，自然不能完全讓人滿意。相反地，我們還得感謝他留下了這珍貴的古代文獻。范家相云：「嘗讀呂氏〈月令〉、淮南〈時則訓〉，非不文完義密，但經秦漢人之輯錄，不無潤色增加，瑕纇時見。非如〈小正〉文殘簡錯，仍存本來面目，其中即小見大，可為諸經疏證者甚多。如農及雪澤、初服於公田，則夏有公田之證也；采蘩與祭鮪並舉，則于豆于登之證也；讀五月之種黍、菽靡，可知〈月令〉之非；讀八月之剝瓜、元校，可識〈豳風〉之正，如此不可悉舉。善讀書者存疑存信，以經說經，豈以缺訛不全為憾哉？」（《夏小正輯注・自序》）就〈夏小正〉的價值而言，他所講的不過舉其一端，而態度倒是可取的。

經文既然有相當價值，解讀又如此不易，傳文自然是頗為必要的。歷代學者對傳文的評價究竟如何呢？盧文弨云：「戴氏之傳〈夏小正〉（傳，去聲），可謂精矣！所辨析不過字句之間，而有以通乎作者之本意。」（《夏小正補注・書後》）安吉也說：「戴氏釋經，不以傳文混經文，不以傳文沒經文，可為解經者法，可證改經、紊經、刪經之謬，可以傳經為萬世考信之書。」（《夏時考》）他們的推崇可謂無以復加。而范家相云：「此書有經有傳，傳作於戴德，多不合經，則經文非德所撰甚明。」（《夏小正輯注・自序》）夏緯瑛更說：「儒生作傳解經，任意曲解，把一些古老文獻解釋得糊裡糊塗，不祇〈夏小正傳〉為然。」（《夏小正經文校釋》）則又貶損得一文不值。同一本書，評價如此懸殊，可能是不太尋常的吧？

平心而論，〈夏小正傳〉之釋經，或逐字詮釋，或擇要解說，或前後重釋，或兼釋較論，或設問申釋，或並存異義，正如安吉所云：「案戴氏于〈小正〉重文，皆如其文而釋之，其慎也；于錯簡亦如其文而釋之，其慎也。子曰：『吾猶及史之闕文也。』惟闕文而經可以

傳信無闕也。」(《夏時考》) 其態度大體上是嚴肅而謹慎的。在數以百計的〈夏小正〉注釋中，它為時最早，如果沒有它，我們面對的可能像「斷爛朝報」，有許多地方伏讀十年不能通曉，而後來的許多注釋可能也就無從產生了。不但如此，它也是現存各種古注中時代較早的，所以在名物訓詁方面亦諸多可採，如二月以由胡、繁母、旁勃解蘩，四月以屈造解蝍，可以補《爾雅》、《說文》之不足；五月以匽釋唐蜩，十二月以螟釋玄駒，可以與《詩傳》、《方言》相互參證。若此之類，都可以作為訓詁之資糧，其價值是不能一筆抹煞的。

從另一個角度看，〈夏小正傳〉難愜人意之處也不少，如：正月鞠則見云：「鞠者，何也？星名也。」三月采識云：「識，草也。」所言都過於籠統，等於沒有解釋。三月羋羊云：「羊有相還之時，其類羋羋然，記變爾。或曰：羋，羝也。」八月爽死云：「爽也者，猶疏也。」語意十分模糊，不啻留給後人一個謎團。五月「王萯秀」、「秀幽」注釋都付闕如，更使讀者難以判斷其為何物。三月以「長股」釋倉庚，七月以「雚葦之秀」釋荼，有許多注家都懷疑其訛誤。正月緹縞云：「先言緹而後言縞者，何也？緹先見者也。」八月栗零云：「零而後取之，故不言剝也。」其說都未免失之迂曲。二月來降燕乃睇云：「百鳥皆曰巢突穴，取與之室，何也？摻泥而就家，入人內也。」八月鹿人從云：「鹿之養也，離群而善之，離而生，非所知時也，故記從不記離。」文字拗折，令人難以卒讀。正月鴈北鄉云：「先言鴈而後言鄉者，何也？見鴈而後數其鄉也。鄉者，何也？鄉其居也，鴈以北方為居，何以謂之？生且長焉爾。九月『遰鴻鴈』先言遰而後言鴻鴈，何也？見遰而後數之，則鴻鴈也。何不謂南鄉也？曰：非其居也。故不謂南鄉。記鴻鴈之遰也，如不記其鄉，何也？曰：鴻不必當〈小正〉之遰者也。」膠著字面，行文實在過於板滯。由於有這些缺陷，洪震煊云：「經文簡質，傳義奧深，習其讀者已

難,通其說者卒尠。」(《夏小正疏義‧序》)黃澍也曾說:「我讀〈夏
小正〉而惜焉,惜乎其多不可解者也;我讀〈夏小正傳〉而疑焉,疑
乎其曲為之解也。」(《夏小正注‧自序》)他們的感嘆都不是徒然
的。

總之,〈夏小正傳〉不夠完美是無可諱言的事。只可惜它是僅存
的古注,不像《春秋》有三傳可供我們在「三長」、「五短」之間有所
選擇。在不得已的情況下,我們只好一方面盡可能接受它可取的說
法,一方面自異說紛紜的後代注釋裡擇善而從,來修正它的疏漏,我
想這才是比較正確的態度。否則,像孔廣森、洪震煊那樣篤信傳文,
不容一語之出入,或像莊述祖那樣動輒竄易經傳,以就己說,就未免
趨於極端,恐怕難逃譏評了。

〈夏小正〉之人文

　　人類以七尺之軀頂天立地，以文明的炬光輝映宇宙，這是任何飛潛走伏之類所望塵莫及的，難怪人類要以萬物之靈自居，甚至要與天地並稱為三才了。《易‧繫辭》云：「《易》之為書也，廣大悉備，有天道焉，有人道焉，有地道焉，兼三才而兩之。」〈夏小正〉以小名書，廣大悉備自然是談不上，而其記天象，載物候，錄人文，倒也可以算得上三才兼具。在人文方面，〈小正〉是「空處較多，實處較少；旁面較多，正面較少。」（《曾文正公全集‧己未八月日記評書經、左傳語》）如果信手翻閱，實在微不足道，但若仔細撢研，卻可以有不少發現。茲就民生、社會、產業、禮儀、政事五方面加以析論，以證吾言之不虛。

一　民生

（一）飲食

　　國以民為本，民以食為天，〈夏小正〉記天時、載物候，都是為了農事，換句話說，民生問題是最受重視的。傳文在〈正月〉農率均田、〈三月〉攝桑、祈麥實、五月乃瓜、九月樹麥，都以「急」字解之，其意即在此。

　　民食可分為飯食、菜肴、飲料三大類。飯食即人類用以充饑的穀物，所謂主食是也。穀物最重要的有麻、黍、稷、麥、豆，也就是

《周禮天官・疾醫》鄭玄注、《靈樞經》、《大戴禮記・曾子天圓》盧辯注、《漢書・食貨志》顏師古注所稱的五穀。這五種穀物在〈夏小正〉中提到的只有黍、麥、菽（大豆）三種。錢穆云：「其為古代中國主要之民食者，西周以前，決然為黍稷。……而自春秋以下至於戰國，農作物之主要者，漸自黍、稷轉而為粟、麥。……若至於稻米文化之在中國，則其興起更在後。」（〈中國古代北方農作物考〉）胡厚宣《卜辭中所見之殷代農業》、郭寶鈞《中國青銅器時代》、何炳棣《黃土與中國農業的起源》則以為先秦時麥子種植不易，較為稀貴，並非一般人所能常食，所以〈夏小正〉時代，黍可能比麥更為普及。當時的人食用黍、麥、菽等穀物時，僅除去粗殼，不像今人食精米或白麵粉。烹治的方法，或用鬲煮成濃饘、稀粥，或用甑甗蒸成乾飯，前者較為省時、省事、省糧，是一般人常使用的（詳見許倬雲〈周代的衣食住行〉）。因而正考父「饘于是，粥于是，以餬余口」（《左傳・昭公七年》），〈夏小正・五月〉也記載「菽糜」（煮大豆稀飯）。將穀物磨粉製餅的記錄，首見於揚雄《方言》：「餌謂之糕，或謂之粢，或謂之餦，或謂之餢，或謂之飥。」先秦可能還沒有這種食法。至於糜、稷、禾、苣、稻、粱等穀物屢見於甲骨文及《詩經》，〈夏小正〉時代應該也都一應俱全，只是沒有記載而已。

　　穀物中主要的成分是醣類，其他的營養如蛋白質、脂肪、維生素及礦物，則有賴於蔬菜、肉類、水果等菜肴來補充，這些菜肴是用以佐餐的，即所謂副食是也。今日我國常見的蔬菜約一百六十種，有許多是秦漢以後才引進的。在《詩經》一百四十二種植物中作為蔬菜的僅約二十餘種。漢以前最主要的蔬菜應該就是《素問》所謂的五菜──葵、藿、薤、蔥、韭，而〈夏小正〉僅提到其中的韭，當然這也是記錄不夠完備的緣故。古時園藝較為落後，除了少數的栽培蔬菜之外，只要是無毒、無刺、無毛、無臭的野生植物，無不可採擷食

用。如果站在這個角度來看，〈夏小正〉裡可充作蔬菜的起碼還有芸（芸香）、堇（堇菜）、蘩（白蒿）、王蕡（王瓜）、瓜、菽（大豆）、藋（荻）、葦（蘆）、鞠（菊）、卵蒜（小蒜）。韭，一種久生，割取無時，生食、熟煮、菹藏無所不宜；卵蒜可以調鼎，可以作菹，與韭同在五辛之列；瓜或生啖，或煮炒，或淹漬，以之佐穀，其用最廣，它們都是最重要的蔬菜固不待言。芸，《呂氏春秋‧本味篇》視為菜之美者；蘩，《左傳》謂可薦鬼神、羞王公；堇，《詩‧大雅‧綿篇》以為其甘如飴，〈夏小正〉一概採為豆實，當然也都是理想的蔬菜。此外，王蕡之根、菽之苗葉、鞠之嫩苗、藋葦之萌芽，也都可以食用，在蔬菜貧乏的古代，想必不會為人們所遺漏。

肉類可作成肉乾、肉醬、肉羹，其主要來源應數六牲——牛、羊、犬、豕、馬、雞。我國早在四、五千年前，六牲即已齊全，而〈夏小正〉提到的僅有羊、馬、雞三種。其實，見於該書的其他許多動物也都可以作為佐餐的材料，如鳥類的雁、雉、鳩、燕、鴽（鶉）、鴻、雀，獸類的狸、鹿、熊、羆、豺、麛，蟲類的蜩（蟬）、浮游、蚔（蟻卵），魚類的鮪（鱘）、鼉（鼉龍）、蛤、蜃（大蛤）。它們大部分還曾列在《禮記‧曲禮》的祭品單、〈內則〉的宴客菜單之內呢。其中的燕窩、熊掌直到今日還列為珍品。當然，也有些在我們今天看起來覺得不可思議，如蚔、蜩、浮游都是。對於這點，陳啟源曾詳加臚舉，他說：「荇、藻、蘋、蘩，古以奉祭祀，周召二南草木疏亦言其甘美可食，今此四草無一堪供匕箸。〈內則〉養父母，枌榆列於珍味，今惟荒歲飢民始食其皮。〈月令〉五時之穀不數稻而數麻，今惟緝其板為布。稷為五穀長，後世或不能辨其品。《周禮》醢人饋食之豆有蚔醢，《禮記》人君燕食之庶羞有蝸醢及蜩蜎。蚔者，螘子；蝸者，蠃也；蜩者，蟬也；蜎者，蜂也，以此列之盤案，今人有對之欲嘔耳。」（《毛詩稽古編》）正因為蚔、蜩之類後世都已退出食物範

疇，有許多注家對〈夏小正傳〉以「為祭醢也」釋「抵蚳」大不以為然。殊不知蟻卵作醬，嶺南仍存其俗，如（唐）段公路《北戶錄》、劉恂《嶺表錄異記》、（宋）張師正《倦游錄》都迭有記錄，可見古人取為食物，並不足駭異。蓋飲食是與時而俱進的，物性的標準是變動而不居的，我們怎可執今以律古呢？

　　水果之見於〈夏小正〉者有梅、杏、桃、桑、瓜、棗、栗，這些乾果在《周禮・籩人》、《禮記・內則》裡也有記載，今日，我們仍繼續食用，當然不太有爭議。唯六月煮桃，傳文以「桃也者，杝桃也；杝桃也者，山桃也。」解之，黃叔琳《夏小正註》、王筠《夏小正正義》等曾提出質疑而已。蓋山桃在後世只用以接枝，而不入食，這可能也是與蚳醢的情況相類似吧？

　　飲料最重要的是茶、酒與乳酪。唐以前只有外族飲食乳酪，漢族是沒有這種習慣的。茶字在先秦典籍裡也從未出現過。據日人北村四郎〈茶與山茶〉一文的考證，我國在商周時代係以茶（苦菜）為飲料。此時北方尚未知有茶，等到茶由南方傳到北方時，北方尚無茶字，便假借草本的荼字，由荼變茶，約發生在漢代。〈夏小正・四月〉「取荼」，傳文云：「以為君薦蔣也。」〈七月〉「灌荼」，傳文云：「荼，雚葦之秀，為蔣褚之也。」有許多注家不表贊同，如金履祥《夏小正注》、王聘珍《大戴禮記解詁》以為荼就是苦菜，誠如其說，倒也可充當飲料。而徐世溥《夏小正解》、朱駿聲《夏小正補傳》等逕自解為茶，恐怕就非先秦所宜有。又，〈三月〉「采識」，沈維鍾云：「郝氏懿行謂京師人以之充茗飲，此古人所以采之歟？」（《夏小正條考》）如果其說可信，那識（龍葵或苦蘵）又是一種飲料了。至於酒，只有〈正月〉提到「初歲祭耒始用暢」，暢就是鬯，是用黑黍、香草合釀而成的名酒，十分貴重，惟祭祀、賞賜時使用，普通人所喝的大概就是黍之類所釀的酒。釀酒在我國已有幾千年的歷

史，早在新石器時代龍山文化時期，即已開始採用穀物作為釀酒的原料。殷人更是以嗜酒聞名，近世出土的尊、罍、盉、卣、爵、角、罍、瓢、觶等商代酒器數目極多，即為明證。《周禮》也分酒為泛齊、醴齊、盎齊、醍齊、沈齊五級，可見〈夏小正〉時代的酒類當不在少數，可惜文獻不足，無可徵考。

（二）其他

　　與飲食的材料相較，〈夏小正〉中有關衣飾、宮室、舟車的記載就顯得貧乏多了。

　　先秦的服飾，名目繁多，如首服有冕、弁、冠、巾、幘，衣裳有玄端、深衣、袍、裘、裳、袴，帶有紳、鞶，鞋有屨、舃、履、蹻、屐、韈，飾物有組、帶鉤、劍、笏、佩巾、小刀、火石、火鑽等。在〈夏小正〉經文中卻僅提到「王始裘」，裘，是禦寒的皮毛外衣，材料用羔、犬、狐、貉、麛、貂均可。行禮或接見賓客時，其外往往又加上一件裼衣，兩者顏色要相配，所以《論語・鄉黨》說：「緇衣，羔裘；素衣，麑裘；黃衣，狐裘。」在傳文中與衣飾有關的也僅有〈二月〉「綏多士女——綏，安也。冠子取婦之時也。」既有冠禮，當然有冠。冠是貴族男子所戴的帽子，上有冠梁，中有冠圈，下有冠纓，種類非一，質料和顏色不盡相同。行冠禮時，先加緇布冠，次加皮弁，最後加爵弁。廣義的冠包含冕、弁在內，形制就更複雜了。

　　在衣飾的材料方面，〈夏小正・三月〉云：「攝桑」、「妾子始蠶」、「執養宮事」，〈五月〉云：「啟灌藍蓼」，〈八月〉云：「玄校」，將這幾節貫通觀之，就可發現當時蠶絲、染色之業都已相當發達。先秦的絲織品有繒、帛、素、練、紈、縞、紗、絹、縠、綺、羅、錦等，顏色玄、素、朱、黃、青、綠、紫一應俱全。見於〈夏小正〉的只有藍、玄、綠三色，而絲織品自在其中。動物的皮毛也是製衣的好

材料，〈夏小正〉提到的獺、羔、羊、狸、鹿、熊、羆、貉、麋，在當時想必都能物盡其用。很奇怪的是，與一般平民衣著關係最密切的纖維作物，如麻、苧、葛、蕡、楮、芒、菅、蒯等，反而不曾一見。至於棉花，遲至隋唐以後始從印度經中南半島輸入我國，〈夏小正〉當然不可能提到它。〈四月〉云：「取荼——荼也者，以為君薦蔣也。」〈七月〉云：「灌荼——灌，聚也。荼，萑葦之秀，為蔣褚之也。萑未秀為菼，葦未秀為蘆。」如果傳文的解釋無訛，那灌荼就是《周禮‧地官》掌荼的「掌以時聚荼」，也就是聚集萑葦的花穗，以便填製茵席，在缺乏木綿之利的古代，茅秀葦苕的用途自然較後世為廣。

《爾雅‧釋宮》云：「宮謂之室，室謂之宮。」先秦宮室同指一般的房屋住宅，並無貴賤之分。〈夏小正〉全文中與宮室有關的文字只有〈三月〉：「執養宮事」，此節緊接在「妾子始蠶」之後，大部分的注家都認為「宮事」就是「蠶事」，因而「宮」就是指「蠶宮」而言，並非一般人所住的房宅。不過，早在五、六千年前新石器時代，我們的祖先就住在半地穴式及杆欄式（椿上）建築裡，並且已有夯土版築。殷代甲骨文有宮、室、宅、家、牢、囷，《周易》有門、庭、家、屋、廟、宮、戶、牖、階、墉、城、藩、牀、枕、廬、隍、并、穴等字樣，更是早已脫離構巢、穴居的生活，所以〈夏小正〉時代應有各式各樣的宮室，殆無疑義。

〈夏小正‧十一月〉云：「於時月也，萬物不通。」這可以指「天氣上騰，地氣下降，天地不通，閉塞而成冬。」（《呂氏春秋‧孟冬紀》）也可以指天寒地凍時節，人類及生物的行動不能暢通無阻。有了交通問題，舟車當然更為需要。〈四月〉云：「執陟攻駒」，〈五月〉云：「頒馬」，〈十一月〉云：「王狩」，有田狩，有馬，而且教駒服車，當時的車馬想必已相當發達。相傳夏代奚仲已發明車駕，近來考古資料，古車遺跡遺物數見不鮮，殷周車制甚至可以復原，就是一

個最好的旁證。《易・繫辭》云:「刳木為舟,剡木為楫,舟楫之利,以濟不通。」七千年前的浙江餘姚河姆渡遺址,五千年前的杭州水田畈錢山漾遺址,都發現了木槳,殷商已有木板船,春秋戰國時更出現了樓船、橋船。〈夏小正〉既提到淮、海,當時一定也有舟楫之利。

二 社會

(一)農業社會

人類社會的演進,是由漁獵而畜牧而農業而工商業,任何民族都不例外。〈夏小正〉全文係以農業生產為主體,王寶仁云:「除田曰均,公田曰服,尊農事也;束耒用緯,穮黍而禪,貴農器也;寒滌凍塗,火中雪澤,著農時也;一曰農率,再曰農及,重農之意切矣!」(程鴻詔《夏小正集說》引)甚至所載的天象、物候,也莫不與農業生產息息相關,若說〈夏小正〉所代表的是一個典型的農業社會,相信任何人都不會提出異議。問題只在於這一個社會到底是處於什麼時代?

如果把〈夏小正〉的下限定在春秋時代,那也不會引起任何爭議。因為周朝以農起家,從傳說的后稷起,中經大王、文、武以迄東西兩京,農業經濟都是一脈相承,未嘗中斷,我們只要看看《詩》、《書》中所載當時作物種類之多,農業技術之精,生產規模之大(詳見陳榮照〈詩經中有關周代農事史料之探討〉),再看看大量周代石、骨、銅、鐵農具的出土,就可了然無疑。

倘使將〈夏小正〉的時代像清儒那樣定在夏朝,由於文獻不足,勢必有所窒礙。但若說〈夏小正〉的某些農業資料是西周,甚至是殷、夏之遺(正如其星象記載包含某些上古天文資料一般),是否就完全講不通呢?我想未必然。西周農業極其發達,已如上述。至於殷

商究竟是農業社會還是遊牧社會，則有許多爭論，如程憬殷《民族的氏族社會》、萬國鼎《中國田制史》、陶希聖《婚姻與家族》、郭沫若《中國古代社會研究》、吳其昌《甲骨金文中所見之殷代農稼情況》，都以為當時雖有農業而不甚發達，還屬於遊牧時代。對於他們的主張，胡厚宣殊不以為然，曾撰寫了十二萬言的長文，詳加批駁，並進一步引用大量的史料，來加以反證。他說：「余嘗籀繹卜辭，探求古史，見殷代雨量豐富，氣候暖和，曆象知識發達，最適於農業之改進。其農業區域，東至海，西至今之陝西興平，北至今之山東臨淄，南至今之河南淅川。其耕種所在，見於卜辭者，地凡二十有一。殷王封建諸國，諸國則貢禾麥於殷王。王畿以內之田，則有農官掌之。耕作者乃民眾，率領監督及省察者則為農官，為史臣，或即為王之本身。銅製之耒或犁，乃殷人最普遍之農具。曳之者，除人外，尚有犬與牛。農產品以黍稻為最普通，稗間亦有之，麥則為較希貴之物。用農產品所釀作之物，有酒，有醴，有鬯。黍、麥之熟，往往先登祭於先祖。酒醴鬯者，尤為全國人民之所嗜，諸種祭典之所必需。而卜辭中求雨、求年之祭，受黍、受糧、受年之貞，乃多至數百見，則殷代農業之發達與重視，以及農業必為殷人之主要生產可知矣！」（〈卜辭中所見之殷代農業〉）後來陳夢家的《殷墟卜辭綜述》、島邦男《殷墟卜辭研究》也都採取同樣觀點，所以殷代為農業社會的說法，現在已為一般學者所普遍接受了。殷墟以前，我們迄未發現直接的古文字記載，但農業社會的演化是相當緩慢的，卜辭時代的農耕既已相當發達，則其前三、四百年的夏代，應該也不致過分落伍才對。近年考古學家在新石器時代的遺址，如西安半坡、浙江餘姚河姆渡、湖北京山屈家嶺、山東歷城龍山鎮、河南偃師二里頭，陸續發現不少人工培植的粟和稻穀等作物，以及石、蚌、骨製的農具（詳見蕭璠《先秦史》），越來越多的證據顯示，早在五、六千年前，農業已是人們經濟

生活的基礎。這一本質亘數千年而不變，我們雖然無法確切指出〈夏小正〉有多少農業材料是上古之遺，但至少可以說〈夏小正〉所描繪的農業社會風貌是源遠而流長的。

（二）非奴隸社會

近年，有少數學者認為〈夏小正〉裡實施奴隸生產制度，如于省吾云：「『綏』字古文作『妥』者，取義于俘女。『綏』字也作『緌』或『侯』者，均為縛繫之義，訓同而字異。至于『士女』的訓解，或為未婚的男女，或為夫婦，或為被俘掠的壯年男女，或為壯年的男女奴隸，此文之『綏多士女』，則專就壯年男女之為奴隸者言之。……奴隸們在其被迫從事勞役的時候，通常都是身上帶著鎖鍊或被繩索縛繫著的。由此以推，則〈小正〉之『綏多士女』，亦正同此意。〈小正〉二月先言『往耰黍』，又言『初俊羔』均係敘記農田畜牧之事，下接以『綏多士女』，是說用被索繫的許多壯年男女奴隸，以從事於農業和牧業的勞動，這是容易理解的。」（〈夏小正五事質疑〉）夏緯瑛也說：「從〈夏小正〉有關政事的經文中可以看出，他們實行的是奴隸制度。在〈正月〉的經文中有『農率均田』的話，是說農人按照規定分配農田。這種農田，當然不是農人私有的田產，是奴隸主所有的田，按規定分配給農人去耕種的田，這自然就是奴隸制度。再從有關養蠶和製衣的經文中看，三月有『妾子始蠶，執養宮事』的話，可以知道，妾是蠶妾，養蠶的女奴隸，為尊貴的婦子所監督而進行勞動，直至完成製衣的功事為止，這就很明顯地可以看出這是奴隸制度。當然，其它的生產工作也是由奴隸的勞動所進行。」（《夏小正經文校釋‧後記》）他們的說法乍看相當驚人，其實並無特別的創見，只是在響應郭沫若幾十年前的主張而已。

郭氏在《中國古代社會研究》一書中，認為商代和商代以前，都

是原始共產社會，西周是一個純粹的奴隸制的國家，在《十批判書》裡則認為商代也是奴隸使用社會，像呂振羽、翦伯贊、范文瀾、楊寬等都附和他的說法。殷代真的是奴隸社會嗎？郭沫若等的根據主要是卜辭中的奴、劓、婢、臣、僕、妾、奚、妍、好、嬖、妃、俘、牧、奚、宰、射、眾……諸文，而這些字經胡厚宣〈殷非奴隸社會論〉（《甲骨學商史論叢初集》）、島邦男〈殷的社會〉（《殷墟卜辭研究》第五章）逐一仔細檢討，卻沒有一條是站得住腳的。至於周代奴隸制度論呢？郭氏主要論據有十，即：奴隸買賣、奴隸賞賜、奴隸殉葬、用作犧牲、視同牛馬、用作牧人、農業勞動、徭役勞動、兵役義務、私有財產、有錢贖罪。這些取自《周易》、《詩》、《書》、金文的材料，也被余精一〈三代奴隸社會說批判〉（《中國農業社會史論》第二章），徐復觀〈西周政治社會的結構性格問題〉（《兩漢思想史》卷一）批駁得體無完膚。所以于、夏二氏的說法自然也隨之根本動搖了。

　　我們再回過頭來看看他們兩位的說法。于省吾以綏字通緌或俟，訓為縛繫之義，頗嫌折繞。而主張「綏多士女」即許多男女奴隸帶著鎖鍊在從事勞役，其錯誤與將甲骨文中的奚字解作俘虜來的奴隸是一樣的（詳見島邦男〈殷的社會〉）。夏緯瑛將那些在不屬於自己的田地上工作的農夫，以及有貴婦指導監督的蠶妾都視為奴隸，尤屬荒謬可笑。這些人頂多只能算是農奴、蠶婢而已，他們非財產，有人格，不可買賣，不可讓與，具有相當程度的自由，除一定的貢納與徭役義務外，可以擁有私產，甚至擁有部分私田。他們在經濟上、法律上與奴隸是迥然有別的。如果將這樣的人也當作奴隸，那豈不是整部人類的歷史都是奴隸社會史了嗎？雖然許多人都承認殷周時代的確有奴隸存在，但人數極其有限，只要這些奴隸不是當時生產的主體、政權的基礎，就不能視為奴隸社會。所以于、夏二氏的看法純屬主觀的臆測，是違反歷史事實的。

那麼，〈夏小正〉的社會型態到底是怎麼樣的呢？如果將它的時代定在春秋，我想應該是一個封建社會，可惜我們所能看到的人物，除了農夫、蠶妾、貴婦外，只是王和幾種官吏而已。黃模說：「小正言官者凡四：曰農、曰主夫、曰嗇人、曰虞人。陸、孔以農率即田正，有五；金氏以鹿人為山虞，有六，此名之昭著者。若占星、入學、用暢、頒冰、頒馬、祭鮪、施麋、始裘、畜牧、爽死、圍囿、田獵、綏士女、陳筋革之類，各有司存。其采蘩、攝桑、始蠶、元校，婦職亦備。于此略見夏后氏官百之制焉。至於羪羊而有獸醫，煮梅而有籩人，鳴蜮而設蟈氏，潢潦而設萍氏，周官之監于夏者，亦可想見矣！」（《夏小正異義》）他雖竭力牽引比附，還是無法勾勒出一個完整而明晰的社會組織來，所以在這方面就不多談了。

三　產業

（一）農業

〈夏小正〉是農書的嚆矢，它所反映的是典型的農業社會，全文中有關農業的資料可說連篇累牘，不勝枚舉。

1 農產品

人類當作主食的穀物在甲骨文中出現的有黍、稻、麥、秬、魯、秫六種；在《詩經》中出現的有黍、稷、麥、禾、麻、菽、稻、秬、粱、芑、荏菽、秠、來、牟、稌十五種。〈夏小正〉卻只記錄了黍、麥、菽（大豆）三種，當然不是說當時穀物僅止於此，而可能是意謂這三種最具有代表性。所以早在殷墟卜辭裡，立黍、省黍、挈黍、登黍、告麥、食麥、食來、登來等的記錄就層出不窮，何炳棣也說：「由粟、黍、稷組成的『小米群』，終先秦之世，是華北農作系統的

重心。」又說：「自史前即已開始的蠶桑，和原生於我國東部，經過
長期馴化育種始見於西周文獻的大豆，也都表明我國古代農作系統的
『區域性』和『獨立性』。」（《黃土與中國農業的起源》全刊小結）

除穀物外，〈正月〉云：「囿有見韭」，〈四月〉云：「囿有見杏」，
〈五月〉云：「啟灌藍蓼」，可見當時已有園藝作物。蔬菜方面的韭、
瓜、卵蒜，果樹方面的梅、杏、桃、桑、棗、栗，染料植物的藍蓼，
想必都已是人工培植。至於其他可當蔬菜的芸、菫、蘩、王萯，可作
飲料的識，可供沐浴的蘭，可充木材的柳、楊、桐等，究係園藝，還
是野生，就不得而知了。

2 農具

生產農作物時需要種種工具，它們是顯示生產方法最具體的標
幟。〈夏小正〉與農具有關的僅有〈正月〉的「農緯厥耒」、「初歲祭
耒」、〈二月〉的「往耰黍禪」。耒，《說文》云：「手耕曲木也。」其
起源甚早，在牛耕盛行以前，一直是最普徧的耕地農具。昔人往往將
耒耜混為一物，謂耒為耜上之勾木，耜為耒下所附之刃。徐中舒〈耒
耜考〉則認為二者判然有別，耒下歧頭，耜下一刃；耒為仿效樹枝式
的農具，耜為仿效木棒式的農具；耒為殷人習用，殷亡之後，即為東
方諸國所承用，耜為西土習用，東遷以後，仍行於汧渭之間；耒後變
為鍬杴，耜後變為耕犁，二者各有其演進的道路。甲文的耤作為 🀆，
即象人持耒耕作的形狀。使用這種農具時，須以手持柄，以腳踏藉柄
下的橫木，將鋒刃刺入土中向前推，然後向外挑撥，把土發掘起來。
掘一塊，退一步，和犁耕向前推動的方法不同，所以《淮南子‧繆稱
篇》說：「織者日以進，耕者日以卻。」而且手足必須並用，較為費
力，因而常常是採取耦耕的方式。耰，用以擊碎土塊和散土覆在種苗
之上，俾使土壤鬆疏，以保持水分及培土附根，是中耕的重要農具。

古人在耕作時，往往隨耕隨耰，同時進行，《論語・微子篇》云：「長沮、桀溺耦而耕。」隨即又云：「耰而不輟。」大概就是這個緣故。

新石器時代遺址出土的農具已有石鏟、石鋤、木耒、骨耜，殷墟也發現了許多蚌、石製的鐮、銍、鏟，《詩經》更提到了耜、銍、錢、鎛等。〈夏小正〉僅記錄耒、耰兩種，當然也是舉其要而已。特別值得一提的是：〈夏小正〉言耒不言耜，與徐中舒所謂耒為東方農具，耜為西土農具的說法正可相互發明。另外，最容易令人聯想到的問題是：當時究竟有無銅製甚至鐵製的農具呢？如果〈夏小正〉的成書時代定在春秋，答案無疑是肯定的；若定在西周或殷以前，那就比較容易引起爭議了。如胡厚宣〈卜辭中所見之殷代農業〉主張殷代已有銅製農具，郭沫若《中國古代社會研究》主張周初已有鐵製農具，而陳夢家《殷墟卜辭綜述》、李劍農《先秦兩漢經濟史稿》卻持不同的見解，可說迄無定論。

3 農技

陳榮照云：「周代的耕作技術，從開墾荒地、規劃農田、疏鬆土壤、選時播種、去草除蟲以至灌溉施肥和休養地力的方法的利用等等，甚為完備，而且已達到相當高的水平。」（〈詩經中有關周代農事史料之探討〉）〈夏小正〉時代的農業技術應該已經相當發達，可惜我們所能看到的也僅是吉光片羽，如〈正月〉「農緯厥耒」，農夫修整農具，固可耕耘舊田，也可開墾荒地。〈二月〉「往耰黍禪」，以耰擊碎土塊，散土覆種，旨在疏鬆土壤，使苗種容易吸收水分和空氣；仲春就準備種黍，對農時的把握及種子的選擇當然都已注意到了。〈正月〉「農率均田」，傳文以除田釋之，就是除去雜草，以免吸去土壤中的水分和養料，影響苗的生長；斷了根的雜草可加以腐化，作為肥料；如果再畜糞施肥，那種苗的養分就更充足了。〈正月〉記「田鼠出」，

〈三月〉記「穀則鳴」，其目的即在提醒大家對鼠害、蟲害的注意，可以像《詩經‧小雅‧大田》「秉畀炎火」那樣採取用火誘殺的方法，或像《周禮‧秋官》那樣用牡菊來觸殺、薰殺螟蝗之類。〈正月〉「農及雪澤」，農夫汲汲於雪融之時準備春耕，當然是那時疏濬溝洫、引水灌溉最為方便。〈五月〉「啟灌藍蓼」，先蒔苗於畦，再分別移植，使藍蓼行列稀疏，得到充分發育的空間，這已是相當進步的措施。〈五月〉「煮梅」、六月「煮桃」、〈八月〉「剝棗」，將收穫的農產品或煮以卵鹽，或剝削淹漬，以便久蓄，這都是現在所謂的農產品加工。從上述的這些零星記錄裡，我們對〈夏小正〉時代的農業技術也可略窺一斑了。

4 農時

農業社會特別重視農業季節的把握，春生、夏長、秋收、冬藏，各有其序，才有豐年的可能。《呂氏春秋‧審時篇》云：「得時之稼興，失時之稼約。」王禎也說：「四時各有其務，十二月各有其宜。先時而種，則失之太早而不生；後時而藝，則失之太晚而不成。故曰：雖有知者，不能冬種而春收。」（《農書‧農桑通訣》）〈夏小正〉除了觀象授時以審寒暑、正節氣外，還詳載物候，幫助人們對季節的認識與預知。其目的無非是在提醒大家要把握時節，妥善安排各種農業活動，於是〈正月〉「農緯厥耒」、「農率均田」、「農及雪澤」、「初服于公田」，〈二月〉「往耰黍襌」，〈三月〉「采識」，〈四月〉「取荼」，〈五月〉「啟灌藍蓼」……耕耘、收穫各種作業都紛紛展開。真是做到孟子所謂的「勿奪農時」，荀子所謂的「以時順修」。後世《四民月令》、《四時纂要》、《農桑衣食撮要》、《經世民事錄》、《農圃便覽》之類的農書，把每個月需做的農業生產操作事項，按照輕重緩急的次序，逐項寫出，就是貫徹這種精神的具體表現。

5 農制

〈夏小正‧正月〉云：「農緯厥耒」、「農率均田」，孔穎達《禮記正義》、黃叔琳《夏小正註》、孔廣森《大戴禮記補注》、黃模《夏小正異義》等以為農或農率就是農官。〈十一月〉云：「嗇人不從」，宋書升《夏小正釋義》以為嗇夫就是田畯。他們的說法雖然不能被所有注家接受，但是早在商代就有小耤臣、畎之類的農官，《詩‧七月》、〈甫田〉、《周禮‧籥章》也有田畯，則〈夏小正〉時代有許多農官負責指導、監督農民從事生產，是十分合理的。

〈正月〉又云：「初服于公田——古有公田焉者，古言先服公田而後服其田也。」此與《詩‧小雅‧大田》：「雨我公田，遂及我私。」《管子‧乘馬篇》：「正月，令農始作，服于公田。」的記載是相同的。過去有許多學者喜歡拿它來作為井田制度論的佐證，也有不少學者懷疑井田制度僅是孟子個人的託古改制（詳見陳瑞庚《井田問題重探》），這是一個紛拏難決的疑案。孟子所講，容或過分整齊化、制度化、理想化，但古時民眾對公家一向有服勞役的義務，在私有土地制未發生以前，一方面由農民共同耕種公家的田地，另一方面由公家分田給農民耕種自贍，以為報償，似乎是有可能的。

（二）蠶桑

我國是最早發明養蠶、種桑、織絲的國家，世界各國的蠶桑技術都是直接或間接由我國輸入的，這是我們祖先對人類文明的偉大貢獻之一。山西夏縣西陰村新石器時代遺址裡就曾發現一個人工割裂的蠶繭，浙江錢山漾遺址也曾有絹片、絲帶、絲線出土，每方吋密度高達一二〇根，真是技術驚人。殷代故墟不僅有玉蠶、蠶紋裝飾，甲骨文更有桑、蠶、絲、系、帛及其孳乳字一百多個。《詩經》中提到蠶

桑紡織之事的，也不下二十餘篇，足見殷周時代蠶桑之業在產業結構裡已占有相當重要的地位。〈夏小正・三月〉云：「攝桑」，表示暮春時節桑芽轉青，開展如鑷，正是蠶種催青的適當時期，於是緊接著「妾子始蠶」、「執養宮事」，鄒景衡云：「古人發明將野蠶改成家飼之後，經多年之經驗，而知保護蠶種之重要，且知將蠶種人工加溫（術語為「催青」，俗稱「暖種」），藉以控制蟻蠶孵化之時間，俾與桑葉之發育能相配合。……（傳云）『急桑』者，謂桑綻如鑷，已屆始蠶（催青）之期，時乎不可緩也。蓋早生蠶，則大眠時上簇期，可不與梅雨相值，而使蠶作安定，繭質佳良。但過早則桑葉不經濟，甚至苦於缺葉，以至蠶飢。故須配合適當，庶免其害，而蒙其利。」（〈夏小正攝桑考〉）能將桑葉的生長與蠶種的加溫密切配合，正是蠶桑技術已相當進步的明證。至於「執養宮事」，顯示當時已有蠶室，而且由貴婦與蠶妾進行大規模的養蠶工作，則蠶架、蠶箔等專門工具，改良桑株、「奉種浴于川」（《禮記・祭義》語）、防治蠶病等專門技術應該都早已具備。

（三）畜牧

　　早在新石器時代，我國就已經飼養家畜、家禽。如陝西半坡、姜寨、浙江河姆渡等原始遺址中，就發現不少豬、狗、羊、雞和水牛的骨骼，以及飼養家畜的欄圈、堆積的家畜糞便。稍晚的龍山文化遺址裡也發現馬骨，足證我國至遲在四千多年前已經完成了六畜的馴化和飼養。〈夏小正〉時代農業十分發達，畜牧早已退居產業的次要部門，但畜牲不僅可供人類服御、食用，在祭祀時也少不了它，當時人們生活安定，需求亦多，畜牧的技術必然是相當進步的。〈正月〉云：「雞桴粥」，雞知時，抱卵生育也有定期，因而引起人們的注意。〈二月〉云：「初俊羔助厥母粥」，〈三月〉云：「羝羊」，羊為吉祥動

物，〈三月〉「頒冰」時獻羔祭韭需要用它；暮春時節，羊群來往相逐，表示天氣已經暖和，所以都特別提及。馬用途更廣，介紹尤為詳細，〈四月〉云：「執陟攻駒」，〈五月〉云：「頒馬」，執陟是拘執春情發作而騰躍的小馬，一方面免得牠接近而踢傷懷孕的母馬，另一方面也是牠長得不夠強壯，還不宜配種。攻駒據傳文的解釋是「教之服車，數舍之也。」王筠《夏小正正義》則以為此即《周禮・夏官・廋人》的「攻駒」、校人的「攻特」，誠如其說，則是當時已知為馬進行閹割手術，使牠性情溫馴，發育健壯。頒馬據傳文是說國君分駒馬給卿大夫使用，也就是《禮記・月令》的「班馬政」。可見當時對馬的飼養、管理、繁殖與使用都已相當講求。〈十一月〉云：「王狩」，狩字從犬，田狩須使用獵犬，犬雖未直接提到，必在其中。牛在殷代已大量用於祭祀，至遲春秋時已用以耕田，豬更早在新石器時代就成為人們的重要肉食，當然〈夏小正〉時代數量一定更多，品種一定更加優良。

（四）漁獵

　　魚類在品味、營養方面都可以補禽獸的不足，一萬八千多年前的北平周口店山頂洞人已經食有魚，並且能捕到比較大的魚。三千多年前的商代即已開始用人工養魚。〈夏小正〉裡提及淮、海，其時的漁業諒必相當發達。〈十二月〉云：「虞人入梁」，虞人即澤虞、漁師、獻人之類的小官，利用冬天去修理魚堰，架設網罟，準備來春捕魚。〈正月〉云：「魚陟負冰」、「獺獸祭魚」，即在提醒人們漁撈的季節揭幕了。他們的成果有〈二月〉「祭鮪」、「剝鱓」的龐然大物，也有〈九月〉「雀入于海為蛤」、〈十月〉「雉入于淮為蜃」的介類。至於打獵，在農業時代甚至更早的畜牧時代已非人類主要的生產手段，但為了捕獲奇禽異獸、山珍野味，還是須時時為之。〈夏小正・十月〉記

「豺祭獸」，也是在表示狩獵的季節來臨了，所以〈十一月〉「王狩」，開始展開大規模的田獵。他們的獵物有鳥類的鴻、雁、雉、鷹、鳩、鴌、雀，獸類的獺、狸、麋、鹿、熊、羆、貊、貉、貔貐、豺等。

（五）工藝

原始時代，凡事自給自足，簡陋之器物，人人自為。到了農業社會，生活安定，百技日精，分工也愈趨精細，即以《周禮·考工記》而言，攻木、攻金、攻皮、設色、刮摩、搏埴都各有專人負責，而且講究天時、地氣、材美、工巧四者相合。在〈夏小正〉中雖找不出一個「工」字，而各種工藝也有蛛絲馬跡可尋：

1 土工

〈三月〉云：「執養宮事」，宮為蠶宮，連養蠶都有專用的房舍，人們自己居住的宮室更不待言。夯土版築為三代之主要建築技術，除草頂、樑柱之外，多夯土為之，〈夏小正〉時代當然也不例外。

2 木工

除建築需要木工配合外，舟車、耒耜等更得仰賴木工操作。製車在〈考工記〉裡由車人、輪人、輿人、輈人分工合作，對技術的要求相當嚴格，考慮十分周密。耒耜也是由車人負責，唐陸龜蒙《耒耜經》言之尤詳。

3　陶工

〈二月〉「榮菫」、「采蘩」，〈三月〉「時有見稊始收」，〈五月〉「煮梅」，六月「煮桃」，傳文都以「豆實也」釋之。豆為食器兼禮器，用以盛放黍稷、羹醢之類，其材料、竹、木、陶、石、金屬皆可。近年新石器時代遺址曾有陶豆出土，殷代的豆也以陶質最多，捏足、盤條、粘足、連圍各種製法都有（詳見石璋如〈殷代的豆〉）。〈夏小正〉時代的陶藝應當更為進步，宮室裡的簠簋甕缶想必為數不少。

4　金工

我國在新石器時代末期已能利用銅礦石煉製小件銅器，商周時期進入青銅時代，春秋戰國時期更進入鐵器時代。殷墟彝器形式、鏤刻之精巧，東周礦場規模之宏偉，都是有實物可以為證的。〈夏小正‧二月〉「丁亥萬用入學」需要舞干戚，〈十一月〉「陳筋革」需要省兵甲，此外，飲食的器皿、祭祀的禮器，甚至耕耘的農具，也往往需用金屬，則當時有冶鑄、鍛造之術可知。

5　革工

〈二月〉云：「剝鼉——以為鼓也。」鼉龍性至難死，須以沸湯灌口，入腹良久才剝其皮，商代有蟒皮鼓，〈考工記〉有鮑人專門治皮、韗人專門作鼓。〈十一月〉云：「陳筋革——陳筋革者，省兵甲也。」筋所以為弓，革所以為甲，〈考工記〉有弓人治弓，函人治甲。早在一、二萬年前舊石器時代，我們的祖先就已開始使用弓箭，原始的弓箭用皮條、動物筋或植物纖維繩做弦，與〈夏小正〉的記載正相合。〈九月〉云：「王始裘」，〈考工記〉也有裘人專做皮衣，惜該節文字已亡佚。

6　織工

〈夏小正〉時代很重視蠶桑之事，紡織之業必然也相當興盛。我國許多新石器時代的遺址都曾發現紡塼以及原始織布工具。後世紡車、織機、提花機相繼發明，不斷革新，從繅絲、練絲、穿箔、穿綜、裝造到結花本，都十分方便，水準也日益提高。戰國時代絲織品遺物已織斜紋、織提花，還有刺繡，其前的〈夏小正〉時代應不致過分遜色。

7　染工

古代染色用的染料，多為天然礦物或植物染料，而以後者為主。〈五月〉「啟灌藍蓼」所栽培的就是用以染青的蓼藍。〈八月〉「玄校」，是用赤黑、蒼黃二色染衣，所使用的可能是梔子、茜草、櫟實、藎草等植物，也可能是赤鐵礦、硃砂、空青、石黃等礦物。《爾雅》云：「一染縓，再染䞓，三染纁。」〈考工記〉云：「三入為纁，五入為緅，七入為緇。」以不同的染料不斷地套染，可見先秦的染色技術已十分精湛。

8　釀工

〈正月〉云：「初歲祭耒始用暢」，暢即鬯，當時能用香草、黑黍釀造這種用以祭祀的高級香酒，足證技術已頗為高超。《禮記・月令》云：「秫稻必齊，麴糵必時，湛熾必潔，水泉必香，陶器必良，火齊必得。」先秦釀酒時對穀物、酒麴、衛生、水質、器皿、溫度都十分講求，在今日看來，還是相當符合科學精神的。

四　禮儀

　　陳澧云：「《大戴記》有〈夏小正〉，此最古之書，而小戴不取，蓋以其記禮之語少也。」（《東塾讀書記》卷九）〈夏小正〉的確不像〈月令〉那樣動輒涉及五禮，因為它旨在驗時，意不主於禮。但我們若能細心研讀，也可發現不少有關禮儀的材料，如安吉云：「右記二月之候，農功之外，補王政。于綏多士女，見冠昏之禮焉；于丁亥入學，見學校之禮焉；用萬、剝鱓，見樂舞樂器之制焉；俊羔、祭鮪、榮菫、采蘩，見祭祀之重焉。」（《夏時考》）這些材料真是「至簡而人不煩，至精而物不隱。」（錢儀吉《夏小正疏義‧序》）並不因其文簡事少就可任意忽略的。

（一）昏禮

　　人類由雜交時代而血族群婚，而亞血族群婚，而一時之配偶，最後才形成固定之夫婦，其演變的過程非常漫長。秦蕙田云：「天地合而後萬物興焉。夫昏禮，萬世之始也，人道之本也。」（《五禮通考》，卷一百五十一）昏禮的意義十分重大，所以古人須鄭重地以六禮——納采、問名、納吉、納徵、請期、親迎來完成這項倫理關係。〈夏小正‧二月〉云：「綏多士女——綏，安也。冠子取婦之時也。」《周禮‧春官》媒氏也是在仲春會合男女，鄭玄注遂謂嫁娶必以仲春之月，王肅則根據《荀子‧大略篇》、《詩毛傳》、《孔子家語》，主張秋冬嫁娶，仲春期盡，晉朝束皙兩非之，以為「春秋二百四十年，天王取后，魯女出嫁，夫人來歸，大夫送女，自正月至十二月，悉不以得時、失時為褒貶，何限于仲春、季秋以相非哉？」（昏姻以時議）其說較為閎通，蓋古時為農業社會，農民冬則居邑，春則居野，平時相聚不易，霜降至冰泮之間為農桑之際，舉行婚禮比較方便，尤其仲

春更為適當。但婚姻之義在於賢淑，只要卜得吉日，四時何嘗不可通用？如果限以時月，似乎是不太符合人情。

（二）冠禮

冠禮與氏族社會的成丁禮意義相同，是在男子二十歲時舉行，責以成人之道的儀式。須筮日筮賓，在宗廟三加三醮，整個過程經歷十幾道手續，也是相當隆重的。〈二月〉「綏多士女」，傳文之意是兼冠昏而言，賈公彥《儀禮疏》從而以為冠有常月，故筮日不筮月。此種看法與昏禮之限以仲春犯了同樣的錯誤，晉朝王彪之云：「冠無定時月，春夏不可，更用秋冬，故經云：『夏葛屨，冬皮屨。』」（黃以周《禮書通故‧卜筮通故》引）足以駁正其非。〈夏小正傳〉所以將冠昏聯言，乃因二者同屬嘉禮，而且行過冠禮之後，就進入婚齡的緣故。繫之二月，只是為時而記，言其時最宜於昏冠而已，並不是只有仲春才能舉行這兩種嘉禮。

（三）學禮

〈二月〉又云：「丁亥萬用入學——丁亥者，吉日也。萬也者，干戚舞也。入學也者，大學也。謂今時大舍采也。」古時學校教育相當發達，國與鄉都有大學，入學時須舉行萬舞，祭祀先聖先師，所以崇德而勸學。萬應依《韓詩》、《詩‧邶風‧簡兮‧毛傳》，解為舞之大名，兼具文舞與武舞，春夏舞干戚（武舞），秋冬舞羽籥（文舞）。〈小正傳〉大概因時值仲春，故以干戚舞為言。其說雖與《公羊傳‧宣公八年》：「萬者何？干舞也；籥者何？籥舞也。」同趣，未免有所偏畸。何休注《公羊》，以萬為舞名，籥為樂器，失之彌遠。至於大舍采，漢以後不行，說解尤為紛歧。《周禮‧大胥》：「春入學，舍采合舞。」鄭玄注：「鄭司農云：舍采，謂舞者皆持芬香之采。或曰：

古者士見於君，以雉為贄；見於師，以菜為贄。菜直謂疏食菜羹之菜。或曰：學者皆人君卿大夫之子，衣服采飾。舍采者，減損解釋盛服，以下其師也……玄謂舍即釋也，采讀為菜。始入學者必釋菜，禮先師也。菜，蘋蘩之屬。」《呂氏春秋‧仲春紀》：「仲春入舞舍采。」高誘注：「舍猶置也。初入學宮，必禮先師，置采帛於前以贄神也。」以上這五種說法，以鄭玄之說最善，後代學者多從之。洪震煊繹之云：「〈文王世子〉云：『始立學者，既興器用幣，然後釋菜，不舞不授器。』此舍菜用萬，是有舞也；舞用干戚，是授器也。舞授器者，對不舞不授器為大與？曰『大舍采』，明非小者之比也。」（《夏小正疏義》）解說頗為簡賅，洪氏原欲解舍采為解釋盛服，胡培翬致書表示當從康成之說（見《儀禮正義‧士喪禮》「君釋采入門」下），後來《疏義》果然主鄭，可謂擇善而從了。

（四）祭耒

〈正月〉：「初歲祭耒，始用暢也。」祭耒之禮久已失傳，像王聘珍《大戴禮記解詁》讀為察耒，程鴻詔《夏小正集說》易為祭采，都是表示對這種禮儀的懷疑。幸而近世甲骨文出土，有些資料正好可以作為旁證，白川靜云：「『大命眾人，曰魯田，其受年？十一月。』魯田一詞也有逕作魯的。魯作𠭰，象列耒耟於祝告之器𠙴上之形，其原義許是指修祓耒耟之禮。《詩》有『籩豆靜嘉』之句，籩豆是盛祭物之器，蓋言粢盛之潔淨。作潔淨之意的嘉字，上部從鼓形，是表示用鼓聲祓除邪靈之意。其下從加，加的造形是在祝告之器𠙴旁從一耒耟，與魯字的意象相似。由於作物常有蟲害之虞，故凡農作之器具，亦皆施以隆重之修祓。」（《甲骨文的世界》第五章）〈夏小正〉是唯一提到這種禮儀的典籍，真是彌足珍貴。可惜對祭耒的過程沒有仔細介紹，只提到始用暢。暢（鬯）是祭祀時常用的酒，用來灌地降神，

取其芬芳條暢之義。至於祭祀的對象是誰，則無法確知，黃叔琳云：
「古之君子使之必報之，迎貓迎虎以及郵表畷坊與水庸皆祭之，則此
有事於耒，即祭耒焉爾。然社祭土而句龍食焉，稷祭穀而柱食焉，
《易大傳》言神農始為耒耜，蓋取諸益，則配食者，其諸神農氏之臣
歟？」（《夏小正註》）可以聊備一說。

（五）祈穀

〈三月〉：「祈麥實。」殷人有耤（求）年之祭，每年春秋對先祖
貞問年成豐歉，此類卜辭屢見不鮮，如「癸丑卜，㲉貞，求年于大
甲，十宰；祖乙，十宰？」（《殷虛書契後編》上卷二十七頁六片）
「□子卜，爭貞，耤年于祊，㞢十犁牛，丗百黎牛？」（《殷契佚
存》一二六片）使用的犧牲有時多達一百頭牛，盛況可見。這種儀式
到了周代演變為祈穀之祭，《禮記‧月令》云：「孟春之月，天子乃以
元日祈穀于上帝。」祈穀，又名郊，與當時祀天之祭──圜丘（又名
郊）名稱相同，昔人往往混為一談。周師一田云：「祈穀之祭所以亦
名郊者，蓋祈穀亦行於郊，以祀天帝，正以所在、所祭與圜丘之祭
同，乃得有此共名。……殷人求年於先祖，當時是否限為王者之禮，
殆不可知。而周之祈穀祀於天帝，天帝為百神之君，天子為萬邦之
王，故惟天子始得祀天，亦惟天子始得祈穀也。」（《春秋吉禮考辨》
第二章第一節）分辨最為明晰。

（六）求雨

雨量之多寡與年成之豐歉息息相關。我國北方雨水不足，變率頗
大，古時水利灌溉又不發達，遇到乾旱時往往只有求之神明，以濟燃
眉之急。所以商湯以身求雨救旱的故事在古籍裡廣為流傳，甲文裡也
有許多舞雨、焌雨的記錄。以歌唱舞蹈來取悅神明，甚至焚人以祭，

靠天吃飯、無能為力之情溢於言表。〈夏小正・三月〉「越有小旱」、〈四月〉「越有大旱」，許多注家都認為此與雩祭有關，如王筠云：「皆為常雩記也。不記雩祭，亦〈小正〉不記大禮也。」（《夏小正正義》）于省吾更逕以為越本作雩，後形訛為粵，通作越（〈夏小正五事質疑〉）。周代雩禮有二，一為常雩，一為旱雩。周師一田云：「常雩之祭，備盛樂，集群巫，祈於山川百源以求時雨，祀於天帝以邀福賜，祭於百辟卿士有益於民者以祈民收，是常雩非止求雨，實兼邀福祈收，重民之義存焉。……旱雩之祭，因旱求雨，蓋以斯民窮苦之狀上達於天，庶其垂憫而降雨澤，德惠下土以蘇民困；當祭之時，或以歌呼而嗟歎，《詩・大雅・雲漢》之詞是；或與舞容而辟踊，司巫、女巫之事是。」（《春秋吉禮考辨》第四章第一節）對二雩區別得十分清楚，而其儀式之盛也大略可見。

（七）登嘗

祭祀所以報本反始，崇德報功，古人每於農牧漁獵有所收成之後，以新穫之物舉行登嘗之禮，祭祀祖先。胡厚宣云：「殷人用農產品祭祀者，或弄黍，或弄麥，或弄米，或弄□，或采禾。用農產釀作物祭祀者，則有酒，有醴，有鬯。又有告秋、告歲之祭，則略與〈月令〉『嘗新』之禮同。」（〈卜辭中所見之殷代農業〉）〈夏小正〉既有祈穀之禮，則於秋收之後必有登嘗。既記載〈五月〉「煮梅」、〈六月〉「煮桃」以為豆實，則可能也像〈月令〉仲夏之月「羞以含桃，先薦寢廟」那樣，有薦果之禮，只是都沒有記錄而已。不過，〈二月〉「祭鮪」則確為登嘗無疑。程鴻詔云：「凡薦魚之禮，正祭之魚縮俎右首進腴，天子諸侯繹祭之魚則橫載之。乾魚進首，濡魚進尾。冬右腴、夏右鰭。又刌魚腹下為大臠，反覆於上謂之膴（集〈少儀〉鄭注孔疏、〈少牢饋食〉〈有司徹〉鄭注賈疏說）。此祭鮪乃薦新之祭，與正

祭不同。鮪是濡魚，應進尾右腴，覆臐而橫載於俎也。」(《夏小正集說》)解釋薦鮪之禮甚為詳細。

(八) 煑祭

〈二月〉：「初俊羔助厥母粥。」傳云：「夏有煮祭，祭也者，用羔。」煮祭之名從未在其他典籍出現過。王聘珍《大戴禮記解詁》解為大烹而祭，孔廣森《大戴禮記補注》釋為饋熟之祭，宋書升《夏小正釋義》詮為禴祭，都未免牽強附會。朱熹疑為暑祭(洪震煊《夏小正疏義》引)，由於三月頒冰時需「獻羔祭韭」(《詩‧豳風‧七月》)，其說蓋近是。孫詒讓以為此與《左傳‧昭公二年》說中春啟冰，以羔祭司寒禮相類，而與《周禮‧籥章》之「中春晝擊土鼓，龡豳詩以逆暑」不同。蓋前者為告祭，後者為正祭(《周禮正義》，卷四十六)。

五　政事

〈夏小正〉不備載大禮，對軍國大事當然也罕所涉及，有許多學者以為那是因為另有「大正」專門來記錄它們的緣故。如王筠云：「〈正月〉記祭耒用暢，必天子事也，而不記王之耕耤；三月記妾子始蠶，而不記后之躬桑，何也？此所謂小正也，其大事自別有典籍也。」(《夏小正正義》)宋書升亦云：「內火者，大正之事，非小正所聞，故但舉天象以驗時，而其典缺如也。以時縱火者，此小正之事也，故記之。」(《夏小正釋義》)可惜「大正」之書早已亡佚，我們從〈小正〉裡所能看到的政令、法典也就十分有限了。

（一）觀象授時

觀測日月星辰的變化來確定時令、制定曆法，叫作觀象授時。《尚書・堯典》云：「乃命羲和欽若昊天，曆象日月星辰，敬授人時。」古之人君，每以治曆明時為執政之首務，其重要性不難想見。〈夏小正〉是我國現存最早的曆書，對星象記載頗為詳細，當時有專門機構負責處理天文曆法，自不待言。在觀象方面，〈夏小正〉以昏旦星象為主，將它們的出沒和月份聯繫起來，以反映時節的變化。所記錄的有鞠（虛）、參、昴、大火（心）、辰（房）、南門、織女、斗柄、漢等，而猶無完整的二十八宿，無法像《呂氏春秋・十二月紀》那樣記錄日躔。在授時方面，所使用的是一種較早期的夏曆，分一年為十二月，以干支紀日，以物候來表現時節的轉移。對四季、置閏、大月小月、每月日數等則缺乏明白的交代，更遑論二十四節氣、七十二候了。所以它所代表的時代當不甚晚。

（二）戎政

〈十一月〉云：「王狩——王狩者，言王之時田。冬獵為狩。」古之王者，常有田獵之事，一則可獲野物，充君之庖；二則可備祭品，共承宗廟；三則可驅禽獸，為田除害；四則可習勤勞，辨明尊卑；五則可蒐軍實，簡集士眾，真是舉一事而眾善皆備。在這幾種目的裡，軍事無疑是最受重視的，因為「國之大事，在祀與戎。」（《左傳・成公十二年》）殷王田獵，往往有小臣、馬、多馬、犬、多犬、亞、戍等武衛之士偕行。《左傳・隱公五年》也說：「春蒐、夏苗、秋獮、冬狩，皆于農隙以講事也。三年而治兵，入而振旅，歸而飲至，以數軍實。」《周禮・夏官》描述四季田狩的情形，更是與振旅、茇舍、治兵、大閱合為一談，如臨大敵。諸如此類，皆可見田獵與戎政

關係是十分密切的。所以〈夏小正〉緊接著記載:「陳筋革——陳筋革者,省兵甲也。」兵甲指弓箭、甲胄等武器,它們都是使用皮革製成的。孔廣森云:「筋,弓也;革,函也。因狩之時,料簡軍實。」(《大戴禮記補注》)宋書升云:「經不云陳甲兵,而云陳筋革,明乎陳者,非已成甲兵,而為將制之材。……陳兵甲者,所以備武,大正之事也;陳筋革者,所以省工,小正之事也。」(《夏小正釋義》)二人的說法雖有出入,其不離軍事的觀點則一。

(三)馬政

馬可用來駕車、騎跨、耕田,在交通、軍事、農業各方面都是相當重要的。所以〈夏小正〉對馬的飼養、管理、繁殖與使用都有所介紹。一九五六年陝西郿縣有一件西周時期的銅駒尊出土,胸部刻有銘文九行九十二字,記載周王親自參加「執駒」與禮,與〈夏小正・四月〉「執陟攻駒」正可相互印證。〈五月〉云:「頒馬——分大夫卿之駒也。」此與《周禮・夏官・校人》之「夏祭先牧,頒馬攻特。」《呂氏春秋・仲夏紀》之「班馬政。」《禮記・玉藻》之「大夫不得造車馬。」亦可相互參照。而古時對馬政之重視,也由此可見。《周禮》在馬政方面記載尤為詳備,秦蕙田云:「《周禮・校人》以下趣馬、牧師、圉師及馬質等皆以養馬為職。其事則牧之有地,聚之有廐,孳息有候,阜育有方,制馭有法,勞逸有節,所以養之教之,盡物之性,以供國之用者,皆馬政也。」(《五禮通考》,卷二百四十四)

(四)冰政

〈三月〉云:「頒冰——頒冰者,分冰以授大夫也。」古時醫藥衛生不夠發達,嚴冬過後,物品容易腐壞,故有藏冰、頒冰之政。《周禮》凌人專司其事,祭祀供冰鑑,賓客共冰,大喪供夷槃冰,用

途相當廣泛，也可算是一種社會衛生。《左傳・昭公四年》申豐云：
「古者日在北陸而藏冰，西陸朝覿而出之。其藏冰也，深山窮谷，固
陰沍寒，於是乎取之。其出之也，朝之祿位，賓食喪祭，於是乎用
之。其藏之也，黑牡秬黍，以享司寒。其出之也，桃弧棘矢，以除其
災。其出入也時，食肉之祿，冰皆與焉。大夫命婦，喪浴用冰。祭寒
而藏之，獻羔而啟之，公始用之火出，而畢賦，自命夫命婦至於老
疾，無不受冰。」對藏冰、頒冰的儀式講得十分清楚。頒冰的月份，
先秦典籍立文有異，實則並不相悖，黃以周云：「〈月令〉仲春獻羔開
冰，與〈豳詩〉四之日獻羔文合。凡開冰先頒冰一月，故〈夏小正〉
頒冰在三月，而凌人夏頒冰又在四月者，《左傳》曰：『公始用之火
出』，是三月頒冰亦祇及公宮，未畢賦也，其畢賦臣下自在四
月。……諸經開冰、頒冰之文雖若參差，不齊而合，而細按之，初無
大異。」（《禮書通故・郊祀通故二》）

（五）火政

　　人類由茹毛飲血進而生火熟食，在文明上是一大進步，火之為
用，較冰尤廣，故《周禮》有司爟、司烜專掌行火之政令。火政主要
可分為三種，秦蕙田云：「《周禮》司爟四時變國火，此鑽燧之火。順
陰陽之衰旺以為變改之宜，所以平飲食也。季春出火。季秋內火，此
陶冶之火。視心星之伏見以為出內之候，所以利器用也。〈王制〉昆
蟲未蟄不以火田，《爾雅》火田曰狩，此田獵之火。視昆蟲之動蟄以
為焚萊之節，所以仁庶物也。」（《五禮通考》，卷二百四十三）〈夏小
正・九月〉云：「主夫出火——主夫也者，主以時縱火也。」一般注
家都解為田獵之火，這種放火焚燒宿草，以便獵取禽獸的辦法，其來
已久，後世猶時有行之者。古代還有一種焚田耕種的辦法，萬國鼎
《中國田制史》、陶希聖《中國社會史》、馬乘風《中國經濟史》等以

為卜辭中的焚字就是火耕。殊不知商代農業已相當發達,何須使用這種原始落後的耕種方法?所以胡厚宣殷代焚田說仍然根據《說文》、《爾雅》、《左傳》、《禮記‧王制》等的說法,定為焚草以獵。〈夏小正〉雖多記農事,所講的出火,應該也與火耕無涉。

(六)貢物

〈十二月〉云:「納卵蒜——卵蒜也者,本如卵者也。納者,何也?納之君也。」古代的諸侯對天子有進貢納稅的義務,人民對國君除了徭役外,也須獻納種種物品。甲骨文中有進貢卜龜、卜骨、牛馬、大象、骨笄、白陶等的記錄,《尚書‧禹貢》有納米、納粟之例,《周禮‧冢宰》的九貢,也含有犧牲、皮帛、木材、珍寶、祭服等實物。在賦稅制度未產生之前,這實在是不足為奇的。有些學者因納卵蒜(小蒜)於國君,他書無聞,遂懷疑〈夏小正〉的記錄,甚至像莊述祖《夏小正經傳考釋》那樣改為「內民祈」,實在是大可不必。小蒜之為物,辛而葷,能殺蟲魚之毒,攝諸腥羶,國君的庖廚十分需要,不取之於民。何從而來?《禮記‧玉藻》云:「膳于君有葷。」正可作為納卵蒜的佐證。

〈夏小正〉、〈月令〉異同論

　　〈夏小正〉與〈月令〉分見於兩戴《禮記》，兩戴《禮記》同為儒家的經典，這兩篇文獻也可以算是姐妹作。不僅性質相近，價值亦相埒，過去往往為人相提並論，卻從未有詳加比較者，這是很令人遺憾的。所以我現在不揣淺陋，就五方面來析論其異同：

一　時代方面

　　〈夏小正〉有經有傳，究竟經傳各完成於何時？作者是誰？自來異說至為紛歧。就經文而言，清代以前的學者多主張為夏世之作。這一方面是篇名冠有夏字，再則因這種說法出自幾位權威學者之口，如：《禮記・禮運》云：「孔子曰：『我欲觀夏道，是故之杞，而不足徵也，吾得夏時焉。』」鄭玄注：「得夏四時之書也，其書存者有〈小正〉。」（漢）司馬遷云：「孔子正夏時，學者多傳〈夏小正〉。」（《史記・夏本紀》）蔡邕云：「《戴禮・夏小正傳》曰（按臧庸引盧學士云：『曰字衍』），陰陽生物之候，王事之次，則夏之〈月令〉也。」（〈明堂月令論〉）基於崇古、信古的心理，從（唐）一行（《新唐書・曆志》引《大衍曆》）、（宋）傅崧卿（《夏小正戴氏傳・序》）、（清）戴震（《戴東原集卷五・記夏小正星象》）、畢沅（《夏小正考注・自序》）、雷學淇（《介菴經說卷四・十二次之分星古今不同》）以降，都靡然從之。唯夏代大約相當於龍山文化，時代縣渺，文獻難徵，〈小正〉是否成書於其時，實在很難稽考。而〈小正〉一詞在傳

文中提到四次，均無夏字，夏字究竟是指夏代或夏時而言，也不易確定。所以早在元世，王禕就提出質疑：「設〈小正〉誠夏書，則在孔子所必取，然而不與〈禹貢〉同列於百篇，何耶？」（《夏小正集解‧序》）（清）王夫之也說：「〈夏小正〉者乃戰國時人所為，非孔子所得之舊文也。」（《禮記章句》卷九）近代疑古、考古之風日盛，有的主張經文為周初之作，如新城新藏（《東洋天文學史研究》）、竺可楨（〈二十八宿起源之時代與地點〉）是也；有的主張為春秋時代之作，如于省吾（〈夏小正五事質疑〉）、李約瑟（《中國之科學與文明》第五冊）是也；有的主張為戰國時代之作，如屈萬里（〈二戴記解題〉）是也；有的甚至主張為漢初之作，如飯島忠夫（《支那古曆法餘論》）是也。可說聚訟紛紜，莫衷一是。他們大部分是從日躔、星宿加以推測，按理應相當客觀可信，不料所推出的結果竟頗有出入，如與一行、戴震以天象推斷為夏世之作者相較，那差距就更大了。可見後人依古書所載星象逆推觀測時代，並非易事，那是因為星之赤緯高下、見伏方位、觀測時間、觀測者所處緯度等都足以影響推步的結果，更何況載籍往往語焉不詳，又難免有衍奪錯簡之失，所以新城新藏等人的說法也難成定論。我以為〈小正〉經文簡質，而且全無陰陽五行色彩，其為三代古籍應無疑問。很可能是春秋時代杞國人或徐國人所傳先世舊籍，歷經傳寫補充，始成定本。至於其原始材料向上可以推到周初呢？商代呢？還是夏朝呢？那就難以考證了。能田忠亮（〈夏小正星象論〉）推步其星象為夏世迄春秋時之現象，殆以此故。準此以觀，則經文的作者，畢沅歸之禹、啟，王夫之歸之戰國時人，固然都不可信，于省吾以為春秋前期杞國人或居於夏代舊日領域者所作，恐亦不無誤述為作之失。

　　至於傳文的作者，（宋）傅崧卿主張為漢時《大戴禮記》的編者戴德，那是不足採信的。一則《大戴》所存三十九篇，皆述而不作，

不應獨釋〈小正〉，再則經文二月「萬用入學」，傳以「今時大舍采」釋之，而大舍采之禮秦漢已不行，所言今時，當是先秦。其次，（清）孫星衍以為「出于先秦孔子之徒。」（《夏小正傳・序》）王聘珍以為「七十子後學者所為。」（《大戴禮記解詁・目錄》）也難免失之空泛。倒是舊說子夏所作（（清）王筠《夏小正正義》篇首引），莊述祖猜想「蓋高、赤之流。」（《明堂陰陽夏小正經傳考釋》卷一）朱駿聲「疑出公羊、穀梁二子手筆。」（《夏小正補傳・序》）這些看法較有見地。程鴻詔說得好：「《儀禮・喪服傳》先儒以為子夏所作。賈公彥謂《公羊傳》有『者何』、『何以』之等，〈喪服傳〉亦有『者何』、『何以』之等，公羊是子夏弟子，師弟相習，語勢相連，得為子夏所作。據賈此言，則小正亦有『者何』、『何以』之等，故或云子夏，或云公羊、穀梁作也。」（《夏小正集說》篇首）是〈小正〉傳文殆為先秦子夏、公羊、穀梁一派學者所為，似無疑義，不過，若實指子夏或公羊、穀梁所作，恐亦難逃刻舟求劍之譏。今人夏緯瑛《夏小正經文校釋》認為它是戰國早期的作品，所言時代或未免過早，如果視為戰國末年之作，應該是說得通的。

與〈夏小正〉經傳相比，〈月令〉的時代顯然要晚得多。〈月令〉並無經傳之分，其作者，東漢初的魯恭但推為周人（《後漢書・魯恭傳》），東漢末年的鄭玄始以為：「本《呂氏春秋・十二月紀》之首章也。以禮家好事抄合之，後人因題之，名曰《禮記》。」（《禮記・月令疏》引鄭玄《三禮目錄》）同時的蔡邕及稍晚的王肅則主張「周公所作。」（《經典釋文》引）自魏之高堂隆、傅玄以下，直至近世，辯論不絕。平心而論，蔡、王之說出於推崇〈月令〉太過的心理，實在很值得商榷，其證有四：

（一）蔡、王之意蓋以《禮記・月令》即《周書・月令》，而《周書・月令》為周公所作。今考汲冢所傳，〈月令〉篇有目無辭，

（清）盧文弨抱經堂校刊本始以《呂覽》十二月紀首補之。然《周書・月令》與《呂覽》十二紀首或《禮記・月令》性質雖然相同，內容則頗有差異，（清）孫志祖《讀書脞錄》、孫詒讓《周書斠補》、俞正燮《癸巳類稿》及今人黃沛榮《周書研究》皆辨之甚審，堪為定論。縱使《禮記・月令》即《周書・月令》，將其作者歸之周公也是羌無實據的。

　　（二）鄭玄《三禮目錄》指出〈月令〉中之官名、時事多不合周法，（唐）孔穎達《禮記・月令》疏更舉出周無太尉等四證，申論鄭旨。《禮記・月令》誠為周公所作，必不至如此枘鑿。

　　（三）（宋）黃震《禮記日鈔》謂〈月令〉依鄒衍五行安排，近世中外學者也公認〈月令〉與陰陽家關係密切。而陰陽五行之學至戰國始盛，如〈月令〉那麼縝密的安排，豈周初所宜有？

　　（四）（清）崔述考〈月令〉星象「上溯唐、虞之世何太遠？下逮漢、宋之世太近？」（《豐鎬考信錄》）因斷為戰國時人所撰。日本學者新城新藏《東洋天文學史》、飯島忠夫《支那曆法起源考》、能田忠亮《禮記・月令・天文考》所推步的，也都足以證明崔述的說法並非無稽。

　　再對照《禮記・月令》與《呂覽》十二月紀首的文字，不難發現二者實大同小異（詳見王師夢鷗《禮記月令斠理》），而呂不韋的時代又值戰國末年，則《禮記・月令》的直接淵源為十二月紀首當無疑義。至於十二紀首究竟是呂氏門客所自撰（徐復觀《兩漢思想史・呂氏春秋及其對漢代學術與政治的影響》），或者是修正舊典（高師仲華《禮記概說》），或者是擷自鄒子（容肇祖〈月令的來源考〉），由於文獻不足，斷定匪易。無論如何，終不出戰國之世就是了。

二　材料方面

　　傅崧卿《夏小正戴氏傳・序》說:「星昏旦伏見,中正當鄉,若寒暑日風,冰雪雨旱之節,草木稊秀之候,羽毛鱗臝蠕動之屬,蟄興粥伏,鄉遯陟降,離隕鳴呴之應,罔不具紀,而王政民事繫焉。」〈夏小正〉的內容由此可略窺一斑。如果我們將他的話再加以簡化,那麼,〈夏小正〉的材料主要可分為三部分:(一)天象:包括氣候與星象的記錄,如〈正月〉的「時有俊風」、「鞠則見」,〈三月〉的「越有小旱」、「參則伏」,〈四月〉的「昴則見」、「初昏南門正」。(二)物候:就是動植物隨著節候的變化,如〈正月〉的「啟蟄」、「雁北鄉」,〈二月〉的「榮菫」、「昆小蟲抵蚔」,〈三月〉的「韓羊」、「螜則鳴」。(三)民事:農桑、工藝、教育、祭祀、禮俗等皆屬之,如〈正月〉的「農緯厥耒」、「初歲祭耒始用暢」,〈二月〉的「綏多女士」、「丁亥萬用入學」,〈三月〉的「妾子始蠶」、「執養宮事」。這些資料,是先民經年累月觀察的記錄,可提供民眾作為食衣住行,尤其是農業生產的參考,自古即備受重視,《尚書・堯典》云:「曆象日月星辰,敬授人時。」即指此而言。近人陳兆鼎的〈夏小正之檢討〉推本〈小正〉淵源於〈堯典〉,其說雖因涉及〈堯典〉與〈夏小正〉成書先後之問題,難以成為定論,然二者性質相近,同為現存最早之時令資料應無可疑。後來《周書》的〈時訓〉、《呂氏春秋》的〈十二月紀〉、《禮記》的〈月令〉、《淮南子》的〈時則〉、《易緯》的〈通卦驗〉,乃至〈今月令〉、唐〈月令〉、清之《時憲書》、今之《農民曆》等,可以說都是它的支與流裔。

　　《禮記・月令》也同樣具有這些材料:(一)在天象方面,〈月令〉不僅仿效〈夏小正〉記昏旦中星(如〈孟春〉「昏參中,旦尾中」),還明載日躔所在(如孟春「日在營室」),驟看之下,相當齊

備。唯若仔細比對，則〈月令〉與〈夏小正〉時代不同，星象理應有
異，而〈正月〉卻同載「昏參中」，這就有了問題。孔穎達疏云：
「〈月令〉昏明中星，皆大略而言，不與蔴正同。」猶不免強為掩
飾，王師夢鷗云：「每月首列天文星紀，殆同虛飾，今世學者，或據
以推算〈月令〉之成書時代（其詳者如能田忠亮之《禮記月令天文
考》），或又從而判斷其為書之真偽（如鄒樹文之《禮記月令辨偽》），
似皆未原當時以此『熒惑諸侯』者之用心。」（〈月令探源〉）則逕指
其罅漏了。（二）在物候方面，〈月令〉與〈夏小正〉相類之處將近一
半，如〈月令・孟春〉的「東風解凍」即〈夏小正・正月〉的「時有
俊風，寒日滌凍塗」；「蟄蟲始振」即「啟蟄」；「魚上冰」即「魚陟負
冰」；「獺祭魚」即「獺祭魚」……，凡此之類，〈月令〉或逕襲其字
句，或異辭而同義，或前後移易，或加以刪略，都足見二者關係之密
切。此外，二者時間還偶有遲早之異，如〈月令〉「桃始華」、「鷹化
為鳩」在〈仲春〉，〈夏小正〉「梅杏杝桃則華」、「鷹則為鳩」在〈正
月〉。這是由於物候與年代、氣候、高度、緯度、生物品種皆有密切
關係，所以會有古今時地的不同，（宋）沈括《夢溪筆談》所云：「土
氣有早晚，天時有愆伏。」即已洞燭其理。（三）在民事方面，〈月
令〉將其層次提高，納於天子政令之中，而因革損益之跡，仍灼然可
考。如孟春「天子親載耒耜……躬耕帝藉。」、「命樂正入學習舞。」
不就是〈夏小正・正月〉的「農緯厥耒」、〈二月〉的「丁亥萬用入
學」嗎？由此可見，〈月令〉的取材實深受〈夏小正〉的影響，（清）
范家相認為〈夏小正〉「實〈月令〉、〈時訓〉仿效損益之根源。」
（《夏小正輯注・自序》）是絲毫不錯的。

　　除了上述三部分外，〈月令〉又增添了許多新材料，如孟春「其
日甲乙」，將天干組合進去了。「其帝大皞，其神勾芒」，將帝號、神
名組合進去了。「其蟲鱗」，將動物組合進去了。「其音角，律中太

簇」,將音樂組合進去了。「其數八」,將數目組合進去了。「其味酸,
其臭羶」,將味覺、嗅覺組合進去了。「其祀戶,祭先脾」,將祭祀、
房屋、身體構造組合進去了。「天子居青陽左个,乘鸞路,駕倉龍,
載青旂,衣青衣,服倉玉,食麥與羊,其器疏以達。」將天子的食衣
住行組合進去了。「是月也,以立春,先立春三日,大史謁之天子
曰……毋變天之道,毋絕地之理,毋亂人之紀。」將天子政令組合進
去了。「孟春,行夏令則雨水不時,……首種不入。」將逆時之咎徵
組合進去了。其範圍之寬廣,材料之宏富,已非〈夏小正〉所能籠
罩,到底它的目的何在?有何意義?那正是值得我們進一步探討的。

三　結構方面

　　〈夏小正〉以〈正月〉、〈二月〉至〈十二月〉紀時,既不著季
節,亦不著日數,唯(宋)傅崧卿《夏小正戴氏傳》、金履祥《夏小
正注》,(清)任兆麟《夏小正補注》等在「正月」、「四月」、「七
月」、「十月」之前分冠春、夏、秋、冬,此非大戴本之舊貌,當是傅
氏始作俑的。(清)汪昭《大戴禮記注補》引朱震《漢上易卦圖》
曰:「夏建寅,故其書始於正月。」不管〈夏小正〉是否確為夏代之
作,其採用夏曆則是無可疑的。這種以寅月為歲首的陰陽合曆,四時
寒暑最為分明,與農業耕作配合最為適宜,怪不得孔子主張為政要
「行夏之時」(《論語‧衛靈公》)。從漢武帝元封七年(西元前104
年)改用太初曆,以建寅之月為歲首之後,大約二千年間,除王莽和
魏明帝時一度改用殷正,唐武后和肅宗時一度改用周正外,一般都是
使用夏正,其影響也就可想而知了。每月之下,〈夏小正〉分繫當月
天象、物候、民事,若將相同事物貫通觀之,尚能有條不紊,如〈正
月〉:「梅、杏、杝桃則華。」〈四月〉:「囿有見杏。」〈五月〉:「煮

梅。」〈六月〉:「煮桃。」先是開花,繼則成熟,終則煮為豆實,都
是依時實錄,可以看出先後之序。在同月之中,則或以時間先後為
次,如〈四月〉先記「昴則見」,以其為朔氣之星象,後記「初昏,
南門正」,以其為中氣之星象。或以性質異同為類,如十一月:「王
狩,陳筋革,嗇人不從。」(清)俞樾云:「此三經本為一事,故傳既
每月解詁,又申說狩義於後。」(《群經平議》)或隨文臚舉,交錯為
用,如〈正月〉:「啟蟄。雁北鄉。……魚陟負冰。……時有俊
風。……獺祭魚。」與《逸周書‧時訓篇》以五日為一候,依時間先
後為次者相較,顯然是散漫得多,所以盧慶盛云:「每月所繫物並不
一致,多者十五候,少者僅一候,現行節氣名見是篇者僅一啟蟄,節
中之規定完全缺如,足見為隨見隨紀,未經整編始創之作。」(《我國
古代物候與氣候》)

〈月令〉也是以十二月為紀時單位,唯在名稱上改用春夏秋冬的
孟仲季,更能特別顯出「四時成歲」的觀念,可算是一種進步。過去
有人以為〈月令〉既出自《呂氏春秋》,當是使用秦曆(以夏曆十月
為歲首,改年始而不改時月)或周曆(以夏曆十一月為歲首),這實
在是一種誤會,因為《呂覽》之成書在始皇八年,時秦猶未統一天
下,遑論易服色,改正朔了。我們只要看〈月令〉立春在正月,就可
以曉得它還是使用夏曆,所以《逸周書‧周月篇》云:「亦越我周
王,致伐于商,改正異械,以垂三統,至於敬授民時,巡守祭享,猶
自夏焉。」晉束晳也說:「〈月令〉四時之月,皆夏數也。」((隋)杜
臺卿《玉燭寶典‧序》引)每月之中,〈月令〉的材料安排顯然是費
了一番斟酌,孔穎達疏云:「蔡邕云:『法象莫大乎天地,變通莫大乎
四時,縣象莫明莫大乎日月。』故先建春以奉天,奉天然後立帝,立
帝然後言佐,言佐然後列昆蟲之列。物有形可見,然後音聲可聞,故
陳音。有音然後清濁可聽,故言鍾律。音聲可以彰,故陳酸羶之屬

也。群品以著，五行為用於人，然後宗而祀之，故陳五祀。此以上者，聖人記事之次也。東風以下者，效初氣之序也。二者既立，然後人君承天時，行庶政，故言帝者居處之宜，衣服之制，布政之節，所明欽若昊天，然後奉天時也。」其說雖不無牽強，倒也足以表曝作者的一番心血。不特此也，如果我們將〈月令〉的主要材料（物候、政令、咎徵文長不錄）按月排比，就可以得到如下的一個結構表：

十二月	孟春	仲春	季春	孟夏	仲夏	季夏		孟秋	仲秋	季秋	孟冬	仲冬	季冬
十二辰	營室	奎	胃	畢	東井	柳		翼	角	房	尾	斗	婺女
中星	昏參旦尾	昏弧旦建星	昏七星旦牽牛	昏翼旦婺女	昏亢旦危	昏火旦奎		昏建星旦畢	昏牽牛旦觜觿	昏虛旦柳	昏危旦七星	昏東壁旦軫	昏婺女旦氐
十干	甲乙	甲乙	甲乙	丙丁	丙丁	丙丁	戊己	庚辛	庚辛	庚辛	壬癸	壬癸	壬癸
五帝	大皞	大皞	大皞	炎帝	炎帝	炎帝	黃帝	少皞	少皞	少皞	顓頊	顓頊	顓頊
五神	句芒	句芒	句芒	祝融	祝融	祝融	后土	蓐收	蓐收	蓐收	玄冥	玄冥	玄冥
五蟲	鱗	鱗	鱗	羽	羽	羽	倮	毛	毛	毛	介	介	介
五音	角	角	角	徵	徵	徵	宮	商	商	商	羽	羽	羽
十二律	大簇	夾鐘	姑洗	中呂	蕤賓	林鐘	黃鐘之宮	夷則	南呂	無射	應鐘	黃鐘	大呂
五數	八	八	八	七	七	七	五	九	九	九	六	六	六
五味	酸	酸	酸	苦	苦	苦	甘	辛	辛	辛	鹹	鹹	鹹
五臭	羶	羶	羶	焦	焦	焦	香	腥	腥	腥	朽	朽	朽
五祀	戶	戶	戶	竈	竈	竈	中霤	門	門	門	行	行	行
五臟	脾	脾	脾	肺	肺	肺	心	肝	肝	肝	腎	腎	腎
明堂	青陽左个	青陽大廟	青陽右个	明堂左个	明堂大廟	明堂右个	大廟大室	總章左个	總章大廟	總章右个	玄堂左个	玄堂大廟	玄堂右个
五色	青	青	青	赤	赤	赤	黃	白	白	白	黑	黑	黑

十二月	孟春	仲春	季春	孟夏	仲夏	季夏		孟秋	仲秋	季秋	孟冬	仲冬	季冬
五穀	麥	麥	麥	菽	菽	菽	稷	麻	麻	麻	黍	黍	黍
五牲	羊	羊	羊	雞	雞	雞	牛	犬	犬	犬	彘	彘	彘
五器	疏以達	疏以達	疏以達	高以觕	高以觕	高以觕	圓以閎	廉以深	廉以深	廉以深	閎以奄	閎以奄	閎以奄
五行	木	木	木	火	火	火	土	金	金	金	水	水	水
五方	東	東	東	南	南	南	中央	西	西	西	北	北	北

這些材料，或以五計，或以十二數，而且往往前有所本，如〈十干〉與《管子‧四時篇》同；〈五帝〉、〈五神〉與《大戴禮》、《左傳》、《國語》、《山海經》、《楚辭》、《管子》相類，而分配較完整清晰；〈五蟲〉、〈五音〉、〈五數〉、〈五味〉、〈五色〉、〈五器〉與《管子‧幼官（應為玄宮）篇》相似；〈五祀〉在《管子‧五行篇》有其名而未舉其目；〈五臟〉與《管子‧水地篇》相符；〈五行〉、〈五方〉與《尚書‧堯典》相當。至此，我們不難恍然大悟，這不就是陰陽五行的搭配嗎？這種搭配也是煞費苦心的。首先，以十二辰、十二律、明堂十二室配十二月固然沒有問題，以〈五帝〉、〈五神〉、〈五蟲〉、〈五音〉……配四時，則有所枘鑿。作者解決的辦法是：在季夏、孟秋之間加入「中央土，其日戊己，其帝黃帝，其神后土，其蟲倮，其音宮，……其器圓以閎。」等七十四字，如此多出的一行就有所安頓了。當然，這種安頓正如王師夢鷗所批評的：「既失日躔星中，亦無當時物候人事之記載，等是虛設爾。」（《禮記月令斠理》）其次，每一項個別材料，其先後的次序也是經過仔細考慮的，如：（一）五帝：大皞即伏羲氏，為木德之帝，故配春。炎帝即大庭氏，為火德之帝，故配夏。黃帝即軒轅氏，為土德之帝，故配中央。少皞即金天氏，為金德之帝，故配秋。顓項即高陽氏，為水德之帝，故配冬。

（二）五神：句芒即少皞子重，為木正，故佐大皞。祝融即顓頊子黎，為火正，故佐炎帝。后土即共工子句龍，為土正，故佐黃帝。蓐收即少皞子該，為金正，故佐少皞。玄冥為少皞子脩及熙，為水正，故佐顓頊。（三）五數：《尚書‧洪範》五行生長之次序為水一、火二、木三、金四、土五，地為土，以五為基本數，其他四行各加以土之數，故春木為八，夏火為七，中央土為五，秋金為九，冬水為六。（四）五味：〈洪範〉云：「水曰潤下，火曰炎上，木曰曲直，金曰從革，土爰稼穡。潤下作鹹，炎上作苦，曲直作酸，從革作辛，稼穡作甘。」所以春味為酸，夏味為苦，中央味為甘，秋味為辛，冬味為鹹。其他各項的次序也都各有其理，其組織之整齊嚴密，遠非〈夏小正〉所能及。故（清）陳澧〈月令考〉云：「蒐往古之舊文，成一家之新制。雖事有造因，體非沿襲，鉅典宏綱，往往而在。」在陰陽五行學說盛行的古代，這種讚美倒也不足為奇。在科學昌明的今日，其評價則難免要改觀了。王師夢鷗云：「〈月令〉所著一年十二月之天文人事，貌若端整有序，其實蘊有若干紕謬難通之處。」（〈月令探源〉）徐復觀也說：「其中由〈夏小正〉來的，本是與時令相關的，這是合理的一部分，其餘的都是憑藉聯想，而牽強附會上去的。但一經組入到陰陽五行裡面去，便賦予了一種神祕的意味，使萬物萬象成為一個大有機體。若把它在知識上的真實性及由此所發生的影響的好壞，暫置不論，這確要算是呂氏門客的一大傑構，而為以前所沒有的具體、完整而統一的宇宙觀、世界觀。」（〈呂氏春秋及其對漢代學術與政治的影響〉）都可以說是持平之論。

四　文字方面

（一）〈夏小正〉有經傳之分，〈月令〉則否

　　據清孔廣森之統計，〈夏小正〉全文凡二四七〇言，其中經文四七〇言，餘為傳文。如〈正月〉「啟蟄」是經，「言始發蟄也。」是傳。「魚陟負冰」是經，「陟，升也。負冰云者，言解蟄也。」是傳。經傳非一人所作，時代亦相去甚遠，不可混為一談。所以知有經傳之分者，是因為鄭玄注〈月令〉引〈夏小正〉，凡經文首句皆直稱為「〈夏小正〉曰」，而於傳文則以「說曰」二字別之，郭璞注《爾雅》，也有「〈夏小正〉曰」、「〈夏小正傳〉曰」之異。後來經傳儳越無別，直至傅崧卿才又加以釐析，使讀者有徑可尋，其功實非淺鮮。傳之釋經，篤信者亦步亦趨，不敢稍有違失，如孔廣森《大戴禮記補注》是也。非之者則以為所解多不合經，而另闢蹊徑，如范家相《夏小正輯注》是也。這兩種態度都未免失之過偏，應該是逐條仔細考證，擇善而從，才是較合理的。至於〈月令〉全文凡四六四五言，幾乎倍於小正，而宛如出自一手，並無經傳之分。

（二）〈夏小正〉本身頗多逸文，〈月令〉則於《呂紀》　　　有所刪改

　　今日我們所看到的〈夏小正〉，各月條數相當參差，如正月有二十二條，二月有十四條，而六月僅三條，十一月僅四條。二月、十一月、十二月在星象方面更是付諸闕如，這些都足以令人懷疑它並非完璧。果然，我們可以發現一些佚文，如《初學記‧五月五日》下引的〈夏小正〉「此月蓄藥以蠲除毒氣也。」《周易乾鑿度》注引的〈夏小正〉「雞始乳」都是今本所無，可惜僅是吉光片羽，要恢復全貌是絕

無可能了。至於〈月令〉，孔穎達以為與《呂氏春秋・十二月紀》「不過三五字別。」(《禮記月令疏》)其說未免失考，依據王師夢鷗的斠理，二者相同者固逾十九，相異者亦且十一，其中有的僅是文字略有修改，如孟春「鴻雁來」，呂紀原作「侯雁北」，「乘鸞路」原作「乘鸞輅」；有的則很可能是有意刪略，如《呂覽》〈季夏紀〉、〈季冬紀〉「三旬二日」之記載，及〈季春紀〉、〈孟夏紀〉「行之是令而甘雨至」等休徵，均不見於〈月令〉。蓋《呂紀》季夏、季冬各三十二日，其餘各月為三十日，則全年三百六十四日，曆術未免過分疏闊，自不得不刪汰。而順令可得甘雨、涼風等休徵，事實上極難應驗，徒授人以攻擊之口實，〈月令〉加以節略，也是合情合理的。

(三)〈夏小正〉古奧難解，〈月令〉則文從字順

(清)《四庫全書總目提要》卷二十一云：「《大戴》之學，治之者稀，〈小正〉文句簡奧，尤不易讀。」洪震煊亦云：「惟是經文簡質，傳文奧深，習其讀者已難，通其說者卒尟。」(《夏小正疏義・序》)〈夏小正〉之古奧難解，是眾口同聲，絕無異辭的。如正月「鞠則見」，傳文以「星名」釋之，鞠星之名未見於《史記・天官書》及《甘石星經》，究係何星，起碼有十二種以上的說法，真是令人目眩。又如〈七月〉「爽死」，傳以「疏」訓爽，語意含渾，莫知所指，怪不得後世異說層出，或就草木言（如蔡德晉、黃叔琳），或就鳥言（如徐世溥），或就風言（如顧鳳藻），或就人事言（如程鴻詔、于省吾），或就陰陽言（如趙章程），率皆不得其解，強為之辭而已，真是近乎猜謎了。至於〈月令〉，則文從字順，事義顯豁，縱有讓注家傷腦筋之處，端在其神祕的思想，而不在文字本身。

（四）〈夏小正〉行文參差，〈月令〉則力求整飭

〈夏小正〉每月條數不等，每條字數參差。傳之釋經，或逐字詮
釋，或擇要解說，或前後重釋，或兼釋較論，或設問申釋，或並存異
義，可說相當自由，也相當不統一。〈月令〉則每月皆分：1.定星
曆，建立五行，2.節候的應驗，3.王居明堂之禮，4.按月的行政措
施，5.禨祥制度五部分（詳見王師夢鷗《鄒衍遺說考‧五時令與明堂
的設計》）。1.、3.兩項材料在同季之中不嫌重複，其他項目之行文也
往往前後一致。如每月之中，好以「是月也」為別事更端之詞；每月
物候，少則四句，多則五句，皆可以看出其力求整齊之用心。

（五）〈夏小正〉絕不叶韻，〈月令〉則韻腳層出

（清）趙翼云：「古人文字，未有用韻者。……散文有韻，顧寧
人以《尚書》『帝德廣運』一節，及〈繫詞〉『鼓之以雷霆』一節，謂
皆化工之文，自然成章者。」（《陔餘叢考》，卷二十二）散文用韻之
風尚殆起於戰國，〈夏小正〉經文時代較早，性質特殊，又非完璧，
自然看不出押韻的現象。就連傳文，也純屬散行，絕不講究「同聲相
應」。而〈月令〉則頗受到戰國時代風氣之影響，韻腳層出，單以孟
春為例，押韻之文字凡七處，韻腳多達二十個，即：1.「命相布德和
令，行慶施惠，下及兆民。」令、民二字古韻同屬真部。2.「慶賜遂
行，無有不當，乃命大史，守典奉法，司天日月星辰之行，宿離不
貸，毋失經紀，以初為常。」行、當、行、常四字同屬陽部。3.「天
氣下降，地氣上騰。」降字冬部，騰字蒸部，旁轉相通。4.「天地和
同，草木萌動。」同、動二字同屬東部。東部與冬部、蒸部亦旁轉相
通。5.「田事既飭，先定準直，民乃不惑。」飭、直、惑三字同屬職
部。6.「不可以稱兵，稱兵必天殃。」兵、殃二字同屬陽部。7.「兵

戎不起,不可從我始,毋變天之道,毋絕地之理,毋亂人之紀。」
起、始、理、紀四字同屬之部,道字屬幽部,旁轉相通。這種押韻現
象不一而足,應當是有意為之,非純屬天籟的。

五　思想方面

　　我國一向以農立國,早自新石器的仰韶時代起,即以農業為經濟
主幹。〈夏小正〉的中心思想就是重農主義,在各項民事記載中,農
桑活動所占的比率最高,如〈正月〉的「農緯厥耒」、「初歲祭耒始用
暢」、「農率均田」、「農及雪澤」、「初服于公田」,〈二月〉的「往耰
黍」,〈三月〉的「攝桑」、「妾子始蠶」、「執養宮事」、「祈麥實」……
皆是。其他的天象、物候的記錄,也無一不是為了方便於農業生產的
參考,蓋農產品的培養、生長和收穫,深受寒來暑往規律的影響,而
對天象、物候的長期觀察與記錄,正大有助於人們掌握一年四季氣候
變化的規律。據毛雝《中國農書目錄彙編》、王毓瑚《中國農學書
錄》的著錄,我國歷代的農書多達千百種。其中除少數與主張君臣並
耕的農家有關外,可說多自〈夏小正〉衍化而出,宜乎(清)章學誠
《校讎通義》欲用裁篇別出之法,與《書‧無逸》、《詩‧豳風‧七
月》等冠於農家之首。

　　〈夏小正〉記天時,載民事,莫不以民生為兢兢,故傳文於〈三
月〉「攝桑」以「桑攝而記之,急桑也。」解之;於〈五月〉「菽靡」
以「是食短,閔而記之。」解之,都充滿一種仁愛精神。甚至對物候
的記載也能由仁民進而愛物,如〈正月〉「鷹則為鳩」傳云:「鷹也
者,其殺之時也。鳩也者,非其殺之時也。善變而之仁也,故其言之
也,曰則,盡其辭也。鳩為鷹,變而之不仁也,故不盡其辭也。」
〈六月〉「鷹始摯」傳云:「始摯而言之,何也?諱殺之辭也,故言摯

云。」若斯之比，不一而足，於禽獸之殺戮，尚且諱言殺，尚且不忍盡其辭，則對萬物之靈的態度更不待言了。這種仁愛精神與儒家思想相當吻合，益足以證明莊述祖、朱駿聲主張傳文出自《公羊》、《穀梁》一派學者之手，是有相當理由的。

　　〈月令〉也同樣具有重農主義與仁愛精神。如〈孟春〉：「天子乃以元日祈穀於上帝。乃擇元辰，天子親載耒耜，措之于參保介之御間，帥三公、九卿、諸侯、大夫，躬耕帝藉。天子三推，三公五推，卿諸侯九推。」〈季春〉：「命野虞毋伐桑柘。……后妃齋戒，親東鄉躬桑，禁婦女毋觀，省婦使，以勸蠶事。蠶事既登，分繭稱絲效功，以共郊廟之服，毋有敢惰。」天子躬耕帝藉，后妃親自提倡蠶事，其重視農桑，以為立國之本者，由此可見一斑。在《呂氏春秋》中，〈上農〉一篇講農桑政策，〈任地〉、〈辨土〉、〈審時〉三篇講農業技術，與此精神正相一致。宋敘五說：「先秦各家，大多具有重農思想。」(《先秦重農思想之研究》)是頗有道理的。又如〈孟春〉：「命祀山林川澤，犧牲毋用牝，禁止伐木。毋覆巢，毋殺孩蟲，胎夭飛鳥，毋麛毋卵，毋聚大眾，毋置城郭，掩骼埋胔。」〈季春〉：「天子布德行惠，命有司發倉廩，賜貧窮，振乏絕，開府庫，出幣帛，周天下，勉諸侯，聘名士，禮賢者。」這種仁民愛物的精神、布德行惠的措施，正如(隋)牛弘所說：「其內雜有虞、夏、殷、周之法，皆聖王仁恕之政也。」(《隋書‧牛弘傳》)與儒家的精神頗為相近，而與秦之好兵嗜殺，毒被天下則大相逕庭。或以此懷疑〈月令〉非出《呂紀》，殊不知《呂覽》融貫諸子，號稱雜家，其中本不乏儒家思想，而獨對壟斷秦國政壇的法治主義及窮兵黷武的嬴秦政權深致不滿，所以在〈月令〉中充滿仁愛精神是不足為奇的。

　　除此之外，〈月令〉還有一些思想成分是〈夏小正〉所無的，首先須提出的就是陰陽五行的觀念。依李漢三的《先秦兩漢陰陽五行學

說》一書的研究，陰陽說、五行說分別創行於戰國時代，直至鄒衍時始合而為一。《史記・孟荀列傳》介紹鄒衍的思想是：「深觀陰陽消息，而作怪迂之變──〈主運〉、〈終始〉、〈大聖〉之篇，十餘萬言。其語閎大不經，必先驗小物，推而大之，至於無垠。先序今以上至黃帝，學者所共術，大竝世盛衰，因載其禨祥制度，推而遠之，至天地未生，窈冥不可考而原也。稱引天地剖判以來，五德轉移，治各有宜，而符應若茲。」以此來衡量〈月令〉的材料與結構，正相吻合。〈月令〉將陰陽消息之理播於五行，散於四時，分布於十二月，不僅材料增多，而且形式也有所改進，在同類作品中自有其獨特地位。鄭玄的《三禮目錄》即將〈月令〉歸之「明堂陰陽」，近代探討〈月令〉來源者，如容肇祖的〈月令來源考〉、蒙季甫的〈月令之淵源與其意義〉、王師夢鷗的〈月令探源〉也都特別強調〈月令〉與陰陽家的關係。胡適云：「《呂氏春秋》所收的五德終始論，代表鄒衍的學說，而《呂氏春秋》所採取的十二月令，亦代表鄒衍的禨祥制度的綱領。」（《中國中古思想史長編》）陰陽五行，可說是〈月令〉的中心思想，也是我們研究〈月令〉的一條重要線索。

其次，〈月令〉寓有大一統的政治理想。它將人事活動的重點由民間提升到天子，適用的範圍由地方擴大到天下國家。在〈月令〉中的天子，為順應陰陽五行，按月居處於明堂，具有無限的權威，他所頒布的政令無遠弗屆。唯一的約束是以禨祥災異來規範其行為，使其一切行政措施能順天配時，不致流於專制暴虐。王師夢鷗云：「《周禮・六官》依天地四時而分職，所言者皆輔弼之事；〈月令〉亦依天地四時而為綱，所言者皆為元首之事。《周禮》詳乎股肱，而〈月令〉專屬首領，故〈月令〉之為『王禮』，恰與《周官》之為『官禮』互相補足。」（《禮記月令校讀・後記》）所言頗能把握〈月令〉的政治思想特質。傅斯年認為《呂氏春秋》是呂不韋教導秦王的教本，徐復觀

也以為：「其著〈十二紀〉之目的，乃以秦將統一天下，而預為其立政治上之最高原則。」(《呂氏春秋及其對漢代學術與政治的影響》) 可見〈月令〉具有如此濃厚的政治色彩，是其來有自的。

最後，〈月令〉還含有天人合一的哲學。王師夢鷗云：「綜觀〈月令〉所列載各種材料，可大別為自然現象與行政綱領二大端，前者屬『天』，後者屬『人』，『承天治人』乃其基本觀念。顧此觀念，一面固以自然現象為一具有人類意志之天文；同理，行政綱領亦成為天意表現之行事。」(〈月令探源〉) 天子既貴為天之驕子，奉上天之命，治理萬民，則有法天之責任。亦唯有法天，才能「與元同氣」，才能具備上天春生、夏長、秋收、冬藏的功效，像上天一樣偉大。否則，必有種種災異發生。即使是普通的老百姓，養生修身，也須順著此一自然法則，才能與天地同德，才不致傷生礙事。這種天人合一的哲學混合儒墨，對後代的思想界起了極大的影響。

了解〈夏小正〉與〈月令〉的思想，我們就不難明白它們被選入兩戴《禮記》的理由：〈夏小正〉由於具有儒家的仁愛精神，而其重農主義又可彌補儒家之不足，故為戴德所取。只可惜其記禮之語較少，才為戴聖所遺。關於這一點，我們只要比較一下兩戴《禮記》的取材，就可以了解他們對禮的範圍是持有不同的看法的。至於〈月令〉，雖然具有濃厚的陰陽家色彩，但陰陽五行、天人合一的學說盛行於兩漢，連儒家的重要學者董仲舒、劉向、劉歆都津津樂道，則其不為戴聖所摒，也就不足為奇了。更何況〈月令〉的重農主義、仁愛精神都合於儒家的需要，而大一統的政治理想也與漢朝的國情相當接近呢！

文化視野中的禮學

　　首先感謝陳韻教授給我一個很好的引言題目，其次要感謝禮學工作坊的團隊把我的書面參考資料打成字，上網，還製作PowerPoint，只是我沒有提供任何圖片，一定無法像前面兩位引言人那樣圖文並茂，那樣精彩。

　　我今天所要講的是「文化視野中的禮學」。我的參考資料共分成四個部分，重點其實是在第二大部分禮學跟文化史的整合研究，現在我們學術研究的趨勢就是科際整合，所以禮學應該跟很多學術結合在一起，這些學術我們籠統的講就是一種文化，因為文化是無所不包的，所以，我們先要對文化作個簡單的介紹，再談禮學和文化的整合，後面還有研究方法，還有延伸的閱讀，所謂延伸閱讀，其實是參考書目，配合主體的每一個部分，提供一些比較重要的參考書目。

　　我們先看看文化方面的定義，在美國有兩個學者，一個叫克魯伯，另一個叫克拉克恩，他們寫了一本書叫《關於文化的概念和定義的檢討》，他們列出來的定義多達一百六十二種。最後的結論是根本沒有辦法對文化作一個很周延的界說。為什麼呢？因為文化是無所不在的，文化是無窮無盡的，文化是沒有辦法捉摸的，他們舉一個譬喻非常好，他們說就像我們用手要把空氣抓住，但當你五指合在一起的時候空氣早就流失了，其實空氣是無所不在的，只是不在你緊握的手心而已。這就讓我聯想到法國有一個名作家紀德，他有一本很有名的書叫作《地糧》。《地糧》一開頭說神是無所不在的，理由是宇宙既然包羅萬象，就顯示應該有神，這是有神論的人最重要的根據，宇宙萬

事萬物不可能無中生有，但是如果我們認為神只有在廟裡面才有的
話，那就錯了，他認為神應該無所不在。同樣的，文化也應該是無所
不在。所以文化很難替它下一個定義，那麼不得已的情況底下，我們
當然還是應該找一個比較好的定義，這樣縱然沒有辦法很周延的把它
講出來，但是至少讓大家能夠稍微懂得什麼叫文化，這就是所謂「言
則離道，不言不足以明道」。在此我想採取的是三民書局《中國文化
概論》裡面的定義，因為它參考了許多國內外的說法，講得比較具
體，它說：「所謂文化，便是人類群體性生活的累積，智能的開創，
除了人類的災害和戰爭以外，舉凡有益人生的共業，如政治、經濟、
教育、宗教、倫理、道德、學術、思想、藝術、科學等等，這些延續
性的共業，我們便稱它為文化。」這個定義兼顧了文化的差異、效
用、內涵與傳承，應該是值得參考的。

　　其實文化應該是有層次的，錢穆先生曾提到文化有三個層次。第
一個是物質文化，第二個是社會文化，第三個是精神文化。外國有一
個人叫博厄茲，也把文化分成物質文化、社會關係跟藝術宗教倫理，
跟錢先生的分法差不多。這三個層次裡面當然就包含上述文化定義中
的各種文化了。

　　接著，我們的主體就是談禮學跟文化史的整合研究，既然文化是
無所不包的，所以事實上就永遠談不完，在這兒只能舉幾個最重要的
例子來看。

　　首先是民生史，包含食、衣、住、行四大需求。第一個是食，在
《周禮・天官》主要管的是四大類飲食，包含食，就是我們吃的穀物
這一類的；飲，就是喝的，水、湯、酒這一類的；還有膳，就是畜牲
這一類的肉；還有羞，就是各種的肉乾、肉醬、昆蟲、水果等等。這
四大類飲食有主食、有副食。過去的人五穀是主食，肉、水果、青菜
都是副食，但今天我們很多人到餐廳裡吃飯的時候，常常只要一點點

飯，菜反而點得很多，好像主食跟副食是顛倒過來的。《儀禮》裡面涉及到很多飲食禮節，有饗禮、食禮、燕禮等等，形式繁縟，在此無法細談。《禮記》的〈內則〉，也詳細的介紹了各種適合食用的物品，各種適合配食的調味品等等。我們現在跟古人在飲食材料方面不見得完全一樣，很多過去的人常吃的東西，如螞蟻、蝸牛、蟬、蜂之類的昆蟲，我們今天已經不太吃了。前幾天新聞廣播說，聯合國鼓勵大家多吃一些昆蟲，要不然，世界人口過多，糧食恐怕不夠吃，可見古人吃昆蟲是不足為奇的。此外，像古人用荇、藻、薲、蘩、枌、榆作蔬菜，用梅子、桃子之類當調味品，我們現在都很少用了。在飲食方面，三禮裡面談得蠻多的，專門的論文也不少，後面的參考書目可以看得到一些，限於時間，就不逐一介紹了。

至於衣服方面，主要包含頭上戴的帽子，就是首服，例如冠、冕、弁；身上穿的衣服，就是上半身穿的衣，下半身穿的裳，例如裘、袍、衰，如果衣跟裳連在一起就是深衣；另外還有腳上穿的鞋子，就是足服，例如屨、舄、襪；當然，還有身上配戴的環、玦、玉佩之類的佩飾。這些在《周禮》的〈司服〉，《儀禮》各篇，甚至《禮記》的〈玉藻〉、〈深衣〉等篇裡都有。像師大王關仕先生的博士論文《儀禮服飾考辨》，就是專門研究這方面的著作，其實如果專門去研究三禮中的服飾，還可以寫不少論文呢！大家都曉得，中國人特別喜歡玉，在《說文解字》裡面說玉有五種美德，你們看《紅樓夢》裡面，很多主角名字上幾乎都有一個玉字，如賈寶玉、林黛玉等等。有一個華僑，他不太看得懂漢字，只好看英譯本的《紅樓夢》。他寫一封信給朋友說：我最近在看一本紅色房子的故事，裡面很多人物非常有趣，有鮑魚、有帶魚，還有泡菜，這到底是哪些人物，大家想一想就知道了。

第三個是住的方面。在《周禮·考工記·匠人》裡面就談到王城

的建築。諸如左邊是祖廟，右邊是社稷，前面是朝，後面是市等等。
這一些對後代影響還蠻大的，特別是元明清幾乎就是這樣的建築。
〈考工記〉裡面還談到，一個國都四方都是九里，旁邊有三個門等
等，有人算一算，規模大概相當於北京的皇城。今天早上，彭林教授
的演講也特別談到〈考工記〉，這一篇的確是研究古代科技非常重要
的文獻，我們等一下會再談到這個問題。另外，《禮記》的〈月令〉、
〈明堂位〉，還有《大戴禮記》的〈明堂〉都談到明堂，這個明堂，
在先秦時，像孟子等都曾談到過，清代的惠棟，就曾寫過《明堂通
考》，近些年大陸有一位學者叫張一兵，專門研究明堂，有《明堂制
度源流考》、《明堂制度研究》之類的著作，所以明堂也蠻值得研究。
不僅大、小戴《禮記》裡面有〈明堂〉，連《管子》也有一篇〈幼
官〉篇，〈幼官〉這兩個字講不通啦！不曉得跟明堂有什麼關係呢？
應該是玄宮，北方的明堂叫玄宮。明堂在古代的建築史裡，有其重要
性，它可能是介乎理想跟實際中的一種建築。先秦，應該是有明堂，
只是失傳了，所以到漢代的學者要去恢復它的時候，有一半是憑想
像，另一半是憑文獻記獻。自古以來，有關明堂的說法不下數十種，
各家繪製的明堂圖也不下數十種，足見其複雜。

　　另外，有關行的部分。《周禮》的〈春官〉裡面談到天子備五
路，這個路就是輅，是車子的意思。看它的材質，有玉做的、金做
的、象牙做的、皮革做的、木做的，所以叫五路。在〈考工記〉裡面
對於車輛的製作談得最詳細，參與的工匠有輿人、輪人、車人、輈人
等等，等車子完工後，還要仔細檢驗，單是輪子就有六種不同的檢驗
方法，像把輪子丟到水裡面，如果它在水面上沉跟浮的程度很均勻的
話，就表示那個車輪不錯。如果一邊浮上來，另一邊往底下沈，那就
有問題。這些都是相當科學的，〈考工記〉的確很有研究的價值，所
以底下馬上就談到科技史的部分。

　　現代研究科技史的人常常喜歡說，先秦的科技名著有雙璧，一個是《周禮》的〈考工記〉，另一個是《墨子》的《墨經》。我們曉得《墨子》在先秦是顯學，但是到秦漢以後就沒落了。這有很多原因，第一個就是言之無文，你們讀《墨子》會發現他講得囉囉嗦嗦——〈兼愛〉上意猶未盡，再來個中，來個下，講來講去不過就是那兩三句話，絲毫沒有文采。第二個就是它是一個武力集團，在大一統的國家裡面當然絕對不允許。可是到了清代以後，《墨子》又慢慢被大家重視，為什麼呢？第一個，它講兼愛、講天志、講尚同，最接近基督教，很有西方宗教的精神；另外一個就是它講究科技，文藝復興之後西方的科技非常發達，中國已是望塵莫及，所以引起人們重新研究《墨子》的興趣。剛才提到的〈考工記〉是先秦手工業的寶典，內容非常豐富，包含車輛、冶鑄、兵器、鐘鼓、玉器、施色、造型、建築、水利、陶瓷等方面的技術，對後代影響很深。

　　我個人的研究其實是在《大戴禮記‧夏小正》這一篇文獻，它跟《禮記》的〈月令〉都提供了不少古代天文、曆法、氣候、生物等等科技文化史料。我曾寫過《夏小正析論》專門探討這幾方面。後來我接著寫《呂氏春秋》的天文、曆法、氣候、農業四篇，其中有許多地方講的就是〈月令〉的科技，因為〈月令〉是從《呂氏春秋‧十二月紀》抄出來的。本來想再寫一篇，就可以出版一本小書。不過，直到現在，第五篇始終沒有寫出來，所以那一本書始終沒有正式出版。此外，我還寫過一篇〈從科學觀點探討周禮〉，足見在科技史方面，三禮也有很多寶貴的資料。

　　再過來社會史方面，包含社會的制度、社會的禮俗。在社會制度方面，最重要的就是宗法，中國古代是宗法社會，後來已經改變了。但是宗法社會那種大宗小宗、昭穆、五服、九族、嫡長子繼承制的精神還是保留下來，如果想研究先秦的宗法制度，《禮記》的〈喪服小

記〉跟〈大傳〉是最重要的文獻。在大陸錢宗範的《周代宗法制度研究》、錢杭的《周代宗法制度史研究》，都是專門研究這個問題的，值得一讀。至於社會禮俗，那當然更是三禮裡面材料最豐富的一部分，例如《儀禮》裡面，吉、凶、軍、賓、嘉，這五禮，除了軍禮以外，大概都涵蓋其中了，而古代貴族的生活，大抵上也就可以了解了。其次，就是《禮記》，裡面有很多篇章都跟社會生活有關係。像〈曲禮〉講一些瑣瑣碎碎的禮節，像〈內則〉、〈少儀〉、〈深衣〉等等，跟世俗生活規範都有關係。至於專禮的部分，材料更多，我的老師——高明，高仲華先生，他的《禮學新探》曾經詳細的把《禮記》的內容加以分類。另外《大戴禮記》跟古禮有關的有〈諸侯遷廟〉、〈諸侯釁廟〉、〈朝事〉、〈投壺〉、〈公符〉五篇，可以補小戴《禮記》的不足。其中〈公符〉篇應該是〈公冠〉，這是比士禮裡面的士冠禮還要高一個層次。諸如此類，在《五禮通考》裡面有非常詳細的資料，只是它的部頭太大了，大家看了實在很傷腦筋。倒是在座的彭林教授寫過一本《中國古代禮儀文明》，對各種禮儀，都非常精簡的做了重點介紹，可以幫助我們入門。此外，在座的葉國良教授也有一本《古代禮制與風俗》，寫得深入淺出，也很有參考價值，但已絕版多年，最近復旦大學出版了修訂本《我們的國家：禮制與風俗》，應該不難買到。

　　第四個是思想史方面，在哲學史的書中常常會談到《禮記》，不管在天道觀、宇宙觀、知識論、人生哲學、政治哲學等方面通通會談到。我記得梁啟超先生曾經推崇《禮記》，說先秦儒家的思想，除了孔孟荀之外，有很多都保留在《禮記》裡面，這是我們研究孔門七十二弟子及其後學和秦漢之際儒家的思想最重要的資料庫，我想大家在讀《中國哲學史》時都已注意到《禮記》的重要性，不需要再特別提醒了。另外，《周禮》表面上只是條文式的百官職掌而已，其實裡面也有很多政治的思想。這個部分彭林教授也有一本書談《周官》的主

體思想跟成書年代。這裡我就不詳細介紹。

　　最後一個要談到的就是藝術史的部分，當然首先要談到《禮記》的〈樂記〉，剛才楊儒賓教授特別談到詩禮樂之辨，這部分我打算藉這個機會稍微補充一下。楊教授談到在《禮記・孔子閒居》中，曾提到無聲之樂，無聲之樂好像是比較接近老子的思想，因此可能會影響到這篇東西的評價。對於這個部分，大陸有一個學者，中文界出身，卻在大陸很有名的音樂學院——中央音樂學院任教，他叫作蔡仲德，著有《中國音樂美學史論》。在書中他說：老子的大音希聲是用自然主義來否定人為的音樂，但儒家的音樂是人為的音樂。〈孔子閒居〉既然是儒家的經典，所以無聲之樂應該是人為的音樂，只是它和老子的大音希聲看起來很像，很容易引起誤會。其實兩者不太一樣，到底理由在哪裡，他沒有詳細講，現在我根據他的話去進一步推敲，覺得他講的是有一點道理，因為所謂大音希聲，是老子的自然主義思想，自然主義就是反對一切人為，不管物質文明也好，知識也好，語言、文字也好，音樂就更不必說了，他通通都反對。因為老子以為自然是最偉大的。而人為對我們來講是妨礙非常大的，所以他反對人為的音樂。關於這一點，我就想到有一個美國的音樂家，他的思想可能跟老子有一點接近，那個人叫作約翰・凱吉，他有一首非常有名的音樂作品，叫作四分三十秒。有一個晚上他第一次上臺去演奏那首作品，只見他坐在鋼琴前邊，一直在看錶。始終沒有彈任何一個琴鍵，四分三十秒到了，他就站起來，向大家鞠個躬，下臺了。結果第二天報紙反應兩極化，有的把他罵得一塌糊塗，有的說他太有創意了。因為這裡面有很深的哲學意味，我認為那就是老子所講的大音希聲，為什麼呢？因為一般音樂，一定都有聲音。自然的天籟則不然，根本就沒有聲音，當音樂廳中靜到沒有任何一種聲音的時候，大家就會看來看去，甚至在那邊嬉戲，或竊竊私語，至少，內心會想起很多的事情，

或做了很多的反省，我認為這個就是老子大音希聲。至於無聲之樂好像不太一樣，無聲之樂我覺得較像白居易講的「此時無聲勝有聲」。在音樂裡面要有休止符，你不能任由非常茂密的音節拚命地衝擊著我們的耳朵，那樣子我們會受不了。就好像國畫下面畫了一些山水之類，上面就有很大的一片空白，這些空白，未必是為了供人在上面題詩，它其實有很深的作用，那就是老子所講的「故常無，欲以觀其妙」。在這兒，我是根據蔡仲德的《中國音樂美學史論》作這樣的延伸，當然我延伸的不一定正確，只是提供給各位參考而已。在藝術史方面，《禮記》的〈樂記〉非常重要，這是中國音樂美學的三大名著之一。其他的篇章像剛剛所講的〈孔子閒居〉以及〈禮運〉、〈中庸〉、〈經解〉、〈王制〉等也都有藝術史方面的資料。

最後就是有關研究方法，首先在禮學方面，我引用了彭林教授《三禮研究入門》中的六個方法，那就是：第一個，由小學切入；第二個，從禮學思想切入；第三個，名物考訂；第四個，與考古學結合；第五個，會通群經；第六個，禮學史的研究。限於時間，不再補充說明，請大家直接去買他的書閱讀。這本《三禮研究入門》，裡面談到了三禮研究的歷史、研究的方法、研究的範例、研究的問題跟展望等等，還有一百三十頁的參考書目，是很好的一本入門書。

其次就是文化學的方法，陳華文的《文化學概論》曾提到三個方法：第一是調查法，就是田野調查。第二是文獻法，就是文獻分析法，要貼緊文本。第三是比較法，因為不同的時間、不同的空間、不同類型的文化會有很多差異，所以用比較法。

下面的延伸閱讀，可以分別與上面所講的互相對應。在此要特別一提的是第三本王力先生的《中國古代文化常識》。我買書送給學生的時候，常常喜歡買這一本，這是他早年在北京大學主編《古代漢語》裡面文化常識的部分，寫得很好，食、衣、住、行、天文、地

理、樂律、職官等等方面都有簡明的介紹，我想大家在做研究或者在教學的時候常常可以用得到。後來他又出了單行本《中國古代文化常識》，增訂了很多圖片以及新資料，雖然是一個比較通俗的讀物，卻值得特別推薦。我的引言就此告一個段落，請多指教，謝謝。

延伸閱讀（依上文講述先後為序）

李鍌、邱燮友、周何、應裕康　《中國文化概論》　臺北市　三民書局　1971年

陰法魯等　《中國古代文化史》　北京市　北京大學出版社　1989年

王力　《中國古代文化常識》　北京市　世界國際圖書出版公司　2008年

許嘉璐　《中國古代衣食住行》　北京市　北京出版社　2011年

王關仕　《儀禮服飾考辨》　臺北市　文史哲出版社　1977年

吳安安　《儀禮飲食品物研究》　臺北市　臺灣師範大學國文研究所博士論文　1996年

聞人軍　《考工記導讀》　成都市　巴蜀書社　1988年

莊雅州　《夏小正析論》　臺北市　文史哲出版社　1985年

李安宅　《儀禮與禮記之社會學的研究》　上海市　上海人民出版社　2005年

陳戍國　《先秦禮制研究》　長沙市　湖南教育出版社　1991年

王貴民　《中國禮俗史》　臺北市　文津出版社　1993年

彭林　《周禮主體思想與成書年代研究》　北京市　中國人民大學出版社　2009年

周世輔、周文湘　《周禮的政治思想》　臺北市　東大圖書公司　1981年

龔建平　《意義的生成與實現——禮記哲學思想》　北京市　商務印
　　　書館　2005年
王啟發　《禮學思想體系探源》　鄭州市　中州古籍出版社　2005年
蔡仲德　《中國音樂美學史》　臺北市　藍燈文化事業公司　1993年
王禕　《禮記樂記研究論稿》　上海市　上海人民出版社　2011年
彭林　《三禮研究入門》　上海市　復旦大學出版社　2012年
陳華文　《文化學概論》　上海市　上海文藝出版社　2003年

輯三　爾雅之屬

《爾雅·釋魚》與
《說文·魚部》之比較研究

一 前言

　　孔子（西元前551-前479年）曾說：「小子何莫學乎詩？詩可以興，可以觀，可以群，可以怨。邇之事父，遠之事君，多識於鳥獸草木之名。」（《論語·陽貨》）這段話不僅決定了《詩經》學及中國文學批評的研究走向，也影響了中國第一本百科全書及同義詞典──《爾雅》的編輯。《爾雅》〈釋草〉、〈釋木〉、〈釋蟲〉、〈釋魚〉、〈釋鳥〉、〈釋獸〉、〈釋畜〉七篇的出現，就是其「多識於鳥獸草木之名」的具體落實，後世的字書、類書、雅學、本草莫不以此為典範，其影響之深遠，可說無與倫比。《說文》為字書之祖，其編纂除參考《爾雅》及群書乃至通人之說外，還分別部居，自開新局，其津逮後世，亦十分深遠。有關動植物的資料，在《說文》中散見於二、三十個部首，其取材角度、編輯體例與《爾雅》互有異同，其價值與《爾雅》也可先後輝映。無論就語言文字學、科技史乃至文化學而言，皆頗有詳加對照，俾收相觀而善之效的必要，可惜世之從事於此者邈乎未聞。今即以《爾雅·釋魚》與《說文·魚部》為例來進行比較，庶幾可以由小見大，舉一反三，對古代博物之學的研究或許不無小補吧！

二　材料的比較

〈釋魚〉是《爾雅》二十篇中的第十六篇，共四十五條，六十二種動物。[1]《說文》云：「魚，水蟲也。」古時凡是動物都叫作蟲，[2]所謂水蟲，顧名思義就是水生動物，但以今日動物分類觀點衡之，其內容卻比水生動物還要廣，包括：

魚　類：如鯉（鯉魚）、鱣（中華鱘）、鰋（翹嘴紅鮊）、鮎（鯰魚），共十九條。

兩棲類：如科斗（蝌蚪）、鼁鱦（蟾蜍）、蠑螈（遠東蠑螈）、鯢（娃娃魚），共四條。

爬行類：如鼊、龜、螣（螣蛇）、蟒（蟒蛇），共八條。

軟體類：如魁陸（蚶）、蚌、蚹蠃（蝸牛）、貝，共六條。

節肢類：如鰝（龍蝦）、蜎（孑孓）、蠃（螺），共三條。

環節類：如蛭（日本醫蛭），共一條。

哺乳類：如鱀（白鱀豚），共一條。

除了魚類外，還包含其他水生動物、兩棲動物，甚至與魚類有所類似的動物（如魚類有鱗，螣、蟒也有鱗，遂連類及之）。由此可見，〈釋魚〉的魚在古人心目中遠比今日魚類為廣。[3]郝懿行（1757-

1　詳見施孝適：〈爾雅蟲魚名今釋〉，《大陸雜誌》第81卷第3期（1990年），頁41-48。

2　《大戴禮記・曾子天圓》：「毛蟲之精者曰麟，羽蟲之精者曰鳳，介蟲之精者曰龜，鱗魚之精者曰龍，倮蟲之精者曰聖人。」（〔清〕王聘珍：《大戴禮記解詁》，臺北市：世界書局，1966年，卷5，頁8。）毛蟲即獸類，羽蟲即鳥類，介蟲即龜、貝之類，鱗蟲即魚類和爬行類，倮蟲即人類。這五蟲大抵已將各種脊椎動物概括無遺。其他昆蟲之類，《爾雅》收入〈釋蟲〉，然則古代的動物通稱為蟲。

3　詳見施孝適：〈爾雅蟲魚名今釋〉，頁46，其中有2條有所重複。

1825）云：「茲篇所釋，兼包鱗、介之屬。」（《爾雅義疏》〔臺北市：中華書局，1966年3月〕下之四，頁1）其說囿於傳統分類，未免失之寬泛；鄒樹文《中國昆蟲學史》則以為「包括魚類、兩棲綱和爬行綱在內，亦即是低級脊椎動物的所謂冷血動物。」其說乃是在將〈釋魚〉內容調整四分之一之後所界定，恐亦非《爾雅》作者的本意。[4]

至於《說文‧魚部》，則係許慎（58？-147？）根據「分別部居，不相雜厠。」（《說文解字‧敘》）的理念，將東漢以前以魚為形符構造的文字整理歸納而成，凡一〇三字，另有重文七個，是全書五四〇部中的第四二四部。其內容，段玉裁（1735-1815）《說文解字注》云：「自鮷至魤十篆，蓋皆非許書所本有。以魚部鱴、鮞為魚子，自鮊至鱣皆魚名，自鰤至鮑皆泛言魚之體、魚之用，自鮼至鮚皆字從魚而實非魚者。至此而魚部畢矣！不當又舉魚名及魚之狀皃，故知必淺人所增也。」（鮷字注）除了段氏所說鮼（蟲連行紆行者）、鰕（蝦）、鰝（龍蝦）、魧（大貝）、魶（蚌）、鮚（蚌）字從魚而實非魚，以及鯢（娃娃魚）屬兩棲類，鱲（鯨）屬哺乳類外，其餘可說都與今之魚類有關，可見古人造字時對於魚類的概念大抵已相當清晰。

不過，《爾雅‧釋魚》中的材料，在《說文》中，除了見於〈魚部〉外，又分見於：

> 玉部：玼（《爾雅》為蜃之小者，《說文》為蜃甲）、瑇。
>
> 貝部：貝。
>
> 長部：髟（蝮蛇之屬）。
>
> 易部：易（蜥易、蝘蜓、守宮）。
>
> 虫部：包含蜎、蠣、蛭、蟻、蠦、蚌、蠃、蝓、蛹、蜃、蛋、
> 　　　　螣、蝮、蚖等字，為數最多。

4　同前註，頁46-47。

黽部：黽（蟾蜍在水者）、鼃䵷（蟾蜍）、鼈。

龜部：龜。

如果將兩書單字互相比較，則《爾雅・釋魚》與《說文・魚部》俱收者有鯉、鱣、鮷、鱧、鮥、鱜、魴、魵等二十餘字，及上述玉、貝、虫等部二十餘字；《爾雅》有而《說文》未收者有鰹、鮵、鱟、鰶、烈、鱨、鰊、鯖等十餘字；《說文》收入而未見於《爾雅》者，更有鰆、鮰、鮞、鰱、鱲、鶲、鮫、鱷、鮑、鮚等七十餘字。足見《說文》固有失收字，而《爾雅》未收及《爾雅》成書後始造之後起字為數更多。當然，偶爾也有同為一字，而兩書字體不甚相同者，如《爾雅》的鮛鮪、當鱪、贃、蠑螈、蜥蜴，即《說文》的叔鮪、當互、焱、榮蚖、蜥易，可見在文字流傳的過程中，異體字普遍存在。

倘使將《爾雅・釋魚》各條釋義與《說文》相關資料比對，更可以明顯發現《說文》的取材深受《爾雅》影響，例如：

《爾雅・釋魚》：鯤，大鱧，小者鮡。

鰝，大蝦。

鮥，鮛鮪。

鮥，當鱪。

蛭，蟣。

蚍，盧。

蚹蠃，蠸蝓。

貝：居陸贆，在水者蜬。

蠑螈，蜥蜴；蜥蜴，蝘蜓；蝘蜓，守宮也。

魥，蛋。

蝮虺，博三寸，首大如擘。

《說文．魚部》：鮰，大鱯也，其小者名鮡。

鰝，大蝦也。

鮥，叔鮪也。

鮯，當互也。

〈虫部〉：蛭，蟣也。

蠆，陛也。

蠃，蜾蠃也，一曰虒蝓。

〈貝部〉：貝，海介蟲也，居陸名猋，在水名蜬。

〈易部〉：易，蜥易，蝘蜓，守宮也。

〈長部〉：镻，蛋也。

〈虫部〉：虫，一名蝮，博三寸，首大如擘指。

許慎《說文解字．敘》云：「博采通人，至於小大，信而有證。稽譔其說，將以理群類，解謬誤，曉學者，通神恉，分別部居，不相雜厠也。」全書徵引群籍者一三二〇條，徵引通人之說者一〇三條，其中明引《爾雅》者僅二十八條，為數固然不多，[5]但暗用《爾雅》者則比比皆是，可見《爾雅》為《說文》之根本，郭璞（276-324）稱讚它：「所以通詁訓之指歸……誠九流之津涉，六藝之鈐鍵。」（《爾雅注．序》）是一點兒也不錯的。

三　體例的比較

就材料之安排而言，《爾雅》可說是一本小型百科全書；就材料之詮釋而言，《爾雅》可說是一本同義詞典。胡奇光（1935-）說：

5　詳見馬宗霍（1897-1976）：《說文解字引經考》（臺北市：臺灣學生書局，1971年），頁1023-1052。

《爾雅》的作者不是《呂氏春秋》編者那樣的雜家，而是精通詩書，兼及九流的儒家學者。他們受過名家關於名的邏輯分類的學說的影響，但他們率先按義類編次詞條；其指導思想實出於《易‧繫辭》。〈繫辭〉說：「方以類聚，物以群分。」這可視為《爾雅》的編輯總綱。[6]

即以〈釋魚〉一篇而言，《爾雅》的作者將所有水生動物的材料都類聚在一起，使與植物及其他動物有所區分，然後再加以整理歸納，以魚類為主，旁及其他與魚類有直接關係或間接關係的動物，這就是〈釋魚〉一篇材料安排的過程。

對於這些材料的詮釋，《爾雅》的作者或只羅列詞彙，未加詮釋，如：「鯉。鱣。鰋。鮎。鱧。鯇。」是也；或以名詞詮釋名詞，如「鯊，鮀。」「魢，黑鰦。」「鯦，鮥。」「鮤，鱴刀。」是也；或有大小、顏色、性狀等的描述，如：「鰹，大鮦，小者鮵。」「魚有力者鱏。」「蝮虺，博三寸，首大如擘。」是也。其體例混亂，詮釋不詳，宜乎施孝適評之曰：「《爾雅》中〈釋草〉以下七篇（包括〈釋蟲〉和〈釋魚〉）的價值，與其說在於訓詁，毋寧說在於詞彙。」（〈爾雅蟲名今釋〉，頁47）不過，如果就其以名詞詮釋名詞的二十一條及有大小、顏色或性狀等描述的十四條來看，它已開後世義訓的先聲，例如：

　一、直訓

　　（一）單詞相訓：如「鮤，鱴刀。」

　　（二）數詞遞訓：如「蠑螈，蜥蜴；蜥蜴，蝘蜓；蝘蜓，守宮也。」

6　見胡奇光、方環海：《爾雅譯注‧前言》（上海市：上海古籍出版社，1999年），頁8-9。

二、義界

（一）直下定義：如「鯤，魚子。」

（二）兩字各訓：如「鰥，大鮦，小者鮵。」

（三）集比為訓：如「魚枕謂之丁，魚腸謂之乙，魚尾謂之丙。」

（四）描寫形象：如「龜，俯者靈，仰者謝，前弇諸果，後弇諸獵，左倪不類，右倪不若。」

（五）比況為訓：如「蝮虺，博三寸，首大如擘。」

（六）補充說明：如「黿鼁，詹諸。在水者黿。」

椎輪為大輅之始，如果從這個角度來看，《爾雅》對包括《說文》在內的字書開創了不少義訓的法門，其貢獻絕對不容小覷。

再看看《說文》，它繼承了《爾雅》的義訓傳統，踵事增華，在訓詁方面更臻周密，例如：

一、詮釋字義

（一）形訓：如「魚，水蟲也。象形。魚尾與燕尾相似。」

（二）聲訓：如「龜，舊也，外骨內肉者也。」

（三）義訓：

1　直訓

（1）單詞相訓：如：「鮪，鮥也。」

（2）多詞同訓：如：「鮐，海魚也。」「鮊，海魚也。」「鰒，海魚也。」「鮫，海魚也。」

（3）兩詞互訓：如：「鯉，鱣也。」「鱣，鯉也。」

（4）數詞遞訓：如：「鮀，鮎也。」「鮎，鰋也。」「鰋，鮀也。」

（5）一詞數訓：如：「鮦，鮦魚。一曰鱧也。」

2　義界

（1）直下定義：如「鮑，饐魚也。」

（2）增字為訓：如「鮭，鮭魚也。」「鰨，虛鰨也。」

（3）兩字各訓：如「鮔，大鱯也，其小者名鮡。」

（4）集比為訓：如「虫……物之微細，或行或飛，或毛或蟲，或介或鱗，以虫為象。」

（5）描寫形象：如「鱒，赤目魚。」

（6）比況為訓：如「鰨，鰨魚，似鼈。」

（7）補充說明：如「鰅，鰅魚也。出樂浪潘國。」

二、剖析字形：如：「貝，海介蟲也，居陸名贆，在水名蜬。象形。」「鱻，新魚精也。从三魚。」「魴，赤尾魚也，从魚，方聲。」「魦，魦魚也。出樂浪潘國。从魚，沙省聲。」

三、標注讀音：如「鰗，鰗魚也。从魚，幼聲。讀若幽。」

四、引證：如「鱷，海大魚也。从魚，畺聲。《春秋傳》曰：『取其鱷鯢。』」

單就義訓而言，在《說文・魚部》及相關各部中，除了直訓中的反訓，義界中的連類並訓未見其例之外，各種方式大抵已包舉無遺，真可當訓詁之淵藪而無愧。

四　價值的比較

（一）語言文字學方面

與水生動物有關之字，見於甲骨文者有魚、漁、魰、貝、易、虫、龜、黽等，見於金文、石鼓、古匋、古鉥、侯馬盟書、楚帛書者有魚、穌、鯀、鯉、魴、鱮、鰻、鮮、鮊、鯾、鮑、鱻、漁、魰、

貝、易、虫、蚖、黽，[7]總共不過二十餘字，見於《爾雅・釋魚》者，增至六十餘字，見於《說文》者增至百餘字，見於《康熙字典》、《辭海》、《中文大辭典》、《漢語大辭典》者更增至數百字，且形聲字所佔比例不斷提升，將這些材料排比並觀，可以了解中國文字歷時演變的大勢。《爾雅・釋魚》云：「魚枕謂之丁，魚腸謂之乙，魚尾謂之丙。」郭沫若（1892-1978）即用以解釋甲骨文之構形，[8]較之《說文》之以陰陽五行解釋干支，[9]顯然合理許多。不過，《說文》以闡述造字本義為宗旨，而且每字皆分析其六書，其解釋水生動物諸字，在文字學的研究上，還是具有極高的價值。

《爾雅》旨在解釋經傳文字，與中國第一本詩歌總集——《詩經》關係尤其密切，其有益於上古音韻之研究固不待言。《說文》形聲可以補先秦兩漢韻文之不足，更是研究上古音韻的重要材料，如鱸，重文作鯨，古音同屬段玉裁第十部（陽部），可證中古陽唐諸韻上古固然多入陽部，庚青諸韻亦有屬陽部者。此外，《說文》中之聲訓，如「龜，舊也。」「鱨，揚也。」讀若諸字，如「鮦，讀若綺襦。」「鰌，讀若幽。」對我們了解上古音韻也是頗有助益的。

在訓詁方面，《爾雅》首創按意義分類編排的體例，也為義訓方

7　詳見徐中舒（1898-1991）：《漢語古文字字形表》（臺北市：文史哲出版社，1988年），頁443-445，240，506，507，510。

8　郭沫若（1892-1978）以為甲骨文字甲象魚鱗，乙象魚腸，丙象魚尾，丁象魚睛，在頭之兩側，故《爾雅・釋魚》所云：「魚枕謂之丁，魚腸謂之乙，魚尾謂之丙。」乃最古之象形文字。詳見《甲骨文字研究・釋干支》（北京市：人民出版社，1952年），頁8-9。

9　《說文解字》十四篇下：「乙，象春艸木冤曲而出，会气尚彊，其出乙乙也。與丨同意。乙承甲，象人頸。」「丙，位南方，萬物成炳然，会气初起，易气將虧，从一、入、冂，一者，易也。丙承乙，象人肩。」「丁，夏時萬物皆丁實。象形。丁承丙，象人心。」見〔清〕段玉裁：《說文解字注》（臺北市：藝文印書館，1964年），頁747。按：本文所引《說文》皆以此本為準。

式開了不少法門，不僅成為中國訓詁專書之鼻祖，而且深深影響《小爾雅》、《廣雅》、《埤雅》、《駢雅》、《通雅》等群雅及《北堂書鈔》、《藝文類聚》、《白孔六帖》、《太平御覽》等類書的發展。《說文》是中國第一本字典，其細密的訓詁方式，亦深深籠罩後代的字書，如《字林》、《玉篇》、《類編》、《字彙》、《正字通》、《康熙字典》之類，垂兩千年，此在上文言之已瞭，不復贅。

　　就詞彙學的立場來看，《爾雅》與《說文》分別集先秦、兩漢詞彙之大成，不但上古基本的單音詞、複音詞（包括合義複詞、連綿字、重言詞等）一應俱全，而且解釋古代漢語的主要方式在這兩部書裡都已具備。從〈釋魚〉及〈魚部〉均可看到其具體而微的梗概。殷孟倫（1908-1988）說：

> 儘管現代的任何一部詞書所收集的詞語，多至十幾萬個乃至幾十萬個的那樣豐富，編製的條理儘管也是細密非常，為二千年前的詞書──《爾雅》所不能比擬，但《爾雅》的重要性和所起的啟導作用仍然不可忽視。……《爾雅》的作用不僅這樣，它又總結了曾經行用過的古漢語的詞語，加以類聚群分，勒成專書，這便為古漢語詞彙的研究畫出了一個大的輪廓。……因此，我們說《爾雅》的出現，是我國語言科學研究進入一個新的階段的里程碑，並非過譽。[10]

這雖然只是為《爾雅》立說，對於《說文》，其實也是一體適用的。

　　當然，完成於兩千多年前的古書難免會有一些缺陷。首先，《爾雅》取材以見於經傳者為主，所載魚名並不完整；《說文》所收雖充

---

10 見殷孟倫：〈從爾雅看古漢語詞彙研究〉，收於朱祖延（1922-）：《爾雅詁林‧敘錄》（武漢市：湖北教育出版社，1998年），頁428-429。

實許多，但失收字仍在所難免。其次，《爾雅‧釋魚》或只羅列詞彙，或以名詞詮釋名詞，或有大小、顏色、性狀等之描述，體例較為混亂；《說文》則以部首編排從魚諸字，體例一致，條理井然，唯水生動物除見於魚部外，又分見數部，翻檢亦有所不便。最後，《爾雅‧釋魚》的解釋過分簡略，往往語焉不詳，如「鯉、鱣、鰋、鮎、鱧、鯇。」依郭注為六魚，然許慎鯉鱣互訓，《詩傳》鰋鮎同條，孫炎鱧、鯇一魚，是前人解讀不一，[11]「魳，黑鰦。」黑鰦究係魳之別名，抑或指黑色的鰦魚？實亦不易確定；《說文》固然每字皆有解釋，但每個字頭平均只用十二字介紹，除釋義外，還要析形，間亦注音、引證，解釋自然也難以詳盡，如「魼，魼魚也。」「鮐，海魚也。」「鮌，魚名。」之類，幾近有五十個字頭，或只在被釋字下加一「魚」字，或過分籠統，也都有賴於歷代注家進一步加注，才可望較為明晰。

（二）科技史方面

《爾雅》中有關生物的資料計分七篇，正代表著古人對生物分類的傳統認識。其中〈釋草〉介紹草本植物，〈釋木〉介紹木本植物，這兩篇是屬於植物方面的；〈釋蟲〉、〈釋魚〉、〈釋鳥〉、〈釋獸〉四篇介紹野生動物，〈釋畜〉介紹飼養動物，這五篇是屬於動物方面的。〈釋蟲〉末云：「有足謂之蟲，無足謂之豸。」〈釋鳥〉末云：「二足而羽謂之禽，四足而毛謂之獸。」除了魚類外，對於各類動物都有簡單的定義。這樣的分類，較之《周禮‧地官‧大司徒》、《管子‧幼官》、《周禮‧考工記》等的分類，更符合一般人的習慣，[12]所以成為

---

11 詳見（清）郝懿行：《爾雅義疏》（臺北市：臺灣中華書局，1966年），下之四，頁2，鯇字。按：本文所引《爾雅》皆以此本為準。

12 《周禮‧地官‧大司徒》分動物為毛物、鱗物、羽物、介物、臝物。《管子‧幼

後代生物分類的基礎,如三國時陸璣的《毛詩草木蟲魚鳥獸疏》就直
接以之為書名;明代李時珍（1518-1593）《本草綱目》把動物藥品分為
蟲、鱗、介、禽、獸、人等,也顯然是本之於此。

在每一大類下,《爾雅》還出現了「屬」、「醜」等子類概念,如
〈釋獸〉有寓屬、鼠屬、齸屬、須屬,有熊虎醜、狸狐貒貈醜。〈釋
魚〉雖未分屬、分醜,但從其材料之排比,還是可以隱隱約約發現其
具有分門別類的意思。有時甚至會把科目相近的動物擺在一起,如
「鮥,鮛鮪。」「𩶬魚,鱴,刀。」都屬於魚綱,鯡形目;「鯬,
鯠。」「魴,魾。」都屬魚綱,鯉形目,鯉科。顯示當時的人對魚類
已有較細緻的認識,只是這種認識純粹是從外形上加以區分,還談不
上是分類學上的一個階元。[13]

除了分類之外,〈釋魚〉有時也會描述水生動物的形態或生態,
如「魚有力者鰴。」「黿鼄,蟾諸,在水者黽。」「鱉三足能,龜三足
賁。」「貝:居陸贆,在水者蜬;大者魧,小者鰿;玄貝,貽貝,餘
貾黃白文,餘泉白黃文;蚆博而頯,蜠大而險,蟦小而橢。」此外,
對同物異名,如「鰼,鰌。」異物同名,如「鱋,大鰕。」「魵,
鰕。」「鯢,大者謂之鰕。」也往往有所交代,這些對於人們認識水
生動物是有所裨益的。

《說文解字‧後敘》云:「其建首也,立一為耑,方以類聚,物
以群分,同條牽屬,共理相貫,雜而不越,據形系聯,引而申之,以

官》分為倮獸、羽獸、毛獸、介蟲、鱗獸,皆與《大戴禮記‧曾子天圓》相同,乃
受陰陽五行學說影響之分類。《周禮‧考工記》則分大獸五（包括脂者、膏者、贏
者、羽者、鱗者）及小蟲之屬（又分外骨內骨、卻行仄行、連行紆行、以脰鳴者、
以注鳴者、以旁鳴者、以翼鳴者、以股鳴者、以胸鳴者）,略有不同。

13 現代生物學在動物界下分門、綱、目、科、屬、種六級階元,階元之下還可有亞階
元,每個名稱都有明確而穩定的定位。見李海霞（1954-）《漢語動物命名研究》（成
都市:巴蜀書社,2002年）頁154。

究萬原，畢終於亥，知化窮冥。」許慎一方面受到史游〈急就篇〉「分別部居不雜厠」的影響，一方面受到《爾雅》形符相同的字往往類聚在一起的啟發，發明了部首編排法。每一個部首都代表了造字者對事物的認識。水生動物基本上以魚部為主，《說文》云：「魚，水蟲也。」魚部除了少數字不屬於魚類外，其餘可說都與魚類有關，其範圍顯然比《爾雅‧釋魚》嚴謹。其餘〈釋魚〉諸字，分見玉、貝、長、易、虫、黽、龜等部，其中虫部除兩棲類、爬行類外，還包括軟體類、節肢類、環節類、昆蟲類，內容十分龐雜。

在同部之下，歸字之先後，許氏主要是以義相引，這很自然就會產生「物以類聚」的一些小類。所以在魚部中，各字顯得井然有條。即使同樣是魚名，其先後的次第，有時也可產生區分囿別的作用，如鮪字之後次之以鮥鮥，再次之以鮥，因「周雒謂之鮪，蜀謂之鮥鮥。」而鮥是「叔鮪也。」

在形態或生態的描述上，《說文》比《爾雅》詳細，如「鮞，鮞魚。無甲，有尾，無足，口在腹下。」「魴，赤尾魚也。」「鮆，刀魚也，飲而不食。」有時還會注明其產地，如「鰜，鰜魚也。出樂浪潘國。」說明其用途，如「鮫，海魚也。皮可飾刀。」而同物異名或異物同名者也往往可以考見，如「鱮，鱮魚也。一名鯉，一名鰜。」這是同物異名，「魠，大貝也。从魚，亢聲。一曰魚膏。」這是異物同名。諸如此類，顯然比《爾雅》充實而有變化。

今日所知動物不下百萬種，其中水生動物就多得不可勝數，無論《爾雅》或《說文》所載，都不過是九牛一毛而已。在分類上，也都不夠周延，如《爾雅》將水生動物及非水生動物的螣、蟒、蜥蝪、蝸牛之類都列入〈釋魚〉就頗嫌龐雜，而且與「有足謂之蟲，無足謂之豸。」的定義也難免自語相違。《說文‧魚部》雖較合理，但由於造字時取義角度不同，也導致歸部的混亂，容易讓人產生誤解，如鰕、

鯼、魟、魳、鮨等入魚部即是。尤有進者，因為《爾雅》或《說文》解說都不夠詳盡，且零星而不成系統，以致有些物種不得其解，如〈釋魚〉：「鰲，鰊。」「鱬，蚵。」博學多聞的郭璞就逕注「未詳」，後人縱有考辨，也難以論定。另外，有些詞語解釋實在不夠精確，如〈釋魚〉云：「蠑螈，蜥蜴；蜥蜴，蝘蜓；蝘蜓，守宮也。」殊不知依現代動物分類學來分析，蠑螈屬兩棲綱蠑螈科；蜥蜴屬爬行綱蜥蜴目；蝘蜓屬爬行綱石龍子科；守宮屬爬行綱壁虎科，四者形狀大同小異，而實非一物，[14]《爾雅》遞相訓釋，混為一談，已是有失明察，《說文》蹈襲其謬而不自知，更是近乎荒唐。古時動物分類之不夠細密，由此可見一斑。至於像《說文》龜字云：「天地之性，廣肩無雄，魚鼈之類，以它為雄。」觀物未審，信口開河，也是古籍裡常見的怪現象。

（三）文化學方面

所謂文化是人類生活的產物，智慧的結晶，舉凡民生、經濟、科技、社會、政治、教育、宗教、學術、藝術等皆屬之。上文所言語言文字學及科技史也都在文化學的範疇之內，本論文的研究重點即在探討《爾雅》與《說文》在語言文化與科技文化兩方面的對應關係。但除此之外，我們還可以從其他幾個文化學的角度來討論古代的魚文化。

正如其他文明古國一樣，中國也曾經歷過漁獵社會時代，魚與人類文明的發展具有密切關係。如近世出土的新石器時代文物就有刻花魚形匕骨，呈現著錯綜變化之美；[15]仰韶文化遺址也有人面含魚紋的

---

14 詳見顧廷龍（1904-1998）、王世偉：《爾雅導讀》（成都市：巴蜀書社，1990年），頁246。

15 見臧克和（1956-）：《說文解字的文化說解》（武漢市：湖北人民出版社，1994年），頁257。

紋飾，可說是一種圖騰臉譜吧！[16]

《孟子‧告子》說：「魚，我所欲也；熊，亦我所欲也。」魚從古以來不僅為民生必需品，也是隆重的宴會所不可或缺。《詩‧小雅‧魚麗》云：「魚麗于罶，鱨鯊。君子有酒，旨且多。」〈南有嘉魚〉云：「南有嘉魚，烝然罩罩。君子有酒，嘉賓式燕以樂。」在在說明魚在飲食文化中的重要性。《說文》就曾暗引「烝然鮣鮣。」來解釋鮣字，暗引「鱨鮪鰋鰋」來解釋鰋字，足見其入人之深。春秋時代，專諸在魚炙之腹中暗藏匕首刺殺了吳王僚，曾改寫過歷史。直至今日，「山珍海味」、「蓴鱸之思」仍然是人們常用的成語呢！

魚除了滿足口腹之慾外，用途極多，例如：

> 《說文‧魚部》：「鮫，海魚也。皮可飾刀。」
> 《左傳‧閔公二年》：「歸夫人魚軒。」
> 《詩‧小雅‧采薇》：「四牡翼翼，象弭魚服。」
> 《文選‧吳都賦》：「扈帶鮫函。」李善注：「鮫魚甲可為鎧。《淮南子》曰：『鮫革犀兕為甲冑也。』」
> 《爾雅‧釋魚》：「魚枕謂之丁。」郭璞注：「枕在魚頭骨中，形似篆書丁字，可作印。」
> 《爾雅‧釋魚》：「鰝，大鰕。」郝懿行《義疏》：「《北戶錄》云：海中大紅鰕，長二丈餘，頭可作盃，鬚可作簪、杖。」
> 《史記‧秦始皇本紀》：「九月，葬始皇驪山，以水銀為百川江河大海，機相灌輸，上具天文，下具地理，以人魚膏為燭，度不滅者久之。」
> 《說史‧貝部》：「貝，海介蟲也。……古者貨貝而寶龜，周而有泉，至秦廢貝行錢。」

---

16 見盧國屏（1962-）：《爾雅語言文化學》（臺北市：臺灣學生書局，1999年），頁269。

魚皮可以飾刀、飾車，做箭袋，做鎧甲，魚枕骨可刻印，蝦頭可製盃，蝦鬚可製簪、杖，人魚油膏可造蠟燭，貝在殷商時代曾充當貨幣，龜是古代占卜文化中的主角，在文明發展史上，水生動物的功用真是發揮到了極致。

在精神層面，魚類也曾給人們帶來許多遐思與啟示，如《詩·大雅·旱麓》：「鳶飛戾天，魚躍于淵。」鼓舞人們生活要有活力，《漢書·李奇傳·注》：「鮪出鞏縣穴中，三月溯河上，能渡龍門之浪，則得為龍矣！」鼓勵人們在逆境中要力爭上游。莊子（西元前369？-前286？年）從「儵魚出游從容，是魚樂也。」（〈秋水〉）體會到物我合一的妙趣；從「於魚得計，於羊棄意。」（〈徐無鬼〉）領悟到「魚相忘於江湖，人相忘於道術」（《經典釋文》）的道理。今人熟悉的成語，如「鮑魚之肆」、「竭澤而漁」、「水清無魚」、「臨淵羨魚」，更是早就融入我們生活當中，成為許多人的座右銘。魚的影子可說與人類長相左右了。

五　結語

總之，由於受到時代的局限，《爾雅》與《說文》雖然在材料或體例上都難免瑕瑜互見，但畢竟無損於其經典地位，也不應抹煞其二千年來的巨大影響。在學術昌明的今日，我們應該結合文字學、聲韻學、訓詁學、詞彙學、語法學、語源學、語言文化學來研究其語言文字；結合科技史、生物學、考古學，從水生動物的形態、分類、生理、生態、分布、發生、遺傳、進化及其與人類的關係等方面來探討古代典籍中的科技史料；結合文化人類學、語言學、社會學、史地學來探討其文化層面。誠能如此，則不僅可以賦古典以新義，也可使學術研究的成果更加輝煌。

論二重證據法在《爾雅》
研究上之運用

一　前言

學術的突飛猛進，除了人才的因素外，往往有賴於新材料的出現、新方法的使用及新工具的發明，而此三者之間又常互為因果。早在漢代，即有古文經書及鐘鼎的出現，引起了今古文之爭及小學的發達；晉代汲冢書的發現，促使史學脫離經學獨立；宋、清兩代鐘鼎彝器及石刻的大量出土，形成金石之學的高潮；光緒末年，殷墟甲骨及敦煌寫卷相繼出土，也蔚然成為顯學，歷久不衰。而近幾十年來，簡牘、帛書及各種地下文物不斷發現，以及電腦的發明，更是推動古代文字、文獻、文化的研究進入一個嶄新的紀元。八十幾年前，王國維（1877-1927）提出的二重證據法，「既據史傳以考遺刻，復以遺刻還正史傳[1]」，迄今仍為地下文物與傳統文獻交叉研究的最重要方法。于師長卿（1934-2001）嘗列舉古物材料之關係於學術研究者十二事：

> 一曰證古史之可信也。
> 二曰正載籍之譌誤也。

---

[1] 王國維：〈古史新證〉、〈宋代之金石學〉，《王觀堂先生全集》（臺北市：文華出版公司，1968年），第6冊，頁2078、第5冊，頁1933。可參閱葉國良：〈二重證據法的省思〉，《出土文獻研究方法論文集初集》（臺北市：臺灣大學出版中心，2005年），頁1-18。

　　三曰斟傳本之譌文也。

　　四曰補舊史之闕漏也。

　　五曰辨傳聞之誣枉也。

　　六曰辨作品之真偽也。

　　七曰考古書之時代也。

　　八曰覈篇卷之異同也。

　　九曰考古書之形式也。

　　十曰得故書之真解也。

　　十一曰輯故書之佚文也。

　　十二曰明文字之源流也。[2]

由此可見二重證據法可以運用的領域十分寬廣，功用非常深鉅，前修及時賢拜此法之賜而大有成就者實更僕難數。鄙人近年以《爾雅》為重點，執行國科會研究計畫，發現這本被譽為「九流之津涉，六藝之鈐鍵[3]」的經典還很少有學者以二重證據法去進行研究，除了周祖謨的《爾雅校箋》在校勘方面有較完整的成果外，其他部分都屬零星的探討，因而不揣淺陋，草撰這篇短文，希望能得到拋磚引玉的效果。

二　斟傳本之異同

　　《爾雅》是一本源遠流長的古籍，在傳播的過程中，或由於傳鈔的筆誤，或由於版刻的疏漏，魯魚亥豕的現象自然屢見不鮮，難免造

2　于大成：〈二重證據〉，《理選樓論學稿》（臺北市：臺灣學生書局，1979年），頁501-561。

3　（晉）郭璞：《爾雅郭注・序》（臺北市：新興書局，1973年），頁1。下引《爾雅》本文及郭注皆以此本為準。

成閱讀的障礙，所以要想讀通《爾雅》，自非仰賴專家學者從事校勘工作不可。清代以降，學者實事求是，校勘《爾雅》者不下十餘家，其中最重要的是阮元（1764-1849）的《爾雅注疏校勘記》六卷、嚴元照（1773-1817）的《爾雅匡名》二十卷、王樹枏（1851-1936）的《爾雅郭注佚存訂補》二十卷[4]。而近代，聲名最著者則屬周祖謨（1915-1995）的《爾雅校箋》三卷。在前賢已有豐碩成果的情況下，周氏所以還要繼續從事校勘工作，一方面是一九〇〇年敦煌石室發現了大批的寫卷，其中就有唐寫本《爾雅》白文（伯3719）及《爾雅郭璞注》殘卷（伯2661、3735、5522）[5]，而一九三二年故宮博物院景印的《天祿琳琅叢書》中也有南宋監本《爾雅郭璞注》，這些都是前人未曾涉足的新材料。另一方面，由於周氏精通版本目錄，長於聲韻訓詁，對古籍的整理和校勘，有豐富的經驗和濃厚的興趣，先後出版《廣韻校本（附校勘記）》（北京市：商務印書館，1938年）、《方言校箋》（北京市：中華書局，1956年）、《洛陽伽藍記校釋》（北京市：科學出版社，1956年），所以就賡續撰成《爾雅校箋》一書，一九八四年十二月交由南京江蘇教育出版社印行，被公認為最好的《爾雅》校本，二〇〇四年十一月由昆明雲南人民出版社收入《二十世紀學術要籍》再版問世，對學術界產生相當大的影響力。

4　顧廷龍（1904-1998）、王世偉：《爾雅導讀》（成都市：巴蜀書社，1990年），頁115-124。管錫華（1954- ）：《爾雅研究》（合肥市：安徽大學出版社，1996年），頁224-226。

5　伯3719見黃永武（1936- ）：《敦煌寶藏》（臺北市：新文豐出版公司，1986年），130冊，頁192-194，自〈釋詁〉「也遦逢遇也」起至〈釋訓〉「委委佗佗美也」止，共80行。伯2661，見123冊，頁167-172，伯3735，見130冊，頁294，伯5522，見135冊，頁433，皆併入伯2661。收〈釋天〉「四時」下「秋為收成」起至〈釋水〉末止。卷末有「天寶八載（西元749年）八月廿九日寫」一行，有草書「張真乾元二年（西元759年）十月十四日略尋，乃知時所重，亦不妄也」一行，又有「大曆九年（西元774年）二月廿七日書主尹朝宗書記」一行。

（一）《爾雅校箋》的材料

從事校勘工作，確定底本及搜集輔本與類書、古注、地下實物，前人校勘成果等相關資料是首要之務。底本宜古、宜精、宜全，相關資料宜多、宜廣，周氏再三評估之後，發現在十餘種常見的《爾雅》版本中，故宮的南宋監本《爾雅郭璞注》不僅符合古、精、全的條件，而且「字大醒目」，所以取為底本[6]，這是相當有眼光的決定。至於輔本及其他參考資料則為數甚多：

1 輔本

（1）單經本：（唐）開成石經本、敦煌所出唐寫本殘卷。

（2）單注本：敦煌所出唐寫本殘卷、《四部叢刊》影印瞿氏鐵琴銅劍樓舊藏宋刊十行本、《古逸叢書》影印宋覆蜀大字本、（元）刊巾箱本、（明）吳元恭據（元）雪窗書院仿宋刻本。

（3）注疏本：（元）刊明修本、（明）監本、（清）阮元（1764-1849）校勘本。

2 徵引資料

（1）經部：《尚書正義》、《毛詩正義》、《周禮注疏》、《儀禮注疏》、《禮記正義》、《左傳正義》、《孟子》、（唐）陸德明（556-627）《經典釋文》。

（2）小學類：（漢）揚雄（西元前45-西元18年）《方言》、許慎（58-147）《說文解字》、（魏）張揖《廣雅》、（梁）顧野王（519-581）《玉篇》、（唐）顏師古（581-645）《急就篇注》、張參《五經文字》、王仁煦《刊謬補缺切韻》、玄應《一切經

6　周祖謨：《爾雅校箋‧序》（昆明市：雲南人民出版社，2004年），頁3。

音義》、慧琳（737-820）《一切經音義》、慧苑（673-？）《華嚴經音義》、（南唐）徐鍇（920-974）《說文解字繫傳》、（遼）希麟《續一切經音義》、日釋昌住《字鏡》、釋空海（774-835）《篆隸萬象名義》。

（3）史部：《國語》、《史記‧三家注》、《後漢書》、《晉書》、《宋書》、（北魏）酈道元（？-526）《水經注》、（隋）杜臺卿《玉燭寶典》。

（4）子部：《山海經‧郭璞注》、（漢）劉安（西元前179-前122年）《淮南子‧高誘注》、王符（83-170）《潛夫論》、應劭《風俗通義》、（北魏）賈思勰《齊民要術》、（唐）瞿曇悉達《開元占經》、釋湛然（711-782）《輔行記》、（宋）蘇頌（1020-1101）《本草圖經》、李誡（1035-1110）《營造法式》、唐慎微《經史證類大觀本草》、日《三教指歸注》。

（5）類書：《修文殿御覽》、《藝文類聚》、《初學記》、《太平御覽》、日《群書類從》之《令抄》、《香要抄》、源順（911-983）《倭名類聚抄》。

（6）集部：《文選‧李善注》。

（7）清人研究成果：臧琳（1650-1713）《經義雜記》、錢大昕（1728-1804）《潛研堂答問》、段玉裁（1735-1815）《說文解字注》、邵晉涵（1743-1796）《爾雅正義》、王念孫（西元1744-1832）《廣雅疏證》、郝懿行（1757-1825）《爾雅義疏》、阮元《爾雅注疏校勘記》、洪頤煊（1765-？）《讀書脞錄》、嚴元照（1773-1817）《爾雅匡名》、朱駿聲（1788-1858）《說文通訓定聲》、王樹枏《爾雅郭注佚存訂補》、劉師

培（1884-1919）《爾雅誤字考》[7]。

上述的輔本及參考資料種類繁多，內容豐富，取用時固有左右逢源之樂，但一字一詞都須仔細蒐檢、比對、考慮，所耗費的時間精力無疑十分龐大，所需具備的細心與耐心更是一大考驗。周氏校勘此書，發軔於中年，寫定於晚年，能晉身於校勘名著之林，真是功不唐捐。在各種材料中，最值得注意的是他採用了兩種敦煌唐寫本殘卷，全書校箋語合計九四九條，引用唐寫本白文者有二十條，引用唐寫本郭注者有二三八條，可說充分發揮了二重證據法的功效，這應該也是促成本書成就的一個重要因素。

（二）《爾雅校箋》的校勘方法

近代論校勘方法最負盛名的是陳垣（1880-1971）《校勘學釋例》的校法四例——對校法、本校法、他校法、理校法[8]。周氏〈論校勘古書的方法〉一文提及的方法則分版本的校勘和理性的校勘（又分本證、旁證）[9]，其內容實不出陳氏牢籠，而不如陳氏標題之明確。今即以校法四例為準，略舉《爾雅校箋》中與二重證據法有關的例子，說明其校勘方法：

1 對校法（板本校）

以同書之祖本或別本對讀，遇不同之處，則注於其旁。例如：

河鼓謂之牽牛○「河鼓」唐寫本、宋刻小字本及邢昺疏均作「何鼓」，與《釋文》合。（頁230）

7　同前注〈凡例〉，頁4-6，又，顧濤：〈論周祖謨先生爾雅校箋的校勘成就〉，《古籍整理研究學刊》，2003年第4期，頁52-53。

8　陳垣：《校勘學釋例》（北京市：中華書局，1959年），卷6，〈校例第43校法四例〉。

9　周祖謨：《語言文史論集》（臺北市：五南圖書出版公司，1992年），頁520-526。

> 不發聲○唐寫本「發聲下」有「也」字。邢昺疏同。《詩·葛
> 藟》、《正義》引亦有「也」字。當據補。（頁246）

這種校法取材於古書的各種不同版本及古注、類書等所引，本來只校
異同，不校是非，但也常可發現一些有意義的現象，如「河」作
「何」，是正俗異體字的關係，依郭注「今荊楚人呼牽牛星為檐鼓，
檐者荷也。」當本作何，俗寫作河。唐寫本句末「也」字多為判斷之
詞，但《爾雅》郭注傳本往往刊落，與同出一手的《方言·郭璞注》
迥然不同，以致語氣不備，實為不當，故《校箋》皆一一注出，不以
詞費為嫌[10]。

2 本校法

以本書前後互證，而抉摘其異同，則知其中之謬誤。例如：

> 詩云習習谷風○唐寫本作「《詩》曰：習習谷風也。」下注文
> 「《詩》云：北風其涼」，「《詩》云」亦作「《詩》曰」。案郭注
> 引《詩》、《書》、《左傳》、《公羊傳》、《禮記》等經書，例稱
> 「曰」，不稱「云」。今本或作「《詩》曰」，或作「《詩》云」，
> 體例頗不一致，當為傳寫之失，唐本猶未紊亂。下文「西風謂
> 之泰風」下注云：「《詩》曰：泰風有隧」，唐寫本同，宋刻小
> 字本作「《詩》云」，與舊本不合。（頁225-226）
> 山小而高岑○唐寫本「小」上無「山」字。案此處及下文「銳
> 而高嶠」、「卑而大扈」、「小而眾巋」等皆與上文「山大而高
> 崧」相連，此處不煩重出「山」字也。邵氏《正義》及郝氏
> 《義疏》不以此與上文「山大而高崧」相屬，非是。（頁248）

---

10 同注6〈凡例〉，頁5。

同一本書如果出自一手，則記載同一事物的前後文、上下文意、語言風格、用詞慣例、用韻情況等理應具有一致性，仔細參校，可以發現和改正訛誤。周氏即以此訂正郭注傳本《詩》曰、《詩》云混亂的錯誤，以及邵晉涵《爾雅正義》、郝懿行《爾雅義疏》不以「小而高岑」與上文「山大而高崧」相屬的謬誤。

3 他校法

根據其他文獻與本書內容有關的記載，如引文、述文、釋文，與本書互相參證，可以發現和改正錯誤。例如：

> 亦謂之孛○唐寫本同。希麟《續音義》卷五引作「亦謂之孛星」。奔星為彴約○「彴約」，唐寫本作「彴約」。《開元占經》卷七十一引同。《玉篇》人部「彴」，扶握切，引「《爾雅》曰：奔星為彴約。」字亦作「彴」。案《說文》：「彴，約也」。「彴約」當連讀。朱駿聲《說文通訓定聲》云：「彴約疊韻連語，急疾皃。」（頁231）
> 冬祭曰蒸（注）進品物也○唐寫本同。《初學記》卷十三引《爾雅》「蒸」作「烝」，注「進品物」上有「烝進也」三字。案：《釋文》亦從「艸」作「蒸」。《五經文字》艸部「蒸」下云：「《爾雅》以為祭名，其經典祭烝多去草，以此為薪蒸。」是張參所據《爾雅》亦作「蒸」。（頁231）

據顧濤（1978- ）統計，《爾雅校箋》涉及他校法者近七百條，涉及對校法者約三六〇條左右，可見他校法是周氏用得最多的校法[11]。周氏

---

11 同注7，頁52。

據《開元占經》、《玉篇》所引《爾雅》作「仢約」，證明唐寫本前有
所本，並引《說文通訓定聲》謂仢約為連語，指《說文》不當分讀。
竊以為仢約既為連語，則字形可以不固定，作「仢約」、「彴約」均無
不可，而《說文》有「連篆字為句」之例[12]，則此處當讀作「仢，仢
約也。」許書並無不當。次例據《釋文》所引《爾雅》證明唐寫本亦
有所本，再引《五經文字》證明古代經典本作蒸祭，後代薪蒸、烝祭
始分為二字，對字詞之演變交代甚瞭。

4 理校法

不是根據版本異文改字，而是根據常識、邏輯事理，推論以定正
誤。例如：

> 岠齊州以南○岠，唐寫本作「距」，注「岠去也」亦同。當據
> 正。「距」見《說文》，今通作「距」。（頁242）
> （注）瀸纏有貌○唐寫本作「瀸瀸纏有貌」，是也。瀸瀸為疊
> 音詞。唐本寫為「瀸＝」，傳寫日久，脫去「＝」字，乃不易
> 覺察矣。（頁253）

周氏謂「岠齊州以南」，岠，依唐寫本當作距，「瀸纏有貌」，瀸，依
唐寫本當作瀸瀸，其說全無其他版本異文可以佐證，純以文理推論，
是一種主觀的判斷，最高妙，也最危險。但由於周氏學殖深厚，見識
獨到，故所言皆為辨析精當之論。

---

12 （清）錢大昕：《十駕齋養新錄》（臺北市：臺灣商務印書館，1968年），頁63。其
   說云：「古人著書，簡而有法，好學深思之士，當尋其義例所在，不可輕下雌黃。
   此亭林之博物，乃譏許氏訓參為商星，以為昧於天象，豈其然乎？」

（三）《爾雅校箋》的成果

　　由於周氏學問淵博，態度嚴謹，材料豐富，方法縝密，所以《爾雅校箋》所獲得的學術成果十分豐碩。校勘工作主要目的是在解決古書中的訛誤、缺脫、增衍、顛倒、錯亂等種種問題，以期恢復古書的本來面目，協助讀者讀通古書的文字，今即以此為重點，討論《爾雅校箋》藉助於二重證據法所獲得的成就：

1 訂傳本之譌字

　　古書傳抄或刊刻過程中，極易發生形近而譌、音近而誤、一字誤為兩字、兩字誤為一字等種種錯誤，這就有賴於校勘者的糾謬正譌。例如：

> 商曰肜○唐寫本同。原本《玉篇》「驔」下引「肜」字作「融」。（頁232）
>
> 直波為徑（注）言徑涎○「徑」，《釋文》作「俓」。云：「古定反。字或作徑，注同。」唐寫本「徑」從水作「涇」。案《釋名》云：「水直波曰涇，俓也，言如道俓也。」是字當作涇。（頁255）

《爾雅‧釋天》：「繹，又祭也，周曰繹，商曰肜，夏曰復胙。」[13]《說文‧鬲部》：「融，炊气上出也，从鬲，蟲省聲。」[14]二字中古音同屬《廣韻》東韻，以戎切[15]，上古音同屬定紐冬部，《尚書》有〈高

13　同注3，頁53。

14　（漢）許慎著，（清）段玉裁注：《說文解字注》（臺北市：洪葉文化事業公司，1998年），頁112。

15　（宋）陳彭年：《宋本廣韻》（臺北市：黎明文化事業公司，1976年），頁26。

宗肜日〉，故肜《玉篇》引作融，乃音近而訛。又，「直波為巠」，唐寫本巠作涇，正合《釋名》所釋，《爾雅》一般傳本作巠，乃音形俱近而譌。《爾雅校箋》九四九條校語中明確校改者僅一五○條[16]，「直波為巠」條，周氏明確指出「巠當作涇」，「商曰肜」條則只校其異同，不作論斷，然讀者讀之，往往可自辨其是非。

2 補傳本之奪文

奪文也叫脫文，是古書傳鈔或刊刻過程中文字有所脫落，輕者脫落一、二字，重則脫落數簡。例如：

> 似鳧青赤色一目一翼相得乃飛○唐寫本「飛」下有「《山海經》云」四字，當據補。案：《山海經‧西山經》云：「崇吾之山有鳥焉，其狀如鳧，而一翼一目，相得乃飛，名曰蠻蠻。」郭璞注云：「比翼鳥也。色青赤，不比不能飛。《爾雅》作鶼鶼是也。」（頁240）
>
> （注）水中可居住往往而有狀如覆釜○唐寫本「釜」下有「也」字。《釋文》「𤄔」下注云：「郭云：古釜字。李、孫、郭並云：水中多渚，往往而有可居之處，狀如覆釜之形。」據《釋文》所引，今本郭注脫字甚多。當據《釋文》補正。（頁257-258）

「似鳧」條，《爾雅》各本「飛」下奪「《山海經》云」四字，《校箋》據《山海經‧郭璞注》證明唐寫本之可信。「水中可居住」條，《校箋》則據《釋文》所引反證今本及唐寫本脫字甚多，且由來已

久。足見周氏實事求是，不迷信古本。蓋唐寫本殘卷雖是今存最古之本，可改正今本很多譌誤，但出自俗手，誤漏之處自亦不少。

3　刪傳本之衍文

衍文又稱羨文，意謂多餘之文，與缺脫剛好相反，乃是傳鈔、刊刻時或不慎混入、重複，或無知者擅自補入所造成的。例如：

> 此即半體之人各有一目一鼻一孔一臂一腳亦猶魚鳥之相合〇「各有一鼻一孔」唐寫本作「各有一目、一鼻孔。」《文選》王元長〈曲水詩序〉注引作「人各有一目、一鼻孔。」案：《山海經‧海外西經》云：「一臂國，一臂，一目，一鼻孔。」即此注所本。今本「鼻」下衍「一」字，當據唐寫本改正。（頁241）
>
> （注）山小而高岑〇唐寫本「小」上無「山」字。案此處及下文「銳而高嶠」、「卑而大扈」、「小而眾歸」等皆與上文「山大而高崧」相連，此處不煩重出「山」字也。邵氏《正義》及郝氏《義疏》不以此與上文「山大而高崧」相屬，非是。（頁248）

「此即半體之人」條，據唐寫本知傳本在「鼻」下衍「一」字；「山小而高岑」條，據唐寫本知「山」字因上文重出，或以古注、古籍為證，或以郭注文例推斷，所言皆理證俱足，可以憑信。

4　正傳本之錯位

錯位即文字顛倒、次序錯亂，包含倒文、錯簡、相鄰文字互錯其位、正文注文相混等。例如：

（注）謂山長脊○唐寫本作「謂長山脊也」。慧琳《音義》卷四十四引同。原本《玉篇》山部「岡」下引作「謂長山背也」。「背」當為「脊」字之誤。今本「長山」二字誤倒。《詩・大雅・公劉》《正義》引孫炎云：「長山之脊也。」郭注即本於孫炎。惟玄應書卷五引作「謂山長脊也。」（頁249）

（注）管子曰獠獵畢弋今江東亦呼獵為獠音遼或曰即今夜獵載鑪照也○唐寫本「畢弋」作「罼鳥」。案《釋文》所據本「畢」亦作「罼」，云：「本又作畢。」又《詩・伐檀》《正義》引此注作「獠猶燎也，今之夜獵載鑪照者也，江東亦呼獵為獠。《管子》曰：獠獵畢弋。」文句次第與今本不同。今本「照」下脫「者」字，當據補。（頁233）

「謂山長脊」條，唐寫本及慧琳《一切經音義》皆作「謂長山脊也」，《校箋》據以訂正今本之誤倒。「管子曰」條，《毛詩正義》所引與今本及唐寫本次第大有出入，《校箋》則不作左右袒，蓋郭注傳本不一，說皆可通。足見周氏校書態度之矜慎。

5 明古注之異同

從古以來，《爾雅》注本以郭璞（276-324）注最為重要，後之作疏者如邢昺（932-1012）《爾雅疏》、邵晉涵《爾雅正義》、郝懿行《爾雅義疏》無不以之為宗，雖有補正者，如瞿灝（？-1788）《爾雅補郭》、張宗泰（1750-1832）《爾雅注疏本正誤》、王樹枏《爾雅郭注佚存訂補》之類，弘綱大旨，終不出其範圍。此固緣於郭氏洽聞強識，詳悉古今，用心幾二十年有以致之，然實亦不能不歸功於郭氏善於採擷其前的五大注家——犍為文學、劉歆（？-23）、樊光、李巡、孫炎的研究成果。五家之注今皆亡佚，《校箋》偶然會展現其吉光片

羽。例如：

> 天根氏也（注）角亢下繫於氏若木之有根○唐寫本「繫」下無
> 「於」字，「根」下有「也」字。慧琳《音義》卷四十六引
> 「《爾雅》：天根氏也。《音義》曰：天根為天下萬物作根，故
> 曰天根也。孫炎曰：角亢下繫於氏，若木之有根也。」郭注蓋
> 本孫炎注。（頁228）
>
> 鈞盤（注）水曲如鈞流盤桓也○「盤」，唐寫本作「般」，注文
> 同。《釋文》字亦作「般」，注云：「本又作盤。李本作股，
> 云：水曲如鈞，折如人股，故曰鈞股。孫、郭同云：水曲如
> 鈞，流盤桓不直前也。」據是，可知李巡本與孫炎、郭璞本不
> 同。今本郭注無「不直前」三字，《漢書・地理志》平原縣有
> 般縣，顏師古注引郭璞此注亦無「不直前」三字。（頁258）

「天根」條引慧琳《一切經音義》證明郭注蓋本孫炎注，「鈞盤」條
引《經典釋文》證明李巡本與孫炎、郭璞本不同，而郭注本身亦有異
文。雖則其說並非出自唐寫本，但周氏〈爾雅郭璞注古本跋〉推崇唐
寫本郭注「遠勝於石經及宋刻。尤其是注文可以刊正宋刻脫誤之處極
多。這真是希有的珍本。」[17]可見敦煌唐寫本應是觸發其撰寫《校
箋》的重要動機，也是撰寫時的重要材料，則《校箋》的一切成就，
自然也與唐寫本不無關係。

6 闡郭注之條例

條例是一本書中的體例、規律和通例，具有高度概括性，是研究

---

17 周祖謨：《問學集》（北京市：中華書局，1966年），頁677。

者務須掌握的重點，也是讀者了解該書內容的管鑰。《爾雅・郭注》內容充實，條理縝密，含有許多條例，顧廷龍（1904-1998）曾擇要歸納為二十四例[18]，周氏自然也會特別留意郭注的行文體例，作為《校箋》的重要參考依據。前文對校法提及的句末「也」字例、本校法提及的引經稱「曰」例，皆是其特別強調的[19]。此外，如：

> 九河○《釋文》「九河」下引郭云：「徒駭，今在成平縣，胡蘇在東莞縣，鬲盤今皆為縣（「盤」原誤作「津」，《詩・般》《正義》引作「盤」），屬平原郡。周時齊桓公塞九河，並為一。自鬲津以北至徒駭二百餘里，渤海、東莞、成平、平原、河間、弓高以東，往往有其處焉。」邵氏《正義》以《釋文》所引為郭璞《音義》語。王樹枬以為《釋文》引此注於「九河」之下，蓋原本有之，妄人乃移於各條之下而刪節之。案唐寫本「徒駭」等九河下已有注，此處「九河」標目下無注，與今本相同。《爾雅》各篇小題下郭璞一律不注，此「九河」下當亦如此。王說不可信。（頁258-259）

周氏以《爾雅》各篇小題下郭璞一律不注例，否定王樹枬今本刪節移於各條之下說，誠屬的論，使王氏復起，或許亦能欣然接受。

7 存佚籍之梗概

郭璞醉心《爾雅》，用力特勤，除《爾雅注》外，另有《爾雅音義》、《爾雅圖譜》二書，惜在隋以前即已亡佚，陸德明的《爾雅音義》及邢昺的《爾雅疏》間有徵引，周氏《校箋》亦時加留意，例如：

---

18 同注4，《爾雅導讀》，頁73-81。

19 同注17，頁679-681，〈爾雅郭璞注古本跋〉曾特別提到此二條例。

（注）此謂合剝鳥皮置之竿頭即禮記云載鴻及鳴鳶○唐寫本此注作「此謂合剝鳥皮置之竿頭也。即《禮記》所云戴鴻及戴鳴鳶也。」……《御覽》引郭璞注云：「此謂全剝鳥皮毛，置之竿頭也。舊說刻革鳥置竿首也。孫叔然云：革急也，言畫急疾之鳥於旒也。《周官》鳥隼為旟是也。按《禮記》載鳴鳶，鄭玄云：載之以示眾，即此類也。《書》云：鳥獸希革，《詩》云：如鳥斯革，旌首鳥者，自是鳥之皮毛明矣。」文與今本詳略不同，疑《御覽》所引或出於郭璞《爾雅音義》。（頁235）

（注）言駱驛相連屬○唐寫本作「言驛駱相連也」。原本《玉篇》「嶧」下引此注作「言若駱驛相屬也」。《初學記》卷五及《御覽》卷三十八又有「今魯國有嶧山，純石相積構，連屬成山，蓋謂此也」數語。劉昭《後漢書・郡國志注》節引此文，題稱「郭璞云」，王樹枏以為此當為郭注原有，今本概從刪削。案：原本《玉篇》引郭注不及此數語，而引《音義》曰：「今魯國郡縣有嶧山、東海、下邳，《夏書》曰嶧陽孤桐是也。」《音義》即郭璞《爾雅音義》。《初學記》、《御覽》所記，或出於《音義》。（頁248-249）

《初學記》、《御覽》所引，或與今本郭注詳略不同，或為今本郭注所無，周氏疑皆出於郭璞《爾雅音義》，由於《音義》久佚，故周氏出之以闕疑語氣，足見其慎。

8 通古籍之音義

周氏一生致力於古漢語與古文獻研究，精通字形與音義，故校箋《爾雅》，每能洞見前人之誤及其致誤之由，使疑難豁然以解，例如：

（注）今荊楚人呼牽牛星為檐鼓檐者荷也○唐寫本「檐」並從「手」，「荷」字作「何」。案：檐乃屋梠，非擔荷字，今本《釋文》字作「檐」亦誤。注「擔荷」，《釋文》云：「注作荷字。」是陸氏所據本作「荷」，不作「何」。（頁230）

東北之美者有斥山之文皮焉○「斥」，唐石經同。宋刻小字本作「斥」。唐寫本則作「庍」。案：《釋文》「斥音昌亦反，又昌夜反」，是即《說文》之「庍」字。「庍」隸省作「庍」或「斥」。「斥」見《五經文字》卷中廣部「庍」下。然則作「斥」、作「庍」，音義並同。嚴元照《爾雅匡名》竟不知「庍」為何字，失考。（頁239-240）

「檐」為屋梠，「擔」為擔荷，而「擔荷」之「荷」為「何」之叚借[20]，故《校箋》依唐寫本正今本及《釋文》所引之失；「庍」、「庍」、「斥」、「斥」實一字之異體，形體雖異，音義則同，故《校箋》直指《爾雅匡名》不識「庍」為何字之失，此皆歸功於周氏精研小學，殫見洽聞，故能考據準確，時見精義。雖然范志新嘗評其書有四長三短[21]，李倩（1977- ）亦以其白文寫卷校理不夠詳盡，而重新校錄疏證近百處異文[22]，然小疵不足以掩大醇，《爾雅校箋》仍不失為二重證據法之經典，可供吾人鑽研而弗替。

---

20 同注14，頁35，〈艸部〉：「荷，扶渠葉。从艸，何聲。」頁375〈人部〉：「何，儋也，一曰誰也。从人，可聲。」

21 范志新：〈爾雅校箋簡評〉，《漢字文化》2008年第6期，頁33-37。所謂四長，是底本精當，取證宏富，以例校書，推理嚴密；所謂三短，是校避諱忽略代字，異體字與俗字處理失當，版本交代不明。

22 李倩：〈敦煌爾雅P.3719白文寫卷校錄疏證〉，《燕山大學學報》（哲學社會科學版）2009年3月第10卷第1期，頁28-31。

三　證古說之可信

　　《爾雅》之撰人與時代，異說紛紜，上起周公，下至漢代，不下十二說，今之學者大多認為應是成書於戰國，至漢代續有增補[23]。在浩瀚書海中，算是時代較早的古籍，保留不少古形古義，近世地下出土文獻往往可以證明其說解之有據，茲舉例說明如下：

（一）殷之年日祀

　　〈釋天〉云：

　　　　載，歲也。夏曰歲，商曰祀，周曰年，唐虞曰載。（頁49）

此解釋歲在不同時代的異稱，顯示不同時代，各有其文化特徵，故命名亦有別。歲是以木星十二年左右一周天，每年在十二次中經歷一個次得名；祀是殷人十分迷信，無神不祀，無疑不卜，祭祀往往以年為度，周而復始；年從禾，千聲，表示周人以農立國，在北方，穀物一年一熟；載是到了春天，萬象更新，又是新的一年。年、歲、載三詞在古代典籍經常出現，到現在也還常在使用。唯獨祀解為年，除了極少數古書，如《尚書‧洪範》：「惟十有三祀，王訪於箕子。」[24]外，並無如此用法。但在甲骨文中卻屢見不鮮，羅振玉（1866-1940）云：

　　　　《爾雅‧釋天》：「商曰祀」，徵之卜辭稱祀者四，稱司者三，

---

23 高師仲華（明）：〈爾雅之作者及其撰作之時代〉，《高明文輯》（臺北市：黎明文化事業公司，1978年）中冊，頁445-465。又，同注4，《爾雅研究》，頁8-23。

24 屈萬里：《尚書集釋》（臺北市：聯經出版事業公司，1986年二版），頁116。

曰惟王二祀，曰惟王五祀，曰其惟今九祀，曰王廿祀，曰王廿
司，是商稱年曰祀，又曰司也。司即祠字，《爾雅》：「春祭曰
祠」，郭注：「祠之言食」，《詩‧正義》引孫炎云：「祠之言食
（音賜）」，為郭注所本，是祠與祀音義俱相近，在商時殆以祠
與祀為祭之總名，周始以祠為春祭之名，故孫炎釋商之稱祀謂
取四時祭祀一訖，其說殆得之矣！[25]

足見《爾雅》之說，前有所本，並非空穴來風。惟祀作年解，在周代
鐘鼎猶有其例，如〈盂鼎〉云：「惟王廿又三祀。」屈萬里（1907-
1979）以為《爾雅》之說非是[26]，其實此乃前朝遺制，正如後代年、
歲、載經常通用，應無時代問題。

（二）殷之又祭曰肜

〈釋天〉云：

> 繹，又祭也。周曰繹，商曰肜，夏曰復胙。（頁53）

肜字《說文》失收，而早見於《尚書‧高宗肜日》，屈萬里云：

> 甲骨文中記肜祭之事甚多，肜字作彡、彡彡 等形。凡當日祭先
> 祖者，謂之肜日；先一日祭者，謂之肜夕，後一日祭者，謂之
> 肜龠。以此證之，《爾雅》之說，實未盡合。吳其昌《殷虛書
> 契解詁》、董作賓先生《殷曆譜》皆謂肜為伐鼓而祭。然否，

---

25 羅振玉：《殷墟書契考釋》（臺北市：藝文印書館，1969年再版），卷下，頁53。
26 同注24。

尚待論定。[27]

足見甲骨文肜本作彡，後代或加月、加舟、加丹，都是彡的繁文或異寫，歷來注疏家都依據《爾雅》解為祭的明日又祭，是正祭後的又一稍次於正祭的祭祀。但在甲骨文中，有肜夕、肜日、肜龠之別，肜夕以王名先一日祭，是預祭，較輕；肜日則以王名之日祭，是正祭，較重；肜龠，乃以王名之明日祭，自然也不如肜祭隆重。周代將肜祭易名為繹祭，意義亦變為祭之明日又祭的次要祭祀，已非殷制原貌[28]。故《爾雅》所言，未盡合古制，然與地下文獻兩相考證，可以了解禮制之因革，正是發揮了二重證據法的功用。

（三）乙丙丁之古義

〈釋魚〉云：

　　魚枕謂之丁，魚腸謂之乙，魚尾謂之丙。（頁91）

郭注云：

　　枕在魚骨頭中，形似篆書丁字，可作印。此皆似篆書字，因以名焉。《禮記》曰：「魚去乙。」然則魚之骨體，盡似丙丁之屬，因形名之。（頁91）

天干、地支，《說文》盡立為部首，殿之全書之末，且多以陰陽五行

27 同注24，頁99。

28 楊樹達：〈釋肜日〉，《積微居甲文說》（臺北市：大通書局，1971年）頁51-52。劉起釪：〈說高宗肜日〉，《尚書研究要論》（濟南市：齊魯書社，2007年），頁383-385。

為釋，實不足取。《爾雅》釋丁為魚枕，乙為魚腸，丙為魚尾，較合古義，唯此數字，甲文已有，郭璞以篆書釋之，自然有待商榷。郭沫若（1892-1978）云：

> 甲，骨文作 **十**，金文亦同。
> 乙，骨文作 **〔** 若 **〕**，金文亦同。
> 丙，骨文作 **〢** 若 **〢**，金文則或實之作 **〢** 若 **〢**。
> 丁，骨文作 **囗**，金文則大抵實之，作 **●**。
> 案此四字為一系統，乃最古之象形文字。……要之，乙、丙、丁均為魚身之物，此必為其最初義，蓋字既象形，而義又已廢棄，正其為古字古訓之證。[29]

郭氏依《爾雅》為釋，他人所見未盡相同，如乙，吳其昌（1904-1944）以為象刀形，唐蘭（1901-1981）釋為玄鳥。丙，陳晉釋為鯁，葉玉森（？-1933）以為象几形，于省吾（1896-1984）以為象物之底座。丁，葉玉森以為象釘，唐蘭以為象金鉼，眾說紛紜，迄無定論[30]，所以《爾雅》所釋，雖不足以定於一尊，仍不失為最古之義，可備一說。

（四）周之詞彙

《爾雅》全書凡一〇七九一個字，訓列二二一九個，其中〈釋詁〉、〈釋言〉、〈釋訓〉三篇六二三個，〈釋親〉以下十六篇一五九六個，不見於十二經的詞語就有七百多個。內容包括語言、倫理、建

---

29 郭沫若：〈釋支干〉，《甲骨文字研究》（臺北市：民文出版社，不詳），頁165-166。
30 李孝定：《甲骨文字集釋》（臺北市：中央研究院歷史語言研究所，1991年5版），頁4221-4251。

築、風俗、音樂、器物、天文、地理、植物、動物等古代的社會科學和自然科學的詞彙[31]，可說是先秦詞彙的寶庫，也是文化的百科全書。這些詞彙大多來自先秦流傳之古籍，也有部分可能是當時通行的詞語或方言。其釋義與一般用法有同有異，但在鐘鼎彝器陸續出土之後，金文之用詞正可持與《爾雅》相互參證。楊懷源的《西周金文詞彙研究》對西周金文詞彙進行了全面的研究，茲聊舉數例，與《爾雅》作一對照：

〈釋宮〉：「行，道也。」中方鼎：「王令中先省南或（國）貫行。」（頁94）

〈釋詁上〉：「寮，官也」引申有僚屬之義。矢令方尊：「王令周公子明保，尹三事四方，受卿事僚。」（頁96）

〈釋詁上〉：「老，壽也。」伯克壺：「克用匄眉老無疆，克克其子子孫孫永寶用享。」（頁118）

〈釋詁上〉：「烝，君也。」引申有治理義。大盂鼎：「叭夕紹我一人烝四方。」（頁146）

以《爾雅》解讀金文，以金文作為《爾雅》的例證，兩相吻合，相得益彰，此正符合二重證據法之用意。

四　存典制之異說

孔子（西元前551-前479年）說：「殷因於夏禮，所損益可知也；

---

31 同注1，管錫華：《爾雅研究》，頁38。

周因於殷禮,所損益可知也。其或繼周者,雖百世可知也。」[32]時代不同,典章制度會有所因革。相類似的,名物也常因時間、空間的轉移而有同名異實、異名同實的變化。地下文獻的出土往往可以提供這些因革變化的研究線索,例如:

(一)十二月名

〈釋天〉云:

> 正月為陬,二月為如,三月為寎,四月為余,五月為皋,六月為且,七月為相,八月為壯,九月為玄,十月為陽,十一月為辜,十二月為涂。(頁50)

一年十二月除了以序數為稱外,也常有各種異名,如俗稱正月為端月,二月為花月,三月為桐月,四月為梅月,五月為蒲月,六月為荔月,七月為巧月,八月為桂月,九月為菊月,十月為陽月,十一月為葭月,十二月為臘月,以氣候、植物、民俗等的變化來顯示該月的特色。在古書中最早提及十二月名的是《爾雅・釋天》,唯其事義難詳,故郭注闕而不論,後之學者如邵晉涵《爾雅正義》、郝懿行《爾雅義疏》多有補注,然亦僅供參考而已。一九三八年長沙子彈庫出土的〈楚帛書〉,包含〈四時篇〉(八行文,267字)、〈天象篇〉(十三行文,421字)、〈宜忌篇〉(邊文,948字)三大部分,其中〈宜忌篇〉內層每月章題三字,首字為該月月名,其下二字為該月宜忌的要點:

取于下　女此武　秉司春

32　(宋)朱熹注:〈論語・為政〉,《四書集注》(臺北市:臺灣書店,1971年再版),頁52。

余取女　　㰝出睹　　虡司夏

倉莫得　　臧□□　　玄司秋

易□義　　姑分長　　荃司冬[33]

與《爾雅》十二月名對勘，二者實屬於同一系統，唯其時代先後不甚清楚，文字亦略有出入，如四月為余，九月為玄，二者皆同；正月之陬與取，二月之如與女，六月之且與㰝，十月之陽與易，十一月之辜與姑，十二月之涂與荃，形聲偏旁相同或相關；其餘三月之寎與秉，五月之皋與㰝，七月之相與倉，八月之壯與臧，也都有聲韻關係。將這些月名配合傳統典籍（如《大戴禮記》、《楚辭‧離騷》、《史記‧曆書》）中的異稱，及近代出土戰國時器物（如陳逆簠、陳喜壺、五年權）所書月名，對探討先秦十二月名的異同及其得名之故，乃至於古曆的內容，一定大有裨益[34]。

（二）四方風名

〈釋天〉云：

> 南風謂之凱風，東風謂之谷風，北風謂之涼風，西風謂之泰風。（頁50）

此四方風名分別出自《詩》之〈邶風‧凱風〉、〈谷風〉、〈北風〉、〈大

---

33 陳茂仁：《楚帛書研究》（嘉義：中正大學中國文學研究所碩士論文，1996年），頁55-57、頁114-117。

34 饒宗頤：〈楚繒書十二月名覈論〉，《大陸雜誌》第30卷第1期（1965年1月），頁1-5。饒宗頤、曾憲通：〈楚帛書十二月名與爾雅〉，《楚帛書》（香港：中華書局，1985年）。（日本）森和：〈試論子彈庫楚帛書群中月名與楚曆的相關問題〉，《江漢考古》總第99期（2006年2月），頁73-79。

雅・桑柔〉，故郭注分別引《詩》以釋之。近世甲骨文出土，其中兩
版有完整的四方風材料，分別為劉體智所藏及中央研究院第十三次發
掘所得，前者云：

東方曰析，鳳（風）曰劦。
南方曰夾，鳳曰屵。
西方曰彖，鳳曰彝。
□□曰□，鳳曰殴。[35]

後者除干支、貞人、祭名較前片為多之外，其四方風名大體相同[36]。胡
厚宣（1911-1995）因據以撰成〈甲骨文四方風名考證〉一文[37]，以
《尚書・堯典》、《山海經》、《大戴禮記・夏小正》、《國語・周語》諸
古籍考證其文字，多相契合。使學者得以窺見〈堯典〉與《山海經》
淵源的一部分。但考釋仍有可商之處，又謂四方之名含義不可確知，
所以楊樹達續撰〈甲骨文中之四方風名與神名〉一文[38]，詳加補證。
裘錫圭（1935-　）則據繭鼎及甲骨文以為「南方曰夾」仍應依傳統典
籍作「南方曰因」；[39]林澐亦據甲骨文以為南方之風應為「髟」，通
《詩經》之飄風，《老子》、《莊子》之猋風[40]，皆足以訂正胡氏之說。
最近馮時（1958-　）更撰〈殷卜辭四方風研究〉一文，全面詳加討

---

35 今收入郭沫若、胡厚宣主編：《甲骨文合集》（北京市：中華書局，1978-1983年），
　14294版。
36 同上，14295版。
37 胡厚宣：〈甲骨文四方風名考證〉，《甲骨學商史論叢》（臺北市：大通書局，1973
　年），頁369-381。
38 同注28，頁52-57。
39 裘錫圭：〈釋南方名〉，《古文字論集》（北京市：中華書局，1992年），頁50-52。
40 林澐：〈說飄風〉，《林澐學術文集》（北京市：中國大百科全書出版社，1998年），
　頁30-34。按裘、林二氏之說承蔡哲茂教授惠賜資料，謹申謝忱。

論，認為殷代四方風反映了殷代分至四氣及其時的物候現象，從而構成了殷人獨立的標準時體系，這一體系是殷人制定曆法的一項重要根據[41]，視野更加寬廣，見解更加邃密。足見地下文獻的出現，對傳統文獻的確起了印證、補充、修正的作用。而兩者的交叉檢驗，使我們對古代的方位、氣象、季節、農事知識的演進軌跡依稀可見其梗概[42]，這就是二重證據法的價值。

（三）二十八宿

天文是文化之母，對於星空的觀測，從古以來就受到人們的重視。西洋將星空劃分為八十八個星座，中國古代則以三垣二十八宿為主，所謂二十八宿是人們經過長期觀測後，在黃道、赤道附近選定了一些比較適當的星座，作為記錄日月五星運行的座標，可用來編撰曆法、劃分天區、繪製星圖、觀測恆星、記錄特殊星象，在天文學的發展史上，具有無與倫比的重要性。在傳統典籍，二十八宿的完整名稱，首先出現於《呂氏春秋・有始篇》[43]，後來將二十八宿依方位分成四組，分別聯想成四種動物形象，即謂之四象，其內容為：

> 東方蒼龍：角、亢、氐、房、心、尾、箕。
> 北方玄武：斗、牽牛、婺女、虛、危、營室、東壁。
> 西方白虎：奎、婁、胃、昴、畢、觜巂、參。
> 南方朱雀：東井、輿鬼、柳、七星、張、翼、軫。

---

41 馮時：〈殷卜辭四方風研究〉，《出土古代天文學文獻研究》（臺北市：臺灣古籍出版公司，2001年），頁192-225。

42 楊昶：〈甲骨文中的占候資料解讀〉，《出土文獻探賾》（武漢：崇文書局，2005年），頁32-33。

43 許維遹：〈有始篇〉，《呂氏春秋集釋》（臺北市：華正書局，1985年），頁657-658。

這些星宿，零星出現於《尚書》、《大戴禮記·夏小正》、《詩經》、《左傳》、《國語》，到了《爾雅·釋天》加以蒐集匯整，著錄了十七宿，比《呂氏春秋》少十一個宿，這可能是取材於典籍難免受限於典籍的緣故吧[44]！雖然不夠完備，在天文發展史上，卻具有承先啟後的重要性。一九七八年，湖北隨縣擂鼓墩戰國早期的曾侯乙墓中出土了一個漆箱蓋，中間有一個大「斗」字，四周環繞著二十八宿的古代名稱，左右兩端繪有青龍白虎的圖像，而其宿名與《呂氏春秋》所載也略有差異[45]，此一發現，使二十八宿的完整文字記錄提早了二百年，同時對於考察二十八宿的起源與得名之故，乃至於四象與二十八宿的關係也都大有裨益[46]。近年，陳邦懷（1897-1986）的〈商代金文中所見的星宿〉、馮時的〈殷卜辭二十八宿之檢討〉[47]二文，分別從金文與卜辭去探討殷代的天象，雖有文獻不足、難以確信的局限性，但使人們對二十八宿的認識史提前到殷商中晚期，則是頗有意義。

---

44 二十八宿，《爾雅·釋天》所缺者為婺女、危、胃、觜嶲、參、東井、輿鬼、七星、張、翼、軫十一宿，其緣故，管錫華、陳美東所見不同，見拙作：〈爾雅釋天天文史料析論〉，《李爽秋教授八十壽慶祝壽論文集》（臺北市：萬卷樓圖書公司，2006年），頁265-267。

45 王健民、梁柱、王勝利：〈曾侯乙墓出土二十八宿青龍白虎圖像〉《文史集林》第七輯（臺北市：木鐸出版社，1983年），頁250-257。譚維四：《曾侯乙墓》（北京市：文物出版社，2001年），頁150-162。二十八宿曾侯乙墓與《呂氏春秋》不同者為亢作坃、婺女作伏女、危作庐，營室作西縈、東壁作東縈、奎作圭、婁作婁女、昴作矛、畢作躍、觜嶲作此觜、柳作酉。

46 同上注。

47 陳邦懷：〈商代金文中所見的星宿〉，《古文字研究》第八輯（北京市：中華書局，1983年），頁9-14。馮時：〈殷卜辭二十八宿之檢討〉，《古文字與古史新論》（臺北市：臺灣書房出版公司，2007年），頁149-185。

五　詳名物之形制

　　所謂名物，指宮室、冠服、裝飾、禮器、農器、兵器、動物、植物等專有名詞，《爾雅》一書有〈釋宮〉、〈釋器〉、〈釋樂〉、〈釋草〉、〈釋木〉、〈釋蟲〉、〈釋魚〉、〈釋鳥〉、〈釋獸〉、〈釋畜〉等篇加以介紹。惟解說簡略，未能詳其形制。後世考古發掘中發現了許多商周時代的古建築遺址及大量的青銅器、樂器、玉器等實物，形制具體可靠，可補《爾雅》訓釋之不足，並驗證其然否，甚至大大擴充《爾雅》名物各篇之內容，茲舉例如下：

（一）建築

〈釋宮〉云：

> 宮謂之室，室謂之宮。牖戶之間謂之扆，其內謂之家，東西牆謂之序，西南隅謂之奧，西北隅謂之屋漏，東北隅謂之宧，東南隅謂之窔。……門側之堂謂之塾。……室中謂之時，堂上謂之行，堂下謂之步，門外謂之趨，中庭謂之走，大路謂之奔。……室有東西廂曰廟，無東西廂有室曰寢，無室曰榭。四方而高曰臺，陝而脩曲曰樓。（頁37-40）

一九八九年陝西周原鳳雛村發現了一組大型西周建築基址，是一個類似四合院的高臺建築群，由影壁、門道、東西門塾、前堂、中院、前室、東西小院、後室、東西廂房、迴廊等部分組成，並以門道、前堂、後室為中軸線、兩側東西對稱，各配置八間廂房，以迴廊相連接，形成一前後兩進、東西對稱的封閉式建築[48]。此一發現，提供了

48　趙叢蒼、郭妍利：《兩周考古》（北京市：文物出版社，2004年），頁32。陝西周原

翔實的物證，可協助我們具體了解〈釋宮〉的內容。除此之外，兩周建築的重要發現還有豐鎬遺存、西周洛邑、東周虢都上陽城、洛陽東周王城、鄭韓故城、晉都新田、趙都邯鄲故城、燕下都、齊臨淄故城、魯曲阜城、楚紀南城、秦都雍城、中山靈壽故城等[49]，不僅可補《爾雅・釋宮》之不足，更大大充實中國古代建築史的史料。

（二）青銅器

〈釋器〉云：

> 彝、卣、罍，器也。小罍謂之坎。……鼎絕大謂之鼐，圜弇上，謂之鼒，附耳外謂之釴，款足者謂之鬲。鼎謂之鬵，鬵，鉹也。（頁42-44）

所列青銅器種類極少，解釋亦極簡略。周代屬於青銅器時代，各種器皿多為人所習見，無勞詞費，但時移境遷，後人對這些文字就不甚瞭然了。所幸宋代以後，鐘鼎彝器陸續出土，不下數萬件，實物不難看到，圖版更是俯拾皆是，要了解各種青銅器之形制已非難事。單是容庚（1894-1983）《商周彝器通考》所列就有：

> 食器：鼎、鬲、甗、簋、簠、盨、敦、豆、盧、鑰、俎、匕。
> 酒器：爵、角、斝、盉、觚、尊、觥、觶、方彝、卣、瓿、鳥獸尊、壺、罍、鉼、罏、缶、罎、卮、棓、禁、勺。

考古隊：〈陝西岐山鳳雛村西周建築基址發掘簡報〉，《文物》1979年10期有詳細介紹，並附建築基址平面圖，盧國屏曾配合〈釋宮〉文字重新加工調整，頗便閱讀，見《爾雅語言文化學》（臺北市：臺灣學生書局，1999年），頁79。

49 同上注《兩周考古》，頁29-73。

　　水器：盤、匜、鑑、盂、盆、甂、枓、盌。

　　雜器：瓿、皿、鑵、鉳、行鐙、區、不知名器。

　　樂器：鉦、句鑃、鐸、鈴、鐘、鐘鉤、錞于、鼓。[50]

名目繁多，令人目不暇給。下編各論，詳細介紹各種青銅器之用途、製作之故、形狀、大小、名稱、形狀花紋、銘之位置，文內插圖三百餘幅，下冊附圖千餘幅，更是使人如睹其物，要研究金石之學不難得其門而入。如鼎之基本形制為圓腹，三足而兩耳，形狀則諸多變化，有高一三〇公分、重八七五公斤，如司母戊鼎者，此即〈釋器〉所謂鼎；有斂上而小口者，如䵂鼎，此即〈釋器〉所謂鼐；有附耳者，如作冊大方鼎，此即〈釋器〉所謂鼒[51]。至於足部中空不實，以便注水烹煮的鬲更是屢見不鮮，足見《爾雅》所言，皆有所本。

（三）玉器

　　〈釋器〉云：

　　珪大尺二寸，謂之玠。璋大八寸，謂之琡。璧大六寸，謂之宣。肉倍好，謂之璧。好倍肉，謂之瑗。肉好若一，謂之環。繸，綬也。（頁45）

國人愛玉，早已聞名於世。《說文》云：「玉，石之美，有五德者：潤澤以溫，仁之方也；䚡理自外，可以知中，義之方也；其聲舒揚，專以遠聞，智之方也；不撓而折，勇之方也；銳廉不忮，絜之方

50　容庚：《商周彝器通考》（臺北市：大通書局，1973年），頁293-512。

51　馮華：〈從出土非文字材料運用看爾雅研究〉，《通化師範學院學報》第30卷第5期（2009年5月），頁49-51。

也。」[52]古人以玉比德，所以使用十分廣泛，不僅作為佩飾，引為珍玩，還製成六瑞、六器，來代表官爵和祭祀鬼神，甚至還製成陪葬品，來保護主人的肉體。玉的種類繁多，因形制、顏色、重量、質料的不同，而有不同的名稱，《爾雅》所言，不過是吉光片羽而已。當代流傳的玉器本來就已多得不可勝數，近代各地陸續發掘許多先秦玉器，更為玉文化的研究增添不少新的材料。舉其要者，新石器時代末期，紅山文化、良渚文化、石家河文化、龍山文化都有玉器出土，河南二里頭的夏代玉器，殷墟、三星堆的殷代玉器，河南三門峽的西周玉器，洛陽周墓、吳縣吳國窖藏、太原趙鞅墓的春秋玉器，河北中山國王墓、湖北曾侯乙墓的戰國玉器，都使我們對玉文化的形制與演變有更深刻而完整的認識[53]，其領域之寬廣，內容之充實，已非《爾雅》所能範圍了。

（四）樂器

〈釋樂〉云：

> 大瑟謂之灑。大琴謂之離。大鼓謂之鼖，小者謂之應。大磬謂之馨。大笙謂之巢，小者謂之和。大簴謂之沂。大塤謂之嘂。大鐘謂之鏞，其中謂之剽，小者謂之棧。大簫謂之言，小者謂之筊。大管謂之簥，其中謂之篞，小者謂之籥。大籥謂之產，其中謂之仲，小者謂之箹。……所以鼓柷謂之止，所以鼓敔謂之籈。大瑟謂之麻，小者謂之料。和樂謂之節。（頁47-48）

周代以禮樂治天下，所以《爾雅》在〈釋器〉之外，另有〈釋樂〉介

---

52 同注14，頁10。
53 張明華：《古代玉器》（北京市：文物出版社，2006年），頁15-54。

紹各種樂器。傳統上，依照製作材料的不同，將樂器分為八音，如此
說來，則〈釋樂〉的鐘屬於金（青銅），磬屬於石（石材），琴瑟屬於
絲（絲線），管簫篍簹屬於竹（竹管），笙屬於匏（瓠瓜），塤屬於土
（陶土），鼓屬於革（皮革），柷敔屬於木（木材）。這些樂器後世多
有流傳，但其先秦形制還是須從地下文物加以考求，如今之簫似笛，
直吹，謂之洞簫、尺八；古時則如《說文》所謂的「參差管樂，象鳳
之翼。」[54]即今之排簫。先秦樂器，近代地下考古迭有出土，如史前
時期有西安半坡的陶塤、河南偃師二里頭的鼓與石磬。商代有殷墟的
石磬與陶塤、河南鹿邑長子口墓的排簫。西周有晉侯蘇編鐘、克鎛、
山西聞喜的紐鐘、陝西扶風的特磬與銅鈴。春秋戰國遺物更多，單是
曾侯乙墓就有編鐘、編磬、笙、琴、瑟、篪、排簫、鼓，不啻是一座
地下樂宮[55]。將這些資料加以匯整，則不僅可以充分了解〈釋樂〉中
各種樂器形制的細節，而且對於歷代樂器的沿革也可瞭然於胸了。

六　結論

　　近百年來，地不愛寶，地下文獻不斷出土，大大擴充了文史研究
的材料，同時也激發了二重證據法及其他研究法的產生，兩者交相為
用，創造了許多豐碩的研究成果，使學術研究展開了嶄新的紀元。單
以《爾雅》而言，至少即有殷墟卜辭、殷周金文、楚帛書、曾侯乙墓
漆箱蓋、敦煌唐寫本紙卷及各地出土的各種古建築、古器物可資運
用，而發揮斠傳本之異同、證古說之可信、存典制之異說、詳名物之
形制等作用。可惜在這些方面，除了周祖謨的《爾雅校箋》有較完整

---

54 同注14，頁199。

55 王子初：《中國音樂考古學》（福州市：福建教育出版社，2003年），頁45-302。又，
　　同注43，《曾侯乙墓》，頁90-116。

的成果之外，其他部分都屬零星的探討，還大有發展的空間。除了希望有志之士能多加留意之外，也期望有更多的文獻與文物陸續出土，誠能如此，則《爾雅》的研究一定會有更光明的前程。

黃季剛先生《爾雅》研究方法述評

一 前言

在古代典籍之中,《爾雅》的地位既特殊又重要。它本是先秦訓詁名物的總匯,但又不像其他語言文字學著作,以小學身分附庸於經學領域,而是本身即高居於《十三經》之列。所以二千餘年來,注雅、廣雅、仿雅的著作更僕難數,足以汗牛充棟,因而有「雅學」之美稱。其演變,歷經秦漢的形成、魏晉南北朝隋唐的成熟、宋元明的發展和轉型、清代的興盛,到了二十世紀,進入由傳統向現代轉變的重要階段,[1]此時名家輩出,著述如林,其中黃季剛(侃)先生無疑是引領風騷,影響極為深遠的前輩學者,正如竇秀豔所說:

> 黃侃對前人《爾雅》研究的主要成果進行了較為系統和全面的總結。他重視師承,但不墨守師說,提出了一些獨創性的觀點,並總結出一套科學的治學方法,從而把雅學研究推進到一個嶄新的階段。[2]

他對雅學文獻做了全面而深入的探討,用力至勤,成果豐碩,令人挹之,亹亹不倦。今僅就其研究方法略加窺測,以志師門景仰之意。

---

1 竇秀豔:《中國雅學史》(濟南市:齊魯書社,2004年),〈前言〉頁1-5。
2 同上注,頁314。

二　黃季剛先生的《爾雅》學著作

　　黃季剛先生治學嚴謹，五十歲前不輕著書，生前刊布的著述為數至鮮。[3]到了身後，大家才發現其遺稿及批校文字不下數百萬言，除一九三六年中央大學的《黃季剛先生遺著專號》，六〇年代易名為《黃侃論學雜著》，由北京中華書局印行，一九八〇年由上海古籍出版社再版者外，經其家屬及門弟子整理出版的即超過十種，包括《文心雕龍札記》、《文選黃氏學》（《文選平點》）、《說文箋識》、《廣韻校錄》、《爾雅音訓》、《文字聲韻訓詁筆記》、《黃侃聲韻學未刊稿》、《黃季剛先生遺書》、《國學文集》、《國學講義錄》及手批的《白文十三經》、《說文解字》、《爾雅義疏》、《廣韻》等。[4]其中有關《爾雅》的資料亦珠玉散見，琳瑯滿目，較重要的有：

（一）〈爾雅略說〉

　　〈爾雅略說〉係《黃侃論學雜著》十七種之一。全文分八節，二萬餘言，對《爾雅》的名義、撰人、性質、作用、歷代重要研究成果及研治方法，做了全面的、系統的論述，承先啟後，評價極高，[5]可說是現代《爾雅》學研究的奠基之作。其弟子駱鴻凱的《爾雅論略》（嶽麓書社）、顧廷龍、王世偉的《爾雅導讀》（巴蜀書社）、管錫華的《爾雅研究》（安徽大學出版社）、馬重奇、李春曉的《爾雅開講》（華東師範大學出版社）、竇秀豔的《中國雅學史》等通論性及雅學史之類的專書及單篇論文都是其支與流裔。

3　黃侃：《文心雕龍札記》（北京市：商務印書館，2014年），頁225-231附錄〈黃侃先生學術年表〉。

4　黃侃：《爾雅音訓》（北京市：中華書局，2007年），卷前〈黃侃文集出版說明〉。

5　趙世舉：〈從爾雅略說看雅學的飛躍性發展〉，《漢語研究管見錄》（武漢市：湖北人民出版社，2005年），頁47-56。

（二）〈黃侃手批爾雅義疏〉

清代郝懿行的《爾雅義疏》，以因聲求義、注重目驗、糾正舊說為重點，增益補苴邵晉涵的《爾雅正義》，在歷代所有的《爾雅》注本中，蒐采最為宏富，注釋最為詳盡，是雅學登峰造極之作。但郝書濫用、誤用聲訓、引用書證不够謹嚴、說解或失之冗繁、或失之牽強，其目驗亦有不周之處，[6]故王念孫《爾雅郝注刊誤》曾刊正《義疏》錯誤一一八條，聲韻失誤者居其半。黃季剛先生繼之，以因聲求義為主軸，對郝書進行更詳密精審的考、釋、訂、補工作，朱墨爛然，不下十餘萬言。如能善加整理，幾乎等於一本上乘的新疏了。該書有一九八〇年臺北石門圖書公司《黃季剛先生遺書》本、二〇〇六年北京中華書局《黃侃文集》本。黃建中、崔樞華都曾撰文加以評介，[7]胡世文有專書進行深入研究。[8]

（三）〈爾雅音訓〉

黃先生手批《爾雅義疏》篇幅龐大，辨讀匪易，其侄黃焯用心整理，刺取批校中有關音訓者一二三七條，輯成《爾雅音訓》三卷，一九八五年由上海古籍出版社手寫膠印版問世，二〇〇七年七月由北京中華書局重排印行。附錄〈經傳釋詞箋識〉等八種，雖不足以見批校之全豹，使用確實較為方便。

6　張永言：〈論郝懿行的爾雅義疏〉，《語文學論集》（北京市：語文出版社，1992年），頁25-49。

7　黃建中：〈讀黃侃季剛先生批校的爾雅義疏〉，《南京大學學報》（哲社版）（1986年1期）。崔樞華：〈讀黃季剛手批爾雅義疏——兼論爾雅義疏刪節本〉《北京師範大學學報》（1987年5期），頁26-30。

8　胡世文：《黃侃手批爾雅義疏同族詞研究》（北京市：中國社會科學出版社，2013年）。

（四）〈爾雅釋例箋識〉

清末陳玉澍在前賢研究《爾雅》義例的基礎上，進一步分析探討，撰成《爾雅釋例》五卷四十五例，綱舉目張，相當周密，是集《爾雅》釋義及校勘體例大成的著作。但自信太過，強古就我，過分繁瑣，說解疏誤亦所在多有，故黃季剛先生詳加批校，多所駁正。有一九八五年六月武漢大學出版社《量守廬群書箋識》本，二○○七年北京中華書局《爾雅音訓》附錄本。

（五）《爾雅正名評》

清同治年間，汪瑬撰《爾雅正名》，旨在以《說文》與《爾雅》互證，就《經典釋文》所引漢魏諸家之注並徵引經籍字書有關資料，以篆文寫定《爾雅》文字一○七九一字，用以考證《爾雅》文字之正變。黃季剛先生手批三百餘條則改從音義關係去探討本字、本義及語源，可以正汪書之失，並補其不足。一九三六年刊《制言》十八、十九期，一九八五年六月收入《量守廬群書箋識》，一九八六年十二月武漢大學出版社以手批本影印出版，二○○七年重排附錄於《爾雅音訓》。

（六）〈廣雅疏證箋識〉

在清代訓詁學界，王氏父子褒然冠首，足以與文字學領袖段玉裁分庭抗禮。《廣雅疏證》是《王氏四種》之一，《廣雅》在語言文字學著作中本是二流作品，經王氏父子精心校勘，用力疏證，就古音以求古義，引申觸類，不限形體，儼然躋升為經典名著。但王書闕誤仍然在所難免，成書後，王念孫自己又補正了五百餘事，王士濂、俞樾、

章太炎、王樹枏、陳邦福等人也有所拾遺補缺。[9]黃季剛先生閱讀該書時寫下一二七條眉批，或訂正釋義之失，或申補釋義之闕，或校正文字之譌，或揭示辭書體例，楊合鳴曾有專文詳加舉例說明。[10]箋識曾發表於一九八一年四月北京師範大學出版社《訓詁研究》第一輯，厥後收入《量守廬群書箋識》、《爾雅音訓》附錄。

（七）〈五雅聲類表〉

清代以後，學者都極力主張因聲求義，解決了許多以形索義無法解決的問題，使訓詁學的發展突飛猛晉。由聲音以通訓詁端賴古聲韻學說作為利器，所以黃季剛先生早年居武昌、北平時，特別編製了〈五雅聲類表〉，所謂《五雅》包含《爾雅》、《小爾雅》、《方言》、《釋名》、《廣雅》。其中〈爾雅聲類表〉即取《爾雅》所收之字（包含釋詞與被釋詞），按四十一聲類標示所屬的聲母，〈釋詁〉、〈釋言〉兩篇特詳，〈釋訓〉以下僅擇要標注，一目了然，使用方便。一九八五年武漢大學出版社印行《黃侃聲韻學未刊稿》，此為書中十三表中的一部分。

（八）《文字聲韻訓詁筆記》

民國肇造之後，黃季剛先生即不再參與政治，專心從事小學、經學、文學的教學研究工作，先後任教於北京大學、武昌高師（今武漢大學）、中華大學、山西大學、北京師範大學、東北大學、金陵大學、中央大學（今南京大學）等校，春風化雨，裁成甚眾。其侄子黃焯早年受業門下，曾整理師說，編成《文字聲韻訓詁筆記》一書，一

9　竇秀豔：《中國雅學史》，頁262。

10　楊合鳴：〈讀黃侃廣雅疏證箋識〉，鄭遠漢主編：《黃侃學術研究》（武漢市：武漢大學出版社，1997年），頁199-207。

九八三年由上海古籍出版社印行，同年九月臺北木鐸出版社亦曾影印
行世。其中訓詁筆記卷下有三十餘條四十餘頁專論《爾雅》學之研究
基礎、方法、條例、程序等，金針度與，無論親炙或私淑，皆可得到
不少啟發。

三　黃季剛先生《爾雅》學研究方法的理論

在《爾雅》學研究上，黃季剛先生所以成就輝煌，除了真積力
行，功力深厚之外，亦緣其方法縝密新穎，有系統，有條理，能見人
所未能見，言人所未曾言，故卓見灼識，令人折服。其《爾雅》學研
究方法理論，主要散見於〈爾雅略說〉及《文字聲韻訓詁筆記》，現
在重加董理，臚述如下：

（一）雅學研究之基礎

《文字聲韻訓詁筆記》說：

> 治《爾雅》之始基在正文字，其關揵在明聲音。字不明則義之
> 段不能明；音不明，則訓之流變不能明。故使《說文》之學不
> 昌，古韻之學未顯，雖使《爾雅》至今蒙晦可也。惟聲音文字
> 講求纖悉，然後訓詁之道得其會歸。惟訓詁漸即闓明，斯名物
> 漸知實義，一學之立，必待與之相關諸學盡有紀綱。清世《爾
> 雅》之業獨隆前古者，正由此爾。[11]

---

11 黃侃口述，黃焯筆記編輯：《文字聲韻訓詁筆記》（臺北市：木鐸出版社，1983
　年），頁231。本論文凡引該書皆用此本，僅標明頁碼，不復加注。

文章與典籍之載體是文字，文字有形、音、義三要素。形有本字、叚借字之分，音有音同、音近、音轉之異，義有本義、引申義、叚借義之別（《筆記》，頁182）。其變遷不定，而關係又十分密切而複雜，不能孤立處理。《爾雅》為古義之總匯，且多雜引申與叚借，研究時自然不能就義言義，而須將形音義打成一片，不可分離（《筆記》頁179）。此說始於章太炎先生（《筆記》，頁48），《筆記》中再三言之，正是在確立學者的基本蘄向，奠定研究的基礎。

（二）雅學研究之工具

1 《說文》與古韻書

工欲善其事，必先利其器；人欲出遠門，必先儲數日之糧。研究《爾雅》自然也須預備基本學識，〈爾雅略說〉論治《爾雅》之資糧云：

> 《爾雅》之作，大抵依附成文為之剖判。成文用字，大抵正借雜揉，初無恆律。……雖然，用字不能無叚借者，勢也；解字必求得本根者，理也。使無《說文》以為檢正群籍之本根，則必如顏之推所云：「冥冥不知一點一畫有何意義矣。」《爾雅》之文，以解群籍，則綽綽然有餘裕；試一詢得義之由來，必有扞格而不通者。……是故字書之作，肅然獨立，而群籍皆就正焉。辭書之作，苟無字書為之樞紐，則蕩蕩乎如繫風捕影，不得歸宿。欲治《爾雅》者，安可不以《說文》為先入之主哉？《爾雅》總絕代之離詞，其中蘊蓄先世逸言，異國殊語。當時九服聲音，相離未遠，縱以聲類比方假借，而聆音知義，不至淆譌。迨世遠聲遷，文字之著於竹帛者，不能相逐而同軌；於

是觀文而不知義，音從世讀而不諧於古初。治《爾雅》者，不
明乎此，上之不過如邢叔明之守文，次乃儕于陸佃、王雱，舍
望文生義外，無復他技，且以新得自矜，至可忿疾者也。尚考
郭氏注文，其於音理知之甚深，故其功績，一在通故言，一在
證今語。……使非音理通明，豈可綜合古今，知其部類哉？自
郭氏以後，此風莫紹；無往不復，乃中興於清世諸師。[12]

黃季剛先生以《說文》與古韻書為治《爾雅》之資糧，正是上文所謂
「正文字」、「明聲音」之落實，《說文》為第一部形書，全書重點在
分析字形，以求本義，本義既定，則各級引申咸有正確之出發點，叚
借亦有另覓出路之需求。〈爾雅略說〉舉《爾雅・釋詁》：「初、哉、
首、基、肇、祖、元、胎、俶、落、權輿，始也。」為例，舉凡不明
「始」義之所由來者，得《說文》之本字、本義，皆可迎刃而解。
（《雜著》，頁397），誠為最好例證。《爾雅》是先秦古書，其研究自
然須利用上古韻書。清代自顧炎武、江永、段玉裁、孔廣森、王念
孫、江有誥以降，古韻分部日趨精密，章太炎先生二十三部尤為憭
然，黃季剛先生益之以戴東原入聲獨立，得二十八部。[13]在古聲方面，
黃季剛先生以中古音四十一聲類為基準，採錢大昕古無輕脣音、古無
舌上音、章太炎先生娘日歸泥諸說，益之以照系三等諸紐古讀與端透
定無殊、莊系諸紐古聲與精清從心不異，確定古聲十九紐之說。[14]當
其時，論古音者以黃先生所言最精密。在今世，王力先生、陳師伯元
（新雄）等，雖略有修正，出入實亦無多，對《爾雅》聲韻之研究，

---

12 黃侃：《黃侃論學雜著》（臺北市：學藝出版社，1969年），頁396-399。本論文凡引
　　該書皆用此本，僅標明頁碼，不復加注。

13 黃侃：〈音略〉，《黃侃論學雜著》，頁87-90。按：黃氏晚年主談、盍獨立，共得30
　　部，見〈談添、盍帖分四部說〉，《黃侃論學雜著》，頁290-298。

14 黃侃：〈音略〉，《黃侃論學雜著》，頁69-77。

助益誠非淺鮮。可惜除〈五雅聲類表〉略有交代外，黃季剛先生並未
逐字檢核，此則有賴於研究者自行考察。

2 各類要籍

《說文》與古韻書固然是研究《爾雅》的兩大資糧，但不能以此
為已足，在《文字聲韻訓詁筆記》曾臚列雅學研究的參考書有：

> 《經典釋文》、邢疏、孔穎達、賈公彥諸經疏、邵、郝二疏、
> 《廣雅疏證》、《經籍纂詁》。(《筆記》，頁260)

在小學所需之參考書方面更詳列：

(1) 主要書籍：《爾雅》、《小爾雅》、《方言》、《說文》、《釋名》、
　　《廣雅》、《玉篇》、《廣韻》、《集韻》、《類篇》。
(2) 輔助書籍：
　　a 唐以前：《十三經注疏》、《經典釋文》、《漢書顏注》、《文選
　　李注》、《一切經音義》。
　　b 唐以後及清世之書：
　　(a) 金石書：如《集古錄》、《鐘鼎款識》、阮元、吳榮光、
　　　　孫詒讓之書。
　　(b) 古韻書：如《切韻指掌圖》、《四聲等子》、《切韻指
　　　　南》、《通志‧七音略》、顧氏《音學五書》、〈潛研室答
　　　　問〉、〈詩音表〉、《說文聲類》。
　　(c) 訓詁書：如王氏《廣雅疏證》、郝氏《爾雅義疏》、段
　　　　氏《說文注》、朱氏《定聲》、桂氏《義證》、王氏《句
　　　　讀》。(《筆記》，頁5-7)

良以《爾雅》為九流之津涉，六藝之鈐鍵，內容博洽，牽涉至廣，研究時勢必旁徵博引，以為佐證，佐證資料愈豐富，論證之結果愈具有說服力。宜乎駱鴻凱依傍黃氏〈爾雅略說〉作《爾雅論略》，增列〈論治爾雅之資糧三〉，以論博徵群籍之重要性，[15]蓋親聞謦欬，故能輔翼師說。

（三）雅學研究之途徑

治學之途徑因學術性質而各有不同，也常因時代風尚及個人蘄向而有所差異，清代學者從事訓詁專主因聲求義，黃季剛先生上承此風，推闡更臻精密，故其治雅，即以因聲求義為最主要方法。此外，他在《文字聲韻訓詁筆記》屢言治小學之法有三：「一，一事必剖解精密，二，一義必反覆推求，三，一例必展轉旁通。」（頁8、179）此亦為黃先生治雅所常用者，必不可忽。

1 因聲求義

《文字聲韻訓詁筆記》云：

> 治《爾雅》之要，在以聲音證明訓詁之由來，而義例在所不急。（頁237）
> 文字根於言語，言語發乎聲音，則聲音者，文字之鈐鍵，文字之貫串。故求文字之系統，既不離乎聲韻，而求文字之根源，又豈能離乎聲韻哉？求其統系者，求其演進之跡也；求其根源者，溯其元始之本也。一則順而推之，一則逆而鉤之，此其所以異也。（頁193-194）

---

15 駱鴻凱：《爾雅論略》（長沙市：嶽麓書社，1985年），頁154-159。

文字是語言的記錄，其外殼為文字，其核心為語言。語言是音義的結合體，其外殼是音，其核心為義。兩者互為表裡，密切相關，其結合固然出於約定俗成，只有偶然性，而沒有必然性。但只要大家都承認某一個音表示某一個義，並且共同使用它，那麼音義就成為密不可分的統一體，所以清代學者，主張「聲義同源」、「凡同聲多同義」、「凡字之義必得諸字之聲」、「凡從某聲多有某義」、「形聲多兼會意」。[16]並且以因聲求義為最重要的訓詁方法，黃季剛先生也是運用此種方法，取得豐碩的成果。因聲求義的目的在通過語音去推求字義得聲之由來，簡言之，即是推因，即是求語根（《筆記》，頁187）。黃季剛先生提到推因有三事：（1）以本義或後起義推之者，（2）以聲訓及義訓推之者，（3）以名與事之法推之者（《筆記》，頁194），他具體指出因聲求義的操作，也很有參考價值。

2 精密剖解

《文字聲韻訓詁筆記》云：

> 蓋小學即字學，字學所括，不外形、聲、義三者。《說文》之中，可分文字、說解及所以說解三端，……如是則一事始由粗而精，由疏而密，……而後知形、聲、義三者，形以義明、義由聲出，比而合之，以求一貫，而剖解始精密矣。（頁8）

精密剖解在思維術為分析，為演繹，所以求其深。黃先生舉《說文》：「示，天垂象，見吉凶，所以示人也。從二，三垂，日月星。」為例，析其形，求其音，探其義，而後事詳而義明，了無凝滯。此但

---

16 林尹：《訓詁學概要》（臺北市：正中書局，1972年），頁122-164。

就一字之剖析而言，若由本字，而異體字，而叚借字；由同音，而音近，而音轉；由本義而引申義，而叚借義，皆愈析愈密，愈浚愈深，不拘大小，總可以有成。

3　反覆推求

《文字聲韻訓詁筆記》云：

> 一字之義，就簡言之，本甚易知；溯源剔根，則實難曉。吾人治學，向以比勘而得其確至，推求而窮其根本，施之小學，莫之或易。顧絕緣之學，難得其始；象形之字，難得其聲。……故治小學者，除絕緣之字不可推究外，餘必反覆撢研，以求其本始也。（頁8-9）

反覆推求在思維術為綜合法、歸納法、比較法，所以求其廣。黃氏以示、丨、秦、齊、晉、楚等字為例，反覆推求，或可得其音義，或難得其初始。（頁9）此法在訓詁學中運用最為淋漓盡致者殆為比較互證，廣泛尋找證據，使用比較、歸納、演繹等方法，進行綜合推定，追根究柢，以得到確切之結論，正是此法之妙用。

4　發凡起例

《文字聲韻訓詁筆記》云：

> 一例必展轉旁通。小學有專有通，治之者必能專而後能通。夫一書有一書之條例，治之者必首知其書之例而分討之，次綜群書之例而比類旁通之，夫而後言專則精，言博則通矣。蓋不分不足以致其精，不合不足以觀其通，既精且通，始可言治小

學。然則熟於展轉旁通之法，庶於小學造乎其類矣。（頁10）

每一本書行文往往有其體制、規律和通例，來展現編寫體例及其內在邏輯，這是讀者了解該書內容的管鑰。黃先生又以為「由變以推本，無條例不可；由本以推變，亦非無條例以為之。故言小學，一不可講無條例之言，二不可講無證據之言。」（頁12）足見條例有其重要性。早在晉代，郭璞為《爾雅》作注，即有二十四個條例，（隋）陸德明《經典釋文・爾雅音義》、（清）邵晉涵《爾雅正義》、郝懿行《爾雅義疏》亦有不少釋例，[17]雖則多出自後人歸納，實大有助於學者之解讀。清末陳玉澍的《爾雅釋例》是第一本全面系統地論述《爾雅》條例的著作，頗得黃季剛先生之重視，而詳加批校箋識。黃先生自己在《文字聲韻訓詁筆記》中也常談及《爾雅》的條例，如：

> 《爾雅》有一字兩讀，一條兩解之例。（例238）
> 《爾雅》有一訓兼兩義、三義。（頁241）
> 同義異物。（頁241）
> 聲轉義通、聲通同訓、聲近義同。（頁241-249）
> 論名物相同。（頁249-252）
> 物有同狀而異所者其名則同。（頁252-256）
> 《爾雅》釋鳥之例有三。（頁257）
> 《爾雅》釋草以下七篇，篇末有泛言而不專指一物。（頁258）
> 凡雅俗古今之名，同類之異名與異類之同名，其音與義往往相關。（頁258）

---

17 顧廷龍、王世偉：《爾雅導讀》（成都市：巴蜀書社，1990年），頁73-81、90-94、97-100、105-106。

可惜零星散見，不成體系。高師仲華（明）《爾雅辨例》分詞式、義類、編次、訓詁四大類，凡數十條例，[18]綱舉目張，籠括無遺，可以補師說之不足。

（四）雅學研究之程序

　　形、音、義三者同時相依，不可分離，是黃季剛先生的一貫主張，所以在談到雅學研究的程序時，也是貫徹此一原則。《文字聲韻訓詁筆記》說：

> 1　文字部分
> （1）先辨字之正俗，（2）次辨字之正叚，（3）次比較本書所用文字異同，（4）次校勘本書異本，（5）次校本書及他書（經傳子史皆是）字之異同。
> 2　聲韻部分
> （1）每字反切，（2）每字多音（可考《類篇》），有前師異音，有陸德明所注異音，（3）每字多音（疑衍），（4）每條中多字聲音相關（或雙聲，或疊韻），（5）諸書中聲義相同、相近、相轉，比較之餘，得其會歸。
> 3　訓詁部分
> （1）本書義訓，義訓有同有異，有近，有直話，有展轉引申，有與他書訓詁同，有與之異，（2）《爾雅》前書自有異同，（3）郭注與前師異同，或有未詳。（頁259-260）

摛文需要有物有序，治學材料齊備，準備充分之餘，也需有合理的程

18　高明：〈爾雅辨例〉（政治大學《中華學苑》13期，1974年），頁1-44。又，《高明文輯》（臺北市：黎明文化事業公司，1978年），中冊，頁466-510。

序，才不致漫無頭緒，雜亂無章。此即〈大學〉所謂「物有本末，事有終始，知所先後，則近道矣！」[19]黃氏言及研治《爾雅》時，在文字部分，由字之正俗，而正叚，而校勘異同；在音韻部分，由反切而多音，而雙聲疊韻、音近音轉；在訓詁方面，由本書義訓而他書異同，而注家異同，不僅材料力求完整，程序也有輕重緩急之分。當然，實施之際，也須注意到形、音、義三者之間的整合。而聲韻部分特別提到反切，顯然是要求先有正確的音讀，再從中古音上溯上古音，並不是以中古音治上古文獻的意思。

四　黃季剛先生《爾雅》學研究方法的實務

黃季剛先生研究《爾雅》，並不是空談理論，而是有極其豐富的實務經驗，這些經驗主要呈現在他手批的《爾雅義疏》、《爾雅釋例》、《爾雅正名》、《廣雅疏證》，可說是他治雅理論的體現、檢驗與補充，必須與他的理論相互對勘，才足以窺見其《爾雅》學的全貌。在各種手批本中，最重要的是《爾雅義疏》，[20]但通行不廣，而且朱墨爛然，字體細如蚊腳，間雜草行，解讀較為費力，所以下文所論，即以節錄重排的《爾雅音訓》為主，必要時再補充相關資料，有所引用時只注明頁碼，不再加注。

（一）博稽群書

在〈爾雅略說〉及《文字聲韻訓詁筆記》中，黃季剛先生已開列了《說文》、上古韻書及不少各類要籍，在手批《爾雅義疏》時又補了許多參考書，如：

19　朱熹：《四書集注》（臺北市：臺灣書店，1971年），頁3。
20　黃侃：《黃侃手批爾雅義疏》（北京市：中華書局，2006年）。

元大德本、雪牎書院本、吳元恭本、景泰馬諒本、明陳深《十
三經解詁本》、清《十三經注疏》本、《釋文》、《石經》、單疏
本《群經音辨》、《爾雅注》、《爾雅注疏》、《新義》、鄭樵注、
《五經文字》、《九經字樣》、《爾雅校勘記》。（手批頁3）

《五行大義》、《和名類聚鈔》、《萬象名義》、邢疏、《校勘
記》、《釋文》、《古經解鉤沈》、《爾雅古義》、《爾雅古注斠》、
《廣雅疏證》、馬輯《爾雅》舊注、汪瑩《爾雅正名》抄本，
嚴元照《娛親雅言》、江藩《爾雅小箋》、《爾雅漢注》、王國維
〈爾雅草木蟲魚鳥獸釋例〉、嚴元照《爾雅匡名》、陳玉澍《爾
雅釋例》、雷浚《說文外編》。（手批頁4）

《儀禮注疏》、《禮記》、《齊民要術》、《匡謬正俗》、《說文》段
注、《說文繫傳》、《兼明書》、《資暇集》、《楚辭章句》、《荀子》、
《孟子音義》、《呂氏春秋》、《淮南子》、《國語補音》、《列子音
義》、《水經注》、《通典》、《論衡》、《南齊書》、《開元占經》、
《法苑珠林》、《止觀》、《北堂書鈔》、《玉篇》、《廣韻》、《集
韻》、《類篇》、《一切經音義》、《華嚴經音義》、《初學記》、《藝
文類聚》、《太平御覽》、《事類賦》、《文選》。（手批頁16）

《西京雜記》、《駁五經異義》、《鄭志》、《論衡》、《漢書藝文志
注》、《釋名》、〈上廣雅表〉（手批頁27）

這些書林林總總，有四部要籍，亦不乏冷門之書；有《爾雅》注疏不
同版本，亦有各種相關參考書目。《爾雅音訓》進一步考察手批所用
校勘之本二十五種，參訂所引用之書三十四種，補輯古注之書列舉者
二十五種（《爾雅音訓‧序》，頁2），這些書在手批中都確實再三參考
引用，可見黃先生博極群書，蒐集了極其豐富的資料，批校時左右逢
源，無論精密剖解或反覆推求都可擁有強而有力的論證。

（二）發凡起例

1 批校條例

《手批爾雅義疏》頁二十六提及「同條牽屬一，本字二，義證三，近義四，通字五，借字六。」黃焯《爾雅音訓・序》特別稱之為「所立條有六」（頁2），亦即是手批的六個條例。所謂條例，是具有概括性的總原則，屬於較高層次的分析。以此為據，作者可以確定研究的範圍及方法，讀者可以更準確掌握全書的重點，足見其重要。因而林寒生、胡世文都曾詳加舉例說明，[21]在此亦每條各舉二例以明之：

（1）同條牽屬

《爾雅》十九篇，一〇八一九字，分為二二一九個詞條，四三〇〇多個被釋詞。每個詞條類聚義同、義近之字以釋之，同詞條內的釋詞與被釋詞之間，甚至不同詞條之間，往往有音義關係。《音訓》云：

> 〈釋詁〉：「嵩、崇，高也。」〇此文「嵩、崇，高也。」下文「篤、竺，厚也。」「賡、揚，續也。」「瑳，嗟也。」「遹，述也。」皆是同字並見之例。其餘聲近、聲轉而實同字者，不可悉數。（頁10）
> 〈釋言〉：「燬，火也。」〇火、燬、烜、煓，一語變異。《說文》雖異字，實同字也。見於《爾雅》者，尚有竝併、翿纛、苗蓨、菉莉、華荂、蝹蠉。見於《說文》者則不遑屈指矣。《說文》所謂轉注，《周禮注》所謂變易。（頁50）

---

21 林寒生：《爾雅新探》（南昌市：百花洲文藝出版社，2006年），頁178-180。胡世文：《黃侃手批爾雅義疏同族詞研究》，頁302-312。

透過此二條，黃先生詳舉《爾雅》、《說文》同條牽屬（同字並見）者不下十餘例，各例皆有音義關係，甚至牽涉到《說文》的轉注，鄭玄《周禮注》的變易，足見與形、音、義三者皆有密切關係。《爾雅》中除了一義貫條之外，還有二義同條、多義同條，關係相當複雜，詳見李冬英《爾雅普通語詞研究》[22]，茲不贅。

（2）本字

黃季剛先生認為訓詁之次序，一在求證據，二在求本字，三在求語根，凡求文字之義訓，與其初造時之形體、聲音相符，即是求本字之謂。（《文字聲韻訓詁筆記》，頁195-196）許慎之編撰《說文》，其宗旨在確定本字、本義，黃季剛先生既以《說文》為研究《爾雅》之資糧，對於求本字自然十分注意。《音訓》云：

〈釋詁〉：「瘲，病也。」○瘲，本字當作臾，臾亦即痩死本字。（頁16）
〈釋木〉：「蕡，藹。」（樹實繁茂菴藹）○《說文》：「藹，蓋也。」此菴藹正字。（頁140）

求本字大抵以《說文》為基準，[23]再考查本字及假借字之中古音與上古音，如瘲、臾中古音羊朱切，屬喻母虞韻，上古歸定紐侯部；藹、藹中古音於蓋切，屬影母泰韻，上古歸影紐月部。[24]二例之中古、上

---

22 李冬英：《爾雅普通語詞研究》（石家莊市：河北人民出版社），頁64-103。

23 許慎撰，段玉裁注：《新添古音說文解字注》（臺北市：洪葉文化事業公司，2005年增修一版三刷），頁356、754、93、380。下文有所引用，僅括弧加注此本頁碼。

24 中古音據陳彭年撰，余迺永互註校正：《宋本廣韻》（臺北市：聯貫出版社，1974年），頁76、380。林尹：《中國聲韻學通論》（臺北市：世界書局，1977年七版）。上古音據陳新雄：《古音研究》（臺北市：五南圖書出版公司，1999年）。亦可逕查洪葉版《新添古音說文解字注》，下文有所引用，皆據此本，不再加注頁碼。

古皆分別同音，具備求本字的必需條件。觀乎黃先生的〈求本字捷術〉所云：

> 大抵見一字而不了本義，須先就《切韻》同音之字求之。不得，則就古韻同音求之，不得者蓋已尟。如更不能得，更就異韻同聲之字求之。更不能得，更就同韻同類或異韻同類之字求之。終不能得，乃計校此字母音所衍之字，衍為幾聲，如有轉入他類之音，可就同韻異類之字求之。若乃異韻異類，非有至切至明之證據，不可率爾妄說。（《黃侃論學雜著》，頁359-360）

符合「就《切韻》同音之字求之」，的確是信而有徵。至於求本字的滿足條件，尚須驗證古代文獻是否有通叚的證據，此則須考查高亨的《古字通叚會典》之類。[25]

（3）義證

《爾雅》本文或古注、郭注以降，文義有所不瞭，或釋義有所疑誤，黃先生輒旁徵博引，加以補充糾正或疏通證明。《音訓》云：

> 〈釋宮〉：「在地者謂之臬。」（即門橜也）○臬者闑之叚借。
> 《說文》：「闑，門闑也。」闑、闔、橜皆有橫直兩用，直闑即下文「橜謂之闑」，橫臬即此，亦即上文之枨。郭注通謂門橜，猶〈曲禮〉鄭注臬謂梱為門限也，並不誤。《穀梁》以葛覆質以為槷，即此臬也。（頁72）
> 〈釋地〉：「高平曰陸。」○陸有厚義，故李巡云：「土地豐

---

25 高亨：《古字通假會典》（濟南市：齊魯書社，1997年二刷）。

正」,《廣雅》:「陸,厚也。」〈釋魚〉魁陸注:「員而厚」,《說文》:「馗,九達道也。似龜背,故謂之馗。」「馗,高也。或作逵,从坴。」「坴,土地坴坴也,一曰坴梁。」此亦有厚義。从坴聲者有睦,〈坊記〉注:「睦,厚也。」亦與陸義同,漢碑和睦字多作陸。(頁102)

「在地者謂之梁」條,黃季剛先生揭出《說文》本字為闌,繼而直貫《爾雅》上下文之橛、臬、柣,橫通郭注、〈曲禮〉注、《穀梁傳》之門橛、梱、槷,徵引宏富,十分精闢。「魁陸」條黃季剛先生引《說文》馗字、李巡注、《廣雅》、〈釋魚〉郭注、《說文》馗之重文逵、〈坊記〉注等,證明陸有厚義,亦是理據十足,可以服人。

(4)近義

詞義大同小異者為近義詞,或因引申而微殊,或因聲同而義近,在語言中比比皆是。《音訓》云:

〈釋詁〉:「艾、歷、覾、胥,相也。」○相有輔相、相視、交相三義。艾歷,輔相義也。覾胥,相視義也。胥既訓皆,又訓相,是交相義也。但交相義亦由輔相義引申,輔相義亦由相視義引申。(頁28)
〈釋草〉:「茦,刺。」○茦刺音近。《廣雅》:「茦,小也,箴也。」《說文》「莿,茦也。」「朿,木芒也。」「刺,直傷也。」誼皆近。(頁132)

因相有輔相、相視、交相三義,由相視引申為輔相,由輔相引申為交相,故「艾、歷、覾、胥、相」,義皆相近,此引申而義近。茦、

刺、薊皆由束得聲，故皆有尖而小之義，此聲同而義近。其道理皆豁然可知。

（5）通字

清代的訓詁學家喜言「通」，如王念孫的《廣雅疏證》言及通者，是通用之意。從文字的角度而言，為通叚字；從語言的角度而言，為同源字，甚至包含異體字在內。[26]黃季剛先生手批《爾雅義疏》時，也常言通，正是清代考據學的遺風。《音訓》云：

〈釋詁〉：「輔，俌也。」○輔之訓俌，嗟之訓瑳，迺之訓乃，義大同而字又互通。《爾雅》必釋之者，以古今異字，不釋則義不顯也。郭注：「俌猶輔也。」明其為一字矣。（頁23）

〈釋言〉：「穀，生也。」○〈釋天〉：「東風謂之谷風。」孫炎云：「谷風者，生長之風。」是谷與穀通，《老子》：「谷神不死。」河上本作浴，注：「浴，養也。」是谷與浴通。（頁38）

輔之與俌，嗟之與瑳，迺之與乃，為古今字，也是異體字，可以算是同源字的一種。谷、浴之通穀，則為叚借字。可見通之為用，不一其途。陳冠佑有論文歸納黃先生通字術語有「某聲通某，某某聲通」、「某某聲義兼通，某某聲義亦通」、「音通」、「某與某通，某通某」、「某通作某」、「某某字通」、「某某通借」、「某某通轉」，並統計其類型，商榷其得失，[27]十分詳細，可以參閱。

---

26 劉精盛：《王念孫之訓詁學研究》（長春市：吉林大學出版社，2011年），頁190-198。

27 陳冠佑：《黃侃手批爾雅義疏通轉術語研究》（臺北市：臺北市立教育大學中語系碩士論文，2009年）。

（6）借字

　　借字與本字相對，《說文解字‧敘》：「叚借者，本無其字，依聲託事，令長是也。」[28]此為無本字之叚借，亦即狹義之叚借；及其後也，雖有其字，而多為叚借，此則為有本字之叚借，亦即廣義之叚借。為了釐清此二者之區別，學者往往將後者稱之為通叚。《音訓》云：

　　　　〈釋詁〉：「落，始也。」○落本草木零落之名，引申訓死，又引申而訓始，故《左氏‧昭七年》注：「宮室落成祭之曰落。」明落之義由始死來矣。作為始、始死字別為殂（徂古文）。落逕訓始而未製字，此所謂叚借。（頁2）
　　　　〈釋丘〉：「窮瀆，氾。谷者溦。」（通於谷）○下云：「水決復入為氾。」又云：「水草交為湄。」與此名同而義近。溦與湄蓋皆就岸言，此溦義本於微，作湄叚借爾。（頁106）

　　落之訓死，為無本字之叚借，湄訓水草相交，為溦之叚借。若斯之比，在古書中屢見不鮮。清儒之言訓詁，好言叚借，有時難免失之於濫。黃季剛先生云：「今日籀讀古書，當潛心考察文義，而不必驟言通叚；當精心玩索全書，而不可斷取單辭。」（《文字聲韻訓詁筆記》，頁221）其態度之矜慎，值得師法。

2　義訓條例

　　訓詁條例分形訓、聲訓、義訓三類，上文所言批校條例多與聲訓有關，至於義訓，黃季剛先生曾自行整理歸納，共有九例。《音訓》云：

28　許慎撰，段玉裁注：《說文解字注》，頁764。

一、同字兩訓不異，如爽差也、爽忒也之類。

二、特訓：如俱貳也、劑翦齊也之類。

三、同字異訓：如流求也、流覃也、替廢替滅之類。

四、因下字更舉一訓：如流覃也、覃延也、啜茹也、茹虞度也
之類。

五、連所訓而更舉一訓：如潛深也、潛深測也之類。

六、因下字而更訓其聲同之字：如憎曾也、增益也之類。

七、聲同訓異：如薆隱也、儌呭也、兆域也、肇敏也之類。

八、因下字而轉訓：如速徵也、徵召也、淩慄也、慄感也之
類。

九、異字同訓：如蠲明也、茅明也、尹正也、皇匡正之類。

這些條例，與文字、聲韻殊少關聯，只側重於說明字義訓釋的方式，可以了解《爾雅》行文變化之妙，善加利用，也可以得到舉一反三的效果。只有像黃先生這樣心思細密、沈潛功深的人才能得到這些條例，真是彌足珍貴。

（三）因聲求義

文字的創造，由義而音而形；文字之探討，由形而音而義。無論由內而外，或由外而內，音都是溝通形義的關鍵，所以清代學者認為義存乎聲，聲近義通、聲義同源，因而主張因聲求義。經過幾百年的努力，成績十分輝煌，使得訓詁學的研究由文字學的領域進入了語言學的領域，解決了許多前人無法解決的問題。宜乎經學家周予同說：「誇大點說：清代樸學的最高成就恐怕就是『不拘形體，以音求義』

這個原則的發現吧！」[29]黃季剛先生精通小學，發現郝懿行雖力主以
聲求義，但實闇於音理，濫用、誤用聲訓之處不一而足，因而批校時
特別著力於此。其因聲求義的主張及重要條例，上文言之已瞭，在此
僅就其批校所涉及的範疇舉例分類說明：

〈釋木〉：「栵，栭。」○凡从而聲者，多有小義。小栗為栭，
小魚為鮞，小雞為鶵，小兔為毚，小鹿為麛，皆是也。又屋枅
上標名栭，亦小物也。栵栭音近，栭又與樲酸棗音近。（頁136）
〈釋鳥〉：「燕燕，鳦。」○燕之為言驠也。「馬白州，驠」，上
文「燕，白脰」又言安也，从女在宀下。又言晏也，晏，安
也，从女日。又言宴也，侒也。又言匽也，匽，匿也。又言偃
也，偃，僵也。燕之引申則訓褻，從其聲音有嬽，目相戲也。
字通作嬿，所謂嬿婉之求也。〈釋訓〉：「燕燕，粲粲，尼，居
息也。」尼，《說文》「從後近之也。」所以重言燕。（頁163）
〈釋言〉：「罔，無也。」○罔無聲通同訓。罔即亡之借。（頁
36）
〈釋獸〉：「威夷，長脊而泥。」（泥，少才力。）○威夷、委虒
（《說文》：「委虒，虎之有角者也。」）、貀貐皆聲近。貀貐，
龍頭，故云有角，水產有蝛蝓，亦與威夷聲義近也。（頁178）
〈釋器〉：「簡謂之畢。」○《釋文》：「畢，李本作篳。」篳本
藩落之名，而以為簡，猶冊本書冊之名，而字孳乳為柵，柵，
編樹木也，同義異物。凡名物之字多有此例。或以畢為箆之借
字，聲韻兩乖，不達詞言之情者也。畢與篇辮，皆聲轉，《廣
韻》：「辮，箄也。」」（頁86）

---

29 朱維錚編：《周予同經學史論著選集》（上海市：上海人民出版社，1996年增訂版），
　 頁781。

1 考物名

《說文》云：「而，須也。」（頁458）古音歸泥紐之部，凡从而聲者多有小意，此即宋．王子韶所謂「右文說」，清儒所謂「形聲多兼會意」，故字根相同之栭、鮞、㼈、䰰、麢皆為物之小者，黃先生引王國維〈爾雅草木蟲魚鳥獸釋例〉云：「凡雅俗古今之名，同類之異名，與異類之同名，其音與義往往相關。」（《筆記》頁258）信然。

2 求語根

安、侒同字根，晏、宴、匽、偃同字根，二組字根雖然無法系聯，但古音同歸影紐元部，俱有安定、停息之意，故為同語根。王力先生將安、侒、晏、宴（燕）收錄於《同源字典》，[30]良有以也。胡世文全面探討黃氏手批郝疏中的同族詞（同源詞），經篩選後得到三九〇組，[31]黃季剛先生對同源詞研究貢獻之鉅，由此可見。

3 破叚借

《說文》：「网，庖犧氏所結繩以田以漁也。罔，网或加亡也。」（頁358）古音歸明紐陽部，又：「亾，逃也。从入乚。」（頁648）古音亦歸明紐陽部。罔之本意無「無」義，但因罔从亡聲，古音相同，故罔得叚借為亡，而有「無」義。

4 明連語

連語即聯綿詞，其構成以聲不以義，上下二字往往有雙聲或疊韻關係，但字形不固定，不可拆開解釋。威夷、委虒為雙聲（威、委同

30 王力：《同源字典》（臺北市：文史哲出版社，1983年），頁543。

31 胡世文：《黃侃手批爾雅義疏同族詞研究》，頁357-368。

屬影紐）聯綿詞，爨貐、蚭蜦為同音（貐、蜦同屬定紐侯部）聯綿詞，俱指動物之有角者，故可連貫一氣，知其音義之由來。

5 校訛誤

畢，李本作篳，从竹，畢聲。篳本藩落之名（《說文》頁200），得引申為簡冊，《爾雅‧釋器》：「簡謂之畢」，以簡釋畢，怡然理順。或以畢（幫紐質部）為篥（定紐帖部）之叚借，反而聲韻兩乖，不達詞情，黃先生精通古音，故能摘其謬誤。

（四）考釋訂補

黃季剛先生之批校郝疏，是以文字聲韻訓詁打成一片作為最高指導原則，以《說文》、古韻書及群籍為工具，以發凡起例為行動綱領，以因聲求義為利器，然後針對郝疏中有不清楚者進行考釋，有不完備者進行補充，有不正確者進行訂正，務期精密剖解，反覆推求，折衷於至當，這些具體成果都呈現在手批之中，提供給我們豐富的研究養料。《音訓》云：

> 〈釋言〉：「將，資也。」（謂資裝）○資有資裝、資送二義，注但舉一偏。《廣雅》：「齎，裝也。」齎與資同。〈聘禮記〉：「問幾月之資。」注：「資，行用也。古文資為齎。」裝與將同，故此注云：「謂資裝。」將，上文云：「送也。」資送義同，《廣雅》：「資，操也。」（〈釋言〉）操亦持也。將，《詩傳》（〈燕燕〉、〈簡兮〉、〈丰〉）：「行也。」資，〈孝經鄭注〉：「行也。」將資同訓行，與送近，皆由持遺義引申。（頁51）
> 〈釋樂〉：「大瑟謂之灑。」（長八尺一寸，廣一尺八寸，二十七弦。）○郝疏云：「郭云二十七弦，未見所出。」案：《文

選‧笙賦》注引《廣雅》：「琴長三尺六寸六分，五弦，瑟二十
七弦。」《隋書‧音樂志》：「瑟二十七弦，伏羲所作者也。」
〈急就篇〉注：「瑟，庖犧氏所作也，長七尺二寸，二十七
弦。」此二十七弦所本也，烏得云：「未見所出」？（頁90）
〈釋木〉：「檟，苦荼。」（樹小似梔子，冬生葉可煮作羹飲，
今呼早采者為荼，晚取者為茗，一名荈。蜀人名之苦荼）○
《唐本草》：「茗，苦搽。」《釋文》：「荼，《埤蒼》作搽。」郝
疏云：「諸書說荼處，其字仍作荼，至唐陸羽著《茶經》，始減
一畫作茶。」案陸已自云出《開元文字音義》，烏得云始減
哉？（頁141）

1 考釋舊說

〈釋言〉以資釋將，郭注資裝，但舉一偏；郝疏謂資有資裝、資
送二義，能見其全。黃先生進而批注：「將資同訓行，與送近，皆由持
遺義引申」，以同步引申釋之，揭示了詞義引申之規律，其義更瞭。

2 補充不足

〈釋樂〉大瑟，郭注謂二十七弦，郝疏泥於黃帝剖五十弦為二十
五弦之說，未知所出。黃氏以《文選‧笙賦》李善注引《廣雅》、《隋
書‧音樂志》、〈急就篇〉注皆有二十七弦之說，補郝疏之疏失。當時
檢索不便，如非腹笥甚深，曷克臻此？

3 訂正誤說

〈釋木〉：「檟，苦荼。」即今之茶。郝疏以為古皆作荼，至
（唐）陸羽著《茶經》始減一畫作茶。黃先生批注打一擦號，謂陸羽
已自云出自《開元文字音義》，何得謂減一畫始於陸羽？凡是郝疏文

字有衍奪誤倒，聲韻有昧於音理，釋義有疏漏譌誤之處，黃先生輒大
加刪改，並詳予說明或考證。有時一條之中，大筆一揮，所剩無幾，
態度之嚴謹，令人敬畏。

五　黃季剛先生《爾雅》學研究方法的貢獻

黃季剛先生遠紹漢唐，近承乾嘉，在語言文字學方面，見解獨
到，成績輝煌，卓然為近代一大家。其《爾雅》學不僅有精湛的理
論，而且有豐富的批校成果，兩者相輔相成，相得益彰，對學術界的
貢獻及影響可說有口皆碑。語其大者，至少可分四點：

（一）拓寬治雅途徑

《爾雅》為義書之鼻祖，亦為《十三經》之一，故明代以前治
《爾雅》者，多著重於語義的疏證闡發，以期達到明經、通經的作
用。到了清代，因聲求義的方法有了突飛猛進的發展，但其運用多見
於《爾雅》以外的著述，如王念孫對於語源、語義的探討僅限於《廣
雅疏證》，而王引之《經義述聞》中的《爾雅》部分重點仍在「就經
訓以明經，引經文以證雅。」[32]郝懿行《爾雅義疏》雖以因聲求義為
疏證主軸，卻因壅隔音理而多有謬誤。黃先生秉持其形、音、義不可
分離的主張，以《說文》、古韻書及各類要籍為批校的資糧，補充、
糾正了不少郝書的疏失，這就將詞義探究納入形音義整體系統中來考
察，充分運用文字、聲韻、訓詁交相為用的方法來治雅，大大的擴充
了治雅的範圍，拓寬了治雅的途徑。使得《爾雅》研究擺脫經學束
縛，進入了語言科學的新領域。

---

32 許朝華：〈黃侃先生的爾雅研究〉，鄭遠漢編：《黃侃學術研究》，頁166。

（二）提升研究層次

在黃門弟子的印象中，黃季剛先生每作一文，論一事，無不思理深細，多見道之言，絕不人云亦云，隨波逐流。[33]他也常對門弟子說：「所謂科學方法；一曰不忽細微，二曰善於解剖，三曰必有證據。」[34]可見他淹博古今，無徵不信，心思縝密，擅於分析，是其來有自的。他講求科學精神，重視獨立思考，在方法上既總結前人經驗，又提出具體的新方法，因而能繼往開來，成為近代《爾雅》學由傳統向現代轉變的關鍵人物。單以因聲求義的求語根而言，胡世文就曾歸納其研究同族詞（語根、同源詞）的方法：一、在系源方面有：（1）音義結合系聯法，（2）右文系聯法，（3）聲訓系聯法，（4）音轉系聯法，（5）類推法。二、在推源方面有：（1）據語族的音義線索推源，（2）據形聲字聲符線索推源，（3）據事物的特徵推源。[35]雖則他的方法頗有取於劉熙《釋名》的聲訓、王子韶的右文說及王念孫的《廣雅疏證》，但推陳出新，更為豐富多樣，更重視對鳥獸草木蟲魚等事物得名由來的探討。[36]王力先生曾說：「同源字的研究，可以認為新訓詁學。」[37]黃季剛先生在新訓詁學方面的貢獻可想而知。

（三）建構理論體系

《文字聲韻訓詁筆記》云：

---

33 殷孟倫：〈談黃侃先生的治學態度和方法〉，程千帆、唐文主編：《量守廬學記》（北京市：生活・讀書・新知三聯書店，2006年二版），頁44。

34 許嘉璐：〈黃侃先生的小學成就及治學精神〉，程千帆、唐文主編：《量守廬學記》，頁61。

35 胡世文：《黃侃手批爾雅義疏同族詞研究》，頁70-88。

36 同上注，頁96。

37 王力：《同源字典》，頁45。

夫所謂學者，有系統條理，而可以因簡馭繁之法也。明其理而
得其法，雖字不能徧識，義不能徧曉，亦得謂之學。不得其理
與法，雖字書羅胸，亦不得名學。（頁2）

「訓詁學」、「雅學」既然都名之為學，當然必須有系統條理，可以因
簡馭繁。本論文在黃先生《爾雅》學的理論方面，整理出雅學研究的
基礎、雅學研究的工具、雅學研究的途徑、雅學研究的程序；實務方
面也整理出博稽群書、發凡起例、因聲求義、考釋訂補。雖然不够詳
盡，但已可看出黃先生的《爾雅》學確實已建構出理論體系。回溯清
代以前，對《爾雅》的研究，或限於詞義的校釋，或限於文獻的考
證，在研究理論上都是零星散見，不成片段，到了黃季剛先生，才把
前人的體驗加以總結和闡發，提升到理論的高度，並整理出一套整體
化、系統化、條理化、科學化的體系，使《爾雅》研究，有了明確的
理論指導。徐朝華曾推崇他說：「真正對前人《爾雅》研究成果進行
全面、系統總結的，黃侃先生是第一人。」[38]洵非虛言。

（四）度與訓詁金針

《爾雅》學是訓詁學的一部分，與《爾雅》學一樣，訓詁學之成
為有體系的學，也肇始於黃季剛先生。清代以前雖然對於各種古籍訓
解有極其豐碩的成果，但在理論方面也是漫無體系，到了黃季剛先生
的〈訓詁學講詞〉、〈訓詁述略〉，才將訓詁的定義、用途、方式和方
法、步驟提出一個條理井然的體系，成為後來所有《訓詁學》的基本
架構，[39]他在《文字聲韻訓詁筆記》的許多訓詁理論也成為今日《訓

38 許朝華：〈黃侃先生的爾雅研究〉，鄭遠漢編：《黃侃學術研究》，頁163。
39 許嘉璐：〈黃侃先生的小學成就及治學精神〉，程千帆、唐文主編：《量守廬學記》，
頁59-60。

詁學》的重要內容。其弟子陸宗達、再傳弟子王寧更將其文字、聲韻、訓詁不可分離的理論，寫成包含以形索義、因聲求義、比較互證三大方法的《訓詁方法論》，[40]使章黃學派的訓詁理論產生了無與倫比的影響力。我們拿這些理論應用於古籍訓解，就不啻得到金針，可以繡出無數華麗的錦繡。至於《手批爾雅義疏》、《爾雅釋例批校本》、《廣雅疏證批校本》之類，對前人的雅學著作進行了詳細而精闢的考釋訂補，廣度深度兼顧，宏觀微觀並重，更是為我們留下大量寶貴的研究資料與範本，也給予我們深刻的啟迪。

六　黃季剛先生《爾雅》學研究方法的補苴

　　宛志文說：「從漢代到近代，從犍為文學、郭璞到黃侃，《爾雅》研究一直局限在訓詁學、傳統語言學的範圍內。」[41]知其人論其世，就當時的情況而言，黃季剛先生的成就已是登峰造極，難以復加。但到了現代，語言文字學的研究受到西方理論的影響，益臻精密，當然還有補苴或商榷的餘地。更何況，《爾雅》的屬性，不止是訓詁的淵藪，也是詞彙的總匯，名物的薈萃，文化的資料庫，[42]可以拓展的研究空間自然更大。針對此一議題，林寒生表示可以從語言學、語言與文化兩方面拓寬。[43]筆者曾撰寫〈論考釋爾雅草木蟲魚鳥獸之方法〉，

---

40 陸宗達、王寧：《訓詁方法論》（北京市：中國社會科學出版社，1983年）。又，《訓詁與訓詁學》（太原市：山西教育出版社，1994年）。

41 宛志文：〈爾雅研究的回顧與前瞻〉，鄭遠漢主編：《黃侃學術研究》，頁157。

42 管錫華謂《爾雅》具有詞典學、詞彙學、訓詁學、文化學、自然科學價值。見管錫華：《爾雅研究》（合肥市：安徽大學出版社，1996年），頁147-168。林寒生謂《爾雅》的學術價值為：漢語詞彙學之寶庫、漢語詞義學之先導、漢語訓詁學之鼻祖、漢語詞源學之發軔、漢語詞典學之濫觴、漢語方言學之參照、漢族文化史之資源。見林寒生：《爾雅新探》，頁211-258。

43 林寒生：《爾雅新探》，頁257-272。

內含校正譌誤、辨別名實、因聲求義、比較互證、發凡起例、根據目驗、描述性狀、繪製圖影、運用新知，[44]這九種方法，頗有在語言文字學之外，側重名物研究或自然科學方面者。另外，還曾發表〈論二重證據法在爾雅研究上之運用〉，從斠傳本之異同、證古說之可信、存典制之異說、詳名物之形制四方面強調地下文獻的重要性。[45]盧國屏《爾雅語言文化學》也從語言文化學方面進行研究。[46]諸如此類，或許都可略供參酌吧？

七　結論

綜觀以上論述，可以發現：

（一）黃季剛先生是章黃學派的靈魂人物，他精通經學、文學、語言文字學，尤其語言文字學更是獨步一時。他秉持形音義不可分離的理念研究小學，卓然有成。又以此最高原則鑽研《爾雅》學，亦使雅學擺脫經學的束縛，進入語言科學的疆畛，成為雅學由傳統向現代轉變的關鍵人物，影響極為深遠。

（二）在《爾雅》學研究方面，黃先生除了有〈爾雅略說〉及《文字聲韻訓詁筆記》外，更手批《爾雅義疏》、《爾雅釋例》、《爾雅正名》、《廣雅疏證》等，不下數十萬言，可以說理論與實務相輔相成，相得益彰，是以其《爾雅》學，廣度深度兼顧，宏觀微觀並重，留下大量寶貴的研究材料，也給予我們深刻的啟迪。

---

44 莊雅州：〈論考釋爾雅草木蟲魚鳥獸之方法〉，鄭吉雄、張寶三主編：《東亞傳世漢籍文獻譯解方法初探》（臺北市：臺灣大學出版中心，2005年），頁127-170。又（上海市：華東師範大學出版社，2008年），頁92-122。

45 莊雅州：〈論二重證據法在爾雅研究上之運用〉，陳麗桂主編：《國科會中文學門小學類92-97研究成果發表會論文集》（臺北市：新文豐出版公司，2011年），頁275-295。

46 盧國屏：《爾雅語言文化學》（臺北市：臺灣學生書局，1999年）。

　　（三）就理論而言，黃季剛先生對雅學研究之基礎、工具、途徑、程序都有縝密的論述。就實務而言，他也能博稽群書、發凡起例、因聲求義，對各種雅學要籍進行考釋訂補的工作，充分實踐他的理論，並對我們提供絕佳的範本。

　　（四）黃季剛先生對《爾雅》學研究方法的貢獻，主要在拓寬治學途徑、提升研究層次、建構理論體系、度與訓詁金針，具有理論指導的價值。但囿於時代的條件，他的雅學研究始終局限於訓詁學、傳統語言學的範圍，如果我們能進而在現代語言學、名物學、自然科學、地下文獻、語言文化學等方面加以拓展，相信《爾雅》學研究會有更輝煌的未來。

論邵晉涵《爾雅正義》得失

　　《爾雅》者，九流之津涉，六藝之鈐鍵，經師據以明古訓，辭人資以獵文華，早置博士，傳習弗替。迨乎東晉，注者十餘，唯景純巋然獨存。降及隋唐，猶有作者。宋談性理，雅學日荒，元明二朝，尤為榛蕪，叔明一疏，餖飣成書，獨步數百年，亦其宜矣！清世漢學復盛，《爾雅》一書，再重於世，學者校勘疏證，補正攷釋，無慮數十百家，其中以邵二雲（晉涵）《正義》、郝蘭皋（懿行）《義疏》最稱淹博。郝書晚出，盡取二雲之長，益求精進，故近代學者莫不左邵而右郝，而《正義》一書浸為《義疏》所掩矣！以予觀之，邵書固有二短，亦有四長，安得以大輅具而遂鄙椎輪，藻火興而遽遺韋韍？因略論其得失焉。

一　四得

（一）體例完密

　　草創鴻篇，先標三準，彌綸群言，尤貴擘劃，條例之疏密，與全書之良窳固息息而相關。邵氏《正義》自敘剖析成書條例甚詳，約而言之，殆有六端；一曰校文：「據唐石經及宋槧本及諸書所引者，審定經文，增校郭注。」二曰博義：「今以郭氏為主，無妨兼采諸家，分疏於下，用俟辨章。」三曰補郭：「會粹舊書，取證雅訓，其跡涉疑似，仍存而不論，確有據者，補所未備。」四曰證經：「據《易》、

《書》、《周禮》、《儀禮》、《春秋三傳》、大小《戴記》，與夫周秦諸子、漢人撰著之書，遐稽約取，用與郭注相證明。」五曰明聲：「取聲近之字，旁推交通，申明其說。」六曰辨物：「就灼知副實者，詳其形狀之殊，辨其沿襲之誤，未得實驗者，擇從舊說，以近古為徵，不敢為意必之說。」此特就綱領而言，若析其細目，則誠有更僕難數者也。故嚴久能（元照）許其「義例精，識解當，較邢叔明之書，過之不啻倍蓰。」（《爾雅匡名・自敘》）黃季剛先生亦謂「清世說爾雅者如林，而規模法度，大抵不能出邵氏之外。」（〈爾雅略說〉）郝氏《義疏》可謂後出轉精，其所以超軼邵書者，不過就明聲、辨物二例擴而充之，「於字借聲轉處詞繁不殺。」（《清史・列傳本傳》）及「釋艸木蟲魚異舊說者皆經目驗。」（《清儒學案》）而已，初非體制有若何創新也，然則邵書義例之完密，從可見矣！

（二）態度嚴謹

邵書創始於乾隆乙未（1775），凡三四易稿，至乾隆戊申（1788）付之剞劂，歷時十有三年，二雲〈與朱笥河學士書〉云：「晉涵見聞淺隘，又立說必本前人，不敢臆決。」至其所宗，則以郭注為主。景純洽聞強識，詳悉古今，於所不知，則付蓋闕。其《爾雅》注未聞未詳者，翟晴江（灝）以為凡百四十二科（黃季剛先生以為不止此數），邢疏雖補其十，闕者尚多。邵書繼起，頗有補缺，單以〈釋艸〉一篇觀之，如「蕧蓨」，郭注：「未詳」，《正義》則以為蕧與蓨古通用，蕧即苗，蓨一名蓫；「蘢天蘥，須，葑蓯。」郭注：「未詳」，《正義》則以為蘢即紅蘢古，一名天蘥，須即蕪菁，一名葑蓯；「芄，小葉。」郭注：「未聞」，《正義》則以為芄即麻蒸，細小如蒸，凡此，皆援據精詳，可以補郭注之未備。然如「虋懷羊。」「茺東蘦。」郭注俱云未詳，《正義》雖有疏解，仍謂：「未聞其審。」至

如「綆履」、「薜庾草」、「垂比葉」、「姚莖涂薺」、「搴柜朐」，郭俱付闕，《正義》亦隻字不及，僅此一端，即可見邵氏博觀約取，鮮逞胸臆，疑有當明則攷之，疑有難明則存之，視王元澤（雱）、陸農師（佃）、羅端良（願）不脫《字說》惡習者不可同日而語矣！自古訓詁通病，或守訛傳謬，或妄改古書，或望文生訓，或章句不一，或訓釋互異，邵氏縱不能盡免，然鹵莽滅裂之處則絕無僅有，此則當歸功於其治學態度之矜慎也。

（三）採擷宏富

邢疏久列學官，士所通習，究其成書，不過剿取他經《正義》為之，如〈釋天〉一段，全襲《禮記・月令疏》；五嶽一段，全襲〈大雅・崧高疏〉，漏略蕪淺，難慊人心，此《爾雅正義》之所由作也。邵氏〈上錢竹汀先生書〉云：「近思撰《爾雅正義》，先取陸氏，是正文字，繼取九經注疏，為邢氏刪其剿襲，補其缺漏，次及於佚書、古義、周秦諸子、暨許、顧、陸、丁小學書。」觀其全帙，綴集異聞，會粹舊說，援引篇目不下千百種，如〈釋詁〉：「初、哉、首、基、肇、祖、元、胎、俶、落、權輿，始也。」郭注僅引《書》、《詩》，邢疏亦僅徵引《說文》以釋經義，注明《詩》、《書》篇章以疏郭注而已，《正義》所引，則增干寶《周易爻義》、〈夏小正〉、《穀梁傳》、〈張平子碑〉、《左氏傳》、《詩經毛傳》、《方言》、《釋名》、《呂覽》高誘注、《周語》、《逸周書》、《史記》、《史記集解》、《漢書》、《禮記》、《春秋繁露》、《說苑》、《漢書》孟康注、《禮記》鄭注、《左傳》杜注、《文子》、《淮南子》、《眾經音義》、《華陽國志》、窮源竟委，綜覈條貫、網羅不可謂不宏富矣！其時《經籍纂詁》未出，片文隻字，非出腹笥，即憑翻檢，不似郝疏之「絕無檢書之勞，而有引書之樂。」（郝蘭皋〈奉阮芸臺先生論爾雅書〉）非博聞強識，曷克臻此？

（四）攷釋精審

　　《爾雅》包羅天地，綱紀人事，權揆制度，啟發故訓，誠典章名物之總匯。漢唐諸儒，說經多本是書，非無故也；竇倏以識鼮鼠賜絹，蔡謨因誤食蟛蜞見誚，傳為千古佳話，豈偶然哉？惜雅訓式微，古學淪亡，篆竹是一是二，鎛鐘為大為小，莫衷一是；以螫為蟻蟓，以鶨鳩為百勞，久滋辨論，又何怪乎田敏誤改日及，王劭刊落明粢？近在經籍，猶未遍識，信乎博物之難也。邵氏精於史學，覽故攷新，明眼如月，名物制度之疏通證明，諸多創獲，如〈釋宮〉：「西北隅謂之屋漏；東北隅謂之宧。」郭注未詳，《正義》則謂西北隅為幽隱之地，漏見日光；東北隅為飲食所居，頤養之地。〈釋樂〉：「大琴謂之離。」郭注：「或曰琴大者二十七弦。」《正義》據《宋書》、《玉海》所引《爾雅》，《初學記》所引《樂錄》，以為七字因上文大瑟而衍。〈釋地〉：「陵莫大於加陵。」郭注：「今所在未聞。」《正義》據《風俗通義》、《淮南子》、《春秋經》、《國語韋注》，以為加柯聲近，加陵即柯陵，為鄭西地名。〈釋水〉：「徒駭。」郭注：「今在成平縣，義所未聞。」《正義》則據李巡、孫炎之說，謂禹疏九河，以徒眾起，故曰徒駭。若斯之比，皆攷索精詳，辨據明晰，為郝疏所不能易者也。清朝《續文獻通攷》云：「邵詳言名物制度，郝詳於聲音訓詁，均不刊之作也。」又云：「晉涵於經訓多所發明，如以九府之梁山，即今衡山，〈釋艸〉蘦菟蒵，即今款冬，學者皆嘆為絕識云。」洵非虛美。

二　二失

（一）墨守郭注

　　江子屏（藩）《爾雅小箋・自敘》云：「《爾雅》自郭注行；而舊

注廢，景純乃文章家，於小學涉獵而已，邢疏膚淺，固不足論，而邵疏又襲唐人義疏之弊，曲護注文，至於形勢，則略而不言，亦未為盡善也。」郭注沈研鑽極，歷二九載，雖有二失，亦有五中，陸邢邵郝咸以為宗，絕非倖致，子屏力貶，未免過當。然其書譌誤脫漏者亦所在多有，此則無須為賢者諱也。如〈釋詁〉：「楨翰儀幹也。」郭氏不知儀為樴之假借，而云：「儀表亦體榦。」〈釋言〉：「是，則也。」郭氏不知是與《方言》之媞，《說文》之徥通，而云：「是事可法則。」〈釋言〉：「烝，塵也。」郭注：「人眾所以生塵埃。」未免望文生義；〈釋宮〉：「容謂之防。」郭不據《荀子》，而援《周禮》；〈釋天〉：「維以縷。」縷當用素，郭乃云朱縷；〈釋地〉：「秦有楊陓。」郭注：「今在扶風汧縣西。」與載籍抵互，不如鄭君之闕疑；〈釋魚〉：「蜎蠉。」郭注：「赤蟲」，乃別一種，與蜎非一物，諸如此類，二雲縱使心知其非，亦墨守疏不破注之例，絕罕駁詰疑難，蘭皋則一以是非為準，擺脫家法，不敢寬貸，二家高下，由此斯分。

（二）壅閡聲理

黃季剛先生云：「治《爾雅》之始基，在正文字，其關捩在明聲音。字不明，則義之正假不能明；音不明，則訓之流變不能明。」（〈爾雅略說〉）良以《爾雅》為訓詁名物之潭府，聖賢釋經，叚借特多，而事物命名，多有根源，不緣聲韻，何由求義？況絕代離詞，層出不窮，方國謠諺，紛綸雜見，非深明音理，安能免於刻舟之譏？此所以景純有通轉之例，叔明知聲近之方。邵氏《正義》亦頗能就聲音遞轉，旁推交通，惜其時古音之學未盡昌明，引緒未暢，見理未瑩之處時所難免，故猶未至於旁皇周浹，窮高極遠也。郝蘭皋云：「《爾雅》邵氏《正義》蒐輯較廣，然聲音訓詁之原，尚多壅閡，故鮮發明，今予作《義疏》，於字借聲轉處，詞繁不殺，殆欲明其所以然。」

（胡培翬〈郝蘭皋先生墓表〉引）其《義疏》以《釋名》之聲而推
《廣雅》之義，每字之下先列本字，轉注、叚借，依次以聲音同近通
轉四科相統系，以簡御繁，貫串證發。如〈釋詁〉：「哉……始也。」
《正義》但云哉才載通用，《義疏》則指明哉才載栽茲俱以音同字
通。又如〈釋言〉：「將，資也。」《正義》謂「將，送也，資、貨
也。」不免拘於郭注，《義疏》則以為資乃齎之假借，故有送義，又
如〈釋畜〉：「小領盜驪。」《正義》以為盜，竊也，淺青色，《義疏》
則以為盜驪即《廣雅》之駣驒，《玉篇》之桃驛，蓋以聲不以義之連
綿字也。若此，皆郝勝於邵，此則時勢使然，無可奈何者也。使二子
易時而處，恐郝亦無以過邵，而邵未必遽遜於郝也。

羅願及其《爾雅翼》

一　前言

宋代是理學盛行的時代，正如鄭樵（1103-1162）《通志·昆蟲草木略·序》所說：「學者操窮理盡性之說，以虛無為宗，實學置而不問。」[1]能在舉世罕為之際，像鄭氏那樣，既寫了《通志·昆蟲草木略》、《爾雅注》，又寫了許多實學著作，可說非有獨特的識見、堅忍的毅力不可。其實，在當時如寫《爾雅義疏》的邢昺（932-1010）、寫《埤雅》、《爾雅新義》的陸佃（1042-1101）、寫《爾雅翼》的羅願（1136-1185）也都屬於這類人物。而其中又以羅願的《爾雅翼》成就最高，流傳最廣，此乃世所公認。然則其人其書一定皆有過人之處，值得探討，而要探討宋代《爾雅》學，亦不能不自羅願《爾雅翼》始，此為本論文寫作之緣由。

二　羅願的生平

羅願，字端良，號存齋，宋徽州歙縣（今安徽歙縣）人。生於南宋高宗紹興六年丙辰（1136），孝宗乾道二年丙戌（1166）登進士，旋任贛州（今江西贛縣）通判，淳熙中遷南劍州（今福建南平）知事，淳熙十一年甲辰（1184）為鄂州（今湖北武昌）知州，有治績，

1　鄭樵：《通志》（臺北市：臺灣商務印書館《十通》本，1987年臺一版），頁865。

次年乙巳（1185）卒，年四十九歲，世稱羅鄂州。為南宋名臣羅汝楫之子，傳附於《宋史‧羅汝楫傳》後。汝楫曾參岳飛冤獄，傳末謂「（願）以父故，不敢入岳飛廟。一日，自念吾政善，姑往祠之。甫拜，遽卒于像前，人疑岳之憾不釋云。」[2]此一記載，頗富傳奇色彩，是否可信，值得存疑。

　　傳稱願「博學好古，法秦漢為詞章，高雅精鍊，朱熹特重之。」方回（1227-1306）《爾雅翼‧跋》也說：

> 南渡後，文章有先秦西漢風，惟羅鄂州一人。甫七歲，已能為〈青草賦〉，以壽其先尚書。少長，落筆萬言。既冠，乃數月不妄下一語，其精思如此。[3]

可見其髫年穎異，好學深思，故夙有文名。所著除《爾雅翼》外，有《鄂州小集》，已佚。另有撰於淳熙二年（1175）的《新安志》行於世。[4]

三　《爾雅翼》之成書

　　羅願著作中以《爾雅翼》聲名最著。該書仿《爾雅》而作，《爾

2　脫脫：《宋史》（臺北市：藝文印書館據乾隆武英殿刊本景印《二十五史》本，1965年），卷三八〇，頁4712。

3　羅願撰，石雲孫校點：《爾雅翼》（合肥市：黃山書社，2013年），附錄頁379。該書除校點前言、羅願自序、王應麟序、32卷本文暨音釋、校記外，附錄方回、洪焱祖、顧璘跋、都穆、李化龍序、《四庫全書‧總目提要》、《宋史‧羅願傳》。本論文凡引用陸書原文及所附資料概以此本為準，僅隨文注明頁碼。

4　同注2。《宋史》本傳謂《鄂州小集》七卷，洪焱祖《爾雅翼‧王應麟序注》著錄五卷，並謂「僅文之什一」（頁17）。

雅》是中國第一部按照詞義系統和事物分類編纂的詞典，高居先秦兩漢四大語言文字學名著之首，不僅影響了其他三部名著──《方言》、《說文解字》、《釋名》，其本身也成為後世爭相增補、模仿、注解及研究的對象，這些以《爾雅》為中心的著作即是所謂「雅學」。漢代以後，《雅》學逐漸成形，厥後波瀾日益壯闊。宋代學術以言心言性的理學為主流，但考據見長的《雅》學著作，如邢昺的《爾雅義疏》、陸佃的《埤雅》、《爾雅新義》、鄭樵的《爾雅注》，都有名於時，其他如孫奭（962-1033）《爾雅釋文》、王雱（1044-1075）《爾雅注》、王柏（1197-1274）《大爾雅》、王應麟（1223-1296）《爾雅奇字音義》、無名氏《本草爾雅》、何剡《酒爾雅》、劉溫潤《羌爾雅》、無名氏《番爾雅》、趙汝楳《易爾雅》、宋咸《小爾雅注》、無名氏《互注爾雅貫類》、無名氏《爾雅發題》、無名氏《爾雅兼義》、潘翼《爾雅釋》等也不絕如縷。[5]正如明代王學鼎盛，而楊慎（1488-1559）、焦竑（1541-1620）等的實學異軍突起一樣，顯示歷代的學術雖有主流、支流之分，基本上還是多元發展的。

　　在宋代的《雅》學著作中，羅願的《爾雅翼》是相當突出的一本。其內容主要在分類考釋草木鳥獸蟲魚，正如羅願〈自序〉所言：「此書之成，為《雅》羽翰。」希望「千世之下，與《雅》並行。」（頁5）其書名之取義，與《易傳》十篇之稱十翼，用意相同。《爾雅》一書十九篇，前三篇為一般語詞的訓詁，中九篇為社會、器物、天文、地理方面的訓釋，末七篇則為植物、動物方面的解釋。《爾雅翼・自序》：「《爾雅》為資，略其訓詁、山川、星辰。研究動植，不為因循。」（頁4）足見其書只列釋草、木、鳥、獸、蟲、魚六門，與《爾雅》相較，缺一〈釋畜〉，其實，〈釋畜〉中的相關內容，《爾雅

5　竇秀豔：《中國雅學史》（濟南市：齊魯書社，2004年），頁144-203。

翼》多已採入〈釋獸〉、〈釋鳥〉之中。《爾雅‧釋草》等七篇簡要解
釋生物的名稱、生態、用途等，共有植物三三〇種，動物三四〇種。
《爾雅翼》並非依傍《爾雅》，亦步亦趨作注，而是仿效《爾雅》考
釋草木鳥獸蟲魚，共得植物一八〇種、動物二三八種，且進而「名原
其始，物徵其族，肖其形色象貌之倫，極其性情功用之備。」(《爾雅
翼‧李化龍序》，附錄頁383）兩書之關係及異同，由此可見。

　　在舉世崇尚心性之談，略於名物之辨的宋代，羅願所以要發憤著
述《爾雅翼》，據其〈自序〉：

> 萬物異名，始著於篇，先師說之，義多不鮮。由古學廢絕，說
> 者無所旁緣。……物亦固有難識，不可泛觀。惡莠亂苗，豫章
> 須七年，非好古博雅，身履藪澤，孰能究宣？野人能別之，不
> 能見於傳。至謂鴝女匠，魚罟為筌。六駁以為馬，不可駕牽，
> 謂芍藥無香，說芳草者，初不識蕙與蘭。羅子疾之，乃探其原
> 因。(頁3-4)

足見名物難識，古學廢絕，後世之說又多謬亂，與格物致知之古訓相
去甚遠。不僅生活上有所不便，閱讀古書亦有困難。羅願剛好有特殊
興趣，也了解其重要性，所以才立志撰述本書。在舉世罕為之際，他
具有此種特識，誠屬難得。

　　撰述的過程中，羅願傾注了大量的心血與時間，他旁徵博引，採
用了宋以前典籍二五〇種以上，作為其論述的資料與根據，王應麟序
稱其「囊括百家，抉廋摘玭。」(頁16)誠非虛語。這些典籍，不乏
後世亡佚之書，如緯書、許慎《淮南子注》、孫愐《唐韻》、王安石
《字說》等，在今日看來，都具有保存文獻，輯佚古書的價值。此
外，他還特別重視目驗，正如〈自序〉所說：「有不解者，謀及芻

薪，農圃以為師，釣弋則親。用相參伍，必得其真。」（頁4）這是相當符合科學實證精神與古來名物學研究傳統的。同時，他還採取了為數不少的里諺俗說，以「里語云」、「俗說」、「舊說」、「傳言」、「土人曰」的方式穿插於全書之中，在八百多年前，他已能採用田野調查的方法，委實難能可貴。

羅願〈自序〉云：「惟宋十一世，淳熙改元，羅子次《爾雅翼》，定著五萬餘言。」（頁1）方回〈跋〉也說：

> 宋興二百一十五年，淳熙甲午，新安存齋羅公次《爾雅翼》
> 成，又九十六年，咸淳庚午，浚儀王侯應麟為守，始刊布
> 之。……《爾雅翼》者，序見《小集》，世未見其書。回訪求
> 得公之故從孫裳手抄副本三十二卷，侯躬自校讎，雖廑聞隱
> 說，具能知所自來，可謂後世子雲矣！（附錄頁379）

可見其書殺青於南宋孝宗淳熙元年（1174），願時年三十九歲，正當盛年，而未嘗付梓，到了九十六年後，王應麟任徽州郡守時，得方回之助，始親自校讎刊行，時為南宋度宗咸熙六年（1270），離南宋滅亡已不到十年了。全書據王應麟〈序〉（頁6）及方回〈跋〉（頁374），俱為三十二卷，明陳第（1541-1617）《世善堂藏書目錄》、焦竑《國史經籍志》以降書目及歷代刻本並同，[6] 惟《宋史·羅汝楫傳》載二十卷，可能是傳鈔錯誤。至於羅願〈自序〉謂全書「定著五萬餘言」（頁1）都穆〈序〉則云：「總十萬餘言」（頁382），以今本厚達三七八頁衡之，都穆之說為是，〈自序〉所言，如非就初稿而言，顯然也是傳鈔之誤。

6　陳第：《世善堂藏書目錄》（臺北市：新文豐出版公司《叢書集成新編》本，1986年）冊二，頁54。焦竑：《國史經籍志》《叢書集成新編》本，冊一，頁627。

　　《爾雅翼》初刊於宋末，五十年後，版逸不存，徽州郡守朱霽訪
求墨本，節費重刊，因難字頗多，使洪焱祖（1262-？）詳加音釋，
附於各卷之末，而羅願〈自序〉、王應麟〈序〉一併作注，訛舛亦一
併訂正，時為元仁宗延祐七年（1320）。厥後有明正德十四年
（1519）羅文殊重刻宋本、明萬曆間姚大受校補刻本、明天啟刻，崇
禎六年（1633）重修本、明嘉靖、隆慶間畢效欽刻《五雅》本、明萬
曆十六年（1588）瑞桃堂刻畢氏《五雅》本、清乾隆三十年（1765）
《四庫全書》本、清摛藻堂《四庫全書薈要》本，清嘉慶十年
（1805）張氏昭曠閣刊《學津討源叢書》本、清光緒十年（1884）洪
氏晦木齋重刻本。[7]近代則有一九三五年商務印書館《叢書集成初
編》據《學津討源》本重排本、一九八六年新文豐出版公司《叢書集
成新編》本，而以石雲樵據《叢書集成》本、《五雅》本、《學津討
源》本參校的校點本最為精善，該書一九九一年由黃山書社出版，二
〇一三年修訂再版。

　　《爾雅翼》版本眾多，流傳甚廣，這當然是其本身具有許多優
點，才能經得起時間的考驗。《爾雅翼》刊行不久後，陳櫟（1251-
1334）即認為其書牽引失當，刪削為《爾雅翼節本》，《四庫全書‧總
目提要》評云：

　　　　願書成於淳熙元年甲午，朱子《詩集傳》作於淳熙四年丁酉，
　　　　在願書後三年，而櫟乃執續出新說繩願所引據之古義，尤屬拘
　　　　墟。今願書流傳不朽，而櫟之節本片字無存，則其曲肆詆諆，
　　　　無人肯信而傳之，略可見矣！（附錄頁385）

7　朱祖延：《爾雅詁林敘錄》（武漢市：湖北教育出版社，1998年），頁57。又，汪中
　　文《爾雅著述考》（臺北市：國立編譯館，2003年），頁167。

陳氏節本失傳已久，得失如何，難得其詳，但《四庫總目》評《爾雅翼》：「考據精博而體例謹嚴，在陸佃《埤雅》之上。」（附錄頁385）其說屢為世人稱引，堪為定論。羅書自元、明以來，無論辭書、《雅》學、《詩經》學、名物學之論著徵引其說者更僕難數，其蔚為《雅》學名著，已是人盡皆知了。

四　《爾雅翼》內容體例

　　《爾雅翼》全書三十二卷，卷一至八為〈釋草〉，共一二○條；卷九至十二為〈釋木〉，共六十條；卷十三至十七為〈釋鳥〉，共五十八條；卷十八至二十三為〈釋獸〉，共八十五條；[8]卷二十四至二十七為〈釋蟲〉，共四十條；卷二十八至三十二為〈釋魚〉，共五十五條，全書凡四一八條。其次第與《爾雅》草、木、蟲、魚、鳥、獸、畜有所出入，而與陸璣《毛詩草木鳥獸蟲魚疏》完全吻合，可能是以陸疏這本中國首部生物學專書為取法的楷模吧？至於各條內容的取捨、形式的編排，並沒有自訂體例，也沒有嚴格遵循的準繩，但是通觀全書，還是可以發現有幾個重點是羅氏所念念不忘的。夏廣興嘗謂《爾雅翼》中的詞條一般由詞目、釋義、書證、字形、案語等五項組成，[9]以予觀之，可推衍為十一項，或許較能一窺《爾雅翼》之大觀。

（一）標舉詞目

　　《爾雅翼》先依草木鳥獸蟲魚分為三十二卷，各卷再臚舉物名為詞目，如卷一有黍、稷、稻、粱、麥、麰、麻、菽、秬、秠、芑十一

8　洪焱祖〈跋〉謂：「〈釋獸〉凡七十四名。」（附錄頁381）與傳本不合，可能是手民誤植。

9　夏廣興：〈羅願和他的爾雅翼〉《辭書研究》1997年第5期，頁120。

種，其中黍、稷、麥、菽、麻、稻為六穀，麰為大麥，粱為稷之良種，秬、秠為黍之異種，菰米饑歲可以當糧，是皆為民之主食，故類聚冠於全書之首。又如卷十，梅、杏、桃、李、櫻桃、棗、栗、楂、梨、橘、柚、橙、柿、樗、柀十五種，皆屬木本果樹。再如卷二十有鹿、麋、麠、麈、麕、麝、麢、猴、猨、玃、猱、蜼十二種，除麢為羚羊外，大抵可分為麋鹿、猿猴兩類，亦物以類聚之意，其次第皆與《爾雅》迥然不同，但顯然更有條理。

（二）分析字詞

每個詞目，羅願都會有簡要的釋義，如：

> 檉，河柳。郭璞以為河旁赤莖小楊也。（頁114）
> 豻，胡地之野犬也（似而小）。或云狐犬，謂狐與犬合所生也。（頁237）

這些解釋，或取之典籍，或自出機軸，可以讓讀者對該名物有基本的認識。此外，《爾雅翼》有時也會分析字形或標注讀音，如：

> 羆：熊羆之屬冬藏者，燒其所食之物於穴外，以誘出之，故熊羆皆从火，羆又加罔也。（頁235）
> 羖：羖為角音，又為古音，《詩》以「羖」與「語」協韻是也。……牯乃牡之名，羖音同於牯，而稱為羊之牯。（頁282）

謂熊羆从火，與《說文》：「熊从能，炎省聲。」「羆：从熊、罷省

聲。」有所不同。[10]凡《說文》形聲，羅氏常以會意說之，蓋受王安石（1021-1086）《字說》、陸佃《埤雅》之影響，此為當時小學界之習氣。殺音古，合於《廣韻》，[11]但音角，則不知何所據而云然，可能是羅氏以為「其角為用最大。」（頁282）的緣故吧！

（三）追溯物名

分析字詞除釋義、析形、注音之外，有時也用來交代名物得名的原因，李化龍《爾雅翼·序》說：「物原其始」（附錄頁383）即指此而言，如：

> 馬之為性，畏新出之灰，駒遇者輒死，石礦之灰，亦能令馬落駒。刈藍以染也，燒灰也，暴布也，三者皆有出灰之氣，今而禁之者，蓋為馬歟？……藍於草中獨有禁，故字從監。（頁46）
> 鵜，水鳥，今之鵜鶘。形似鶚而極大，喙長尺餘，直而廣口，中正赤，領下胡大如數升囊，好群飛，若水澤中有魚，便共抒水，滿其胡而棄之，水盡魚見，乃共食之，故一名䲱鸅。䲱鸅，猶洿澤也。洿，抒水也。又㪶斗，亦抒水器也。鵜、洿、㪶三字同音，其義一也。（頁204）
> 菺，戎葵。……凡草木從戎者，本皆自遠國來，古人謹而志之。今戎葵，一名蜀葵，則自蜀來也。如胡豆謂之戎叔，亦自胡中來。戎者，胡、蜀之總名耳。其來之始，今不復知，蜀、羌、髳，自商時已通中國矣！（頁103）

---

10 許慎撰，段玉裁注：《說文解字注》（臺北市：洪葉文化事業公司，2005年增訂一版三刷），頁484。本論文凡引用《說文》皆依此本，僅注明頁碼。

11 陳彭年編，余迺永校注：《互注校正宋本廣韻》（臺北市：里仁書局，2010年），頁266。

> 雀之字通於爵，古作𣪘，飲器以為名，象爵之形，中有鬯酒，又持之也。所以飲器象爵者，取其鳴節節足足也。（頁179）

藍，《說文》「从艸，監聲。」（頁25）凡《說文》形聲之字，羅氏幾皆以會意釋之，而探其得名之故，在全書中屢見不鮮，有些固然言之成理，有些則難免牽強附會。鴮、洿、戽三字同音，皆有抒水之義，鵜鶘抒水取魚，取義於此。此例較近於因聲求義，但為數至鮮，與因聲求義之胚胎——聲訓亦缺乏血緣關係，因為在《爾雅翼》中完全未曾引用東漢劉熙《釋名》。至謂「凡草木從戎者，本皆自遠國來」，猶近世之草木冠以「洋」、「番」、「西」多來自域外一般，確有其理。又謂飲器爵之得名，取雀之鳴聲節節足足，則本之《說文》（頁220），亦可信從。

（四）考辨名實

考辨名實為名物學研究的首要之務，但名實常有古今、雅俗之異，令人混淆不清。羅願對此也深有體悟，嘗云：「夫鳥獸草木之類，特為難窮。其形之相似者，雖山澤之人，朝夕從事，有不能別；其名之相亂者，雖博物君子，習於風雅，有不能周。」（頁121，六駮條）故《爾雅翼》對名實之考辨亦特別用心，如：

> 六駮，木名，其皮青白駮犖，遠而望之，似六駮之獸，因以為名，其木則梓榆也。（頁121）
>
> 《爾雅》為巂，《說文》為子巂，《太史公書》為秭鳺，〈高唐賦〉為秭歸。《禽經》為子規，徐廣為子雉，字雖異而名同也。亦曰望帝、亦曰杜宇、亦曰杜鵑、亦曰周燕、亦曰買鵤，名異而實同也。（頁172）

〈釋木〉六駁為梓榆，〈釋獸〉六駁為食虎豹之獸（頁220），此同名而異實。杜鵑有十一種異名，實同為一物，此異名而同實。羅氏皆旁徵博引，區別甚明。亦有二物二名，而世人混為一談者，《爾雅翼》亦竭力加以釐清，如：

> 女蘿，兔絲其實二物也，然皆附木上。〈釋草〉云：「唐蒙，女蘿。女蘿，兔絲。」郭曰：「別四名。」則是謂一物矣。《廣雅》云：「女蘿，松蘿也。菟丘，菟絲也。」則是兩物。……今女蘿正青，而細長無雜蔓，故〈山鬼〉章云：「被薜荔兮帶女蘿。」蘿青而長如帶也，何與兔絲事？然兩者皆附木，或當有時相蔓。（頁27-28）

女蘿，兔絲，《爾雅》、《詩毛傳》，朱子《詩集傳》以為一物。《爾雅翼》據陸璣《詩疏》、《廣雅》以為二物，其說為後人所宗。[12]

（五）區分品種

今日生物學將動、植物分成界、門、綱、目、科、屬六個層次，同一科屬還可因大小、性別、形狀、產地、功用等細分許多品種。李化龍〈序〉說《爾雅翼》「物徵其族」（附錄頁383）即是指此而言。上文提及《爾雅翼》各卷之中盡量做到物以類聚，可能是科屬以上的整合；而此處各詞目之內的品種，則應是科屬以下的細分。例如：

12　如徐鼎撰，王承略點校解說：《毛詩名物圖說》（北京市：清華大學出版社，2006年），頁243。岡元鳳撰，王承略點校解說：《毛詩名物圖考》（濟南市：山東畫報出版社，2002年），頁75。吳厚炎：《詩經草木匯考》（貴陽市：貴州人民出版社，1992年），頁148。潘富俊：《詩經植物圖鑑》（臺北市：貓頭鷹出版社，2001年初版九刷），頁81、255。

蓼類甚多，有紫蓼、赤蓼、青蓼、馬蓼、水蓼、香蓼、木蓼
等。紫、赤二蓼，葉小狹而厚。青、香二蓼，葉相似。馬、水
二蓼，葉俱闊大，上有黑點。諸蓼花皆紅白，子赤黑。木蓼，
一名天蓼，蔓生，葉如柘；花黃白，子皮青滑，其最大者名
蘢，已見別章中。（頁93）

牛之名色，特牛謂之㸬，牛父謂之特，子謂之犢。吳人謂犢曰
㹊，牛羊無子謂之犉，二歲謂之牬，三歲謂之犙，四歲謂之
牭，騬牛謂之犗，純色謂之牷，駁謂之犖，白黑雜毛謂之牻
㹒，黃白色謂之㹊。駁如星謂之牲，黃牛虎文謂之㹂，黃牛黑
唇謂之㹞，白脊謂之犥，又謂之牸，長脊謂之犤，白牛謂之
㹀。（頁269）

蓼類甚多，所舉七種，皆詳其異同，分類之細，為前此所罕見。牛依
大小、年歲、毛色之不同，亦各有名目，大抵暗用《說文》之說，可
以廣異聞。牛之一物所以如此細分，主要是因為古代為農業社會，
牛為重要生產工具之故。今日時代丕變，這些詞彙大多已成為歷史陳
跡了。

（六）描述性狀

名物有品種、形狀、習性、性別、大小、色味、生產過程、產
地、用途……之殊，在沒有照相技術，甚至罕用圖繪的古代，如何使
用文字加以具體描述，使讀者有較明確的印象，就顯得非常重要了。
宋以前的名物專書，通常以簡單字句略加詮釋，能如陸璣《毛詩草木
鳥獸蟲魚疏》之仔細描繪者蓋不數數遘，在這方面，羅書則有過之而
無不及，例如：

鯪鯉，四足，似鼉而短小，狀如獺，遍身鱗甲，居土穴中。蓋獸之類，非魚之屬也。特其鱗若鯉，故謂之鯪鯉。又謂之鯪鯪，野人又謂之穿山甲，以其尾大，能穿穴故也。能陸能水，出岸開鱗甲，不動如死，令蟻得入，蟻滿便閉甲。入水開之，蟻皆浮出，因接而食之，故能治蟻瘻。〈吳都賦〉曰：「陵鯉若獸。」其字從陵，以其居陸也。（頁256-257）

鱟，形如惠文，亦如便面。惠文者，秦漢以來武冠也。……便面，古扇也。……大抵鱟色青黑十二足，足長五、六寸，悉在腹下。舊說過海輒相負於背，高尺餘，如帆乘風遊行。今鱟背上自有骨，高七、八寸，如石珊瑚者，俗呼為鱟帆。又其眾如簰桅，名鱟簰。大率鱟善候風，故其音如候也。其相負則雌常負雄，雖風濤終不解，故號鱟媚。失雄則不能獨活，漁者取之，必得其雙。（頁367）

羅願對鯪鯉（穿山甲）、鱟的形狀、習性、用途等都作了詳細而生動的描述，甚至還說明其得名之故及異稱之由來，比較類似生物的異同。熟悉該物者讀之，往往不禁會心一笑，陌生的讀者也會因其生花妙筆，對鯪鯉之裝死食蟻、鱟之相負悠遊，留下鮮明的印象。李化龍〈序〉所謂「肖其形色相貌之倫，極其性情功用之備。」（附錄頁383）即指此而言。

（七）引用書證

　　書證是引用文獻資料，用來證明言之有據，語不空發，是一種實事求是的表現，如段玉裁之注《說文》，引書二二六種，王念孫之疏證《廣雅》，引書二九一種，其《讀書雜志》，其子引之的《經義述聞》，引書更在三百種以上，此在乾嘉學者固不足為奇，但《爾雅

翼》旁徵博引，除經、子、史（包括漢唐眾多箋注）、小學外，旁及
緯書、神話、傳說、俚語、諺語、古詩、掌故以及宋玉賦、杜甫詩、
韓愈文、曹植曰、徐鍇曰、宋子京曰等等，竟然也不下二五〇種，[13]
就一個宋代學者而言，就十分難能可貴了。只要打開其書任何一條，
不難發現，引書都在五、六種以上，如芸字引〈成公綏賦〉、沈括、
《老子》、《易卦》、《淮南子》、〈洛陽宮殿簿〉、〈晉宮閣銘〉、〈離騷〉
（頁35），螢字引〈夏小正〉、《易林》、《抱朴子》、《關尹子》、《禮
記‧學記》、《國語‧晉語》（頁323）。據筆者初步統計，其書引用最
多者為《詩經》（包含《毛詩》、三家詩、《毛傳鄭箋》），超過三百
次，《爾雅》（包括古注、郭注邢疏），超過二百次。其餘分別為《淮
南子》（包括許慎、高誘注）一四〇次，《楚辭》八十七次、《本草》
（包括陶隱居弘景《集注》等）八十五次、《漢晉賦》八十二次、《禮
記》六十三次、《周禮》五十七次、《說文》五十五次、《山海經》五
十四次、《莊子》三十八次、《緯書》三十七次、《逸周書》三十四
次、《古今注》三十二次、陸璣《詩疏》三十次、《管子》二十四次、
《禽經》二十三次、《左傳》二十次。雖難免失之繁冗、堆砌、炫
博，但博極群書，內容十分充實，則是無可疑的。

（八）旁採異聞

　　除引用載籍，從不同角度對名物反覆考釋外，羅氏更蒐集大量史
實、神話、傳說等，來說明各種動植物的源流變遷，及相關的遺聞佚
事，例如：

　　　　《唐律》：取鯉魚，即宜放，號赤鯶公，賣者杖六十。以國氏

---

13 石雲孫：〈校點前言〉，頁7，夏廣興：〈羅願和他的爾雅翼〉，頁122，同注9。

李，諱其同音也。故用魚符，蓋取象於鯉。至武后革李氏，則代之以龜。（頁331）

裴瑜注《爾雅》，言鶹，麋鴟，是九頭鳥，今謂之鬼車鳥。秦中天陰，有時作聲，聲如力車鳴，或言是水雞過。說者曰：此鳥昔有十頭，能吸人魂氣，為天狗齧去其一，至今滴血不止。遇其夜過，或滴汗物上者，以為不祥，人家皆滅燭呼犬以去之。然按夫子與子夏所見，稱奇鶹九首，當是今九頭鳥。但九首者既稱奇鶹，則非常鶹可知也，不當以解麋鴟。（頁206）

引《唐律》說李唐禁賣鯉魚。又據民間傳說以說奇鶹九頭，雖間涉怪力亂神，卻可以添加趣味，增廣見聞，此為羅書一大特色。

（九）闡發意旨

《爾雅》本為解經而作，解《詩》者尤多，郭璞《爾雅・序》云：「夫《爾雅》者，所以通訓詁之指歸，敘詩人之興詠，總絕代之離詞，辨同實而殊號者也。誠九流之津涉，六藝之鈐鍵，學覽者之潭奧，摛翰者之華苑也。」[14]其意在此。《爾雅翼》既是仿雅之作，宋代又是特別崇尚義理的時代，羅書中透過草木鳥獸蟲魚闡發古書之意、詩人之旨者，自然較一般雅學書為多，例如：

〈中谷有蓷〉之詩，一章「暵其乾矣」，二章「暵其脩矣」，三章「暵其濕矣」，此燒蓷行水之序也。鄭氏解「季夏之月燒蓷行水」，以為蓷，謂迫地芟草也。……每變愈甚，此所以興夫日以衰薄者也。……雖然，草之遇此者多矣，而獨言夫蓷者，

---

14 郭璞：《爾雅郭注》（臺北市：新興書局，1973年），頁1。

　　蓋蓷一名益母，曾子見之而悲，詩人之託此，亦其窮而反本。
〈氓〉之詩，色衰相棄，則嘆兄弟之不知，〈竹竿〉適異國而
不見答，則嘆父母之相遠，此所以獨感於益母歟！（頁102-
103）

　　又女贄用榛者，《左傳》曰：「女贄不過榛栗棗脩，以告虔
也」，稱「告虔」者，榛有臻至之義，栗有戰栗之義，棗有早
作之義，脩有脩飾之義，皆以其名告己虔恭也。（頁113）

　　〈中谷有蓷〉之詩所以興日以衰薄，獨言益母者，窮而反本之意，由
物性以闡發《詩》旨，頗見用心。言反贄之禮，榛栗棗脩，各有其寓
意，對解讀古籍亦有所助益。洪焱祖〈跋〉云：「今觀此《翼》，明
《詩》之義者一百二十章，明《三禮》之義者一百四十章有奇。他如
《易象》、《春秋傳》間亦因有發明。」（附錄頁381）羅書之重視闡發
詩文之意旨者由此可見。

（十）評騭得失

　　羅書博引書證，旁採異聞，彼此詳略互補，固然使內容顯得十分
充實，但也常有相互牴牾，令人難以適從之處。此時如何擇善而從，
或折衷至當，或獨排眾議，就考驗作者的功力了，例如：

　　麐，麕身牛尾，一角。《春秋》之書麟，亦曰有麕而角者耳。
蓋古之所謂麐者止於此。是以其物可得而有，而其性能避患，
不妄食集，故其遊於郊藪也，則以為萬物得其性。太平之驗，
是不亦簡易而自然乎！至其後世論麐者始曰：馬足，黃色，圓
蹄，五角。角端有肉，有翼能飛，含仁懷義，音中律呂，行步
中規，折還中矩，遊必擇土，詳而後處，不履生蟲，不折生

草，不群居，不旅行，不犯陷阱，不罹罘罔，牡鳴曰遊聖，牝
鳴曰歸和，夏鳴曰扶幼，秋鳴曰養綏。嗚呼！何取於麐之備
也。若是則閱千歲而不得麐，蓋無怪矣。夫麐，野物也。其為
牡又善鬥，〈釋獸〉載之，蓋若麞麕麋鹿之屬焉，不之異也。
（頁213）

（崔豹《古今注》）其言促織如急織，洛緯如紡緯，是矣。但
蟋蟀與促織是一物，莎雞與洛緯是一物，不當合而言之爾。
《詩》稱「六月莎雞振羽」，以至「九月在戶，十月蟋蟀入我
牀下」，一章而別言莎雞與蟋蟀，可知其非一物也。蓋二蟲皆
似機杼之聲，可以趣婦功，故易以紊亂。（頁301）

麟，世傳為仁獸，居四靈之一，羅氏以為見於《爾雅》者，蓋若麕鹿
之屬，後世形象乃歷代傳說層累所形成，此與近代顧頡剛（1893-
1980）古史層累造成說相近，而時代則相去七百餘年。莎雞即紡織
娘，屬螽斯科，蟋蟀即中華大蟋蟀，屬蟋蟀科。[15]崔豹《古今注》不
能明辨，羅願據《詩・豳風・七月》駁之，所言良是。

（十一）付諸闕如

《爾雅翼・自序》：「不強所不知，義無不安。」（頁5）蓋生也有
涯，知也無涯，宇宙萬事萬物，人之所不知者，不知凡幾，若強不知
以為知，於義反而不安。是以其書付諸闕如者，比比皆是，如：

〈釋器〉云：「象謂之鵠，角謂之觷，犀謂之剒，玉謂之
雕。」取四鳥之名，不知其故。（頁182）

---

15 高明乾、佟玉華、劉坤：《詩經動物解詁》（北京市：中華書局，2005年），頁176、
141。

> 今蛇死目皆閉，惟蘄州者目開，若生舒、蘄兩界間者，則一開一閉，以理之不可曉者，故人以此為驗云。（頁373）

《爾雅・釋器》以四種鳥名講各種不同材料的加工，如果拘執於字面，自然百思不得其解。但若跳脫文字的迷障，從叚借的角度去探討它，就不難豁然以解了。郝懿行（1755-1823）《爾雅義疏》認為鵠無正體，《釋文》作鵠，《廣雅》作觡，皆可視為本字，鷽之本字為礐，䳢之本字為厝，雕之本字為琱，[16]其說怡然理順，可以解羅氏之惑。漢學、宋學各有其長短，純就語言文字學而言，的確是漢學的強項。至於舒、蘄之間，死蛇之眼一開一閉，除非是道聽塗說，否則真的是理之不可曉者。羅書之中，注明「其說未聞」、「不知其故」、「此理之不可曉者」、「不知何物」、「莫知其說」、「未知其審」、「莫知孰是」、「未敢臆也」、「姑兩存之」，「當待識者斷之」、「當待識者詳之」等語者，不下數十，此亦慎重其事的表現。

五　結論

綜觀上述論述可以發現：

（一）羅願生值崇尚理學的南宋，基於本身對名物之學的特殊興趣，也深深體會格致之學對現實生活及研究古書的重要性，故發憤仿效《爾雅》撰述《爾雅翼》，在舉世罕為之際，具有此種特識，誠屬難得。

（二）羅願在《爾雅翼》一書所傾注的心力是十分驚人的。他不

16 郝懿行：《爾雅義疏》（臺北市：中華書局據家刻足本校刊《四部備要》本，1966年），卷中之二，頁11。

但博極群書，引用了二五〇種以上的典籍，作為其論述的資料與根據，而且有不少資料是出自目驗，謀及芻蕘，或深入民間，調查里諺，所以其考釋特為精詳，內容十分充實。其實事求是，無徵不信的精神，與漢學家相較，亦不遑多讓。因而在宋代《雅》學之中顯得卓爾不群，即使置之歷代《雅》學著作中，亦有其重要地位。

（三）《爾雅翼》傳世不朽，不僅在其考據精博，內容充實，也在其體例嚴謹，行文美妙。觀其內容體例，可分為：標舉詞目、分析字詞、追溯物名、考辨名實、區分品種、描述性狀、引用書證、旁採異聞、闡發意旨、評騭得失、付諸闕如。這些項目雖然未必每一詞條都具備，其出現也無一定順序，但卻都是構成全書內容之重要架構，也是其書成就斐然的重要因素。

（四）如果進一步檢視《爾雅翼》，可以發現它具有資料豐富、論述詳細、文辭高雅、重視調查、講求實用等特色，但也難免體例不純、引文失真、分類欠妥、判斷失準、牽強附會等缺失。由於篇幅所限，在此無法多談，留待將來另外為文暢論。

羅願《爾雅翼》平議

一　前言

　　羅願（1136-1185）的《爾雅翼》是南宋《雅》學名著，王應麟（1223-1296）在為其刊行之際，就曾寫序給予極高的評價：

> 淵哉若人，如五總龜，筆為鉏耒，迺芸迺菑，覽故考新，揆敘物宜，根極六藝，冰渙昔疑。囊括百家，抉瘢擿玼。豈惟傳《騷》，說《詩》亦解頤。纂次有典則，班馬可追，為《雅》忠臣，翼之以飛。[1]

同時的方回（1227-1306）〈跋〉也說：

> 考論經傳、草木、鳥獸、蟲魚，則許謹（慎）、陸璣、張揖、曹憲、邢昺、陸佃，不如此《翼》之為尤悉。是書皆前代所無，挾是以求，為儒易易哉！（附錄，頁379）

1　（宋）羅願撰，石雲孫校點：《爾雅翼》（合肥市：黃山書社，2013年）。王應麟說見該書〈王序〉，頁16。該書除校點前言、羅願〈自序〉、王應麟〈序〉、32卷本文暨音釋、校記外，附錄方回、洪焱祖、顧璘跋、都穆、李化龍序、《四庫全書・總目提要》、《宋史・羅願傳》。本論文凡引用羅書原文及所附資料，概以此本為準，僅隨文注明頁碼。

後代辭書、《雅》學、《詩經》學、名物學之論著往往徵引其說，其流
行之廣、影響之深，在宋代《雅》學著作中無有出其右者。可惜為文
評述者寥若晨星，余甫撰〈羅願及其爾雅翼〉一文，[2]限於篇幅，除
介紹羅願之生平事蹟、臚列《爾雅翼》之成書及其版本外，重點在分
析該書之內容體例，計得十一項，即：標舉詞目、分析字詞、追溯物
名、考辨名實、區分品種、描述性狀、引用書證、旁採異聞、闡發詩
旨、評騭得失、付諸闕如，至於其書之得失則未遑平議，因而續撰本
論文，以成完篇。

二　《爾雅翼》之特色

羅願資質穎異，好學深思，撰述《爾雅翼》時正值盛年，不僅博
極群書，而且特別重視親自目驗與田野調查，故其書內容充實，斐然
可觀，值得稱道之處不一而足，舉其要者，可分五項：

（一）資料豐富

1 旁徵博引

宋代學術以理學為主流，強調心性義理，不以考據實學為高。所
以蒐集大量資料，作為論述的根據，在漢學固不足為奇，在宋代則極
為罕見。《爾雅翼》引書，至少超過二五〇種，四部要籍乃至神話傳
說、遺聞佚事，只要有參考價值者幾乎網羅殆盡。在全書四一八條
中，每條徵引較少者五、六則，多則十餘則。例如萍（頁65）先引
《韓詩》說、高誘說區別蘋、藻（萍）之不同，再引《說文》、《楚

2　《陳伯元教授八秩冥誕紀念論文集》（臺北市：萬卷樓圖書公司，2015年），頁519-
533。

辭》、《淮南子》言萍有無根、有根之異說，又引《淮南萬畢術》言萍有血色者，引《周禮·萍氏》言酒官之得名於萍之故，最後引〈小雅·鹿鳴〉《毛傳》辨鹿亦食水草，不必如《鄭箋》易為陸生之蘋蕭。其腹笥之富，不能不令人佩服。故其書顯得理據俱足，內容十分充實。

2 保存文獻

六朝以前，古籍之流通，因寫本稀少、兵燹之劫、水火之災、當道禁焚、自然淘汰等因素，常有亡佚現象；唐宋以後，雕版印刷術、活字印刷術相繼發明，雖有助於典籍之流傳，但古書之散失仍然屢有所聞，此只要比對不同時代的書目，就可以略窺其中消息。《爾雅翼》之成書，距今八百餘年，所引用之古書，今日亡佚者不在少數，例如：

> 《禽經》亦曰：「鶴愛陰而惡陽，鴈愛陽而惡陰。」（頁158）
> 〈考靈耀〉云：「日中星鳥，可以種稷。」（頁2）
> 後之學者不得其說，乃以騶虞「不踐生草」，又曰「義獸」，許叔重解《淮南子》亦云「食自死之獸。」（頁216）
> 陸璣云：「（荇）白莖，葉紫赤色，正圓，徑寸餘。浮在水上，根在水底，與水深淺等。大如釵股，上青下白，鬻其白莖，以苦酒浸之，脆美，可案酒。」（頁66）
> 蜼讀如贈遺之遺，又讀如橘柚之柚。其作柚音者，或為狖，音義皆同。孫愐不審，乃於一音中分之云：「蜼，獸名，似蝯；狖，似獼猴。」不知似蝯者，即此獼猴。（頁250）
> 《字說》曰：「𤟤以乘而不逆為剛，𨛜以承而不隨為臧。」（頁281）

《禽經》相傳為先秦師曠所撰，今佚，羅願引用二十三次。〈尚書考靈耀〉為漢代之緯書，緯書在漢代盛極一時，隋煬帝時禁燬幾盡，但古書中引用者極多，羅願可能就是自古書中援用，如〈春秋運斗樞〉十三次、〈易通卦驗〉六次、〈孝經援神契〉六次，合計多達十餘種，三十七次。許慎（54-125）以《說文解字》被尊為字聖，其《淮南子注》本與高誘注齊名，《宋史・藝文志》中猶與高注分別，後世才與高誘注混淆無別而失傳，羅願所引亦多達三十次。（吳）陸璣（261-303）《毛詩草木鳥獸蟲魚疏》為第一本考釋《毛詩》名物的專書，久佚，但（唐）孔穎達（574-648）《毛詩正義》等引用不少，羅願亦引用三十次。（唐）孫愐《唐韻》與王仁煦《刊謬補闕切韻》、李舟《切韻》同為增補陸法言《切韻》之重要韻書，到了宋代《廣韻》出現後才漸被淘汰，羅願所引有九次。王安石（1021-1086）《字說》是宋代影響極大的字書，陸佃（1042-1101）《埤雅》常加以引用，而羅願所引亦有十三次。此外徵引較少之佚書，如（先秦）《歸藏》、《范子計然》、《鶡冠子》、淳于髡《王度記》、《括地圖》，（秦）《蒼頡篇》，（漢）《三家詩》、《世本》、《淮南王萬畢術》、《氾勝之書》、《爾雅》古注、衛宏《漢舊儀》、崔寔《四民月令》、張衡《靈憲》，（魏）張揖《埤蒼》、鄭小同《鄭志》，（吳）丁孚《漢儀》、沈瑩《臨海異物志》，（晉）呂忱《字林》、周處《風土記》、郭璞（276-324）《三倉解詁》、葛洪（284-363）《列仙傳》，（劉宋）盛弘之《荊州記》，（梁）孫柔之《瑞應圖》、《雜五行書》，（隋）陸法言《切韻》，（唐）裴瑜《爾雅注》、劉恂《嶺表錄異記》[3]。諸如此類，無論羅氏是直接引用或間接引用，皆有保存文獻，可供輯佚家取材之價值。

3　佚書參考曾書杰：《中國古籍輯佚學論稿》（長春市：東北大學出版社，1998年），附錄二〈王謨、馬國瀚、黃奭、王仁俊輯本一覽表〉，頁400-434。

（二）論述詳細

1 考辨用心

　　博引群書的目的不在炫博，而在作為論證的依據。但材料愈豐富，說法往往愈複雜，這時如何彌綸群言，折衷至當；或者汰蕪存菁，善加採擷；甚至力排眾議，獨抒己見，那就完全看作者的功力了。羅願在考辨名物時，頗見用心，例如：

> 《詩》曰：「焉得諼草，言植之背。」諼，忘也。⋯⋯說者因萱音之與諼同也，遂命萱以為忘憂之草。蓋以「萱」合其音，以「忘」合其義耳。然忘草可也，而所謂忘憂，憂之一字，何從出哉？此亦諸儒傅會之語也。（頁36）
>
> 果臝，即細腰黑蜂也。⋯⋯《詩》言「螟蛉有子，果臝負之。」⋯⋯《箋》云：「蒲盧取桑蟲之子，負持而去，煦嫗養之以成子。」⋯⋯唯陶隱居云：「今一種黑色，腰甚小，銜泥於人壁及器物邊作房，如併竹管，其生子如粟米大，置中，乃捕取草上青蜘蛛十餘枚滿中，仍塞口以擬其子，大為糧也。其一種入蘆竹管中者，一名果臝，亦取草上青蟲，《詩》之『螟蛉有子，果臝負之』，言細腰無雌，皆取青蟲教祝，使變成己子，斯為謬矣。造詩者乃可不察，未審夫子何為因其僻耶？」按陶氏之說，實當物理，然以是疑聖人，則有所不可。《詩》第言果臝負之，如國君不能有其民，則為他人所取，不言負去為子也。（頁313）
>
> 王餘，長五、六寸，身圓如箸，潔白而無鱗，若巳膾之魚，但目兩點黑耳⋯⋯此魚與比目不同。劉淵林解〈吳都賦〉，第見其稱「雙則比目，片則王餘」，遂云：「比目魚東海所出，王餘

魚其身半也。俗云越王鱠魚未盡，因以其半棄之，遂無其一
面，故曰王餘。」則是以王餘為比目之半。而郭氏解比
目，……亦與劉說相似。予按二物，今浙中皆有之，絕不相
類。比目乃只一目，生近海處，土人謂之鞋底魚。王餘狀如前
說，今猶呼鱠殘魚。又名銀魚，多暴為脯。又作鮺，顏色可
愛，自是一種，非比目之半也。（頁344-345）

《詩‧王風‧伯兮》的諼草，據吳厚炎考證，大致有三說：其一，
《毛傳》、《鄭箋》、《說文》、清代學者等以為指令人忘憂之草，並非
草名；其二以為即合歡草，朱熹、鄭樵、岡元鳳等主之；其三以為即
萱草，嵇康、張華、陸佃、李時珍等主之。綜觀詩意及諼草之內涵與
外延的演變過程，以第一說為是，而羅願正是屬於此派，尤其難得的
是，在宋代只有他採取此種主張。[4]《詩‧小雅‧小宛》的「螟蛉有
子，蜾蠃負之。」《鄭箋》以降多誤以為蜾蠃養螟蛉成己子，後代學
者承襲此一謬說者實繁有徒。其實早在晉代，陶弘景（456-536）《本
草經集注》經仔細觀察，就確認蜾蠃負螟蛉之子是以之為糧。[5]《爾
雅翼》能採取正確的說法，並且點明詩人只言果蠃負之，並未言負去
為子，真是具有特識。王餘與比目分明二物，只以王餘狀若已鱠之
魚，世人惑於越王鱠魚未盡之說，遂誤合為一。雖以郭璞之淵博，其
注《爾雅‧釋地》：「東方有比目魚焉」，仍不免蹈襲謬說。[6]《爾雅
翼》根據目驗，能摘其誤。清代郝懿行（1755-1823）《爾雅義疏》雖
未引其說，但所見略同，皆不為舊說所拘，識見過人。

4　吳厚炎：《詩經草木匯考》（貴陽市：貴州人民出版社，1992年），頁188-193。

5　高明乾、佟玉華、劉坤：《詩經動物解詁》（北京市：中華書局，2005年），頁245-
　　249。

6　（清）郝懿行：《爾雅義疏》（臺北市：中華書局，1966年），卷中之五，頁9。

2 描述細膩

　　名物之書，在徵引文獻，考釋名實之餘，如不仔細描述其性狀，則讀者仍如霧裡看花，只能得其髣髴，所以羅願在《爾雅翼》中，對每一種動植物都盡量進行具體的描述，例如：

> 案荇菜今陂澤多有，今人猶止謂之荇菜，非難識也。葉亦卷漸開，雖圓而稍羨，不若蓴之極圓也。葉皆隨水高低，平浮水上，花則出水，黃色六出，今宛陵陂湖中，彌覆頃畝，日出照之如金，俗名金蓮子。狀既似蓴，又豬亦好食，民皆以小舟載取以飼豬。又可糞田，或因是亦得豬蓴之名，顧但非蓴菜耳。（頁67）

> 駝，外國之奇畜。背有兩封如鞍，其足三節，色蒼褐。負物至千斤，日行三百里。凡欲椿載，輒先屈足受之。所載未盡其量，終不起。……今云駱駝……性能知水源，自燉煌往外國者多乘之。涉流沙千餘里中，無水時，有伏流處，駝獨知之。遇其處，輒停不進，以足踏地，掘之常得泉。又青海西北，有沙流數百里，夏有熱風，傷斃行旅。風將至，老駝預知之，引項而鳴，聚立以鼻口埋沙中，人見則知之，以氈韉蔽口鼻而避其患。（頁275-276）

> 鯸，今之河豚，狀如科斗，腹下白，背上青黑，有黃文。眼能開能閉，觸物輒嗔。腹張如鞠，浮於水上。一名嗔魚，今人取之者，亦多作鐵須如理絮鈀，置水中，觸而浮，則取之。或云：以橄欖木為棹，撥著魚皆浮出，此其性之所畏也。味至美，然有毒，小獺及大魚不敢啖也。……其出有時，率以冬至後來，每三頭相從，號為一部。（頁339-340）

羅願對荇菜之性狀、功用描述明晰，可補所引陸璣《詩疏》及《本草》說之不足。而其分別荇蓴之異同，尤可供審辨實物之參考。駝（駱駝）之為物，活動於敦煌、青海荒漠之中，任重道遠，能知水源、辨風沙，確有其他獸類所無之特異功能，可當「奇畜」之名而無愧。鯸（河豚）之形狀如科斗，觸物輒嗔，味至美，然有毒，《爾雅翼》皆能精準掌握其性狀，並介紹捕食之法，文長不具錄。

（三）文辭高雅

1 遣詞精鍊

據方回《爾雅翼·跋》云：羅願年甫七歲，即作〈青草賦〉為其父祝壽，足見資質穎異，文采過人。稍長落筆萬言，既冠之後，又好學深思，不妄下一語（附錄·頁379）。厥後撰述《爾雅翼》、《新安志》，雖非以詞章爭短長，但其文字確實高雅精鍊，非同類著作所能及。只要披覽《爾雅翼》任何一條，皆可發現其翰藻繽紛，美不勝收，能以精簡的文辭表達豐富的內容，例如：

> 楓，似白陽，甚高大，厚葉弱枝而善搖，葉圓而歧，霜後丹色可愛。字從風。又〈釋木〉：「楓欇欇」，說者曰：天風則鳴，故曰欇欇。或云無風自動，有風則止。按《說文》「木葉搖白謂之矗」，則欇與風同義矣〈招魂〉云：「湛湛江水兮上有楓，目極千里兮傷春心。」（頁141）
>
> 麢，大羊，似羊而大，角圓銳。好在山崖間夜宿，以角掛木，不著地。其角多節，夔夔圓繞，彎中深銳緊小，猶有掛痕。耳邊聽之，集集鳴者良，慢無痕者非也。其角號為有神，故能辟去不祥。（頁247）

> 鼄蟷布網於簷四隅，狀如罾，自處其中。飛蟲有觸網者，輒以
> 足頓網，使不得解。其力大有甲翅者，纏縛甚急，已乃食之。
> 春秋二時得煖風而生，旋吐游絲，飛颺其身。故春月游絲有長
> 數丈許者，皆鼄蟷所為也。（頁306）

楓字從風得聲，羅願即以風為文眼，有風善搖，無風亦動，引〈釋
木〉之櫔櫔，《說文》之欙，亦無非在強調其與風之關係。引〈招
魂〉二句則使人悠然意遠，真是滿紙生風。羚（羚）以掛角著稱，故
即以角字為文眼，極力摹寫其角圓銳多節，彎中緊小，以集集鳴聲暫
時引開，但立即又以其角有神，鉤勒羚角之重要性。蜘蛛布網捕蟲，
寫得十分緊湊，幾乎句句有動詞，字字有張力，最後以飛颺游絲盪
開，一張一弛，文情搖曳生姿。

2 行文生動

學問淵博，經驗豐富，可以使文章寫得精鍊，但若要進一步寫得
栩栩如生，那就非有敏銳的想像力與創造力，善用各種寫作技巧不
可，而羅願在這方面正是游刃有餘，方回《爾雅翼‧跋》曾推崇他
說：「南渡後，文章有先秦西漢風，唯羅鄂州一人。」（附錄，頁
379）其文集不可得見，但單就《爾雅翼》而言，確實是文筆高雅，
與文章家相較，毫不遜色，例如：

> 孔雀，生南海，蓋鸞鳳之亞。尾凡五年而後成，長六、七尺，
> 展開如車輪，金翠煜然。始春而生，至三、四月復凋，與花萼
> 俱榮衰。羽屬之取華耀者，故〈元命苞〉言火離為孔雀。然尤
> 自珍愛，遇芳時好景，聞弦歌，必舒張翅尾，昈睐而舞。蓋物
> 之能自愛者，如鸞自歌，鳳自舞也。群飛數十為偶。南人收其

雛養之，使極溫擾，置山間，以物絆足，旁施羅網，伺野孔雀
至，則倒網掩之，無遺者，其雌尾短，略無文彩。（頁157）
猴狀似愁胡，而手足如人，其聲嗝嗝若咳。今大林中有猴多
處，一大猴在木，輒累累以手相援下飲，好象人所為。生子輒
效人浴之山澗中，鷹鳶過其上，以一手按之，仰視不轉，子往
往死水中，輒相率哭泣埋之。鄉人設果菽以取之者，群猴皆
入，惟老猴獨憑高而望，終不入。至食欲盡，四顧無人乃前，
猶復徬徨，大抵以老猴至而後發機也。每食輒置之兩嗛，稍出
而食之。好行未嘗暫止。（頁247-248）
尺蠖，屈申蟲也。狀如蠶而絕小，行則促其腰，使首尾相就，
乃能進步。屈中有伸，故曰屈申。鄭康成謂之屈蟲，郭景純謂
之步屈，皆此義。又如人以手度物，移後指就前指之狀，古所
謂布指知尺者，故謂之尺蠖。（頁295）

孔雀翅尾金翠如輪，聞樂起舞，其婀娜多姿，令人印象深刻。以鸞歌
鳳舞襯托其高貴，又以雌孔雀尾短無文彩，反襯雄孔雀之華麗。在群
獸之中，猿猴與人最為肖似，手足如人，其聲嗝嗝，兩嗛含食，生性
噪動，皆能曲盡其特性。而特筆寫其相援飲水、不慎溺子、老猴憑高
遠望，尤見觀察入微。尺蠖一句「狀如蠶而絕小」，已寫明其形狀，
再透過屈申、尺蠖名義之解釋，則其屈伸前進之情態更是宛在眼前。

（四）重視調查

1 親驗耳目

　　草木蟲魚鳥獸的研究在今日屬於生物學，是自然科學的一部分。
科學的研究首重觀察與實驗，不能只依賴紙面資料，因為紙面資料是

前人的研究記錄，可能不完整、不清楚，甚至有錯誤，所以應該走出
書房，到大自然中去觀察與體驗，將其結果帶回來與紙面資料互相印
證、補充與修正。這種實證精神，古代學者已經了解其重要性，如陸
璣、郭璞、陶弘景、陸德明等都常有這方面的記錄，羅願在《爾雅
翼・自序》中也說：

> 觀察於秋，玩華於春。俯瞰淵魚，仰察鳥雲。山川皋壤，遇物
> 而欣。有不解者，謀及芻薪。農圃以為師，釣弋則親。用相參
> 伍，必得其真。（頁4）

由於他如此重視觀察與體驗，所以在《爾雅翼》中也留下不少寶貴的
記錄，例如：

> （芍藥）毛萇云：「香草。」陸璣云：「今藥草芍藥無香氣，非
> 是也。」孔穎達曰：「未審今何草。」蓋醫方但用其根，陸不
> 識其華，故云：「無香氣。」孔又云：「何草」，今芍藥，人家
> 庭戶種之，翫其芳，無不識者，何云何草？（頁32）
> 說者以為蜚中國所有，非南越之蟲。未詳向所說，蜚誠臭蟲，
> 今所在有之。草間之物，不必皆因男女同濫而生也。向之論似
> 不若歆之篤，然歆言食穀為災者，亦為未當。今負盤好以清旦
> 集稻上，食稻花。田家率以蚤作，掇拾置他所。至日出，則皆
> 散去，不可得矣。既食稻花，又其氣臭惡，能燻稻使不蕃，
> 《春秋》書之，當由此爾。（頁325-326）
> 鯊魚，狹而小，常張口吹沙，故曰吹沙……郭氏所謂「吹沙小
> 魚」者是也。……孔氏《正義》乃曰：「此寡婦笱，而得鱣鯊
> 之大魚，是眾多也。」蓋鯊雖小魚，在笱中為大耳。……今江

南小谿中，每春，鯊至甚多，土人珍之；夏則隨水下，自是以
後，時亦有之，然亦罕矣。來春復來。大抵正月輒至，魚之最
先至者，次則鯉至，次則鱖至，桃花水至而鱖肥，則三月矣。
此魚生流水之中，非畜於人。又其至而多，以明萬物自然繁
育，亦其先至，故鱣鯊魴鯉鱣鱧，或其序爾。（頁336）

芍藥乃常見之草，可入藥，陸璣不識其華，謂無香氣，孔穎達甚至不
知其為何草。蜃為中國所有，並非如劉向所云來自南越，淫風所生；
其所食者稻花，而非穀物，劉歆所言亦不允當。鯊實吹沙小魚，孔穎
達解為大魚，蓋誤以海中鯊魚當之。在群魚之中，其來最先，足見
《爾雅‧釋魚》所記，井然有序。若斯之比，羅願皆依據耳目見聞，
一一破解前賢之謬誤，頗有科學實證精神。

2　兼採俗諺

　　物種常有古今南北之異，田野調查除了透過耳目見聞了解生物真
相外，也可蒐集各地俗說及俚諺，以添加趣味，增廣見聞，有時可能
還有「禮失求諸野」的現象呢！正如農諺有助於農業生產及農學研究
一樣，俗諺也有其獨特的效益，所以在《爾雅翼》中常出現「俗
謂」、「里語云」、「諺曰」、「舊說」、「傳言」、「土人曰」之類，例如：

俗謂柿有七絕：一壽、二多陰、三無鳥巢、四無蟲蠹、五霜葉
可翫、六嘉實、七落葉肥大。又木中根固者，唯柿為最，俗謂
之柿盤。（頁133）
（蟋蟀）其聲如急織，故幽州謂之促織。又其鳴時，正織之
候，故以戒婦功。〈春秋說題辭〉曰：「趣織為言趣織也。」織
與事遽，故趣織鳴，女作兼。又里語曰：「趣織鳴，懶婦

驚。」而崔豹云：「濟南人謂蟋蟀為懶婦。」非也。（頁303）

《孟子》稱「緣木求魚」不得魚，今鯪魚善登竹，以口銜葉而躍於竹上。大抵能登高，其有水堰處，輒自下騰上，愈高遠而未止。諺曰：「鮎魚上竹」，謂是故也。（頁342）

柿為常見之果樹，竟有七絕，此非常人所知，羅氏又加上其根最固，則成八絕了。蟋蟀聲如急織，鳴時又正值織候，故幽州謂之促織，晉・崔豹《古今注》謂濟南人稱之為懶婦，則適得其反，顯然是錯誤的。鯪魚（鮎魚）善登竹，能騰水堰，出乎一般人意料之外，亦非《孟子》緣木求魚而不可得所能範圍。諸如此類，得到俗諺的印證，不僅足以令人解頤，亦可以解惑。

（五）講求實用

1 推廣物用

名物訓詁既然是一種實學，當然應該運用踏實的方法研究具體的實物，以期得到確切的真解，不僅希望有益於古籍的研究，而且對社會人生也能有實際的功用。羅願對此深自期許，他在《爾雅翼・自序》說：

> 此書之成，為《雅》羽翰。其涵如海，其負如山，其稱物小，義炳而寬。不強所不知，義無不安。宇中所有，目擊而存，指毛命獸，見末知根。可用閱覽，虞悅性情。玩化無窮，以觀我生。率是佐時，人主以裁成。通之於六籍，疑義以明。（頁5）

這或許是對言心言性時代潮流的反響吧？表現在《爾雅翼》中的，首先就是辨物之性，使之運用於民生日用之中，例如：

凡蘩之醜，艾可灸，蓍可占，蕭可燎，蔞、莪、蒿、蘩通可茹
啖，說者別而論之。（頁53）

（鯸）味至美，然有毒，小獺及大魚不敢啖也。烹者必覆蓋蒙
密，忌炱煤落其中，雜以橄欖荻牙煮之，令過熟。其身無鱗，
頭無腮，故肝最毒。舊言心肝及頭，毒於野葛。又云，肝及子
入口爛舌，入腹爛腸。今浙人習之者，亦不甚忌，正爾啖之
耳。大抵海中者大毒，江中者次之。其出有時，率以冬至後
來，每三頭相從，號為一部。（頁339-340）

（蜃）然則一微物，肉可以薦，殼可以飾器，灰可闉壙牆壁，
又有珠，為用多矣。故齊景公置祈望之官以守鹽蜃，專百姓之
利，不特鼈人以時取之而已。（頁370）

蘩之同類植物甚多，用途各有不同，艾可用於針灸醫藥，蓍可用於占
卜吉凶，蕭可用以作燭祭祀，其餘蔞、莪、蒿、蘩，或生食，或蒸
菹，或煮魚，端視使用者之取捨。鯸即河豚，其味至美，其性至毒，
故詳敘其來時及烹煮之法，並強調其毒性，庶幾免於誤中其毒。蜃雖
微物，肉、殼、灰、珠各有其用途，齊國以海鹽之利，富甲天下，於
此可以窺豹一斑。

2 修己治人

草木蟲魚鳥獸是與人類生活關係最為密切的伙伴，不僅為延續生
命之所資，也是怡情養性之所賴，甚至可以研物之幾，作為修己治人
之參考。《爾雅翼》也特別強調這方面的功用，例如：

後漢南海獻龍眼荔枝，十里一置，五里一候，奔馳險阻，道路
為患。孝和時，唐羌為臨武縣長，按南海，上書言狀，詔太官

> 勿受獻。（頁150）
>
> 鶡以蘇為奇，蒙覆而取之。蓋以其勇於鬥，兼同類相死，可以屬眾。故趙武靈王以表武士，秦漢沿之，俗謂之大冠也。（頁192）
>
> 青蠅，古以喻讒人，以其所趨甚汙，終日營營而不知止，又為聲以亂人聽，故以比。……說者又以青蠅點白為黑，點黑為白，自昔相傳如此。……二者為害雖微，然傷物之全，亂物之正，實自此始，正當謹以為戒也。（頁324）

荔枝龍眼其味至美，唯產於嶺南，非中原所有，古之人主，常遠道受獻，妨害民生，後漢時已知其弊。惜唐玄宗不悟，為博美人一笑，仍不惜千里傳送，開元、天寶所以盛極而衰，其來有自。鶡以析羽為奇，製成鶡冠，可以厲眾強兵，兩宋強榦弱枝，國勢不振，羅願特別就此著墨，應有深意。青蠅點白為黑，點黑為白，終日營營，所趨甚汙，自古以來，常取譬小人。如何避免淪為小人，乃君子所宜戒慎；如何遠小人，則為在上者所宜深思，羅願所言，皆有修己治人、輔佐時政之意。

三　《爾雅翼》之局限

　　《爾雅翼》雖有許多優點，但八百年前古書，格於主客觀因素，難免有所不足，呈現瑕瑜互見的局面。論其局限，至少有五項可以一談。

（一）體例不純

　　正如許多古書一樣，《爾雅翼》在撰寫之前，對於內容的取捨，

形式的編排並未自訂體例，也沒有嚴格遵循的準繩。通觀全書，雖可得到十一項重點，但並不是每條都具備這些重點，更不是每個重點都有一定的次序。就體例而言，當然不夠嚴謹。《四庫全書‧總目提要》稱其：「考據精博而體例謹嚴。」（附錄，頁385）那是古今尺度的不同。只以文長，不便於舉例說明。在此僅就其引書部分言之：

1 稱引不一

在今日，書目著錄要兼顧作者、書名、出版地、出版社、出版年五個出版項，但古人徵引文獻往往只提作者、書名，而《爾雅翼》在這方面體例並不一致，例如：

> 崔寔《四民月令》曰：「伏後二十日為麴，至七月七日乾之，覆以胡枲。」（頁38）
> 崔寔曰：「榆葉落時可種藍，五月可刈藍。」（頁45）
> 《四民月令》：「三月杏花盛，可蕃白沙輕土之田。」（頁126）

或作者、書名並稱，或只著錄作者，或只著錄書名。其單著錄書名者，例如：

> 《詩》：「獻其貔皮。」（頁232）
> 〈雅〉有「青繩」，〈風〉有「蒼蠅。」（頁325）
> 〈周南〉詩曰：「喓喓草蟲，趯趯阜螽。」（頁298）
> 〈鴟鴞〉云：「鴟鴞鴟鴞，既取我子。」（頁313）

或稱書名，或稱風雅頌，或稱篇名。又如：

《淮南子》:「季秋侯鴈來賓,雀入大水為蛤。」(頁178)

《淮南鴻烈》云:「鴈乃兩來;仲秋鴻鴈來,季秋侯鴈來。」
(頁203)

《淮南》曰:「烏力勝日而服於雛禮,能有修短也。」(頁163)

書名或用全稱,或用異稱,或用簡稱。其單稱作者者,例如:

沈括曰:「芸類豌豆,作小叢生。其葉極芳香,秋後葉間微白
如粉汗。南人採置席下,能去蚤虱,今謂之七里香。」(頁
35)

許叔重說:「泮,諸侯鄉射之宮,西南為水,東北為牆。」(頁
69)

陸隱居云「出交州,形小而味甘。廣州以南者,形大而味澀。
小者名蒳子,向陽曰檳榔,向陰曰大腹。」(頁150)

鄭司農以為「蠺可以白器,令色白。」(頁369)

郭氏曰:「如蟬而小。」(頁324)

或稱姓名,或稱字,或稱號,或稱官名,或稱姓。足見體例不一,此
固古人之常習,非羅書獨然。

2 交代不清

古人行文,除明引外,常有暗用而不注明出處者,良以古人對重
要古籍熟讀成誦,行文時往往信筆拈來而不自覺,何況古人以言論為
公有,引用而不標明亦不認為有違學術規範,此種情形在《爾雅翼》
亦屢見不鮮,例如:

　　黍，禾屬而黏者也。以大暑而種，故謂之黍。從禾，兩省聲。
孔子曰：「黍可以為酒，禾入水也。」（頁1）
　　樅，松葉柏身；檜，柏葉松身。（頁112）
　　雎鳩，鵰類，今江東呼之為鶚。好在江渚山邊食魚。（頁169）

黍條下從「禾屬」至「孔子曰」云云，完全出自《說文》；[7]樅條下二
句悉數照抄《爾雅·釋木》；雎鳩條下三句全部取之於《爾雅·郭璞
注》。[8]這是因為《說文》、《爾雅》及郭注都是《爾雅翼》最重要的書
證，引用不下數十百次，或許不勝其煩，故有時避而不言吧？
　　不僅暗引不詳出處，明引亦有語焉不詳者，例如：

　　（芙蕖）郭璞曰：「蔤莖下白蒻在泥中者，今江東人呼荷華為
芙蓉。北方人便以藕為荷，亦以蓮為荷，蜀人以藕為茄，或用
其母為華名，或用根子為母葉號。此皆名相錯，習俗傳誤，失
其正體者也。」（頁97）
　　猴，一物而五名，《說文》：「猴，夒也。」「夒，貪獸也。一曰
母猴，似人。」「玃，母猴也。」《爾雅》云：「玃父善顧。」
玃持人也。「為，母猴也。其為禽好爪，爪母猴象也。下腹為
母猴形，王育曰：爪象形也。𤓐，古文為，象兩母猴相對
形。」「禺，母猴屬，頭似鬼。」（頁247）
　　（蠡）許叔重以為「玼，蠡甲，所以飾物。」「玏，蠡屬。」
（頁370）

<hr>

7　（漢）許慎撰，（清）段玉裁注：《說文解字注》（臺北市：洪葉文化事業公司，
　　2005年增訂一版三刷），頁332。
8　同注6，卷下之二，頁16，卷下之五，頁2。

芙藁條下引「郭璞曰」五十九字，係依《毛詩正義》引用，然未見於《爾雅注》，郝懿行云：「臧氏《經義雜記》四因謂今本闕，然邢《疏》亦未引，疑本郭氏《音義》之文，非注文。」[9]猴條下釋猴、夒、玃、為、禺皆引《說文》，[10]然玃誤作玃，則非大母猴，[11]又穿插《爾雅》釋玃父[12]，隔斷上下文，遂使為、禺之釋義不知何自而來了。蜃條下引許叔重說係出自《說文》[13]，然《爾雅翼》引《說文》多注書名，引許叔重說多為《淮南子注》，此處未交代清楚，便須查考原書，始能確定其出處。

（二）引文失真

1 刪節改寫

今日學術規範，凡有引文，必須忠實於原文，除了加注版本、頁碼外，須加引號。如有刪節，則加刪節號；如有改寫，則不加引號，甚至加注說明。但古代沒有標點符號，所以引文如有異動失真，就不容易看得出來。今即以引《爾雅》及郭《注》為例，如：

〈釋器〉云：「象謂之鵠，角謂之觷，犀謂之剒，玉謂之雕。」取四鳥之名，不知其故。（頁182）

大而銳上曰壺，細腰曰邊，白熟曰檽，樹小實酢曰樲，實小而員紫黑色曰遵，大如雞卵曰洗，苦味曰蹶泄，不著子曰晳，味短苦曰還味，棗有十一名，郭氏得九焉。（頁128-129）

9　同注6，卷下之一，頁19。

10　同注7，頁482、236、481、114、441。

11　《說文》：「玃，樊玃也。」段玉裁注：「與犬部玃字義別」同注7，頁462。

12　同注6，卷下之六，頁9。

13　同注7，頁18。

郭璞則曰：「柚似橙而大於橘。」（頁132）

《爾雅‧釋器》講不同材料的加工有五，[14]羅願以為鵠、觷、剒、雕取四鳥之名，而「木謂之剫」與鳥無關，故刪去。其實鵠、雕為鳥名固無疑義，觷、剒則須解為鷽、鵲之叚借，才與鳥名有關，不知羅氏何以必須如此迂迴求解？《爾雅‧釋木》有十一種棗，郭璞注為其中九種加註，「楊徹齊棗」、「煮填棗」則未詳。[15]在《爾雅翼》中，羅願檃栝《爾雅》及郭注之言加以改寫，文字確實簡潔，但已非原書本面目了。《爾雅‧釋木》「柚條」郭璞注云：「似橙，實酢，生江南。」《山海經‧中山經》「荊山多橘櫾」郭璞注云：「櫾，似橘而大也，皮厚味酸。」[16]《爾雅翼》引郭璞注僅短短七字，似是揉合兩種郭注加以改寫。

2　子虛烏有

《爾雅翼》引書有時注明出處，但查對原書又邈不可得，今即以《說文》為例，如：

> 又案《說文》：「蘂，花須點頭也。」則蘂乃謂此。（頁37）
> 《說文》曰：「宀，嬾也。」草木皆自豎立，唯瓜瓠之屬，臥而不起，似若懶人常臥室，故字从宀。（頁99）
> 蟷蜋，有斧蟲，有不過、蟷蠰、莫貃、蚱、石蜋、巨斧等名，許叔重又云：「世謂之天馬。」蓋驤首奮臂，頸長而身輕，其行如飛，有馬之象。（頁303）

14　同注6，卷中之二，頁11。
15　同注6，卷下之二，頁10。
16　《爾雅》郭璞注，同注6，卷下之二，頁3。《山海經》郭璞注，（清）郝懿行：《山海經箋疏》（臺北市：藝文印書館），頁234。

《說文》艸部、木部俱無藧字，宀部亦無寙字。虫部有「蟷蠰，不過也。」「蠰，蟷蠰也。」「蜋，堂蜋也，一名斫父。」[17]亦不見天馬之說。羅氏可能憑印象引書，而記憶有誤；可能張冠李戴，誤以他書為《說文》；亦可能所據《說文》有在二徐之外者，真相如何，實難稽考。

（三）分類欠妥

1 承襲舊說

生物種類綦繁，在今日，分成界、門、綱、目、科、屬六個層次，綱舉目張，十分龐雜。但在《爾雅》中只分成草、木、蟲、魚、鳥、獸、畜七類，這種分類十分樸素而簡明，影響極其深遠。《爾雅翼》既然模仿《爾雅》而作，基本上也採取這種分類，雖蒙其利，當然也難免承襲了一些不合理的分類。例如：

> 木堇，今人築為籬，易生之物也。（頁41）
>
> 蝙蝠，服翼。……蓋服翼似鼠，有肉翅而黑。栖人家屋隙中，遇夜則飛，夏夜尤甚，捕蚊蚋食之。（頁195）
>
> 蝸牛，似小蠃，白色，生池澤草木間。頭有兩角，行則出，驚則縮，首尾俱能藏入殼中。盛夏日中，則自懸樹葉下，往往升高，涎沫既盡，隨即槁死。（頁357）

〈釋草〉收草本植物，〈釋木〉收木本植物，但草木之分，並非截然無疑。木堇，《爾雅翼》正如《爾雅》，收在〈釋草〉之中，《說文》蕣字即木堇，亦在草部，段玉裁注云：「陸璣疏入木類，而《爾雅》、

17 同注7，頁673。

《說文》皆入艸類者，樊光曰：『其樹如李，其華朝生莫落。與艸同氣，故入艸中』。[18]但木堇今屬錦葵科落葉灌木或小喬木，高達六公尺以上，[19]應改入〈釋木〉為是。服翼（蝙蝠）、鼮鼠，《爾雅》皆入〈釋鳥〉。[20]《爾雅翼》則服翼入〈釋鳥〉，鼮鼠入〈釋獸〉，並云：「鼮與伏翼皆鼠類，而《爾雅》在〈釋鳥〉中，以其有翼也。」（頁286）既然兩者同屬鼠類，而分類兩歧，難免首鼠兩端。今蝙蝠屬哺乳綱，翼手目，蝙蝠科；鼮鼠屬哺乳綱，齧齒目，松鼠科，鼮鼠亞科。[21]蝙蝠既然也是哺乳動物，就應改入〈釋獸〉，不能以其有翅能飛，仍置於〈釋鳥〉。《爾雅》後七篇中，〈釋魚〉的分類最為駁雜，除了魚類之外，還包括兩棲類、爬行類、軟體類、節肢類、環節類、哺乳類及其他，[22]其中有些動物只是與魚類有關，就連類而及。《爾雅翼》的〈釋魚〉也是相類似，蝸牛，今屬軟體動物，腹足綱，有肺類，蝸牛科，[23]只因「生池澤草木間」，就納入〈釋魚〉中，實在並不允當。此外，〈釋魚〉中的鯨、鯢、鰐、鰕、蛭、科斗、蟾蜍、螺、貝、蜃、蛞、蛇、蝮、蜥蜴、蠑蚖等也都是如此。

2 自行歸類

　　《爾雅》草木蟲魚鳥獸畜之下還有較細的動物分類，那就是「醜」與「屬」，大約相當於分類學上科、屬的層次，《爾雅翼》各條中，往往將類別較近的生物聚集在一起，甚至在本文中注明「某之

18 同注7，頁37。
19 陸文郁：《詩草木今釋》（臺北市：大安出版社，1975年），頁52。
20 同注6，卷下之五，頁12、13。
21 脊椎動物百科全書編審委員會：《脊椎動物全書》（臺北市：國立編譯館，2004年），哺乳動物類，頁129、382。
22 施孝適：〈爾雅蟲魚名今釋〉（《大陸雜誌》81卷3期，1990年），頁46。
23 杜亞泉等：《動物學大辭典》（臺北市：文光圖書公司，1967年），頁1970。

醜」、「某之屬」、「某類」，也就是類別的意思，而這正是師法《爾雅》的作法，例如：

> 凡蘩之醜，艾可灸，蓍可占，蕭可燎，蔞、莪、蒿、蘩通可茹啖，說者別而論之。（頁53）
>
> 麙，大羊，似羊而大，角圓銳。（頁247）
>
> 貂，鼠屬，大而黃黑，好在木上，亦謂之粟鼠。……貂實鼠類，故其字又作䶂、作䶃。（頁258-259）

蘩之類至繁，蘩即白蒿，艾即艾草，蓍即牛尾蒿，蕭為艾之變種，蔞即蔞蒿，蒿即青蒿，都屬於菊科蒿屬，[24]故連類言之，但莪（蘿蒿，即播娘蒿）則屬十字花科，[25]與菊科並不同類，故《詩·小雅·蓼莪》說：「蓼蓼者莪，匪莪伊蒿。」[26]《爾雅翼》既已別之於〈釋艸五〉，又歸之於蘩之屬，並不適當。而且艾、蔞、蘩、蒿、蕭收入〈釋草四〉，蓍獨在〈釋草七〉，亦不能完全做到物以類聚。麙即羚羊，《說文》：「麙，大羊而細角。」[27]《爾雅》郭璞注也說：「麙羊似羊而大，角圓銳。」[28]麙雖从鹿，今羚羊與羊同屬哺乳綱，偶蹄目，牛科，鹿則屬哺乳綱，偶蹄目，鹿科，[29]將麙與鹿、麏等相聚，實不相宜。貂或从鼠作䶂作䶃，俗稱䶂鼠，故羅願一再言其為鼠類。其

---

24 陸文郁，同注19，頁7、48、82、47、28、92。吳厚炎，同注4，頁25、294、341、296、333、300。

25 陸文郁，同注19，頁99。吳厚炎，同注4，頁301。

26 （漢）毛亨傳，鄭玄箋，（唐）孔穎達疏：《毛詩正義》（臺北市：藝文印書館，1993年），頁436。

27 同注7，頁476。

28 同注6卷下之六，頁6。

29 同注21，頁351、336。

實，貂屬哺乳綱，食肉目，貂科：鼠屬哺乳綱，齧齒目，鼠科。[30]二者並非同類。

（四）判斷失準

1 見理未瑩

羅願在徵引文獻之餘，無論分析字詞、考辨名實、區分品種，如有疑義，輒須進行考辨，其評騭十分用心，能明斷是非，得出真解者固然不少，但見理未瑩，判斷有誤者亦在所難免，以〈釋草〉為例，如：

> 《毛詩》菉竹作綠竹，先儒皆以綠為王芻，竹為篇竹。《說文》亦曰：「菉，王芻也。」引《詩》曰：「菉竹猗猗」，則綠與菉同。《本草》名藎草，俗亦呼淡竹葉，所謂「終朝采綠，不盈一匊」者。（頁26）
> 萍，洴，其大者蘋。葉正四方，中折如十字，根生水底，葉敷水上，不若小浮萍之無根而漂浮也。故《韓詩》曰：「沈者曰蘋，浮者曰藻。」藻，音瓢，即小萍也。蘋亦不沈，但比萍則有根，不浮游爾。五月有花白色，故謂之白蘋。（頁71）
> 蘦，大苦，今之甘草。味甘而無毒，能安和七十二種石，千二百種草。故於人譬之國老，不入君臣佐使之列，雖非君而為君所宗，以其能燮和故也。（頁85）

菉，羅願依《本草》解為藎草，是也，但又說俗呼淡竹葉，則混淆不清，因為兩者雖同屬禾本科，但一為藎草屬，一為淡竹葉屬，雖相肖

---

30 同注21，頁210、398。

似，終非一物。[31]蘋，秦漢時只是概念模糊的「大萍」，至魏晉時統名「浮萍」，中經南北朝至宋的「苹菜」（白蘋），到宋、明間的四葉菜（田字草），表明其面目日趨明朗。羅願說蘋是四葉菜，正合時代潮流，但又說是白蘋，則未能明察，因為白蘋開白花，四葉菜則是根本無花的蕨類植物。[32]藋，《爾雅》郭璞注、邢昺疏、孔穎達《毛詩正義》、朱熹《詩集傳》、陸佃《埤雅》皆以甘草釋之，羅願所說並同。但甘草實物與郭注所述大有不同，是其說不可信，當以沈括《夢溪筆談》、李時珍《本草綱目》黃藥之說為是。[33]

2 徒逞胸臆

宋代崇尚義理，特重獨立思考，治學以自出機軸，推陳出新為貴，雖疑經改經亦所不惜。羅願所從事者實學，亦難免沾染斯習。其《爾雅翼》固然常有見解獨到，迥出時流者，但徒逞胸臆，陷於謬誤而不自知者亦時有所聞，例如：

> 蕭，今人所謂萩蕭者是也。或曰：牛尾蒿，似白蒿，白葉莖粗，科生多者數十，可作燭，有香氣，故祭祀以脂蒸之為香。……此蕭之氣繞於牆屋，則牆內乃蒸蕭之地，故孔子曰：「吾恐季孫之憂，不在顓臾，而在蕭牆之內。」（頁54-55）
>
> 鶴，一起千里，古謂之仙禽，以其於物為壽。……古書又多言鵠，鵠即是鶴音之轉。後人以鵠名頗著，謂鶴之外別有所謂鵠，故《埤雅》既有鶴，又有鵠。……漢昭時，黃鵠下建章宮太液池，而歌則名〈黃鶴〉。《神異經》：「鵠國有海鵠，衛懿公

---

31 同注4，頁171-173。

32 同注4，頁35-39。

33 同注4，頁137-140。

好鶴，齊王使獻鵠于楚。」亦列國之君皆以為玩。其餘諸書
文，如「蕙帳空兮夜鶴怨」，《楚辭》「黃鵠一舉」，及田饒說魯
哀公言「黃鵠」，或為鶴，或為鵠者甚多。以此知鶴之外，無
別有所謂鵠也。（頁158-159）

鸜鵒，似鶇而有幘，飛輒成群多聲。字書謂之唰唰鳥，一作鴝
鵒。或曰：身首皆黑，惟兩翼皆有白點，飛則見，如字書之八
云。性好淫，其行欲，則以足相句，往往墮者相連而下，故從
「句」、從「欲」。《字說》云：「尾而足句焉」，是也。（頁170）

蕭有香氣，祭祀時可以脂爇之為香，但祭祀多行之於堂上，其氣縱然
繞於牆屋，以此解釋蕭牆得名之原因，則難免徒逞胸臆之譏。《論語
集解》引〈季氏篇〉鄭玄注：「蕭之言肅也，牆謂屏也。君臣相見之
禮，至屏而加肅敬焉，是以謂之蕭牆。」[34]所言較有理據，為世所
宗，可以正羅說之失。《詩・小雅・鶴鳴》：「鶴鳴於九皋，聲聞於
野。」[35]但《爾雅》、《說文》俱無鶴字，段玉裁注《說文》，於鳥部補
「鶴」篆，並注云：「後人與鵠相亂。」[36]鵠字《說文》則云：「鵠，
黃鵠也。」又：「鴻，鴻鵠也。」[37]是鶴、鵠分明二物，不得以其相
亂，即定為一物。鸜鵒，即八哥，《說文》作「鴝鵒」，鴝從鳥，句
聲；鵒，從鳥，谷聲。[38]王安石《字說》以其好淫，解鴝為「尾而足
句焉」，羅願變本加厲，進而解鵒為「從欲」，殊不知鵒、欲固然上古

34　（魏）何晏集解，（宋）邢昺疏：《論語注疏》（臺北市：藝文印書館，1993年），頁
　　146。
35　同注26，頁376。
36　同注7，頁153。
37　同注7，頁153。
38　同注7，頁157。

同從谷聲，中古同為余蜀切，[39]但鴝解為「从欲」，則滯礙難通。

（五）牽強附會

1 蹈襲前誤

古代民智未開，載籍所記，時有違反科學，不值識者一笑之資料，或耳目所障，觀物未諦；或惑於迷信，子所不語，然以尊崇典籍之故，歷代學者仍常信偽迷真，以訛傳訛，雖在明清學者猶所難免，何況羅願生於趙宋，自難例外。如：

> 《淮南子》：「季秋候鴈來賓，雀入大水為蛤。」許叔重釋之曰：「賓雀者，老雀也，棲宿人家堂宇之間，如賓客也。」崔豹《古今注》亦云：「雀，一名嘉賓。」其所入之水蓋淮水。故趙簡子云：「雀入于淮為蛤，雉入于淮為蜃。」蓋二物皆化於淮水中，故江以鴻止而鴻從之，淮以雀化而雀從焉。此雀之所以為佳也。（頁178）
>
> 《淮南子》曰：「麒麟鬥而日月蝕。」蓋歲星散為麟，歲失其序則麟鬥，麟鬥則日月蝕矣。（頁214）
>
> 蜂，種類至多。其黃色細腰者，謂之稚蜂。腰間極細，僅相聯屬。天地之性，細腰純雄，大腰純雌。純雄，謂蜂；純雌，龜鱉之屬也。《列子》亦曰：「純雌，其名大腰；純雄，其名稚蜂。」言無雌雄而自化。故《淮南子》以蜂之類為貞蟲，言其無欲也。《博物志》以為蜂無雌，取桑蟲或阜螽子抱而成己子。（頁311）

「雀入于淮為蛤，雉入于淮為蜃。」是古人觀察生物活動不夠細心的佳例。因為秋冬之際，雀雉遷徙，人們不見雀雉，只看到蛤蜃花紋與雀、雉無異，就誤以為是雀、雉入淮所化。〈夏小正〉、《呂氏春秋・十二月紀》、《逸周書・時訓》、《淮南子・時則》都有此類記錄。[40]羅願乃至明清學者仍常採用，足見其深入人心。在《爾雅翼》中，如鷹化為鳩（頁189），鴝為伯勞所化（頁288），螢為腐草所化（頁321）也都類似。《淮南子》謂麒麟為歲星所化，麒麟鬥則日月蝕。其實，麒麟只是傳說中的仁獸，怎麼可能是木星變化而來的？日月蝕只是周期性的自然現象，與地球上任何生物的活動又有何關係？其說純屬無稽，而《爾雅翼》竟然採信。蜂純雄無雌，龜鱉純雌無雄，《列子》、《淮南子》、《博物志》等古書都信以為真，這不僅是觀物未諦，而且涉及迷信，只要仔細觀察，就不難揭穿其謬誤。早在晉代，陶弘景已知其謬，羅願推其當於物理（頁323），此處不知何以自語相違？

2　好奇杜撰

好奇是人類智能發展的動力，也是許多科學發明、文史創作的利器，但須在理智控制下適當使用，才不致淪於荒誕不經。在《爾雅翼》中有許多牽強附會的說法純出杜撰，就是由於羅氏好奇的緣故，例如：

> 槐者，虛星之精，其葉尤可翫。……《淮南子》曰：「老槐生火，久血為燐，人不怪。」《莊子》曰：「水中有火，乃焚大槐。」老槐當夏間，其上忽自起火，焚燒枝葉，所謂極陰生陽者也。古者冬取槐、檀之火。槐、檀色黑，北方之行也。（頁140）

---

40 莊雅州：《夏小正析論》（臺北市：文史哲出版社，1985年5月），頁86。

孔雀不必匹偶，但音影相接便有孕，如白鷳相視，雄鳴上風，雌鳴下風之類。或曰：與蛇為偶，蛇盤結其上。今野雉亦有與蛇交者，理或有之。或云：聞雷聲而孕。（頁157-158）

今通天犀長且銳，皆腦上角千歲者，長且銳，有一白縷直上徹端，名曰通天。或以為白理徹端，則能出氣通天，故曰通天……通天則能通神，可以破水駭雞。大霧重露之夜，以置中庭，終不沾濡。（頁222）

槐、檀色黑，在陰陽五行，屬於北方之行。加上古時冬取槐、檀之火，夏日老槐自焚，羅願就認為這都是陰陽變化的緣故。緯書《春秋說》只說：「槐木者，靈星之精。」[41]並未明指是何星之精，由於虛宿相當於寶瓶β，小馬χ。北方三次，玄枵居中，而玄枵三宿，虛居中，在北方玄武七宿中，虛也是居於中央。[42]所以羅願就進一步指實為虛星之精。此純就陰陽五行立論，當然不足採信。孔雀既有雌雄，何以僅憑音影相接，或聞雷聲，便可有孕？禽獸之類常有纏鬥之事，孔雀與蛇為偶，與雉相交，可能也是此一現象的錯覺，道聽途說，實不足為據。犀牛角長且銳，白理徹端，宛如直指穹蒼，在獸類中十分獨特，羅氏遂附會其能通天通神，破水駭雞，也是十分自然而欠合理之事。

四　結論

綜觀上述論述，可以發現：

（一）羅願資質穎異，博學多聞，在舉世崇尚心性之學的宋代，

41　（宋）李昉等：《太平御覽》（臺北市：明倫出版社，1975年），卷954，頁6（總4786）。

42　莊雅州：〈左傳天文史料析論〉（《中正大學中文學術年刊》三期，2000年），頁128。

致力於訓詁考據之實學，所撰《爾雅翼》具有資料豐富、論述詳細、文辭高雅、重視調查、講求實用等特色，在宋代《雅》學著述中顯得卓犖不群，確實有其獨到之處。

（二）《爾雅翼》成書已逾八百年，格於主客觀因素，難免有所不足，舉其要者，有體例不純、引文失真、分類欠妥、判斷失準、牽強附會等疏失，此則不必為賢者諱。

（三）總而言之，羅書瑕瑜互見，而瑕不掩瑜，我們一方面應給予同情的了解、詳細的探討；另一方面也應去蕪存菁，作為《雅》學研究的重要參考，如此才不致辜負古人黽勉著述的苦心。

《爾雅》的時代價值及其在現當代的傳播

一　前言

　　在古代經典之中，《爾雅》是經歷最為特殊的一本。它原本是語言文字學方面的專書，在小學長期附庸於經學的古代，卻始終列於經部，而未與其他小學之書雜廁，如在《漢書藝文志》中，《爾雅》便置於〈六藝略〉的《孝經》之後[1]。根據趙岐〈孟子題辭〉記載，早在漢文帝時，《爾雅》更曾與《論語》、《孝經》、《孟子》一起置為博士官，作為學校教學的教科書[2]。漢武帝置《五經》博士，雖無《爾雅》，但必取通《爾雅》者為之。到了唐文宗開成二年（837）刻十二石經，置於太學，其中就有《爾雅》。《爾雅》從此在中國學術界便享有無與倫比的崇高地位。這不僅因為它是中國第一部語言文字學方面的專書，而且是中國最早的解經之作、百科全書、類書、辭典、教科書、名書[3]，橫看成嶺側成峰，考察的角度、方法、標準不同，它便呈現不同的面貌，因而具有多方面的價值。在時代潮流激烈變化的現當代，這些價值是否還繼續存在？它在現當代又是如何流傳的呢？這些正是本文所要探討的重點。

1　班固著，王先謙補注：《漢書補注》（臺北市：藝文印書館，2005年），頁884。

2　趙岐注，孫奭疏：《孟子注疏》（臺北市：藝文印書館，1955年），頁7。

3　竇秀艷：《中國雅學史》（濟南市：齊魯書社，2004年），頁40-45。

二　《爾雅》的時代價值

（一）訓詁學的始祖

文字有形、音、義三要素，因而字書便有文字學、聲韻學、訓詁學之分，一提到訓詁學的經典，總是會公推《爾雅》，其地位正如文字學的《說文解字》、聲韻學的《廣韻》一般。良以「訓詁」一詞，便是出自《爾雅》前三篇的篇名，其中〈釋詁〉多以今語解釋古語，包括古方言、古雅言、古疑難詞語等；〈釋言〉主要是訓釋古語、方俗語，或者訓釋當時產生的新詞、方言詞；〈釋訓〉所釋多為形容寫貌之詞，包括疊音詞、聯綿詞，兼及少量詩句[4]。這些都是語言方面的訓詁，〈釋親〉以下十六篇，則屬於名物方面的訓詁。《爾雅》全書一〇八一九字，分為二〇九一個條目，所收詞語四三〇〇多個，多取自《易》、《書》、《詩》、《禮》、《春秋》及《山海經》、《逸周書》、《穆天子傳》、《國語》、《管子》、《尸子》、《列子》、《莊子》、《呂氏春秋》等古籍。如〈釋器〉：「菜謂之蔌」，便是取自《詩‧大雅‧韓奕》；〈釋天〉：「暴雨謂之涷」、〈釋草〉：「卷施草拔心不死」，便是取自《楚辭》〈九歌〉及〈離騷〉；〈釋地〉：「北方有比肩民焉，迭食而迭望」、〈釋水〉：「河出崑崙虛」，便是取自《山海經》〈海外西經〉及〈海內西經〉[5]。所以要閱讀古書，便不能不以《爾雅》為管鑰，而後代的字書，也往往取材於《爾雅》，如《說文‧木部》：「柚，條也」、「梅，枏也。」、「杜，甘棠也。」便是取自〈釋木〉；《說文‧魚部》：「鰝，大鰕也。」〈易部〉：「易，蜥易、蝘蜒、守宮也。」〈貝

4　同上注，頁28。

5　紀昀：《文淵閣四庫全書總目》（臺北市：臺灣商務印書館，1986年），冊1，頁817-819。

部〉:「貝,海介蟲也。居陸名猋,在水名蜬。」便是取自〈釋魚〉。
郭璞稱讚《爾雅》:「所以通訓詁之指歸,敘詩人之興詠,總絕代之離詞,辯同實而殊號者也。誠九流之津涉,六藝之鈐鍵。[6]」是一點兒也不錯的。

　　不僅在訓詁材料方面,《爾雅》津逮後世,在訓詁的方式、方法、條例等方面,《爾雅》也深深影響後世。例如訓詁的方式可分為:

1 直訓
　　(1)單詞相訓:〈釋詁〉:「鮮,寡也。」
　　(2)多詞同訓:〈釋詁〉:「初、哉、首、基、肇、祖、元、胎、俶、落、權輿,始也。」
　　(3)兩詞互訓:〈釋宮〉:「宮謂之室,室謂之宮。」
　　(4)數詞遞訓:〈釋魚〉:「蠑螈,蜥蜴;蜥蜴,蝘蜓;蝘蜓,守宮也。」
　　(5)一詞數訓(歧訓):〈釋詁〉:「休,美也。」「休,息也。」
　　(6)反訓:〈釋詁〉:「又、亂……,治也。」
2 推因:〈釋山〉:「獨者蜀。」、〈釋獸〉:「蜼蝯,善援;玃父,善顧。」
3 義界
　　(1)直下定義:〈釋天〉:「四時和謂之玉燭。」
　　(2)增字為訓:〈釋蟲〉:「蠖,蚇蠖。」
　　(3)兩字各訓:〈釋樂〉:「徒吹謂之和,徒歌謂之謠。」
　　(4)連類並訓:〈釋親〉:「兄之子,弟之子,相謂為從父晜弟。」

6　郭璞注:《爾雅郭注》(臺北市:新興書局,1973年),頁1。以下凡是引用《爾雅》皆根據本書,不另加注。

（5）集比為訓：〈釋器〉：「金謂之鏤，木謂之刻，骨謂之切，象謂之磋，玉謂之琢，石謂之磨。」

（6）描寫形象：〈釋獸〉：「鼨，鼠身，長須而賊，秦人謂之小驢。」

（7）比況為訓：〈釋畜〉：「駮，如馬，倨牙，食虎豹。」

（8）補充說明：〈釋蟲〉：「蚍蜉，大螘，小者螘。」

　　由於《爾雅》以義訓為主，故在訓詁的三種方式中，特詳於以單個同義詞直接訓釋的「直訓」，及以一句話或幾句話去下定義的「義界」，而且幾乎各個細項都已包舉無遺，開後世無數法門。不過，透過聲音去推究事物得名原因的「推因」，則為數不多，必待漢代劉熙《釋名》之類才暢發厥旨，但在《爾雅》已可見其端倪。

　　訓詁的方法有三，即以形索義、因聲求義、比較互證。《爾雅》全書之訓釋多係博采古籍，比較其異，互證其同之後的產物，如〈釋詁〉：「詢、度、咨、諏，謀也。」係比較歸納了《詩‧小雅‧皇皇者華》二至五章之後所得到的結果。至於以形索義，如〈釋詁〉：「臻、到，至也。」係以形聲字之形符釋形聲字；〈釋獸〉：「兔子，嬎。」係以女兔所生釋嬎字，此皆開《說文》分析字形以求本義之先河。而〈釋天〉：「扶搖謂之猋」，〈釋器〉：「不律謂之筆」，係合音為訓；〈釋詁〉：「卬、吾……，我也。」係雙聲為訓；〈釋言〉：「穀、履，祿也。」係疊韻為訓；〈釋訓〉：「鬼之言歸也。」係同音為訓，此亦開後代因聲求義之嚆矢。

　　訓詁的條例乃是涉及全書行文的體制、規律和通例，具有高度的概括性，是了解古書的重要管道。《爾雅》本身蘊含許多條例，近代陳玉澍的《爾雅釋例》、王國維的〈爾雅草木蟲魚鳥獸釋例〉都闡發綦詳，為人所津津樂道，高師仲華（明）的〈爾雅辨例〉分詞式例、

義類例、編次例、訓詁例四大類，近百條例[7]，更是綱舉目張，涵蓋無遺，由於篇幅所限，無法贅述。

（二）詞彙學的淵藪

詞是語言中音義結合的定型結構，是獨立的語法單位，也是構成詞彙的基本要素，其內容包含單音詞、複音詞，複音詞又可再細分若干項目，在《爾雅》中，這些詞的構成方式都已相當完備：

1 單詞

〈釋言〉：「猷，圖也。」

2 複詞

（1）衍聲複詞

①聯綿詞

a 雙聲詞：〈釋蟲〉：「蟋蟀，蛬。」

b 疊韻詞：〈釋訓〉：「婆娑，舞也。」

c 非雙聲疊韻詞：〈釋草〉：「菟絲，顆涷。」

②疊字：〈釋訓〉：「明明，斤斤，察也。」

③象聲詞：〈釋詁〉：「關關、噰噰，音聲和也。」

④譯音詞：〈釋地〉：「東方之美者有醫無閭之珣玗琪焉。」

（2）合義複詞

①聯合式：〈釋訓〉：「矜憐，撫掩之也。」

②組合式：〈釋詁〉：「黃髮、齯齒、鮐背、耈老，壽也。」

③結合式：〈釋宮〉：「西北隅謂之屋漏。」

漢字為單音節方塊字，每一個字都有獨立的形音義，極便於單音

7　高明：《高明文輯》中冊（臺北市：黎明文化事業公司，1978年），頁466-510。

詞的發展，加上上古時代，書寫條件較為困難，語言也較為單純，所
以在先秦時代，以單音詞為主[8]。兩漢以後，為了避免同音相混，同
時也為了表達更複雜的意思，複音詞才逐漸增多。據向熹的統計，
《詩經》單字二九三八個，詞四千多個，其中複音詞一三二九個，僅
占百分之三十弱，連綿詞九十八個，比重更低[9]。如果也能將《爾
雅》的單音詞、複音詞作一統計，相信對漢語詞彙發展的探討應有所
助益。再從詞彙的內容來看，可分為基本詞彙及一般詞彙，一般詞彙
又可分為若干項目，這些在《爾雅》中也有清楚的反應：

1　基本詞彙

　　〈釋詁〉：「迓，迎也。」

2　一般詞彙

　　（1）一般通用詞：〈釋天〉：「南風謂之凱風，東風謂之谷風，北風
　　　　謂之涼風，西風謂之泰風。」

　　（2）新造詞：〈釋木〉：「女桑，桋桑。」郭注：「今俗呼桑樹小而
　　　　條長者為女桑樹。」

　　（3）古語詞：〈釋詁〉：「圮，毀也。」郭注：「《書》曰：方命圮
　　　　族。」

　　（4）方言詞：〈釋詁〉：「愖、憐、惠，愛也。」郭注：「愖，韓、
　　　　鄭語，今江東通呼為憐。」

　　（5）行業話：〈釋器〉：「一染謂之縓，再染謂之赬，三染謂之
　　　　纁。」

　　（6）外來語：〈釋地〉：「東至於泰遠，西至於邠國，南至於濮鉛，

8　趙克勤：《古代漢語詞彙學》（北京市：商務印書館，1994年），頁18-20。

9　向熹：《詩經語文論集‧詩經的複音詞》（成都市：四川民族出版社，2002年），頁
　　37-44。

　　　　北至於祝栗，謂之四極。」
　　（7）熟語：〈釋訓〉：「『履帝武敏』，武，跡也，敏，拇也。」

　　詞彙的各種類型，在《爾雅》中都已粲然大備，誠如胡楚生所言：「《爾雅》一書，無疑的，就是一本濃縮的古代詞彙的字典，由這本字典，我們可以了解古代（秦漢以前）人們詞彙使用的狀況，思想概念的精粗。」[10]難得的是它並不是將詞彙隨意堆積，而是煞費苦心地將它們類聚群分，整理得井井有條。如前三篇都是屬於抽象的普通詞語，後十六篇則為具體的百科名詞，每篇自為一大類，每個大類之間都依親疏遠近排序，每個大類之下又根據語義間的親疏遠近分成若干小類。例如〈釋地〉分為九州、十藪、九陵、九府、五方、野、四極，雖然有時難免有混淆不清，或誤解、費解之處[11]，但對架構先秦詞彙體系而言，卻是最重要的材料。殷孟倫認為：

　　　　《爾雅》一書的出現，標誌了漢語文學語言的形成和發展已達
　　　　到了相當成熟的一個重要階段。今天研究漢語詞彙，雖然可以
　　　　利用詞彙學新的體系作為藍圖，但對《爾雅》卻不能低估了它
　　　　的價值。儘管現代的任何一部詞書所收集的詞語，多至十幾萬
　　　　個乃至幾十萬個的那樣豐富，編製的條理儘管也是細密非常，
　　　　為二千年前的詞書──《爾雅》所不能比擬。但《爾雅》的重
　　　　要性和所起的啟導作用仍然不可忽視[12]。

---

10 胡楚生：《訓詁學大綱》（臺北市：蘭臺書局，1972年），頁249。

11 姜聿華：《中國傳統語言學要籍述論》（北京市：書目文獻出版社，1992年），頁15-17。

12 殷孟倫：〈從爾雅看古漢語詞彙研究〉，收入朱祖延主編：《爾雅詁林敘錄》（武漢市：湖北教育出版社，1998年），頁428-429。

足見即使在語言學的研究突飛猛進的今日,《爾雅》仍有其時代價值。

(三)詞典學的先河

　　字典與詞典是現代最重要的工具書,兩者性質相近,既有區別,又密切相關。大抵字典以解釋字義為主,而有時亦兼收詞語;詞典以解釋詞語為主,但常先臚列單字之義項,詞頭也以單字為主。廣義的詞典更包括專門解釋字形(如《金文詁林》)、字音(如《廣韻》)、字義(如《經籍纂詁》)、虛字(如《虛字歷時詞典》)、聯綿詞(如《聯綿辭典》)、成語(如《成語典》),甚至專門解釋各種學科領域名詞的詞典(如《中國古今地名大辭典》、《中國哲學辭典》)。中國第一部字典為《說文解字》,第一部詞典則為《爾雅》,不但《說文解字》深受《爾雅》的影響,從漢代到清代的詞典更多是《爾雅》式的詞典。《爾雅》首創以意義分類編排的體例和各種釋詞方法,有清楚的分類篇目、完整的編纂體例。詞目、釋義和例證是詞典條目的三要素,《爾雅》可說都已具備。詞目方面涉及詞彙的蒐集整理,釋義方面涉及訓詁的方式和方法,此在上文都言之已瞭。至於例證方面,《爾雅》共臚列了十四個[13],如〈釋訓〉:「『是刈是濩』,濩,煮之也。」引自《詩‧周南‧葛覃》;「『張仲孝友』,善父母為孝,善兄弟為友。」引自《詩‧小雅‧六月》;〈釋水〉:「『河水清且瀾漪』,大波為瀾,小波為淪,直波為徑。」引自《詩‧魏風‧伐檀》,雖然為數不多,且僅限於《詩經》,但已足以證明詞義,或說明詞義,不僅針對〈史籀篇〉等字書缺乏例證的缺點進行彌補,也開了後世詞典廣收例證的先河。固然,作為一本詞典,《爾雅》難免有體例簡單、分類不夠科學、字詞排列次序未盡妥善、檢索不便等缺失[14],但大輅為椎輪

---

13 管錫華:《爾雅研究》(合肥市:安徽大學出版社,1996年),頁131-141、148-149。
14 劉葉秋:《中國字典史略》(臺北市:漢京文化公司,1984年),頁10。

之始，今日的詞典可說是由《爾雅》逐漸修正、補充、演化而來的，沒有《爾雅》的創始，也就不會有今日種類繁多、體例縝密的各種詞典，其貢獻還是值得高度肯定的。

（四）百科全書的雛型

百科全書是包含人類各種知識，或某一學科、專門主題全部知識的參考書，主要目的在供一般讀者查檢或閱覽，是工具書中極為重要的一種。中國古代的百科全書主要有兩類：一為《小爾雅》、《廣雅》之類的群雅，一為《藝文類聚》、《太平御覽》之類的類書，而這兩種百科全書都以《爾雅》立其雛型。

《爾雅》內容包含兩大部分，第一部分為普通語詞（包含〈釋詁〉、〈釋言〉、〈釋訓〉），第二部分為百科名詞。百科名詞可分為社會生活專名與自然萬物專名。社會生活專名又可分為人的社會關係（〈釋親〉）、人的日常生活（〈釋宮〉、〈釋器〉、〈釋樂〉）。自然萬物專名又可分為天文（〈釋天〉）、地理（〈釋地〉、〈釋丘〉、〈釋山〉、〈釋水〉）、植物（〈釋草〉、〈釋木〉）、動物（〈釋蟲〉、〈釋魚〉、〈釋鳥〉、〈釋獸〉、〈釋畜〉）[15]。每類之下，有的還分子目，或附以相關子目，如〈釋天〉下分四時、祥、災、歲陽、歲名、月陽、月名、風雨、星名，附以祭名、講武、旌旗，可見其涵蓋面相當寬廣。隨著時代的進步，詞彙和名物逐漸增多，從漢代舊題孔鮒的《小爾雅》開始，模仿《爾雅》體例，加以增補的群雅，就陸續產生，其要者有（魏）張揖的《廣雅》，（宋）陸佃的《埤雅》、羅願的《爾雅翼》，（明）朱謀㙔的《駢雅》、方以智的《通雅》，（清）吳玉搢的《別雅》、朱駿聲的《說雅》、程先甲的《選雅》、洪亮吉的《比雅》、夏味堂的《拾雅》、

---

15 胡奇光：《中國小學史》（上海市：上海人民出版社，1987年），頁58。

史夢蘭的《疊雅》、劉燦的《支雅》。這些書，或充實詞語，補釋前
書；或解說訓詁，稍標新義，大多踵事增華，後出轉精[16]。如《廣
雅》、《爾雅翼》、《說雅》、《選雅》，類名全同《爾雅》，其他如《埤
雅》、《駢雅》等也與《爾雅》大同小異，只有《通雅》、《支雅》，篇
名大不相同，內容和體例也有所變化，本質則無以異[17]。足見《爾
雅》深入人心，影響之大。

　　類書是中國特有的一種分類彙編各種材料以供檢查之用的工具
書。其特點，在內容方面，採擇經史子集中的語詞、詩文典故以及其
他各種資料彙輯成書，取材不限一種；在形式方面，全都分門別類，
編次排比，以便檢查；在作用方面，它和字典、詞典與現代的百科全
書等又有些接近[18]。類書起源於三國時代，魏文帝敕撰的《皇覽》，八
百餘萬字，可惜原書早已失傳，溯其遠流，應是始於博採群書，分類
編纂的《爾雅》。《爾雅》早已具備類書的雛型，只是後代類書取材更
加廣泛，分類更加細密而已。六朝的類書今亦亡佚，唐以後類書今存
者約三百部左右，較重要的有（唐）虞世南的《北堂書鈔》、歐陽詢等
的《藝文類聚》，徐堅等的《初學記》、白居易、（宋）孔傳的《白孔
六帖》，（宋）李昉的《太平廣記》、《太平御覽》、王欽若的《冊府元
龜》、王應麟的《玉海》、俞安期的《唐類函》，（清）張英等的《淵鑒
類函》、張廷玉等的《子史精華》、蔣廷錫等的《古今圖書集成》[19]。
這些類書，可備詩文之尋檢、覈事典之出處、考故事之演化、輯故書

---

16 同注14，頁143。

17 顧廷龍、王世偉：《爾雅導讀》（成都市：巴蜀書社，1990年），頁45-51。

18 劉葉秋：〈類書簡說〉，收入王國良、王秋桂主編：《中國圖書文獻學論集》增訂本
　　（臺北市：明文書局，1986年），頁479-480。

19 同上，頁514-543。

之遺文、校傳本之譌誤[20]，功用極多，而追根究柢，則不能不歸美於《爾雅》的啟導之功。

（五）文化學的寶庫

文化是人類群體生活的反映，歷代智慧的結晶，舉凡民生、經濟、科技、社會、政治、教育、學術、藝術、宗教皆涵蓋其內。《爾雅》一書雖然不可能將所有的先秦文化都籠括無遺，但對幾個重點領域都已嘗試去加以探索，可說是古代文化的小百科。其方面之廣，在先秦古書中無有出其右者，這也是它所以為人們奉為經典，鑽研弗替的重要原因，茲將其書分為人文社會科學與自然應用科學兩方面加以析論：

1 人文社會科學

（1）語言學

〈釋詁〉、〈釋言〉、〈釋訓〉三篇，共有六○七個詞條，旨在介紹先秦語言，也為其後的十六篇奠立基礎。由於語言文字是人類所發明的最重要的符號，訓詁又是全書的基調，所以置於全書之首。

（2）社會科學

〈釋親〉共有九十四個詞條，旨在解釋親屬稱謂。親屬關係錯綜複雜，是中國古代宗法社會的一大特點。全篇分為宗族、母黨、妻黨、婚姻四個類目，而特詳於宗族。直系上起高祖，下至雲孫，共十三世之多，旁系也牽涉甚廣。可見宗法制度是以父系為中心，同時也

---

20 于大成：《理選樓論學稿·類書薈編序》（臺北市：臺灣學生書局，1979年），頁389-394。

反映了男尊女卑，嫡尊庶卑的宗法觀念。〈釋親〉對於研究古代的宗
族制度和婚姻制度深具價值，有許多親屬名稱現在仍在使用，可見其
影響之深遠。

　　〈釋樂〉共有三十六個詞條，旨在解釋音樂術語和各種樂器的名
稱。音樂術語介紹了宮、商、角、徵、羽五聲及其異稱，以及「徒吹
謂之和，徒歌謂之謠。」之類的獨奏樂器。樂器則介紹了八音——
金、石、絲、竹、匏、土、革、木以及「所以鼓柷謂之止」之類的調
節器。〈釋樂〉立為專篇，顯示對古代禮樂文化的重視。近代地下出
土的樂器為數甚多，可與〈釋樂〉相互稽考。

2 自然應用科學

（1）應用科學

　　〈釋宮〉共有八十六個詞條，旨在解釋宮室建築的總體名稱和各
個部位的名稱，以及道路、橋樑等土木工程的名稱。這些資料可與陝
西岐山鳳雛村出土的西周建築群等地下文物相互印證[21]，發揮二重證
據法的效用。

　　〈釋器〉共有一二八個詞條，旨在解釋一般器物的名稱及材料、
製作工序等術語，包含盛器、禮器、農具、捕具、服飾、車馬、飲
食、炊器、金屬、雕器、兵器、印染、寫具等，與食、衣、行等民生
密切相關，對研究古代工藝甚至社會生活都是重要的資料，可與《周
禮‧考工記》相互參看，也可與地下出土文物互相印證。

---

21 趙叢蒼、郭妍利：《兩周考古》（北京市：文物出版社，2004年），頁32。

（2）自然科學

①天文學

〈釋天〉共有一○六個詞條，旨在解釋天文、曆法、氣象等名稱。經文分為四時、祥、災、歲陽、歲名、月陽、月名、風雨、星名、祭名、講武、旌旂等十二個類目，其中祭名、講武、旌旂等與天文、曆法、氣象並無直接關係，可能因屬事天之類，故連類及之。〈釋天〉對於天文史料的蒐集未臻完備，詮釋亦嫌簡略，但取材廣泛，綱舉目張，在中國天文發展史及科技文化研究上仍有其價值[22]。

②地理學

〈釋地〉共有六十六個詞條，分為九州、十藪、八陵、九府、五方、野、四極七個類目。〈釋丘〉共有四十九個詞條，分為丘、涯岸兩個類目。〈釋山〉共有五十個詞條，未分類目。〈釋水〉共有五十五個詞條，分為水泉、水中、河曲、九河四個類目。此四篇記載了豐富的地形分類知識，除山川地理外，還涉及宇宙地理、經濟地理、水利地理、政治地理、人文地理，充份展現了古人的地理觀[23]。與《尚書‧禹貢》、《周禮‧職方氏》、《禮記‧王制》、《管子‧地員》、《呂氏春秋‧有始》等都是研究中國古代地理的重要文獻。

③植物學

〈釋草〉共有二二九個詞條，解釋二三○種草本植物的名稱、形

---

22 莊雅州：〈爾雅釋天天文史料析論〉，收入李爽秋教授八十壽慶祝壽論文集編輯委員會主編，《李爽秋教授八十壽慶祝壽論文集》（臺北市：萬卷樓圖書公司，2005年），頁251-271。

23 徐莉莉、詹鄞鑫：《爾雅：文詞的淵海》（上海市：上海古籍出版社，1997年），頁194-195。

態及其用途。〈釋木〉共有一一七個詞條,解釋一○○種木本植物的名稱、形態及其用途。比起《詩經》之記錄草名八十八、木名五十四,增補的材料超過一倍,足見其用力之勤。對於各種植物,《爾雅》雖未分類目,但從其排列的順序,不難看出古代比較精細的分類認識,例如〈釋草〉:「𧄍,山韭。茖,山蔥。葝,山𧆑。蒚,山蒜。」韭、蔥、薤、蒜等在今日的分類學上都屬於蔥蒜屬[24]。又如〈釋木〉之末云:「小枝上繚為喬,無枝為檄,木族生為灌。」不啻將木本植物分為喬木、檄木、灌木三類,這些分類觀念影響後代植物學極深。

④動物學

〈釋蟲〉共有八十三個詞條,解釋八十種節肢動物及軟體動物的名稱及其形態、習性。〈釋魚〉共有六十個詞條,解釋八十種魚類及水生動物的名稱及其形態、習性。〈釋鳥〉共有一一五個詞條,解釋一一○種鳥類的名稱及其形態、習性。〈釋獸〉共有七十二個詞條,解釋七十種獸類的名稱及其形態、習性,下分寓屬、鼠屬、齸屬、須屬四個類目。〈釋畜〉共分九十四個詞條,解釋六種家畜的名稱及其形態、習性,下分馬屬、牛屬、羊屬、狗屬、雞屬、六畜六個細目。此五篇比起《詩經》之記錄蟲名二十七、魚名十九、鳥名三十八、獸名二十九,足足增加了兩倍,資料更為豐富。

在動物方面,《爾雅》的排列順序,也反映了古代較為精細的分類認識,如〈釋蟲〉:「蜩,蜋蜩、蜺蜩。蚻,蜻蜻。蠽,茅蜩。蝒,馬蜩。蜺,寒蜩。」顯示它們都是不同種類的蟬,相當於現在分類學上的同翅目蟬科。而〈釋獸〉、〈釋畜〉的分屬概念,雖與今日分類學

---

24 葛萃華:〈中國古代的動植物分類〉,收入中國科學院自然科學史研究室主編:《中國古代科技成就》(北京市:中國青年出版社,1995年),頁360-361。

上的屬的定義不盡相同，但至少表示《爾雅》對動、植物分類已相當重視[25]，深深影響到後世的藥物學與生物學。除此之外，《爾雅》中的動植物分類系統，包含著由植物到動物、由低級到高等的發展思想，對後代博物學的發展也起了重要的作用[26]。

三　《爾雅》在現當代的傳播

《爾雅》學之發展，源遠流長，大抵出現於戰國，形成於兩漢，成熟於六朝隋唐，轉型於宋明，鼎盛於清代，到了二十世紀，進入了由傳統走向現代的時期[27]。一九四九年以後，海峽兩岸分治，學術各自發展，由於方法、材料、工具的日新月異，在《爾雅》研究方面，雙方成績都斐然可觀。近十幾年來，形勢丕變，兩岸文化交流日益密切，互切互磋，相輔相成，又宏開一個嶄新的局面。今即以一九四九年為界，分類探討海峽兩岸《爾雅》研究與流傳的概況：

（一）通論類

一九八五年長沙嶽麓書社出版了駱鴻凱的舊稿《爾雅論略》。駱氏出自黃季剛先生門下，其書分別就《爾雅》名義、撰人、注家、義例、資糧等進行探討，上承黃氏《爾雅略說》之餘緒，而頗有補充發明，實具有承先啟後之意義。

一九九〇年顧廷龍、王世偉合著的《爾雅導讀》由成都巴蜀書社出版。內容分為上下兩編，上編又分總論、古代自然和社會的淵藪、

25　同上，頁361-362。

26　汪志國：〈博物學〉，收入卞孝萱、胡阿祥主編：《國學四十講》（武漢市：湖北人民出版社，2008年），頁70。

27　同注3，《中國雅學史》，頁1-5。

《爾雅》的注本、《爾雅》研究書目舉要、《爾雅》版本介紹、研究方法六章，下編則對《爾雅》十九篇進行選注。顧氏為目錄版本名家，特重目錄版本的介紹，功力非凡，而又不忽略對青年學子的導引；在專業與普及兩方面都兼顧了。其研究方法一章介紹了目錄導讀法、參看內證法、《說文》對照法、群雅補證法、發凡起例法五種方法，尤具有啟迪性。

一九九六年合肥安徽大學出版社印行了管錫華的《爾雅研究》，這是由碩博士論文改寫而的，對《爾雅》一書的名義、撰人、時代、著錄、篇卷、內容、性質、體例、價值、古今研究各方面都詳加探討，持論平實，引證綦詳。

一九九七年臺北頂淵文化公司出版了馬重奇的《爾雅漫談》。該書是《十三經漫談》叢書之一，全書共分九章，既闡明了《爾雅》的名義、作者及成書時代，又論述了《爾雅》的編撰方法和體例；既通說了《爾雅》的內容分類，反映了古代社會文化，又展示了《爾雅》的經學地位；既分析了《爾雅》的研究成果及其研究方法，又介紹了《爾雅》的版本問題。全面提供了歷代《爾雅》研究的概況，可與《爾雅導讀》相互參看。

一九九七年徐莉莉、詹鄞鑫合著的《爾雅──文詞的淵海》由上海古籍出版社出版。除了對《爾雅》其書及其影響作簡要的介紹外，主要是選取《爾雅》十九篇的部分內容分為一般詞語、親屬制度、宗教禮俗、工藝建築、天文曆法、地理、植物、動物八個專題加以解說，側重於文化史的探討。每章分原文、今譯、述評三部分，對普及方面頗為注意。

一九九九年，盧國屏的《爾雅語言文化學》由臺北臺灣學生書局出版。該書以宏觀的文化觀點，將語言文字學與文化學結合，重新詮釋了《爾雅》中的詞彙系統、宗族結構、工藝建築、音樂文化、天文

地理、植物與動物，不僅賦古典以新義，也顯示語言文化學是一個值得探討的新研究方向。

此外，訓詁學史、語言學史、小學史之類往往有專章通論《爾雅》，單篇論文涉及此一領域者為數更多，不贅。

（二）目錄類

林慶彰主編的《經學研究論著目錄》一至三輯，分別於一九八九、一九九九、二〇〇二年由臺北漢學研究中心出版，收集一九一二年迄一九九七年經學研究論著數萬篇，其中《爾雅》部分共計三五七篇，分通論、義例與釋例、注釋與翻譯、語言文字研究、各篇研究、札記、《爾雅》研究史，附《小爾雅》、《釋名》、《廣雅》等，各種論著都著錄書（篇）名、作者及出版項，頗便檢索。

竇秀豔的《中國雅學史》末附〈歷代雅學著述考目〉、〈一九五〇年以來雅學研究著作論文舉要〉，著錄之資料各逾五百種，性質與林書相同，唯依時間先後為序。

在專書方面，汪中文的《爾雅著述考（一）》，二〇〇三年由臺北國立編譯館出版，是《十三經著述考》之一，不論古今存佚，各種《爾雅》著作的作者、序跋例言、提要解題、考證論評、個人按語及其他概加著錄，略仿朱彝尊《經義考》體例，有助於辨章學術，考鏡源流。

（三）校勘類

清代校勘《爾雅》者不下十餘家，近代聲名最著者則為周祖謨的《爾雅校箋》三卷，一九八四年由南京江蘇教育出版社印行，二〇〇四年由昆明雲南人民出版社收入《二十世紀學術要籍》再版問世。該書以故宮的南宋監本《爾雅郭璞注》為底本，以敦煌所出唐寫本殘卷

二種等十種為輔本，徵引資料超過六十種。材料豐富，方法縝密。主
要成果為：訂傳本之譌字，補傳本之奪文，刪傳本之衍文，正傳本之
錯位，明古注之異同，闡郭注之條例，存佚籍之梗概，通古籍之音義
28
。

（四）釋例類

　　謝雲飛的《爾雅義訓釋例》，一九六九年由臺北華岡出版部出
版，凡八十八例，後附〈爾雅撰人考〉、〈爾雅之名義〉、〈爾雅之篇
卷〉、〈爾雅之著述〉，比陳玉澍的《爾雅釋例》（四十五例）、王國維
的〈爾雅草木蟲魚鳥獸釋例〉都要詳盡。然綱維不足，稍嫌瑣碎。高
師仲華又參酌諸家，兼陳己見，撰為〈爾雅辨例〉，初發表於一九七
四年《中華學苑》十三期，頁一至四十四，後收入《高明文輯》中
冊，由黎明文化公司出版，可謂集釋例之大成。此外，亦有研究《爾
雅》專書之釋例者，如蔡謀芳（1973）〈爾雅義疏指例〉。《臺灣師範
大學國文研究所集刊》十七集，頁一至五十二。方俊吉（1980）《爾
雅義疏釋例》。臺北市：文史哲出版社。

（五）注釋翻譯類

　　自古以來，《爾雅》研究以訓詁為大宗，然都以文言為之，到了
徐朝華的《爾雅今注》才開始使用語體文進行注釋。該書一九八七年
由天津南開大學出版社印行。除了便於普及外，該書還注意到甲文、
金文等地下文物及科學新知的運用，末附〈爾雅詞語筆畫索引〉，頗
具特色。
　　一九九九年胡奇光、方懷海的《爾雅譯注》，由上海古籍出版社

---

28 莊雅州：〈論二重證據法在爾雅研究上之運用〉（臺北市：臺灣師範大學主辦「國科
　　會中文學門小學類92-97研究成果發表會」論文，2010年），頁6-10。

印行。各篇除了題解及今注之外，並加上今譯，末附〈爾雅詞語筆畫索引〉，比起徐書，更便於青年學子閱讀。

二〇〇〇年吳榮爵、吳畏的《爾雅全譯》，由貴陽貴州人民出版社印行，為《中國歷代名著全譯叢書》之一。該書體例與胡書相仿，而注釋更加詳細，盡量引用歷代的注疏箋證作為佐證，多達七十七萬言，是迄今為止最為詳盡的今注今譯。

（六）資料彙編類

歷代考釋《爾雅》的資料浩如煙海，蒐集不易，湖北大學古籍所朱祖延因而發憤主持編纂了《爾雅詁林》四鉅冊，一千餘萬言，一九九六年由武漢湖北教育出版社出版。該書以《爾雅》經文條目為綱，纂次自漢迄今訓釋文字九十四種，根據原書剪貼影印，檢一條而諸訓皆存，尋一訓而原書可識，學者手此一編，考核異同，瞭若指掌，真是集歷代《爾雅》考釋之大成，可與丁福保的《說文解字詁林》相媲美。一九九九年該所又推出《爾雅詁林敘錄》上下編，上編為書目提要、序跋匯編，下編為研究專著輯錄、論文輯錄，凡一百五十萬言，重新排版，為學者之研究提供極大的便利。

（七）各篇研究類

《爾雅》文本十九篇，學者往往針對單篇進行研究，其方式極其自由，如：有加以新詮者，如于景讓（1963）〈鱺鮎鯉鯇——爾雅釋魚注〉。《大陸雜誌》二十七卷一期，頁一至八。有採取考證者，如郭沫若（1963）〈釋鳧雁醜〉。《郭沫若文集》第十七卷，北京市：人民出版社。有進行補正者，如芮逸夫（1950）〈爾雅釋親補正〉。《文史哲學報》一期，頁一〇一至一三六。有闡明體例者，如朱星（1996）〈爾雅釋詁三篇體例〉。《朱星古漢語論文選集》。臺北：洪葉文化事

業公司。有製成表解者，如徐德庵（1991）〈爾雅釋詁卷上表解〉。
《古代漢語論文集》。成都市：巴蜀書社。有從事論述者，如石磊
（1991）〈從爾雅釋親看我國古代親屬體系的演變〉。《中央研究院民
族學研究所集刊》第七十一期，頁六十三至八十五。大抵皆為單篇論
文或短篇札記，其綜貫古今，詳加發揮如李建誠（1992）《爾雅釋訓
研究》（中央大學中文所碩士論文）、王盈芳（2005）《爾雅釋親親屬
關係之文化詮釋》（淡江大學中國文學系碩士論文）者，誠不數數
遘，可見還有寬廣的揮灑空間。

（八）專題研究類

　　《爾雅》性質多元，方面遼闊，只要能找到一個適當的專題，都
有發揮的可能，今即以海峽兩岸的學位論文為例，如：丁忱（1985）
《爾雅毛傳異同考》，武漢市：武漢大學博士論文。盧國屏（1994）
《爾雅與毛傳之研究與比較》，臺北市：政治大學中國文學系博士論
文。詹文君（1997）《爾雅釋詁、釋言、釋訓同義詞研究》，中正大學
中國文學系碩士論文。王書輝（2001）《兩晉南北朝爾雅著述佚籍輯
考》，政治大學中國文學系博士論文。林義益（2002）《郝疏爾雅釋
詁、釋言、釋訓假音、假借字檢證》，中央大學中國文學系碩士論
文。李潤生（2002）《郝懿行爾雅義疏同族詞研究》，重慶市：西南師
範大學漢語言文字學專業研究生碩士論文。唐麗珍（2002）《爾雅方
言郭注研究》，南京市：南京師範大學漢語言文字學專業碩士論文。
柳菁（2003）《爾雅義疏通研究》，長沙市：湖南師範大學漢語言文字
學專業研究生碩士論文。于麗萍（2003）《爾雅義疏研究》，呼和浩特
市：內蒙古師範大學漢語言文字學專業研究生碩士論文。王小婷
（2004）《爾雅正義與爾雅義疏比較研究》，濟南市：山東大學中國古
典文獻學專業研究生碩士論文。胡海瓊（2004）《爾雅義疏同族詞研

究》，武漢市：華中科技大學語言學及應用語言學專業碩士論文。胡世文（2005）《黃侃手批爾雅義疏音訓研究》，長沙市：湖南師範大學漢語言文字學專業研究生碩士論文。賴雁蓉（2006）《爾雅與說文名物詞比較研究——以器用類、植物類、動物類為例》，中正大學中國文學系碩士論文。古佳峻（2007）《郝懿行爾雅義疏及其宮器二釋研究——以文化闡析為觀察重點》，淡江大學中國文學系碩士論文。

（九）經學史類

《爾雅》研究之歷史長達二千餘年，名家輩出，文獻浩繁，對其發展的歷程加以探討，實有其必要，但亦非易事。竇秀豔的《中國雅學史》是第一本貫串古今《爾雅》研究史的著作，二〇〇四年由濟南齊魯書社印行，是博士論文改寫而成的。該書將雅學史分為六個時期，將雅書分為廣雅、仿雅、注釋研究之作三大類。每個時期名家名作皆詳加析論，脈絡分明，內容充實，無論對經學史或雅學之研究皆頗有參考價值。

除此之外，斷代的研究有林師明波的《清代雅學考》，第一編《爾雅》類，一九六八年發表於臺北臺灣師範大學國文研究所印行的《慶祝高郵高仲華先生六秩誕辰論文集》，分為校勘、疏證、補正、文字、補箋、考釋、釋例、輯佚、音讀、雜著、擬雅十一類，著錄一三〇部著作，每部著作皆詳考其作者、內容及版本。第二篇《小爾雅》類，第三篇《廣雅》類，第四篇《方言》類，第五篇《釋名》類，一九六九年發表於臺北政治大學中國文學研究所出版的《慶祝瑞安林景伊先生六秩誕辰論文集》，共著錄八十九部著作。清代之雅學著作幾已網羅無遺。一九九七年盧國屏的《清代爾雅學》則係政治大學中國文學系的碩士論文，分章分節，對清代雅學之發展脈絡析論更為清楚。

近當代的《爾雅》研究史則有余培林的〈六十年來之爾雅學〉，

收入程師旨雲（發軔）主編，一九七二年臺北正中書局出版的《六十年來之國學》第一冊。胡錦賢的〈二十世紀爾雅學研究〉，二〇〇一年發表於北京大學《國學研究》第八卷，頁五〇一至五四一，紀磊的〈二十世紀爾雅研究文獻述論〉，頁一〇一至一一三，對現當代《爾雅》的研究也都提供不少珍貴的資訊。

四　結論

　　在儒家經典之中，《爾雅》是性質最為特殊的一本，從不同的角度考察，便呈現不同的面貌，就學術史的觀點來看，它是訓詁學的始祖、詞彙學的淵藪、詞典學的先河、百科全書的雛型、文化學的寶庫，其方面之廣，在先秦古籍中無有出其右者，所以在古代被人們奉為經典，鑽研弗替。即使在時代潮流激烈變化的現當代，這些價值仍然未曾稍減。因為它豐富的內涵已滲透到中華文化的許多層面，它多元的領域在學術研究日新月異的今日仍有繼續探討的空間。近六十年來，海峽兩岸研究《爾雅》的專書不下數十本，論文超過數百篇，在通論、目錄、校勘、釋例、注釋翻譯、資料彙編、各篇研究、專題研究、經學史各方面都有豐碩的成果，不僅注意到學術上的專精，也不忽略大眾的普及。只是與其他經典的研究相形之下，難免見絀，這就有賴於更多有志之士的投入了。

臺灣現當代（1945-2017）
《爾雅》學研究鳥瞰

一　通論類

　　二十世紀初葉，黃季剛先生的〈爾雅略說〉分八部分通論《爾雅》一書的書名、撰人、注家、研究史、參考書與其他典籍關係等問題，為近代《爾雅》學研究奠定基礎，影響極大。厥後，大陸踵繼而起的通論之作為數不少，其要者如：

> 陳晉《爾雅學》（太原市：山西大學教育學院，1935年）
> 駱鴻凱《爾雅論略》（長沙市：嶽麓學院，1985年）
> 顧廷龍、王世偉《爾雅導讀》（成都市：巴蜀書社，1990年）
> 管錫華《爾雅研究》（合肥市：安徽大學出版社，1996年）
> 胡錦賢《爾雅導讀》（武漢市：華中理工大學出版社，1997年）
> 林寒生《爾雅新探》（南昌市：百花洲文藝出版社，2006年）
> 馬重奇、李春曉《爾雅開講》（上海市：華東師範大學，2013年）

　　這類著作有系統地導引讀者了解《爾雅》、研究《爾雅》，有其重要性。但在臺灣，總論方面，潘師石禪的《爾雅學》是未曾印行的講

義；馬重奇的《爾雅導讀》是大陸學者的著作，也是《爾雅開講》的
初版；孔維寧的〈緒論篇〉則藏身於《爾雅古注輯考》之中。其餘散
見於國學概論、經學概論、訓詁學之類的，只是薄物小篇，還不足以
成為專書。在分論方面，高師仲華的〈爾雅之作者及其撰作之時代〉
依傍師說，更求詳盡，可惜引緒一端，未窺全豹。其餘，大陸學者胡
錦賢的〈論爾雅產生的時代背景〉、〈論爾雅篇目編次的名義〉，討論
《爾雅》的部分問題，應是《爾雅導讀》的一部分，在分論方面還是
大有分別探討的空間。

二　文獻學類

　　《爾雅》學源遠流長，族類孔多，內容龐雜，本身是十分重要的
古典文獻，所以與文獻學息息相關。不僅在決定研究的目標、充實研
究的材料時有賴於文獻學，即使為了熟悉研究方法、提升研究的水準
也脫離不了它。文獻學主要包含目錄、板本、校勘、辨偽、輯佚五方
面，清代的學者在這幾方面都著力甚深，大陸學者竇秀豔（2015）
《雅學文獻學研究》（北京市：中國社會科學出版社）曾擷取他們的
成果，做了綜合的研究。臺灣學界的成果多屬個別方面的探討。成績
最好的應數目錄學，林師明波的《清代雅學考》一至五篇對雅學書二
一九部做了詳細的著錄，頗便於按圖索驥。在現當代的《爾雅》學研
究，林慶彰、汪中文、余培林、劉文清、李隆獻等學者也都有書目協
助讀者檢索資料。在板本方面，大陸學者王世偉的〈爾雅板本考略〉
對十八種板本進行考述，可釐清《爾雅》板本類型和源流關係，大陸
學者馬重奇《爾雅漫談》第八章著錄了《爾雅》的經、注、疏、音義
的古版本三十九種，相當簡明，可以表現通論的功用。簡承禾的〈爾
雅單疏本概述〉對重要的單疏本進行多方面的考證，也頗有參考價

值。在校勘方面，故宮博物院曾印行南宋國子監本郭璞《爾雅注》，可惜沒有學者像大陸學者周祖謨那樣捷足先登，據為底本，詳加校勘。寫成《爾雅校箋》者。後來孔維寧的《爾雅古注輯考》曾以監本為底本，將古注一一打散，分別歸入《爾雅》每一條之下，進行綜合研究，但重點不全在校勘，而且也有失先機。諫侯的〈唐寫本郭璞爾雅注校記〉利用敦煌資料從事校勘，但臺灣的敦煌學者未見有繼起研究者。辨偽方面，只有翁世華〈郭璞爾雅音義釋疑〉考定郭書為贗鼎，其餘亦未見嗣音。輯佚方面，是孔維寧《爾雅古注輯考》的重點，也是王書輝《兩晉南北朝爾雅著述佚籍輯考》全力以赴的焦點，都有相當不錯的成績。陳鴻森的〈梁・沈旋爾雅集注考證〉雖僅鉤稽梁朝沈旋一家之書，卻考證綦詳，可補前人之不足。

三　語言文字學類

《爾雅》不僅為訓詁學之鼻祖，同時也下開文字學、方言學、詞源學的長流，是語言文字學最重要的經典，所有的《爾雅》著述多少都與語言文字學有關，此處但就其純度最高者言之。在文字學方面，清代學者研究《爾雅》無論解字形、釋音義、訂俗字，幾乎無不與《說文》相互參照，以形音義互相求。戴震曾撰《爾雅文字考》十卷，惜已亡佚，嚴元照的《爾雅匡名》、汪瑩的《爾雅正名》，重點皆在文字。臺灣在這方面，只有陳建雄的《爾雅多訓字考》、莊雅州的〈爾雅聯綿字淺探〉、蔡信發的〈段玉裁謂爾雅多俗字〉，寥寥數種。此外，莊斐喬的〈爾雅正名初探〉曾對汪瑩之書進行探究。近代，地下文獻不斷出土，提供了不少寶貴的資料，不過，臺灣學者只有偶爾採用，像大陸學者馮華（2006）《爾雅新證》（北京市：首都師範大學博士論文）那樣的專著則未之曾見。在聲韻學方面，臺灣也不够豐

碩，大陸學者馮蒸曾挹注了兩篇《爾雅音圖》所反映的五代、宋初語音的論文，幸有徐松君〈爾雅裏面的泰國語音〉提供了不同凡響的訊息，丁惟汾的〈爾雅古音表〉注明《爾雅》每字之古韻分部，給予研究者極大的方便。訓詁學方面，成績較為可觀，謝一民的《爾雅逐字解詁》逐字解說《爾雅・釋詁》中的訓詞與詁詞，一字不漏，十分詳盡，可惜未成完璧。丁惟汾的〈爾雅釋名〉即音求義、以義證音，多言初文、本字與通假，有助於《爾雅》聲韻、訓詁之探討。在今注今譯方面，先有大陸學者陳建初、胡世文、徐朝紅的《新譯爾雅讀本》，後有莊雅州、黃靜吟的《爾雅今注今譯》，都能兼顧學術與普及，頗便通讀，但比起大陸有：

> 徐朝華《爾雅今注》（天津市：南開大學出版社，1987年）
>
> 胡奇光、方懷海《爾雅譯注》（上海市：上海古籍出版社，1999年）
>
> 吳榮爵、吳畏《爾雅全譯》（貴陽市：貴州人民出版社，2000年）
>
> 郭郛《爾雅注證》（北京市：商務印書館，2013年）
>
> 管錫華《爾雅全注全譯》（北京市：中華書局，2014年）

在數量上未免略遜一籌。

四　釋例類

所謂釋例、條例或義例，是具有概括性的總原則，屬於較高層次的分析。以此為據，作者可以確定研究的範圍及方法，讀者可以更準確掌握全書的重點，足見其重要。《爾雅》的經、注、疏未嘗無例，

但散見全書，不成體系，到了清代末年，陳玉澍（1921）《爾雅釋例》（南京市：南京師範高等學校）始著稱於世，其書凡四十五例，堪稱細密。至謝雲飛的《爾雅義訓釋例》增為八十八例，更集前人之大成，但綱維不足，稍嫌瑣碎，高師仲華因而重加董理，撰為〈爾雅辨例〉，綱舉目張，使讀《爾雅》者得以探驪得珠。此外，遠滕光曉的〈爾雅的體例〉、大陸學者朱星的〈爾雅釋詁三篇體例〉亦屬具體而微。至於《爾雅》論著方面的釋例，有蔡謀芳的《爾雅義疏舉例》、方俊吉的《爾雅義疏釋例》、孔維寧的〈王國維爾雅草木蟲魚鳥獸名釋例研究〉皆有助於研讀郝懿行、王國維之論著。在《廣雅》、仿《雅》類，也有方俊吉的《廣雅疏證釋例》。相對於大陸，有楊樹達（1983）〈爾雅略例〉、〈釋名新略例〉（北京市：中華書局《積微居小學述林》）之後，只有趙伯義（1978）〈爾雅親宮器樂天地丘山水釋例〉、（1992）〈爾雅獸畜名釋例〉及（1997）〈論爾雅的編寫體例〉、陳重業（1994）〈爾雅草木蟲魚鳥獸釋例補正〉、鄧細南（1995）〈試論爾雅在訓詁體例和釋詞方式上的貢獻〉、李音好（1996）〈爾雅中的聲訓類型〉、方懷海（2001）〈論爾雅的語源訓釋條例及其方法論價值〉等短篇論著，釋例研究無疑是臺灣的一個強項。

五　單篇研究類

　　《爾雅》十九篇，依內容可分為五類：語言類、人際關係類、建築器物類、天文地理類、植物動物類。語言類〈釋詁〉、〈釋言〉、〈釋訓〉三篇，訓釋同義詞，有古語、今語、方言、雅言、疊字、連綿字等，是先秦詞彙的寶庫。香港學者郭鵬飛的博士論文《爾雅義訓研究》專門在研究〈釋詁〉，他在臺灣發表的三篇論文：〈爾雅「俾，使也；俾、使，從也」探析〉、〈爾雅釋詁「林、烝、天、帝、王、皇、

后、辟、公、侯，君也」探析〉、〈讀王引之經義述聞爾雅札記三則〉
也不出這個範圍。莊雅州的〈從爾雅釋言「曷，盍也」探討歷代訓詁
的演變〉由小見大，謝一民的《爾雅（釋詁）逐字解詁》、李建誠的
《爾雅釋訓研究》、詹文君的《爾雅釋詁釋言釋訓同訓詞研究》則是
長篇大論，作了地氈式的研究。人際關係類除了芮逸夫的〈爾雅釋親
補正〉、〈九族制與爾雅釋親〉、陳靜芳的〈爾雅釋親中親屬稱謂詞的
語義結構〉外，還有趙林的〈爾雅釋親與釋名釋親親屬稱謂體系之比
較研究〉、石磊的〈從爾雅到禮記──試論我國古代親屬體系的演
變〉、〈從爾雅釋親看我國古代親屬體系的演變〉、王盈芳的《爾雅釋
親親屬關係之文化詮釋》，從不同的角度探討〈釋親〉，各有可觀。建
築器物類只有李周龍的〈爾雅釋器所見古事考〉，天文地理類只有莊
雅州的〈爾雅釋天天文史料析論〉，成績都十分有限。植物動物類有
王富祥的〈爾雅草名今釋〉、施孝適的〈爾雅蟲魚名今釋〉，能運用現
代生物學知識，逐一考釋。于景讓身為生物學專家，其〈爾雅釋草的
葪蒢蕪與須葑蓯〉、〈鱧鮎鯉鯸──爾雅釋魚注一〉雖僅考釋少數動植
物，更是有其權威性。沈秋雄的〈爾雅木華草榮辨〉，雖僅一頁，卻
能提出獨特的看法。

六　專題研究類

專題研究本來可根據各種主題分成許多專題，但本論文只取研究
方法及文化學兩種，其餘都分散到各種不同類別之中。在研究方法方
面，莊雅州發表過三篇論文：〈論考釋爾雅草木蟲魚鳥獸之方法〉、
〈論二重證據法在爾雅研究上之運用〉、〈黃季剛先生爾雅研究方法述
評〉，在借重傳統的訓詁方法之餘，又兼採新知、新方法，同時能注
意到地下文獻的考釋與個案的研究，在海峽兩岸都不多見。此外，大

陸學者馬重奇《爾雅漫談》第九章〈爾雅的研究方法論〉提出分析
《爾雅》訓詁條例、《爾雅》與《說文》相互對照、《爾雅》與群雅的
對勘互證、熟悉《爾雅》學的研究書目四種方法，也頗有實用價值。
文化學方面，盧國屏的《爾雅語言文化學》，以宏觀的文化觀點，賦
古典以新義，他又指導了王盈芳的《爾雅釋親親屬關係之文化詮
釋》、古佳峻的《郝懿行爾雅義疏及其宮器二釋研究——以文化闡析
為觀察重點》、吳珮慈的《從爾雅釋獸、釋畜篇看中國古代牲畜文
化》、黃立楷的《釋名語言文化研究》及《從爾雅到釋名的社會演化
與文化發展》等多篇碩、博士論文。另外，陳芬祺也有《漢代詞書與
社會文化：由爾雅、方言與釋名觀察》，這些也是海峽兩岸《爾雅》
研究的亮點。

七　經學史類

大陸學者竇秀豔（2004）《中國雅學史》（濟南市：齊魯書社），
分別從雅學的出現、雅學的形成、雅學的成熟、雅學的進一步發展和
轉型，雅學的興盛、雅學由傳統向現代的轉變等方面闡述雅學發展的
歷史，這是海峽兩岸唯一的《爾雅》學通史。大陸學者馬重奇的《爾
雅漫談》第七章〈爾雅研究說略〉分五節介紹漢魏至清代的《爾雅》
學著作，六十家，庶幾近乎簡明的雅學史。除此之外，臺灣的雅學和
大陸一樣，也以斷代，甚至專家、專書的研究為主。通代方面，有孫
永忠的〈類書淵源諸說論析——以爾雅與呂氏春秋為範圍〉、林明昌
〈從爾雅到雅虎——文獻資料之分類與排序研究〉、賴貴三的〈爾雅
及郭璞注易學思想析論〉、楊薇的〈爾雅注釋文獻的衍生方式及特
點〉、〈爾雅注本文獻系列價值平議〉、郭濤的〈從爾雅到爾雅詁林〉，
或論《爾雅》與類書、易學思想乃至網路的關係，或論《爾雅》注釋

文獻的衍生、特點、價值等問題，都是短篇論文，難以統觀全局。在兩漢時期，陳鴻森的〈爾雅漢注補正〉，針對臧庸《爾雅漢注》補正了一五〇條，頗見功力。孔維寧《爾雅古注輯考・輯佚篇》以故宮景宋監本為底本，將清代學者所輯十四種古注全部打散，分別列入《爾雅》每一條經文之下，未必加案語，詳加考徵，雖未必能盡復古注舊貌，但對漢代《爾雅》學的精華也可得其髣髴了。魏晉南北朝時期，郭璞注是《爾雅》學的一個重點，但臺灣的短篇論文只有大陸學者李斐、楊薇的〈淺論爾雅郭璞注的文獻價值〉，倒是孔維寧的《爾雅古注輯考・考證篇》，以郭璞為分野，籠括其前古注五家六書，其後舊注七家，探討古注與郭注之關係及其價值，最能彰顯郭璞注在雅學史上的地位。王書輝的《兩晉南北朝爾雅著述佚籍輯考》，除在清儒輯佚的基礎上進行全面的校勘與檢討外，又增補佚籍八種中前人所未見的佚文一三二條，逐條進行考證，用力至勤，為兩晉南北朝雅學史增添不少新材料。唐宋時期，吳煥瑞有〈慧琳一切經音義引爾雅考〉臚列慧琳音義引《爾雅》三四一條，唯未加案語有所考證。大陸學者竇秀豔《雅學文獻學研究》有數章評述《經典釋文》、《五經正義》、《文選注》、《漢書注》、《後漢書注》等書之徵引雅學，更未見本地學者有所研究。尤其《經典釋文》中的〈序錄〉、〈爾雅音義〉是後人研究唐以前雅學發展的最重要史料，且有黃焯（2006）《經典釋文彙校》（北京市：中華書局）、趙少咸（2016）《經典釋文集說附箋殘卷》（北京市：中華書局）可供參考，應該還有進一步探討的空間。宋代部分，薛慧綺有《邢昺爾雅疏研究》、林協成有《陸佃及其爾雅學研究》、李建誠有〈邢昺爾雅疏與郭璞爾雅注、孔穎達五經正義之關係試論〉，只可惜鄭樵注未有研究專書，幸有大陸學者李岡的〈爾雅邢昺疏與鄭樵注比較研究〉可以見其大要。元明雅學不振，缺乏大家，臺灣也無人研究。清代是雅學的興盛期，早在五十年前，林師明波就發表了

〈清代雅學考〉，為清代雅學研究奠定了堅實的基礎，三十年前，盧國屏就寫出《清代雅學考》的碩士論文，但大陸直至二○一六年才有王其和的《清代雅學史》（北京市：中華書局），在這一方面，臺灣可說早著先鞭。清代的官書有不少雅學方面的資料，黃智明的〈古今圖書集成經籍典爾雅部的文獻價值〉、大陸學者柯亞莉、楊薇的〈四庫全書小學類爾雅類三題〉、陳鴻森的〈續修四庫全書總目提要經部辨證二〉，曾加以檢討。至於專家專書方面的研究，以邵晉涵的《爾雅正義》、郝懿行的《爾雅義疏》最受到重視，這與大陸的研究正相類似。邵晉涵的研究，有林良如的《邵晉涵文獻學探究》、李建誠的《邵晉涵爾雅正義研究》、莊雅州的〈論邵晉涵爾雅正義得失〉、林永強的《邵晉涵爾雅正義同族詞研究》。郝懿行的研究，有蔡謀芳的《爾雅義疏指例》、方俊吉的《爾雅義疏釋例》、陳鴻森的〈郝疏爾雅義疏商兌〉、大陸學者汪啟明的〈郝疏爾雅轉語表考〉、林義益的《郝疏爾雅釋詁、釋言、釋訓假音、假借字檢證》、古佳峻的《郝懿行爾雅義疏及其宮器二釋研究——以文化闡析為觀察重點》，從不同的角度探討清代這兩本《爾雅》學名著的內容與得失。其他專家的研究，則有王巧如《段玉裁說文解字注引爾雅考》、香港學者郭鵬飛的〈讀王引之經義述聞爾雅札記三則〉、賴貴三的〈焦循手批爾雅注疏鈔釋〉、〈焦循爾雅釋易說述評〉、大陸學者彭喜雙〈葉蕙心爾雅古注斠述評〉、〈上海圖書館藏陶方琦爾雅漢學證義考略〉、莊斐喬有〈爾雅正名初探〉。當然，清代的雅學大家輩出，佳作如林，無論目錄、疏證、補正、校勘、輯佚、普及、釋例等都有不少專著或札記，值得進一步去闡發。二十世紀初期，黃季剛先生是《爾雅》學向現代轉變發展的關鍵人物，由於教學的推波助瀾，章、黃學術蔚然成派，至少每十年就舉辦一次紀念研討會，發表的論文與《爾雅》學有關的為數不少，加上期刊、學位論文，討論黃季剛先生《爾雅》學的論文就更為

可觀。在臺灣只有李建誠的〈黃侃論邵晉涵爾雅正義篤守疏不破注說
商榷〉、陳冠佑的《黃侃手批爾雅義疏通轉術語研究》、莊雅州的〈黃
季剛先生爾雅研究方法述評〉寥寥數篇，相形之下，未免遜色。此
外，孔維寧有〈王國維爾雅草木蟲魚鳥獸名釋例研究〉、〈爾雅王氏
學〉，對另一位同期的大師總算注意到了。到了五〇年代以後，臺灣
《爾雅》研究只呈現在目錄類資料之中，莊雅州的〈爾雅的時代價值
及其在現當代的傳播〉，分類介紹海峽兩岸《爾雅》學的研究概況，
也只是舉要而言，不够全面。反觀大陸，有張清常的〈爾雅研究的回
顧與展望〉（《語言研究》1984年1期）、宛志文的〈爾雅研究的回顧與
前瞻〉（《辭書研究》1989年4期）、吳禮權的〈爾雅古今研究述評〉
（《古籍整理研究學刊》1993年5期）、胡錦賢（2001）的〈二十世紀
雅學研究〉（北京大學《國學研究》8卷）、管錫華的〈二十世紀的爾
雅研究〉（《辭書研究》2002年2期），可見大陸的學界對現當代的研究
毫不忽略。

八　比較研究類

　　比較研究一向是學術研究的基本方法，講求科際整合的現當代更
形重要。在雅學內部的比較方面，陳芬祺、黃立楷比較《爾雅》學詞
書以研究社會文化，已見上文（六）專題研究類；趙林比較《爾雅》
與《釋名》的〈釋親〉，已見（五）單篇研究類；大陸學者李岡比較
邢昺疏與鄭樵注已見（七）經學史類，不贅。在雅學外部的比較方
面，芮逸夫比較九族制與《爾雅‧釋親》，石磊比較《爾雅》與《禮
記》之親屬體系，李建誠比較邢昺疏與《五經正義》之關係，已見
（七）經學史類，亦不贅。此外，黃國禎的〈從禮記禮器觀到爾雅之
禮器觀〉以《禮記‧禮器》的天時、地財、鬼神、人心、萬物五個原

則與《爾雅》名物各篇進行比較。一九九四年，盧國屏的《爾雅與毛傳之研究與比較》，是臺灣六部《爾雅》學博士論文的第一部。收集二書相關訓例七七二條，以文字、訓釋、意義三大方向，進行縝密的比較考證，可以與大陸學者丁忱（1983）的《爾雅毛傳異同考》（武漢大學漢語史博士論文）參看。盧國屏另一篇短篇論文〈由字異訓異義同例看爾雅與毛傳之關係〉則由二書訓例之比較，以解決相關爭議。魏培泉的〈詩毛傳與爾雅釋詁等三篇之比較研究〉發現二書在訓解上頗有歧異，因而排除《韓詩》作為《爾雅》詩注來源的可能性。莊雅州的〈爾雅釋魚與說文魚部之比較研究〉，從材料、體例、價值三方面比較《爾雅》與《說文》的異同，影響了賴雁蓉的〈爾雅釋木與說文木部之比較研究〉、《爾雅與說文名物詞之比較研究——以器用類、植物類、動物類為例》、黃靜吟的〈爾雅與說文解字分類及釋義同異析論——以釋獸、釋畜兩篇為例〉，但賴作更為宏觀，黃作更為深刻。王世豪《說文解字與經典文獻常用字詞比較研究》曾針對《說文解字》與《爾雅》、〈釋詁〉、〈釋言〉、〈釋訓〉三篇進行比較。此外，康才媛的〈蓮荷字考辨——以爾雅、說文解字為例〉，小題大作，應更饒趣味。

九　《廣雅》、仿《雅》類

　　廣續《爾雅》的《小爾雅》、《廣雅》，仿擬《爾雅》的《方言》、《釋名》，明代的郎奎金將它們與《爾雅》一同納入《五雅》之中，是為廣義的《爾雅》學。本知見目錄中，此類論著共有五十四筆，占全部雅學論著的百分之二十九點八，分量不輕。在通考方面，有林師明波的《清代雅學考》第二至第五篇，共收錄廣雅、仿雅類論著八十九部，敘錄綦詳，林師景伊的《訓詁學概要‧訓詁學的根柢書籍》分

別介紹《五雅》的作者、內容、條例、重要著述，都為研究者提供不少重要的基本資料。在《小爾雅》方面，許老居的《小爾雅考釋》分七章，對此書的各種重要議題詳加考證，面面俱到，但僅此一篇，絕無嗣響，不像大陸，至少有三本碩士論文，二十餘篇期刊論文。在《方言》方面，丁介民的《方言考》從板本、論著兩方面敘論歷代《方言》的著作。李周龍《揚雄學案》〈子雲之著述〉一章廣續增補，益臻完備，其〈論方言中所見的小學成就〉一節亦頗能抉發《方言》的條例與價值。丁惟汾的〈方言譯〉旁徵博引，音義互證，又以方言、俚語作為佐證，為治學者別闢新途。韓國學者全廣鎮的〈方言的體例及其在漢語語言史上的地位〉，除探討《方言》的內容、體例及價值外，也論及其時代背景及其與《爾雅》的關係。李昭瑩的《揚雄方言同源詞研究——以秦晉方言和楚方言為例》，以最具代表性的秦晉方言和楚方言為例，探討《方言》同源詞的音韻對應現象，並討論此二種方言同源詞的特色及異同。陳素貞、高秋鳳的〈說文所見之方言研探〉，深入探討《說文》引用方言之標準、目的、價值，及其與揚雄《方言》之關係，而不似一般論文僅止於收錄成注釋。鮑國順的《戴震研究》評介戴震的《爾雅文字考》，《轉語》、《方言疏證》、《續方言》、〈書小爾雅後〉，以論《方言疏證》最詳。其實，除戴震外，（晉）郭璞的《方言注》、（清）錢繹的《方言箋疏》，杭世駿的《續方言》，現代章太炎先生的《新方言》也都值得研究，可惜臺灣學界未嘗留意於此。在《釋名》方面，胡楚生的《釋名考》開臺灣研究風氣之先，全書八章，對《釋名》的內容、價值、目錄、板本、校勘、輯佚等重點均無遺漏，尤其第八章〈釋名音訓類例〉十分縝密，更是重心所在。方俊吉的《釋名考釋》、《音訓與劉熙釋名》，分別從通論、音訓及內容的考釋進行研究，相當全面。李維棻的《釋名研究》探究《釋名》的條例、聲訓、複詞、文法，較偏重語言學的研

究。徐芳敏的《釋名研究》以系聯法窺測《釋名》聲訓之可信度，並追溯其歷史淵源，研究上亦有其特色。莊美琪的《釋名研究》也是通論性質，面面俱到。邱永琪的《畢沅生平及其小學研究》第八章考證畢沅的《釋名疏證》、《釋名補遺》、《續釋名》，旁及王先謙之補作。謝雲飛的〈釋名音訓疏證〉，將《釋名》二十七篇每一個音訓字注明上古聲紐、韻部，列成表格，頗便檢索。姚榮松的〈釋名聲訓探微〉，探討《釋名》聲訓的義例，分析其語音，探討其語意，以窺其精微。美國學者包擬古撰，竺家寧譯的〈釋名複聲母研究〉，專門探討複聲母在《釋名》中存在的形式。當時譯者正以《古漢語複聲母研究》為題，撰寫博士論文，如今已卓然成家了。何宗周的《釋名釋天繹》，查明《釋名·釋天》各名的性質及其涵義，說明被訓詞與聲訓詞的古聲韻關係。黃立楷的《釋名語言文化研究》，以語言文化學的觀點重新建構出劉熙《釋名》所呈現的人文世界，包含：自然天地、生命與人際互動、民生基本需求、器物與教化四大部分，逐一闡明其文化意涵。江敏華的〈說文、釋名中所反映的漢代方言現象〉，從《說文》及《釋名》所引用的方言材料中尋繹出漢語的同源詞，考察古代音韻變遷與方音分化的情形。李振興的〈釋名研究述略〉，將古今《釋名》研究論著打散，重新組合成六大項，參考取閱，十分方便。在《廣雅》部分，共有十四筆，占廣雅仿雅類的百分之二十五點九二，與《釋名》數量相近，其中與王念孫《廣雅疏證》有關者占十二筆，足見王書之重要，這與大陸的研究情形也相仿。梁春華的《廣雅考》、金朱慶的《廣雅研究》同屬通論性質。梁書通論作者、版本、內容價值、訓詁條例、著述；金書通論成書、版本、研究文獻、內容（詞彙、人文、自然環境、生物），並歸納其訓詁、語言、文化等價值，二書重點不盡相同。張文彬的《高郵王氏父子學記》，著錄王氏父子雅學著述五種，以《廣雅疏證》最為詳盡，並考訂其書經始

於乾隆五十二年，截稿於六十年（1787-1795），歷時八年。鍾哲宇〈論廣雅疏證資料取證之校勘方法〉，探討王氏以「諸書無訓」為校勘之立論基礎，其校勘方法則側重取證於《方言》、《說文》、《玉篇》、《廣韻》、《集韻》等書。方俊吉的《廣雅疏證釋例》為臺灣第一本《爾雅》學碩士論文，分：王氏明《廣雅》之體例、王氏自明《疏證》之體系，王氏《疏證》之體例、王氏《疏證》用語例、其他例，綱舉目張、剖析入微。韓國學者崔南圭的《由王氏疏證研究廣雅聯綿詞》，先為《廣雅》作聯綿詞譜，再由《廣雅疏證》看王念孫對聯綿詞的看法及其聲訓理論的檢討。是本目錄中唯一的聯綿詞專著，比莊雅州的〈爾雅聯綿字淺探〉詳細許多。趙中方的〈廣雅疏證與漢語詞族研究〉、徐興海的〈從廣雅疏證看王念孫的詞群研究〉篇名雖有詞族（齊佩瑢說）、詞群（周法高說）的不同，其實都是在推崇《廣雅疏證》對同源詞研究的貢獻。趙文強調王氏明義類、明類比、明語源的方法，徐文則強調王氏由聲音通訓詁，由聲訓進行同源詞的研究。張顯成的〈廣雅疏證同源詞研究評介〉、翁蕙芳的〈廣雅疏證同源詞研究述評〉都是在評介胡繼明的《廣雅疏證同源詞研究》一書，角度各有不同。其實，清代學者除了王念孫外，段玉裁的《說文解字注》、邵晉涵的《爾雅正義》、郝懿行的《爾雅義疏》、錢繹的《方言箋疏》，王先謙的《釋名疏證補》對同源詞的研究也都各有貢獻，臺灣只有林永強寫過《邵晉涵爾雅正義同族詞研究》，其餘《爾雅》學的同源詞研究都迄無專書。張意霞的《王念孫廣雅疏證訓詁術語研究》、大陸學者李福言的《廣雅疏證音義關係術語略考》，都是在研究《廣雅疏證》訓詁術語的博士論文。張書側重尋求各訓詁術語的使用條件與涵義，異同與關聯；李書則將焦點集中於聲訓的「一聲之轉」、「之言」、「聲近義同」、「猶」四個術語，進行計量與考據研究，不僅可以看出二書的異同，也可略窺海峽兩岸相輔相成的關係。陳師

伯元的〈王念孫廣雅釋詁疏證訓詁術語一聲之轉索解〉，專取《廣雅疏證》〈釋詁〉四卷中一○六條「一聲之轉」立論，發現大多數均為雙聲相轉，然亦偶有疊韻相轉者，有助於研讀古書。宋代仿雅之書以陸佃《埤雅》、羅願的《爾雅翼》兩部博物類的專書最有名，但在臺灣只有莊斐喬發表過〈埤雅釋天析論〉、〈埤雅爾雅翼異同論〉、〈爾雅翼引語言文字學書考〉，莊雅州發表過〈羅願及其爾雅翼〉、〈羅願爾雅翼平議〉。大陸則有王敏紅（杭州市：浙江大學，2008年）、石雲孫（合肥市：黃山書社，2013年）的點校本，發表過的論文至少數十篇，還有繼續探討的空間。清代仿雅之作，臺灣較專精研究的有兩位學者，一位是方麗娜，寫過〈方以智通雅謎語述評──兼談聯綿詞典的編集〉、〈吳玉搢別雅研究──兼談通假字與假借字、古今字的相互關係〉、〈史夢蘭疊雅述評──兼談重疊式構詞法的特色〉、〈洪亮吉比雅述評──兼談類比釋義的原則及其語義之間的關係〉，除了述評這些仿雅之書外，也連帶探討了通假字、聯綿詞、疊字、類比釋義等相關議題，其中的《疊雅》，大陸學者蕭惠蘭也曾發表過〈疊雅論繹〉。另一位是劉雅芬，專攻朱駿聲《說雅》，曾寫過〈朱駿聲說雅釋詁近義詞分合觀初探〉，並以語義場理論分析《說雅》中的言語類動詞、知道類動詞、新增近義詞的「擾亂義」、「使從義」，輯成《承繼與開創──朱駿聲說雅詞義研究》，即將由洪葉文化事業公司印行，她的研究焦點相當集中，成績頗有可觀，但就語義場研究而言，還有繼續拓展的空間。她又有〈說文解字‧心部情緒類心理動詞語義場析論──以憂痛類為例〉一文，正顯示具有這種企圖。廖逸廷《方以智通雅同族詞研究》專攻《通雅》的同族詞，也有很好的成績。竇秀豔《中國雅學史》及王其和《清代雅學史》介紹的唐、宋、元、明、清仿雅著作不下數十種，在海峽兩岸多是未經開發的處女地，有志之士不妨留意採擷。

輯四　尚書、左傳之屬

〈大禹謨〉辨偽

　　《尚書》傳本，以梅賾所獻，最為晚出（姚方興、劉炫所奏〈舜典〉本，薄物小篇，可併梅本，略不計），倖立學官，通行亦最廣，千年尊信，絕無異詞。逮夫趙宋之吳才老、朱晦庵，元明之吳草廬、梅鳴岐，始稍疑之，有清一代，漢學中興，學者博贍貫通，無徵不信，閻百詩積半生之力，燃犀燭怪於前，惠定宇、程啟生、崔東壁、王鳳喈等繼之而起，摧陷廓清於後，晚書偽跡，無復遁形，亙古公案，於焉定讞。惜乎諸家之作，多通辨全書，其懸軍深入，專論單篇者，邈焉罕覯，今即以〈大禹謨〉為例，博采眾說，以辨其偽，蓋亦由小見大之意云爾：

一　由取材辨之

　　作偽之道，絕難憑空捏造，必雜采載籍，模仿剽竊，改頭換面，以取信於人，誠能考覈舊文，盡發其贓，縱有百口，終難自白，閻百詩《尚書古文疏證》三十三條有云：「〈大禹謨〉句句有本」，目錄雖存，原文已佚，惠定宇《古文尚書考》下卷將梅本二十五篇剽竊模仿文句，一一注明其來源，可補閻氏之缺而猶未盡完備，今復補苴通貫，分述如左：

　　（一）仿襲今文：伏生今文，崇奧難讀，在古籍中，頗具特色，偽書作者，自不能不步趨效顰，如「曰若稽古大禹」、「帝曰：格汝禹，朕宅帝位三十有三載」、「汝作士，明于五刑，以弼五教」、「正月

朔旦，舜命于神宗，率百官若帝之初」，仿〈堯典〉也；「時乃功」、「禹拜昌言曰俞」，襲〈皋陶謨〉也；「敷于四海」，約〈禹貢〉也；「黎民敏德」，勸〈康誥〉也；「民協于中」，效〈呂刑〉也。

（二）勦取逸書：古書三千，斷遠取近，百二十篇，今文所存，僅得廿八，其餘散在群籍，猶有吉光片羽可尋，如見之於《左傳》者有「戒之用休，董之用威，勸之以九歌，俾勿壞」、「地平天成」、「皋陶邁種德，德乃降」、「念茲在茲」、「成允成功」、「與其殺不辜，寧失不經」、「官占惟克蔽志，昆命于元龜」；見之於《國語》者有「眾非元后何戴，后非眾罔與守邦」；見之於《孟子》者有「祗載見瞽瞍，夔夔齋慄，瞽亦允若」、「降水儆余」，見之於《戰國策》者有「任賢勿貳，去邦勿疑」；見之於《呂覽》者有「帝德廣運，乃聖乃神，乃武乃文」；見之於《後漢書》者有「無怠無荒」，若斯之比，梅書莫不擷摭囊括，罕有所遺（詳見方書林〈漢以前的尚書〉）。程啟生《晚書訂疑》云：「夫《書》有百篇，除伏孔所得，其逸者尚四十二篇，今書傳所引皆在二十五篇，而無在四十二篇者何也？且先秦以前書傳不存者多矣，何以引二十五篇者則皆存，而不引者則皆亡也？」可謂一針見血矣！

（三）采摘群籍：《今文尚書》及《逸書》，素材有限，於是梅書又網羅古籍，刻意採摭組織，始克成篇，其采自《易傳》者如「萬邦咸寧」、「滿招損，謙受益，時乃天道」：采自《詩經》者如「野無遺賢」、「奄有九有」、「用戒不虞」、「君子在野，小人在位」、「惟德動天，無遠弗屆」；采自《論語》者如「后克艱厥后，臣克艱厥臣」、「臨下以簡，御眾以寬」、「天之歷數在汝躬」、「允執厥中」、「四海困窮，天祿永終」；采自《墨子》者如「惟口出好興戎」、「濟濟有眾，咸聽朕命」；采自《孟子》者如「舍己從人」、「無告」、「罰弗及嗣，賞延于世」；采自《荀子》者如「俾予從欲以治」、「汝惟不矜，天下

莫與汝爭能；汝惟不伐，天下莫與汝爭功」、「人心惟危，道心惟微，惟精惟一」、「無稽之言勿聽，弗詢之謀勿庸」；采自《商鞅書》者如「刑期于無刑」；采自《尸子》者如「惠迪吉，從逆凶，惟影響」；采自《左傳》者如「罔咈百姓以從己之欲」、「禹曰：於帝念哉！惟德善政，水火金木土穀惟修，正德利用厚生惟和」、「枚卜」、「卜不習吉」、「振振」；采自《國語》者如「肆予以爾眾士奉辭伐罪」；采自《禮記》者如「疑謀勿成」、「耄期」；采自《淮南子》者如「舞干羽于兩階」；采自《論衡》者如「宥過無大，刑故無小。」

二　就文辭考之

修辭立其誠，作偽者既無著者之聖，復乏述者之賢，雖極意彌縫，堂皇可觀，然百密一疏，自露破綻者亦復不少，如先秦「影」皆作「景」，見《淮南子》高誘注，而梅書「惟影響」于虞夏之書用漢末俗字，此不識古字也；其於《逸書》，「不」皆改作「弗」，「無」皆改作「罔」，字法雖本伏書，不過故為詰曲聱牙，中則枵然無有，此強作古辭也；《孟子》引書曰：「洚水警予」，洚讀為洪，〈禹謨〉改作「降水」，〈堯典〉曰：「往哉汝諧」，謂令其數人偕往，〈禹謨〉效顰作「惟汝諧」，此誤解古書也；「『皋陶邁種德』，德乃降。」見《左傳・莊公八年》，德乃降為莊公之語，謂有德者乃為人所降服也，偽書并竄入經文中，六府三事見《左傳・文公七年》，是郤缺釋《書》之辭，偽書乃取其文盡入大禹之口，此誤引載籍也；「文命」本大禹之號，竟連下文「敷于四海」為讀，成史臣贊頌之辭，此不知帝王之休稱鴻號也；「堯曰：咨爾舜」一段本以躬中窮終協韻，竟任意增竄，致辭費意重，此大乖古人以韻成文之體也。

以上猶屬片言隻字之瑕疵，至其行文，尤為印板雜亂，迥異今

文，王充耘云：「〈堯典〉、〈舜典〉，雖紀事不一，而先後布置皆有次序，〈皋陶〉、〈益稷〉雖各自陳說，而首尾答問，一一相照，獨〈禹謨〉一篇，雜亂無序。」(《讀書管見》) 如起首「曰若稽古大禹，曰文命敷于四海，祗承于帝。」與〈舜典〉二十八字皆依〈堯典〉篇首之文而仿襲之，不知古人斷無如此印板文字，〈皋陶謨〉篇首固亦有「曰若稽古」四字，而其義例已自不同，如果有〈舜典〉、〈禹謨〉，其文亦必各自不同。其下「曰后克艱厥后」數語上無所承，「益曰：都，帝德廣運」數語下無所對，「襲于眾」以下每句意緒皆不貫串，「無稽之言勿聽」以下雜寫格言，亦皆無根而發，諸如此類，不一而足，蓋雜采諸書輯而成之，自難以貫串銜接也。

三　從文體覈之

一時有一時之體，一書有一書之式，故《易》、《書》、《詩》、《禮》、《春秋》各不同體，典謨訓誥誓命互不同式。謨者，謀也，君臣之間各抒嘉謀嘉猷，共承天休者也，純乎紀言，與其他五體有別。然〈禹謨〉一篇，極其龐雜，王充耘曰：「其間只如益贊堯一段，安得為謨？舜讓禹一段，當名之以典，禹征苗一段，當名之以誓，今皆混而一，名之曰謨，殊與餘篇體製不類。」(《讀書管見》) 尤有進者，縱使〈禹謨〉合乎體式，以《書序》觀之，亦殊有可疑，《書序》云：「皋陶失厥謀，禹成厥功，帝舜申之，作〈大禹〉、〈皋陶謨〉、〈益稷〉。」凡皋陶語帝舜之辭及禹稷之事，無不具於〈皋陶謨〉中，故宋于庭《尚書譜》疑孔子時惟有〈堯典〉、〈皋陶謨〉二篇，而〈舜典〉、〈大禹謨〉、〈益稷〉即具於是，未始別出三篇，劉申受《書序述聞》亦謂此即一謨三序，非三篇同序 (段若膺《古文尚書撰異》謂大禹之下脫一謨字，未諦)，《書序》之時代固然異說紛紜，

要不出炎漢之後，則先秦必無〈大禹謨〉，亦已明矣！

先秦駢散不分，當駢則駢，當散則散，純任自然，群經諸子無一不可為證，而〈禹謨〉則詞筆庸弱，排偶獨多，吳北江《尚書大義》嘗舉其四言句之不似古語者，如「不虐無告，不廢困窮」、「可愛非君，可畏非民」、「四方風動」、「不自滿假」……其排偶對仗之句，如「罔違道以干百姓之譽，罔咈百姓以從己之欲」、「眾非元后何戴？后非民罔與守四方」……多達數十條，則其不脫六朝習染亦從可見矣！且其書雖刻意仿襲今文，與伏書風格仍相去甚遠，吳才老《書裨傳》謂其「文從字順，非若伏生之書，詰屈聱牙，至有不可讀者。」吳草廬《書纂言》亦云：「平緩卑弱，殊不類先漢以前之文，夫千年古書，最晚乃出，乃字畫略無脫誤，文勢略無齟齬，不亦大可疑乎？」孰為今文，孰為古文，一讀立辨，贗之不可為真，有如此者，此則時代使然，無可奈何者也。

四　準情理斷之

舜、禹、皋陶、益、稷莫非聖賢，其行有度，其言敦厚，一動一靜，咸足為後人榘範，而〈禹謨〉一篇，諛頌之聲綿綿不絕，如益諛帝以「乃聖乃神，乃武乃文」，皋陶亦媚帝以「好生之德，洽于民心」，帝則譽皋陶「明于五刑，期于予治」，又贊禹：「汝惟不矜，天下莫與汝爭能；汝惟不伐，天下莫與汝爭功。」下之諛上，已甚無謂，帝之譽皋陶，亦可不必，倘以皋陶不得禪位，而善言慰之，誠不免野老之見；至帝贊禹一段，直是魏晉間禪代九錫之文，更是違情悖理，雖在澆世君子，且不屑為，況古之聖賢乎？

〈禹謨〉中，言之不得體者不止乎此，如帝舜終身勤勞，陟方而死，而益乃箴戒以「罔遊于逸，罔淫于樂」，帝亦自云：「耄期倦于

勤」，皆不類聖賢之言。又如禪讓大事，非可以私意為之，而禹曰：
「枚卜功臣，惟吉之從。」帝曰：「朕志先定，詢謀僉同。」禹則以
天下為兒戲，帝則似後世專制帝王口吻，亦皆非此文所宜用也。其最
為荒謬者，莫過於益徑稱帝舜之父為瞽瞍，且比諸流竄分北之有苗，
厚誣古人，一至於此，豈非天奪之鑒，祗其魄，其不足以服天下心，
杜後世口，固矣！

五　依史實駁之

〈禹謨〉言事雜糅，其紀事者以征苗、禪讓為大端，揆之古史，
並有可疑。征苗之事前賢之說備矣！伏書言三苗無道，唐虞經理之者
不一而足，獨無舜世命禹征苗之記載，《史記‧禹本紀》、《漢書‧刑
法志》亦不及之，一也；舜既敷文德六十餘年，且耄期倦勤，自當四
海昇平，何復徂征為？二也；禹既受命于神宗，豈宜舍朝廷之事而親
征有苗，且王者之師未能料敵慮勝，預知苗民之逆命，挫天威於絕
遠，至於引過以退，講求文德，抑何見之晚，三也；使苗而干羽可
格，亦不至於逆命，舜久敷文德，卒不能感苗，禹七旬之間，有苗遽
格，豈不謬哉？四也；偽書既稱有苗格，何〈皋陶謨〉猶云：「苗頑
弗即功」乎？五也；《荀子》曰：「誥誓不及五帝」，《墨子‧兼愛篇》
始載禹誓，是誓始於夏，虞時未有也，偽古文〈虞書〉有之，顯然與
先儒相悖，六也。是舜世命禹征苗，必無其事，蓋已成定論矣！

至禪讓之事，千古傳為美談，而崔東壁亦不以為然，其言曰：
「以天下授人，千古之大事也。堯之授舜也，言之詳，詞之累，舜果
亦以天下授禹，何得終舜之身略之而不記乎？典者，所以記事也，謨
者，所以載言也，舜嘗授禹以天下，其事當載於典，不當載於謨明
矣！今典反不言而謨反有之，然則是偽撰《尚書》者習於世俗所傳舜

禪於禹之言，而采摘傳記諸子之文以補之耳，烏足為據也哉？」（〈唐虞考信錄〉）閻百詩亦云：「五臣之中，禹為最，稷契次之，皋陶次之，益又次之，此定評也……胡舜欲薦禹於天，禹諄諄然皋陶是讓，而并不復及稷契焉，何哉？」（《尚書古文疏證》五十七條）三代之世，事簡文略，典籍湮滅，徵稽為艱，禪讓之事雖未必不可信，要〈禹謨〉所載，未盡圓融，則無可疑也。

此外，禹告舜之詞有九歌之說，然《離騷》云：「啟九辨與九歌」，〈天問〉云：「啟棘賓商九辨九歌」，則九歌乃啟樂，虞時不當有也；帝告禹之詞亦有龜筮之說，然筮必六十四而後可為，舜禹之際曰「龜筮協從」，則何文王重卦之有乎？是亦皆與史實不合。

六　自思想析之

十六字心傳，宋儒頻首交贊，挹之不盡，閻百詩亦推為造語精密，而黃黎洲則抨為理學之蠹，其《南雷文定‧尚書古文疏證‧序》云：「人心道心，正是荀子性惡宗旨，惟危者，以言乎性之惡，惟微者，此理散殊，無有形象，必擇之至精，而後始與我一，故矯飾之論生焉，後之儒者，於是以心之所有，唯此知覺，理則在於天地萬物，窮天地萬物之理，以合我心之知覺，而後謂之道，皆為人心道心之說所誤也。」惠定宇亦謂義多疏漏，蓋人心道心，出自《荀子‧解蔽篇》所引《道經》，自與荀卿學說相近，而與孔孟之說為遠，其不合於禹舜之旨，實不待言，且《荀子》引書，一概冠以「書曰」，此獨云《道經》，使《荀子》得見〈大禹謨〉，何不逕引十六字，而必稱引《道經》，其非《古文尚書》所本有，不益明乎？

晚書道字屢見，〈大禹謨〉且道德並稱，以先秦思想之演進覈之，殊有牴牾，程啟生《晚書訂疑》云：「道德二字，德字最古，唐

虞而前即有之，道字後起，且在春秋以上，亦無道理道法之解……至於道德並稱，尤屬後起，而天道二字，更不常見，《詩》、《書》言天命在在皆是，未有言天道者，晚書極多道字，俱作道理道法解，而〈大禹謨〉且道德並稱，又有天道之說，他篇亦多有之。」又，帝舜告皋陶，有「刑期于無刑」之說，尤與儒家德治思想大相逕庭，惠定宇《古文尚書考》云：「所謂刑期于無刑者，特法立誅必而然，乃申商之學，非堯舜之治也。」使〈禹謨〉確為上古文獻，思想必不致駁雜混亂一至於此，然則梅書之為偽造，灼然無可復辨，雖有毛西河之流千百，亦無以翻案矣！

《左傳》史論

弁言

　　左氏以不世出之才，為《春秋》作傳，但據事直書，已足見意，胡為而復有史論之撰乎？蓋古之史官，左記言，右記事，徒事而無言，猶不足以為全史也。左氏既躬為太史，博覽群書，於善惡之跡，已刪取盡致矣；於名言讜論，又愛而弗捐。益以懼微言之墜地，亟須有闡論以垂後世；傷九域之騷然，焉能不借杯以澆塊壘？故依經辯理、指事褒貶之意乙乙而難禁。而邁世閔凶，人心叵測，又不能不微其文、隱其義，旁擊側映、茹鬱吞吐以出之。是以其汪洋閎麗，誠有如杜元凱所云：「其文緩，其旨遠。將令學者原始要終，尋其枝葉，究其所窮，優而柔之，使自求之，厭而飫之，使自趨之。若江海之浸，膏澤之潤，渙然冰釋，怡然理順，然後為得也。」（〈春秋序〉）嗚呼！左氏之史論，其撰述如此其難也，其含蘊如此其深也，先賢之鑽仰效則，不亦宜乎？後世之撼搖抵排，不亦宜乎？予既好左氏之三長，尤喜其析理之不流於穿鑿，因略加蠡測，撰為斯篇，豈足以窺其萬一，聊志景慕之意云爾。

一　方式

　　林琴南《左傳擷華・序》云：「左氏之文，無所不能，時時變其行陣，使望陣者莫審其陣圖之所自出。」其敘事固如淡煙輕雲，縹緲

無跡，其發論亦變化陸離，莫可端倪。世人囿於後世史書，常僅以「君子曰」為左氏史論，是猶駑將死抱兵書，以觀魚麗、八卦，其不目眩耳鳴者幾希，又如金兵窮追大纛，不知岳武穆已雜偏裨而行矣！

（一）正論

西楚霸王歷經百戰，莫不身居士卒之前；諸葛武侯六出祁山，僅有運籌帷幄之中，此公穀與左氏之所由分也。左氏除非空城無兵，絕不輕易露面，如「公及邾儀父盟于蔑，邾子克也。未王命，故不書爵。曰儀父，貴之也。公攝位而欲求好於邾，故為蔑之盟。」（〈隱公元年傳〉）僅限於闡釋經文，如「楚屈建卒，趙文子喪之如同盟，禮也。」（〈襄公二十八年傳〉）雖於闡釋中稍帶論斷意味，然虛晃一槍，掉頭即走，至如「公及齊侯平莒及郯，莒人不肯，公伐莒，取向，非禮也。平國以禮不以亂，伐而不治，亂也，以亂平亂，何治之有？無治，何以行禮？」（〈宣公四年傳〉）於斷語後大發議論，誠不數數觀，視乎公穀之字字解經，句句發論，其手法固迥然有別也。曾文正公云：「《書經》、《左傳》，每一篇空處較多，實處較少，旁面較多，正面較少。」（〈己未八月日記〉）吾於左氏史論亦云然。

（二）側論

1 引聖賢評論

聖賢見道深遠，宅心篤厚，發為議論，輒能中其肯綮，垂範後昆。故莊生屢稱重言，以明義理，左氏亦時引讜論，以見是非。《左傳》一書，有引時人之論者，如哀公十一年，汪錡殉國，孔子曰：「能執干戈以衛社稷，可無殤也。」亦有引後人之論者，如宣公二年，董狐直書趙盾弒其君，孔子曰：「董狐，古之良史也，書法不

隱。」有引當事人之論者，如〈僖公二十四年〉，臧哀伯諫納鼎，周內史聞之曰：「臧孫達其有後於魯乎！君違，不忘諫之以德。」有聖賢主動發論者，如成公二年，仲於眾仲曰：「衛州吁其成乎？」對曰：「……必不免矣！」若斯之比，以情度之，未必句句實錄，以理覈之，無不品藻合宜，加以文情旁溢，通體常為之俱振，宜乎吳北江譽之曰：「左氏於事之論斷，每借他人口中言之，不另起波瀾，最是全書勝處。」(《左傳微》)

2 藉君子發論

劉子玄云：「《春秋左氏傳》，每有發論，假君子以稱之。」(《史通‧論贊篇》)其中以「君子曰」最為常見，如〈莊公十九〉年：「君子曰，鬻拳可謂愛其君矣！」宣公二年：「君子曰，失禮違命，宜其為禽也。」皆是。餘如〈莊公十七年〉：「君子謂強鉏不能衛其足。」文公三年：「君子是以知秦穆公之為君也，舉人之周也，與人之壹也。」〈莊公六年〉：「君子以二公子之立黔牟為不度矣！」〈文公二年〉：「君子以為失禮。」雖易「曰」為「謂」，為「是以知」、為「以……為」、為「以為」，其實無殊也。

左氏所謂君子，究指何人，此則言人人殊，歸納前說，不外三派：

（1）孔子說：司馬貞云：「君子者，左丘明所為史評，仲尼之詞，指仲尼為君子也。」(《史記‧吳世家索隱》)，孔穎達亦云：「丘明為傳，所以寫仲尼之意，凡所改易，皆是仲尼。」(〈僖公二十二年〉《左傳注疏》)

（2）當時君子說：張照云：「其謂君子曰者，是記當時之君子有此語耳，或以為邱明自謂，或以君子為孔子，皆未達左氏之義也。」(《史記‧吳世家會注考證》引)竹添光鴻亦云：「《左傳》稱君子曰，多是採取當時所謂君子者之言也，或以為左氏論斷之語，失

之。」(《左傳會箋》隱公元年)

（3）左丘明說：《北史‧王劭傳》：「劭上書曰：『叔向戮叔魚，仲尼謂之遺直，石碏殺子厚，邱明以為大義。』」，又，〈魏澹傳〉：「邱明亞聖之才，發揚聖旨，言君子曰者，無非甚泰其間，尋常直言而已。」

以《左傳》本文證之，三說皆不為無據，必拘執一曲之見，則並有反證可駁，說詳張以仁〈關於左傳君子曰的一些問題〉(《孔孟月刊》第3卷第3期)，茲不贅。大抵前二說近於引聖賢評論，後一說無異乎作者正面發論，特一概冠以「君子」之面具，故撲朔迷離，難辨真相耳。

二　作用

（一）申大義

司馬子長云：「孔子論《史記》，次《春秋》，七十子之徒，口受其傳，魯君子左丘明懼弟子各安其意，而失其真，故具其語成《左氏春秋》。」(《史記‧十二諸侯年表序》)左氏親受筆削之旨，以事解經，猶懼微言大義不足以曝白於後世，故不憚詞費，時加論斷，庶幾乎聖人之意可以纖毫無失矣！如〈文公二年〉經云：「八月丁卯，大事于大廟，躋僖公。」左氏既錄夏父弗忌媚君之說，又藉君子之口，引先王、引詩頌，層層批駁，而結之以仲尼之斷語，洋洋灑灑，暢所欲言，無非如《左傳會箋》所云：「皆發明經文躋字之義。」又如〈僖公二十八年傳〉：「仲尼曰：以臣召君，不可以訓。故書曰：天王狩于河陽，言非其地也。」亦無非闡發經文大義，而明其褒貶之意耳。

（二）辨疑惑

左氏廣記舊史，固足明經，而時過境遷，禮法嬗遞，後人安得瞭然無疑？是以左氏於人物之臧否、是非之辨析，有不能已於言者。劉子玄云：「夫論者，所以辯疑惑、釋疑滯，若愚智共了，固無俟商榷，邱明君子曰者，其義實在於斯。」（《史通・論贊篇》）誠為知言，然以子玄之精詣經史，於《春秋》猶有未喻者十二（《史通・惑經篇》），設使左氏當時一無申論，其惑殆不止於此，況他人乎？如哀姜外淫禍國，孫遁於齊，魯人不能討，齊侯殺之，歸其喪於魯，讀者焉有不撫掌稱快之理？殊不知女子有三從之義，在夫家有罪，既非父母家所宜討，更不在侯伯討罪權限之內，故《左氏傳》云：「君子以齊人殺哀姜為已甚矣！女子從人者也。」（〈僖公元年〉）然後討罪之分限可明，而讀者不致陷於只知其一，不知其二之困境矣！

（三）補殘闕

《史通・論贊篇》云：「史之有論也，蓋欲事無重出，文省可知。」左氏史論常別加他語，以補經傳，雖片言如約，而諸義甚備，其精練之手法，實開後世史家無數法門也。如〈文公二年傳〉云：「仲尼曰：『臧文仲其不仁者三，不知者三。下展禽，廢六關，妾織蒲，三不仁也；作虛器，縱逆祀，祀爰居，三不知也。』」此針對躋僖公立論，不特文仲縱容夏父逆祀之罪顯然可知，即其竊位欺世之行徑，亦暴露無遺，而前文絕口不提，至此始痛斥之，毫無駢拇枝指之病。又如〈僖公十二〉年，管仲平戎于王，受下卿之禮而反，君子曰：「管氏之世祀也宜哉！讓不忘其上。」世祀之事，傳文所無，而於論贊發之，亦可互相參看。

（四）貫脈絡

　　左氏史論，隨意而發，宛如神龍變化，渾然無跡，既不似《國語》君子曰之寥寥數語，又不似後世史書論贊之限以篇終。如〈桓公十八年〉：「申繻曰：女有家，男有室，無相瀆也，謂之有禮，易此必敗。」此逆提文姜之禍也。〈僖公二十年〉：「君子曰，隨之見伐，不量力也。」此總結隨之妄動也。〈僖公二十二年〉：「君子曰：非禮也，婦人送迎不出門，見兄弟不踰閾，戎事不邇女器。」又：「叔詹曰：楚王其不沒乎！為禮卒於無別，無別不可謂禮，將何以沒？諸侯是以知其不遂霸也。」此前後映照，論定楚王之取鄭二姬也。凡此，無不神氣貫注，通體靈活，不僅神明於見意，抑且有助於行文。

三　特色

（一）夾敘夾議

　　議論與敘事為體雖殊，若能融合無間，則事能翻新，意不空疏，此種作法，由來已久，要以《左傳》最為擅長。如〈隱公十一年〉，先敘鄭伯伐許，子都射潁考叔，後敘鄭伯舍許，而藉君子許其有禮，然後始補敘鄭伯詛咒刺客，藉君子評其失政刑。先敘後議，後敘先議，以「鄭伯使卒出豭」數句為其扭轉關鍵，不僅輕重得宜，而且文情參差，語不偏枯。又如〈文公二年〉，君子之評逆祀、引禹湯、引文武、引〈魯頌〉、引〈邶風〉、引君子論《詩》，尤能融敘事與議論於一爐。即敘即議，即議即敘，文彩之瑰麗，頗能眩人眼目。

（二）駢散相間

　　自漢魏駢散分轍後，壁壘分明，齗齗相爭，歷千百年而不休，反

觀先秦典籍則不然。如《易經・文言》、《書經・堯典》、老子《道德經》，莫不敷演潤色，駢散兼施。《左傳》雖以散為主，然亦義必相輔，氣不孤伸，如〈隱公三年〉，君子曰：「信不由中」數語積句多奇，「澗溪沼沚之毛」至「可羞於王公」則純用儷句，「而況君子結二國之信」以下又駢散相間，是皆能得天地自然之理，而無是丹非素之見者也。劉孟塗云：「駢中無散，則氣壅而難疏；散中無駢，則辭孤而易瘠。」又云：「求相合而一之者，其唯通方之識，絕特之才乎！」（〈與王子卿太守論駢體書〉）以左氏之文證之，誰曰不然？

（三）委婉深曲

史臣直言，取禍之道莫近焉，是以孔子有罪我之懼，史遷有蠶室之殃。左氏既綜摯時勢，芒粒無遺，又論斷曲直，垂示奕葉，其見忌於時君人子者深矣！如不謬悠其言，何能苟存於亂世，故其用心之苦，亦猶之乎漆園之有重言、有寓言、有卮言也。〈隱公元年傳〉：「君子曰，潁考叔純孝也，愛其母，施及莊公。」《左傳微》云：「此詭激譎宕之文也，明謂鄭莊公不孝耳，卻吞吐其詞，不肯逕出，故文特婉妙。」〈莊公八年傳〉：「君子是以善魯莊公。」《左傳微》云：「不共戴天之仇，置而不問，作者特寄微意於此，無限憤鬱之旨，具在言外，此所謂詭詞謬稱之妙也，全書皆一種筆法。」左氏幽微之意，綿邈之趣，於此可略窺一斑矣！

（四）特重詩禮

本師大冶程先生旨雲云：「春秋之世，為隆詩隆禮時代，是以《左傳》多賦詩論禮之文。」又云：「蓋當時君臣宴勞，率皆酬酢舊章，以明意志，臧否人物，率皆引用詩說，以終結其辭。」又云：「左氏世掌史官，習於禮教，故褒貶人物，一準諸禮。」（《國學概

論》上冊）據惠定宇統計，《左傳》引《詩》者一百五十六，引逸詩者十（《古文尚書考》），而「君子曰」引《詩》即居其四十四，如引〈曹風〉「不稱其服」以刺子臧之鷸冠（〈僖公二十年〉），引〈大雅〉「惟彼二國」以美秦穆之思政（〈文公四年〉）是也。至於評論是非，一準諸禮者，尤不可勝數，如鄭莊公舍許，君子許以有禮（〈隱公十一年〉），楚子見芊氏，君子抨以非禮（〈僖公二十二年〉）是也。

四　辯誣

（一）「附益說」辨

　　自林黃中倡：「《左傳》君子曰是劉歆之辭。」（《朱子語錄‧八十三卷》引）朱晦庵、陳同甫從而附合之，於是清代學者如劉申受、崔東壁之流更振振有詞，執為《左傳》辨偽之一證，其說實妄自生疑、羌無實據也。昔賢屢有駁議者，如：

　　（1）陳蘭甫云：「《左傳》開卷，記潁考叔、石碏二人最詳，此大有意也。君子曰：潁考叔純孝也；君子曰：石碏純臣也。賈逵云：左氏義深於君父，其此之謂乎？若如林黃中謂君子曰是劉歆之辭，劉歆能明忠孝大義如此乎？」（《東塾讀書記》，卷十）

　　（2）廖季平《古經說》說《春秋》亦充滿疑古色彩，張香濤深不以為然，乃出三十六題，命更作〈左氏春秋說長編〉，其三十條云：「傳引仲尼曰，皆《春秋》大義」、三十一條云：「傳稱君子曰，即孔子多就一端立義」，張氏以權勢壓制學術，雖不足為訓，然其見識誠在廖氏之上。

　　（3）〈文公六年傳〉：「君子是以知秦之不復東征也。」《左傳微》云：「作此文尚在春秋時，若戰國以後，秦日盛強，作者必不為此論矣！」

　　（4）楊向奎謂古籍中所見之反證甚多，如君子曰又見於《國語》〈晉語〉七、八、十、十二、十三，且與《左傳》之史論有極密切之關係，足見此種體裁為先秦史家所有，非獨《左傳》也，特左氏用之最多耳。《韓非子・難四》、《史記・秦本紀》、〈魯周公世家〉、〈晉世家〉亦嘗引用左氏君子曰，《韓非子》且加以批評，足證君子曰為《左傳》原有，絕非劉歆所偽造，說詳〈論左傳君子曰〉（見《文瀾學報》2卷1期），茲不贅。

　　竊以為《左傳》全書敘事之特色，與《史論》若合符契，如伍員引少康中興以諫吳王之許勾踐行成（〈哀公元年〉）此夾敘夾議也；呂相絕秦之「申之以盟誓，重之以昏姻，天禍晉國，文公如齊，惠公如秦。」（〈成公十三年〉）此駢散相間也：「隱公之賢而不獲伸其志意，意指所寄，皆於隱約吞吐間見之。」（《左傳微》）此委婉深曲也；魯晉兩君相見，賦〈菁莪〉、〈嘉樂〉以相慰（〈文公三年〉），晏子之對景公，謂禮與天地並（〈昭公二十六年〉），此特重詩禮也。《史論》若出於後人偽屬，何能酷肖若是？斯亦足為反證之一助歟？

（二）「駁雜說」辨

　　皮鹿門云：「經史體例判然不同，經所以垂世立教，有一字褒貶之文，史止是據事直書，無特立褒貶之義。」又云：「左氏序事之書，本不傳義，故不加褒，亦不加貶，惟荀息引君子曰：斯言之玷，語含譏刺，此林黃中所以謂《左傳》君子曰是劉歆增入也。」又云：「左氏於敘事中攙入書法，或首尾橫決，文理難通……其他書曰、君子曰，亦多類此，為後人挽入無疑也。」（《經學通論》）皮氏只許《春秋》褒貶，不許左氏臧否，只許公穀敘事，不許左氏發論，是皆囿于「左氏不傳《春秋》」之說不能自拔，有以致也。不知《春秋》為編年史之祖，本亦史家之書，孔子可藉以因興立功，就敗明罰，左

氏博覽群書，為之作傳，何獨不能褒貶是非，臧否人物哉？且公穀傳
義，左氏傳事，特就其特色而言耳，非謂義中不可有事，事中不可有
義也。否則，公穀亦時夾敘事，如公羊之記〈宋繆公讓國〉（〈隱公三
年〉）、〈宋楚泓之戰〉（〈僖公二十二年〉），穀梁之記〈麗姬之亂〉
（〈僖公十年〉）、〈蕭同姪子之嘲使者〉（〈成公元年〉）皆長達數十百
字，未聞有疑其為後人攙入者，而獨疑史論非左氏舊有，何厚此薄彼
一至於此耶？至於以首尾橫決，文理難通貴左氏，此則既不知左氏傳
經之性質，又不明夾敘夾議之妙處也，孫隘堪云：「古人文字有前後
不甚直接，往往別出他語，其中忽斷者，《左傳》記〈鄭伯克段於
鄢〉，於『五月太叔出奔共』下，嘗見一選本刪去書曰云云，而以
『遂寘姜氏於城潁』，使之相續，豈不順適，不知非也。沈休文梁武
帝與謝朓敕，嘗謂『山林之志，上所宜宏，激貪勵薄，義等為政。』
或謂此四語夾敘夾議，即所謂斷字訣也。然則左氏之入解經語，其真
訣實在此。」（《六朝麗旨》）劉申叔亦云：「夫記事與評論之不宜分
判，殆猶形影之不能相離，倘能融合二者，相因相成，則既免詞費，
且增含蓄，較諸反覆申明，猶可包孕無遺，豈非行文之能事乎？」
（《漢魏六朝專家文研究》）皆為一針見血之論。

（三）「淺陋說」辨

　　朱晦庵曰：「左氏見識甚卑，如言趙盾弒君之事，卻云，孔子聞
之曰：惜哉，越境乃免，如此，則專是回避、占便宜者得計，聖人豈
有是意？聖人作《春秋》，而亂臣賊子懼，豈反為之解免耶？」又
云：「左氏尤有淺陋處，如君子曰之類，病處甚多。」（《朱子語類‧
八十三卷》）朱子畢生鑽研心性之學，直道而行，不知天下有詼詭之
趣，有正言若反也。左氏為文，旁見側出，深幻難識，無一滯義，無
一莊語，無非求其「言之者無罪，聞之者足以戒」耳，此其全書極秘

之旨也，雖嗜左成癖之杜元凱亦時蔽而不見，如謂趙盾弒君，越境則君臣之義絕，可以不討賊（〈宣公二年注〉），不知左氏意實謂非罪無可辭，終未能免也，特詼諧敏妙，隱晦其旨耳（《左傳微》）；又如謂洩冶忠諫取死，經同罪賤之文（〈宣公九年注〉），不知左氏乃痛世變而為激宕之論，實所以深惜之也（見《春秋左氏傳舊注疏證》、《左傳微》），晦庵亦未能窺見其奧，反以淺陋目之，不亦過乎？

（四）「害理說」辨

朱晦庵云：「左氏之病是以成敗論是非，而不本於義理之正……嘗謂左氏是個滑頭熟事、趨炎附勢之人……陳君舉說《左傳》曰：左氏是一個審利害之幾、善避就底人，所以其書有貶死節等事，其間議論有極不是處，如周鄭交質之類，是何議論？其曰：宋宣公可謂知人矣，立穆公，其子饗之，命以義夫，只知有利害，不知有義理。」（《朱子語類‧八十三卷》）左氏誠以成敗論是非，則春秋功業，莫盛於齊桓晉文，左氏何以引子魚斷定齊桓之薄德？（〈僖公十九年〉）何以引介之推冷刺晉文之竊國（〈僖公二十四年〉）？又，其時君權盛張，左氏誠趨炎附勢，何以「責君特重，而責臣特輕」（劉申叔〈讀左劄記〉）乎？至於宋宣公命以義夫，實「微文刺譏之語，與公羊同意」（《左傳微》），貶死節與周鄭交質，雖反對左氏史論之皮鹿門亦不直朱子之說，而謂「（貶死節事）指孔父荀息諸人，左氏亦無貶諸人明文。」「（〈周鄭交質〉）此是實事，史官據事直書，卻不礙。」（《經學通論》）尤無須多贅也。

洪容齋謂《左傳》議論遣詞多害理（《容齋三筆》卷十四），復以左氏稱石碏大義滅親多誤後世（《容齋續筆》卷十一）。其說視朱子尤烈，實亦一偏之見也，劉申叔云：「嗚呼！此真不知春秋之義矣！若叔向、石碏之所為，合于先國後家之義，左氏美之，所以著國重家輕

之義耳，豈可議乎？」（《讀左劄記》）寥寥數語，駁之已盡，亦無庸深論矣！

五　影響

（一）對人心之影響

《春秋》比事，得左氏作傳而後明；孔子大義，亦因左氏闡論而益彰。否則，雖使聖人閉門思之，十年不能知，矧能深入人心，沾溉無既耶？竹添光鴻云：「聖經賢傳，每事立一標準，為萬世法。」（〈僖公九年〉《左傳會箋》）如諸葛亮之輔後主，陸秀夫之殉幼帝，此受荀息死節之感召也；鄧攸之中道棄子，鄭成功之毀家抗清，此取法石碏之大義滅親也；曹操之及身不篡，曹丕之篡而不弒，此懼自淪於亂臣賊子也。若斯之比，皆其影響之深切著明者也，倘欲得其詳，則豈僅更僕難數而已？

（二）對載籍之影響

孫隘堪云：「史論之興，其權輿於遷乎？若遷之所取法，則為《左傳》，左氏發論，每假君子以稱之。」（《太史公書義法‧設論篇》），孫氏雖有意尊崇史遷，而推本溯源，仍不得不以史論之創始歸之左氏。左氏史論法美意良，後世史書，除《元史》外，幾無不從之，如《史記》曰太史公、《漢書》曰贊、《後漢書》曰論、《三國志》曰評、《隋書》曰史臣、《五代史記》之以嗚呼發論，其名雖殊，其義一揆。所異者，後世史論多局限篇末，且無篇不論，不免再述乍同，強生其文，求如司馬子長之抑揚詠歎、跌宕多姿，范蔚宗之文氣疏朗，鏗鏘可誦，已是稀如星鳳，況神龍變化如左氏者，不益如鈞天九奏，絕無嗣響乎？

《左傳》占星術析論

一　前言

　　七年前，《中正大學中文學術年刊》第三期曾發表拙作〈左傳天文史料析論〉，該文對《左傳》中的太陽紀事、恆星紀事、行星紀事、四象十二次分野、辰等都根據現代天文知識加以論述。唯限於篇幅，對於天文所依附而行的占星術則僅點到為止，未能多所發揮。使得《左傳》天文史料的討論終難免限於一隅，無法通觀全局，更談不上文化深層的探討。因此，很樂意在此將昔日的缺憾彌補過來，並且希望能對一般文史同道之閱讀古典文獻有所助益。

二　《左傳》占星之類別

（一）恆星占

　　宇宙浩瀚無邊，天上恆星遠超過恆河沙數，而我們肉眼所能見的，也就是六等星以內的，只有六千顆左右。在西方，將它們歸類為八十八個星座，主要是從古希臘的星座發展出來的，大多以神話故事命名。在中國，則將星空劃分為三垣二十八宿。所謂三垣，包括紫微垣、太微垣、天市垣，是環繞北極星和接近頭頂上空的三個星區。所謂二十八宿，指黃道、赤道附近的二十八個星座，是用來記錄日、月、五星等各種星體運行位置的座標。其本身相關位置固定不動，少

有異常現象發生，所以在《左傳》中占卜吉凶的例子為數不多：

> 八月甲午，晉侯圍上陽。問於卜偃曰：「吾其濟乎？」對曰：
> 「克之。」公曰：「何時？」對曰：「童謠云：『丙之晨，龍尾
> 伏辰，均服振振，取虢之旂。鶉之賁賁，天策焞焞，火中成
> 軍，虢公其奔。』其九月、十月之交乎。丙子旦，日在尾，月
> 在策，鶉火中，必是時也。」（〈僖公五年〉）
> 春，宋災……。晉侯問於士弱曰：「吾聞之，宋災，於是乎知
> 有天道，何故？」對曰：「古之火正，或食於心，或食於咮，
> 以出內火。是故咮為鶉火，心為大火，陶唐氏之火正閼伯，居
> 商丘，祀大火，而火紀時焉。相土因之，故商主大火，商人閱
> 其禍敗之釁，必始於火，是以日知其有天道也。」公曰：「可
> 必乎？」對曰：「在道，國亂無象，不可知也。」（〈襄公九
> 年〉）
> 三月，鄭人鑄刑書。……，士文伯曰：「火見，鄭其火乎，火
> 未出而作火，以鑄刑器，藏爭辟焉，火如象之，不火何為？」
> （〈昭公六年〉）
> 夏五月，火始昏見。丙子，風，梓慎曰：「是謂融風，火之始
> 也；七日其火作乎！」戊寅，風甚。壬午，大甚。宋、衛、
> 陳、鄭，皆火。梓慎登大庭氏之庫以望之，曰：「宋、衛、
> 陳、鄭也。」數日皆來告火。（〈昭公十八年〉）

「國之大事，在祀與戎。」（《左傳‧成公十三年》）軍事之勝負，自
然是占星的重要項目。僖公五年，晉獻公圍上陽，卜偃引童謠預言虢
國將在夏曆十月初一丙子日敗北。因為那天，日、月在東方蒼龍的尾
宿（天蠍座）合朔，月行較快，清晨時，日猶在尾，月已運行到了尾

東的天策（傳說星）。此時，鶉火（柳宿，長蛇座）出現於正南方。天策因近日而黯淡無光，鶉火則十分醒目，所以晉勝虢敗。至於為何「鶉之賁賁，天策焞焞」會以兩國當之，則未顯言其故，只是託之童謠預言而已，而所謂的童謠，說穿了，不過是術士捏造，假借幼童之口以傳播民間。這是占星又兼擇日的例子，同時也是秦漢讖緯的先聲。

　　二十八宿在《左傳》中提及的僅有心、尾、女、虛、營室、參、柳七宿，其中火，又稱大火、商、辰、大辰，都指心宿二（天蠍 α）而言，為赤色的一點二等星，在東方蒼龍七宿中最為明亮，是古代星辰崇拜的主要對象之一，也是觀象授時的重要依據。相傳在唐堯時，殷商的祖先閼伯就曾擔任火正，專司大火之觀察與祭祀。由於大火為宋之分野，其色赤而醒目，且以火為名，出現時易有火災，而衛、陳、鄭與宋比鄰，同在「火房」，[1] 所以〈襄公九年〉、〈昭公六年〉、〈昭公十八年〉都以其出現，占相關諸國有火災之釁。

（二）行星占

　　行星在二十八宿之間穿梭不息，古稱「緯星」，其視運動十分複雜，古人不明其理，往往視為異象，而以之占卜吉凶。在《左傳》中，特別重視歲星之占，這是因為歲星（木星）從肉眼看來，在五大行星當中雖非最為明大。[2] 卻是經常可以在星空找到，而且古人以為它十二年一周天，將天空十二等分，稱之為十二次，[3] 而發明了歲星

1　《左傳・昭公十七年》：「若火作，其四國當之。在宋、衛、陳、鄭乎！宋，大辰之虛也；陳，大皞之虛也；鄭，祝融之虛也，皆火房也。」

2　木星為太陽系最大的行星，體積為地球的1309倍，超過其他八大行星的總和，其光度為 −2.5 等，祇以距離地球較遠，故不及 −4.3 等的金星，−2.8 等的火星，但比1.6等，最亮的恆星天狼星還亮。

3　十二次相當於西洋的黃道十二宮，由西向東，分別為壽星，大火、析木、星紀、玄枵、娵訾、降婁、大梁、實沈、鶉首、鶉火、鶉尾。這些名稱到了《漢書・律曆

紀年法，後來才發現歲星有「超辰」現象，再結合見、伏、遲、疾、行、留、順、逆等現象[4]，所以常常用來占卜吉凶，《左傳》所見，將近十次：

> 楚師伐鄭，……晉人聞有楚師，師曠曰：「不害，吾驟歌北風，又歌南風，南風不競，多死聲。楚必無功。」董叔曰：「天道多在西北，南師不時，必無功。」叔向曰：「在其君之德也。」（〈襄公十八年〉）
>
> 春，無冰。梓慎曰：「今茲宋鄭其饑乎！歲在星紀，而淫於玄枵，以有時菑，陰不堪陽，蛇乘龍，龍，宋鄭之星也。宋鄭必饑。玄枵，虛中也。枵，耗名也。土虛而民耗，不饑何為？」（〈襄公二十八年〉）
>
> 裨竈曰：「今茲周王及楚子皆將死。歲棄其次，而旅於明年之次，以害鳥帑。周、楚惡之。」（〈襄公二十八年〉）
>
> 於子蟜之卒也，將葬，公孫揮與裨竈晨會事焉。過伯有氏，其門上生莠。子羽曰：「其莠猶在乎！」於是歲在降婁，降婁中而旦。裨竈指之曰：「猶可以終歲，歲不及此次也已。」及其亡也，歲在娵訾之口。其明年，乃及降婁。（〈襄公三十年〉）
>
> 晉侯問於史趙曰：「陳其遂亡乎？」對曰：「未也。」公曰：「何故？」對曰：「陳，顓頊之族也。歲在鶉火。是以卒滅。陳將如之。今在析木之津，猶將復由。且陳氏得政于齊而後陳卒亡。自幕至於瞽瞍，無違命。舜重之以明德，置德於遂，遂

志》才正式確定，並且完整記錄下來。

4 高平子曰：「凡曲勢向東為順行，向西者為逆行，不東不西為留。有點線區域者，行星過近太陽（約十五度以內）而不能見，古書謂之『伏』或『入』或『沒』。」見高平子：《史記天官書今注》（臺北市：中華叢書編審委員會，1965年），頁34。

世守之，及胡公不淫，故周賜之姓，使祀虞帝。臣聞盛德必百世祀。虞之世數未也。繼守將在齊，其兆既存矣。」（〈昭公八年〉）

夏四月，陳災，鄭裨竈曰：「五年，陳將復封，封五十二年而遂亡。」子產問其故，對曰：「陳，水屬也；火，水妃也，而楚所相也。今火出而火陳，逐楚而建陳也。妃以五成，故曰五年，歲五及鶉火，而後陳卒亡。楚克有之，天之道也。故曰五十二年。」（〈昭公九年〉）

春王正月，有星出于婺女，鄭裨竈言於子產曰：「七月戊子，晉君將死。今茲歲在顓頊之虛，姜氏、任氏，實守其地，居其維首，而有妖星焉，告邑姜也。邑姜，晉之姚也。天以七紀，戊子，逢公以登，星斯於是乎出，吾是以譏之。」（〈昭公十年〉）

景王問於萇弘曰：「今茲諸侯，何實吉？何實凶？」對曰：「蔡凶。此蔡侯般弒其君之歲也，楚將有之，然壅也。歲及大梁，蔡復，楚凶，天之道也。」（〈昭公十一年〉）

夏，吳伐越，始用師於越也。史墨曰：「不及四十年，越其有吳乎！越得歲而吳伐之，必受其凶。」（〈昭公三十二年〉）

綜觀上列例證，可知所謂歲星之占，主要是以歲星所在之分野或歲星超辰所對之分野作預言，除兼採陰陽五行、四象外，並與前代吉凶之證相互驗證。析而言之，其重點為：[5]

5　陳熾彬：《左傳中巫術之研究》（臺北市：政治大學中文系博士論文，1989年），頁209-210。

（一）歲星所在，其國有福：例如〈昭公十年傳〉：「歲在顓頊之虛（玄枵）」，玄枵為齊之分野，所以妖星出於婺女，而齊君無恙。倒是齊太公女邑姜為晉之先妣，晉君反受其殃。又如〈昭公三十二年傳〉：「越得歲而吳伐之，必受其凶。」越、吳同以星紀為分野，是年歲星運行於星紀，因吳先用兵，故越得福，而三十八年後，吳受其凶。

（二）歲星失次，則所當之國有禍：如〈襄公二十八年傳〉：「歲在星紀，而淫於玄枵」，在五行，歲星屬木精，木位在東方，東方七宿在四象為青龍，乃宋、鄭之分野。是年歲星本應在星紀，卻超辰到了玄枵，玄枵包含女、虛、危三宿，為北方玄武，也就是蛇。龍行太快，進入蛇之地盤，處蛇之下，不啻「蛇乘龍」，所以宋、鄭有時薔。

（三）歲星失次，其對衝之國有禍：例如：〈襄公二十八年傳〉：「歲棄其次，而旅於明年之次，以害鳥帑，周楚惡之。」是年歲星本應在星紀，卻超辰到了玄枵，與玄枵相對的是南方的鶉火、鶉尾，也就是周楚的分野，所以周靈王、楚康王皆將死。

（四）一事可以兩卜：例如〈襄公二十八年〉：「歲在星紀，而淫於玄枵」，同樣的星象，梓慎預言宋、鄭將有饑荒，裨竈則預言周王、楚子皆將死。

（五）美惡周必復：天道昭昭，歲星循環周天之後，善惡都會得到報應。例如襄公三十年。歲在豕韋（娵訾），蔡世子般弒其君自立，是為蔡靈侯，十三年後（昭公十一年），歲星又在豕韋，故蔡侯為楚所殺，然楚靈王在昭公元年弒君而立，時歲在大梁，到了昭公十三年，歲星又回到大梁，楚王亦惡貫滿盈而自縊。

（六）附會星象、歲次名稱，可據以占測：例如〈襄公二十八年〉：「玄枵，虛中也。枵，耗名也。土虛而名耗，不饑何為？」是年歲在星紀，而淫於玄枵，不利於宋、鄭，所以知其有饑荒之災，純是從玄枵字義牽強附會，加以占驗。

（七）附會古代歷史、傳說，亦可據以占測：〈昭公八年傳〉：「陳，顓頊之族也。歲在鶉火，是以卒滅。陳將如之。」顓頊為陳國遠祖，歲在鶉火崩徂，史趙因而預言陳國滅亡之年也是相同。

（三）日食之占

當月朔時，若太陽、月球、地球剛好排在一直線上，而且月球離黃白交點十五點三度以內，日光為月所掩，就會發生日食。在科學發達的今日，這本來是一種可以逆推，可以預測的自然現象。但在古代，人們無法了解其真正的原因，更無從掌握其變化的規律，以致發生日食時，驚駭莫名。何況太陽又是君王的象徵，所以人們除了盡力禳救外，也往往視為異象，要進行占卜。在《春秋》二百四十二年中，記錄的日食共有三十七次，其中與占卜有關者至少六次：

> 夏四月甲辰朔，日有食之。晉侯問於士文伯曰：「誰將當日食？」對曰：「魯衛惡之。衛大，魯小。」公曰：「何故？」對曰：「去衛地，如魯地，於是有災，魯實受之。其大咎，其衛君乎！魯將上卿。」公曰：「《詩》所謂：『彼日而食，于何不臧』者，何也？」對曰：「不善政之謂也。國無政，不用善，則自取謫於日月之災，故政不可不慎也。務三而已：一曰擇人，二曰因民，三曰從時。」（〈昭公七年〉）
> 十一月，季武子卒。晉侯謂伯瑕曰：「吾所問日食，從矣。可常乎？」對曰：「不可。六物不同，民心不壹，事序不類，官職不則，同始異終，胡可常也？《詩》曰：『或燕燕居息，或憔悴事國』，其異終也如是。」公曰：「何謂六物？」對曰：「歲、時、日、月、星、辰，是謂也。」公曰：「多語寡人辰，而莫同，何謂辰？」對曰：「日月之會是謂辰，故以配日。」（〈昭公七年〉）

夏六月甲戌朔，日有食之。祝史請用幣。昭子曰：「日有食之，天子不舉，伐鼓於社；諸侯用幣於社，伐鼓於朝，禮也。」平子禦之，曰：「止也，唯正月朔，慝未作，日有食之，於是乎有伐鼓用幣，禮也。其餘則否。」大史曰：「在此月也。日過分而未至，三辰有災，於是乎百官降物；君不舉，辟移時；樂奏鼓，祝用幣，史用辭。故《夏書》曰：『辰不集于房，瞽奏鼓，嗇夫馳，庶人走。』此月朔之謂也。當夏四月，是謂孟夏。」平子弗從。昭子退，曰：「夫子將有異志，不君君矣！」（〈昭公十七年〉）

秋七月壬午朔，日有食之。公問於梓慎曰：「是何物也？禍福何為？」對曰：「二至二分，日有食之，不為災。日月之行也，分，同道也；至，相過也。其他月則為災，陽不克也，故常為水。」（〈昭公二十一年〉）

夏五月乙未朔，日有食之。梓慎曰：「將水。」昭子曰：「旱也。日過分，而陽猶不克，克必甚，能無旱乎？陽不克莫，將積聚也。」（〈昭公二十四年〉）

十二月辛亥朔，日有食之。是夜也，趙簡子夢童子臝而轉以歌，旦占諸史墨曰：「吾夢如是，今而日食，何也？」對曰：「六年及此月也，吳其入郢乎，終亦弗克。入郢必以庚辰，日月在辰尾。庚午之日，日始有謫。火勝金，故弗克。」（〈昭公三十一年〉）

可見日食之時，天昏地暗，人們深受震撼，所以天子不舉盛饌，伐鼓於社以責群陰；諸侯用幣於社，伐鼓於朝以自責，希望藉此使大地重現光明，如果不依此禮進行禳救，就會遭人非議。除此之外，專司占星的官員也進行占卜吉凶。大抵日食經歷之地，可能會遭受災殃，如

昭公七年，日食始於衛，終於魯，士文伯就斷言兩國災殃大小有別，後來衛君、魯上卿果然先後辭世。只是他們的預言有時也會有所出入，如昭公二十四年夏五月日食，梓慎預言將有水災，昭子則以為將有旱災，其年八月，大雩，證明梓慎的預言是錯誤的。

另一方面，人們也盡量在探討日食的原因及其規律，如昭公二十一年，梓慎以春分、秋分時，黃道、赤道相交，夏至、冬至時，日月過赤道內外二十三度，縱有日食，也不會為災。至於其他時日，因歲、時、日、月、星、辰不同，日食的占卜也會有許多差異，不可以作為常占。可見當時已知日食的成因是月影遮蔽所致，只是喜歡用陰陽五行的學說，諸如「陽不克」、「火勝金」之類加以解釋，所以就會有許多牽強附會之處。特別值得注意的是，當時將日食視為災異，是上天對當政者的示警，在上位者若能隨時修德省身，慎於擇用賢人，因民所利而利之，順四時之所務，就不會自取謫於日月之災。就這點而言，日食之占還是有其積極意義的。

（四）特殊天象的占候

「變則占，常則不占」，這是占星術的基本原則，只要天上出現古人無法理解的異象，就會認為這是「天垂象，見吉凶。」（《周易·繫辭》）而得進行占卜。在《左傳》中，除了恆星占、行星占、日食占之外，較重要的星占有客星占、彗星占及隕石占：

1 客星占

所謂客星，又稱賓星，相當於今之「新星」或「超新星」，是一種爆發型的變星，其亮度驟增幾千倍甚至幾億倍，後來又慢慢減弱，宛如在天空作客一般。其見無期，其行無度，古人以「妖星」目之，見於《左傳》的有：

春王正月，有星出於婺女。鄭裨竈言於子產曰：「七月戊子，晉君將死。今茲歲在顓頊之虛，姜氏、任氏實守其地，居其維首，而有妖星焉，告邑姜也。邑姜，晉之妣也，天以七紀，戊子，逢公以登，星斯於是乎出，吾是以譏之。」（〈昭公十年〉）

此則已見於恆星占，不贅。

2 彗星占

彗星是太陽系裡的一種特殊星體，質量不大，體積卻大得驚人，而且來歷不明，長相特殊，其出現，從古以來都認為是凶兆，而要進行祠禳與占卜。其見於《左傳》的有三：

有星孛入於北斗。周內史叔服曰：「不出七年，宋、齊、晉之君，皆將死亂。」（〈文公十四年〉）
冬，有星孛于大辰，西及漢。申須曰：「彗所以除舊布新也。天事恆象，今除於火，火出必布焉，諸侯其有火災乎！」梓慎曰：「往年吾見之，是其徵也，火出而見。今茲火出而章，必火入而伏，其居火也久矣，其與不然乎？火出，於夏為三月，於商為四月，於周為五月。夏數得天，若火作，其四國當之，在宋、衛、陳、鄭乎！宋，大辰之虛也；陳，大皞之虛也；鄭，祝融之虛也，皆火房也。星孛及漢，漢，水祥也。衛，顓頊之虛也，故為帝丘，其星為大水，水，火之牡也。其以丙子若壬午作乎！水，火所以合也。若火入而伏，必以壬午，不過其見之月。」鄭裨竈言於子產曰：「宋、衛、陳、鄭，將同日火，若我用瓘斝玉瓚，鄭必不火。」子產弗與。」（〈昭公十七年〉）

齊有彗星，齊侯使禳之。晏子曰：「無益也，祇取誣焉。天道
不謟，不貳其命，若之何禳之？且天之有彗也，以除穢也，君
無穢德，又何禳焉？若德之穢，禳之何損？……」公說，乃
止。（〈昭公二十六年〉）

孛星光芒短，蓬蓬孛孛，彗星光芒長，宛如掃帚，後世區別甚明，但
在《左傳》中尚未細分。文公十四年，有星孛入於北斗，叔服斷言不
出七年，宋、齊、晉之君皆將死難。後三年，宋弒昭公，五年齊弒懿
公，七年，晉弒靈公，果然奇驗無比，但為何得此占驗結果，《左
傳》未曾明言，杜注孔疏也不得其解。竹添光鴻的解說是：「蓋是彗
入於北斗魁，過三星便滅。宋，王者之後，齊、晉，中夏之大國，於
諸侯為魁，故以三國當之。宋在南，齊次之，晉在北。以其所過，分
禍之先後，故曰：宋、齊、晉。彗星，天之亂氣，又有除舊布新之
象，故曰：死難。」[6]雖不免強之為解，就占星術而言，尚能自圓其
說。昭公十七年，有星孛出現於大火西邊，光芒及於銀河，梓慎直斷
宋、衛、陳、鄭四國將有火災，次年，大火星出現，梓慎又重申類似
的預言，未久，果然一一應驗。至於為何如此預言，梓慎從分野，從
史跡將四國歸類為「火房」，又從五行之配干支、水火之分合消長，
預測發生火災的時日不在丙子（五月七日），就在七日後的壬午（五
月十三日），講得玄而又玄，其實，正如楊伯峻所言：「申須、梓慎之
言，皆以天象關聯人事迷信之語，早已不可解，且極不科學，亦不必
解。杜注不得已而解之，亦未必確。」[7]倒是子產不願用瓘斝玉瓚祭
神以禳除火災，昭公二十六年，晏子也不贊成齊景公以祠禳消災，同
樣具有科學理智之精神，可說足以先後輝映。

6　（日）竹添光鴻：《左傳會箋》（臺北市：廣文書局，1961年），卷9，頁19。
7　楊伯峻：《春秋左傳注》（臺北市：源流出版社，1982年），頁1391。

3 隕星占

流星原本是太陽系內的天體碎片或宇宙塵，受到地心引力影響，以每秒數十公里的速度穿過大氣層，發出巨大的光和熱，其小者，全部消失，其大者則落地成為隕石。它和日月、五星、恆星、客星、彗星等性質完全不同，只是古人認知不足，才將它納入異星的範圍，甚至當作星占的重要對象。《左傳》中曾云：

> 春，隕石于宋五，隕星也。六鶂退飛過宋都，風也。周內史叔
> 興聘于宋，宋襄公問焉，曰：「是何祥也？吉凶焉在？」對
> 曰：「今茲魯多大喪，明年齊有亂，君將得諸侯而不終。」退
> 而告人曰：「君失問。是陰陽之事，非吉凶所生也。吉凶由
> 人，吾不敢逆君故也。」（〈僖公十六年〉）

稱隕石為「隕星」，足見已知其來自天外，比起歐洲遲至一八○三年才知其理，實在先進得多。[8] 叔興回答宋襄公之問一方面虛與委蛇，應以今年魯有季友、戴伯之喪，明年齊將有大亂及數年後宋霸業無成諸事；一方面又不禁感嘆隕星乃是宇宙陰陽之氣所形成，與人事吉凶無關。可見他也具有科學理性的精神，只是礙於傳統迷信實在入人太深，所以不敢明言而已。但對幾年後的吉凶都能預測得如此精準，如果不是對國際大事瞭若指掌，並且不幸而言中，就是這些占驗都是後人捏造，附會上去的。

8　中國天文學史研究整理小組：《中國天文學史》（北京市：科學出版社，1987年），頁147。

三 《左傳》占星之理論基礎

（一）天文知識

劉韶軍《神祕的星象》一書，曾將占星的方法和內容分為五個步驟，即：

1. 識星——占星的前提。
2. 知象——占星的基礎。
3. 實測——占星的保證。
4. 判斷——占星的關鍵。
5. 驗證——占星的結束。[9]

某中識星、知象、實測屬於天文學的範疇。如果對天文學懵懂無知，勢必無法占星；如果對天文學徹底了解，則無占星的必要。唯有對天文學一知半解，具備某些基本知識，卻又將某些不知其所以然的現象視為異象，才是占星術的溫牀，而春秋，正是具備這樣條件的時代。

古代天文學最重要的莫過於為變動不居的日、月、五星等找到一個固定的觀測座標，那就是二十八宿。二十八宿的起源，異說紛紜，《左傳》雖僅記錄了其中七個星宿，但在春秋時代，二十八宿已粲然大備則無問題。因為僖公五年傳云：「丙之晨，龍尾伏辰。」能明確測定該年夏曆十月丙子朔，日月合朔於尾宿，顯然已有二十八宿可供測算的依據了。昭公十年傳也說：「天以七紀」，更是表明二十八宿分布四方，每方七宿，也就是所謂的四象，這不也是當時已有二十八宿的明證嗎？至於四象，從「龍見而雩」（〈桓公五年傳〉）指東方蒼

9　劉韶軍：《神祕的星象》（南寧市：廣西人民出版社，1994年），頁99-136。

龍，「古者日在北陸而藏冰」（〈昭公四年傳〉）指北方玄武，「西陸朝
覿而出之」（〈昭公四年傳〉）指西方白虎，「以害鳥帑」（〈襄公二十八
年傳〉）指南方朱雀，顯然也都完備了。由於二十八宿各宿度數十分
參差，至遲到了春秋時代，為了記錄歲星的運行，將周天十二等分，
與二十八宿相配，這就是所謂的十二次。《左傳》中，除了壽星、鶉
首未見外，其餘十次均有記錄，而且異稱極多，顯示當時應該已有完
整的十二次，否則如何用來紀年而無扞格呢？[10]

　　在《左傳》中，對於日食與歲星的記載特別詳細，但對於日食的
原因未能真正了解，周期無法完全掌握，對於歲星的超辰與運行路線
也茫然無所知，所以往往施於占卜。而客星、彗星、隕星也是在類似
的情況下成為占卜的對象。唯在五大行星中，獨鍾木星，其他四大行
星的占測則到了戰國時代才受到重視，一九七三年長沙馬王堆漢墓出
土的《五行占》即其孑遺。至於月食，《詩‧小雅‧十月之交》說：
「彼月而食，則維其常。」可見從古以來已習以為常，周期可能較易
掌握，因此在《春秋左傳》中完全沒有記載。

　　與研究空間的天文互為表裡的是研究時間的曆法，從〈昭公十七
傳〉：「火出，於夏為三月，於商為四月，於周為五月，夏數得天。」
看來，當時已有夏曆、商曆、周曆，也就是三正的不同，《春秋》用
周曆，《左傳》則旁采夏曆。對於朔、閏、二至、二分，《左傳》已有
詳細的記錄，只是偶有月朔與經文不同，或失閏的現象，顯示當時的
曆法仍未臻細密。[11]《左傳》中有關歲星紀年的記錄為數不少，後來

10 莊雅州：〈左傳天文史料析論〉，《國立中正大學中文學術年刊》第3期（2000年），頁
　　30-32。
11 陳廖安：《春秋曆學研究》（臺北市：臺灣師範大學國文系博士論文，1994年），頁
　　55-61。

因超辰的問題無法解決，遂廢置不用，改採太歲紀年法。[12]

（二）天人感應說

占星五步驟中的判斷、驗證，完全屬於占星學的領域，其理論基礎主要為天人感應說，陰陽五行說及分野說，這三種學說到了春秋時代都已漸趨成熟，所以當時的占星學也日漸發達。

從古以來，人們震懾於宇宙知識的奧秘，自然力量的偉大，很自然就會聯想到上天具有思想、情感、意志，是一種「人格天」，可以主宰人世的吉凶禍福，也會透過種種異常的現象來提出警告，或顯示祥瑞。因此，人一方面透過巫史之流來探求神明的旨意，預知未來的命運；一方面也企圖藉由祭祀、禳除甚至修德、修政來改變上天的意志。這就是所謂的天人感應，也是包含占星術在內的所有方術的心理基礎。《周易・賁卦・彖辭》云：「觀乎天文，以察時變。」司馬遷〈報任安書〉云：「欲以究天人之際，通古今之變。」都是天人感應思想的表現，也是古代人們的普遍信仰。雖然天人感應的理論體系到了漢代董仲舒才正式建立，但從《左傳》中好言災異鬼神，屢見方術占卜，就顯示當時人對天人感應早已深信不疑。

（三）陰陽五行說

陰陽本指日照所及或所不及，引申有寒暖之義，但在《左傳》中已漸漸抽象化，指陰陽二氣而言，而為占星家所資取。如僖公十六年隕石於宋五，周內史叔興說：「是陰陽之事」，昭公二十一年日食，梓慎說：「陽不克也」，昭公二十四年日食，昭子說：「陽不克莫」，用陰陽兩氣的結合或消息來說明隕石或日食的原因，都是屬於質樸的自然

---

12 中國天文學史研究整理小組：《中國天文學史》（北京市：科學出版社，1987年），頁114-115。

觀。至於以陰陽來劃分相對兩極的萬物萬事，使其成為內涵非常豐富的符號，則是到了戰國時代《易傳》才完成。

五行原本指將萬物整理歸納後得出的基本物質，從《左傳‧文公七年》：「水、火、金、木、土、穀謂之六府」，猶可看出其整理歸納的痕跡，這與在農作物方面由百穀而九穀終於定為五穀的道理是一樣的。後來它漸漸抽象化，代表構成萬物的基本元素，甚至代表萬事萬物的基本性能，因而就逐漸與萬事萬物切取聯繫，並且作為占星的說辭。如襄公二十八年傳：「龍尾伏辰」，又「龍，宋、鄭之星也。」將東方青龍、木星配五行，也就是以五行與五方、五色及星辰相配。又如〈昭公十七年傳〉：「水，火之牡也。其以丙子若壬午作乎！水火所以合也。」丙午為火，壬子為水，丙子、壬午為水、火相遇，此以五行配干支；又如〈襄公十八年〉：「天道多在西北，南師不時，必無功。」此年歲星在娵訾，在十二支為亥，屬西北方，故不利於南方的楚師，此以干支配方位；又如〈昭公四年傳〉：「古者日在北陸而藏冰」，夏曆十二月日在北方七宿，此以五方與四時相配。諸如此類，雖然不像《呂氏春秋‧十二月紀》那樣以五行配萬事萬物，構成一個完整而統一的宇宙體系，[13] 但卻已具體而微，為戰國時代的五行學說建立了雛型。

在《左傳》裡，陰陽五行主要是用來作為占星的理論根據，這是前所未有的，大大提升了占星術的素質。誠如劉瑛所說：

> 陰陽五行即是從數術占卜概括出來的宇宙法則，是數術占卜中的「通用語言」。陰陽五行在星占、式法選擇中發展，高度抽象化，它的數術化過程是天文星算結合在一起的。陰陽五行不但是數術占卜中的通用語言，也是溝通人與自然世界的語言，

---

13 莊雅州：《夏小正析論》（臺北市：文史哲出版社，1985年），頁172。

> 人體與自然也是靠陰陽五行為中介而結合的，陰陽五行的模式
> 不但囊括了自然的大宇宙，也同樣的囊括人這個小宇宙，人體
> 與自然的循環流轉，都可以通過陰陽五行這個模式來掌握。[14]

其重要性由此可見一斑。當然，春秋時期，陰陽自陰陽，五行自五
行，同時難免有許多粗糙混雜之處。到了戰國時代，鄒衍的「五德終
始」、「相生相剋」等，才把陰陽五行密切結合，使陰陽五行學說推展
到了巔峰。

（四）分野說

　　所謂分野，是將天上星宿與地上的州國互相對應，用來占候吉凶
的一種制度。在諸侯各據一方，互相征伐的時代，如果不將星空劃分
區域，與地上州國彼此對應，那麼天上某一區域發生異象，怎麼曉得
會對哪個州國發生影響呢？所以分野是基於占星術的需求，從天人感
應衍生而出的一種學說。其由來甚久，早在上古時代，先民就以地上
的黃河、漢水比擬天上的銀河，稱之為「天漢」或「河漢」。據《左
傳・昭公元年》記載，早在高辛氏時代，遷閼伯於商丘，主祀大火，
商人是因；遷實沈於大夏，主祀參星，唐人是因，這也就是宋、晉分
野的由來。鄭文光認為：「分野實際上反映了古代不同民族觀測不同
的星辰；或者說，不同民族各有自己的族星。」[15]實在是很有道理
的。《左傳》還提到宋、鄭為東方蒼龍分野（〈襄公二十八年傳〉）
周、楚為南方朱雀分野（〈襄公二十八年傳〉），玄枵為齊之分野（〈昭
公十年傳〉），其餘則不甚清楚，到了東漢，鄭玄之注《周禮・春官・
保章氏》云：

---

14 劉瑛：《左傳國語方術研究》（北京市：人民出版社，2006年），頁107。
15 鄭文光：《中國天文學源流》（臺北市：萬卷樓圖書公司），頁107。

　　　星紀，吳越也；玄枵，齊也；娵訾，衛也；降婁，魯也；大
　　　梁，趙也；實沈，晉也；鶉首，秦也；鶉火，周也；鶉尾，楚
　　　也；壽星，鄭也；大火，宋也；析木，燕也。[16]

《左傳》所言皆與之相合，足徵鄭玄之說淵源有自。在《左傳》中，
凡言占星，常以分野說之，如〈襄二十八年傳〉：「龍，宋、鄭之星
也。」〈昭公十年傳〉：「今茲歲在顓頊之虛」，如果不了解各國的分
野，則無法解讀《左傳》的占星了。

四　《左傳》占星的評論

（一）貢獻

1 適應當時需求

　　上古時代由於民智未開，上自王公，下至庶人，普遍沉迷於巫術
實在是不足為奇。《尚書‧洪範》論述治國安民之大法有九，其中第
七為稽疑，只要有疑而不決之事，就透過龜卜、占筮的兆象，卜筮人
的解說。再參酌在上位者、卿士、庶民的意見，來決定行止，[17]占卜
之重要，由此可見，古人無論娶妻、生子、命名、疾病、喪祭、任
官、會見、出師、遷都……，幾乎無事不卜。而卜筮的種類也非常繁
多，劉瑛根據方術的性質，把《左傳》、《國語》的數術概括為三類，
即：占卜類（又分星氣之占、卜筮、夢占）、相術類、厭劾祠禳類；

16　（漢）鄭玄注，（唐）賈公彥疏：《周禮注疏》（臺北市：藝文印書館，1995年），頁
　　406。

17　屈萬里：《尚書集釋》（臺北市：聯經出版事業公司，1983年），頁123。

又把方技概括為二類，即醫療類、驅邪禳病類。[18]其中占星術與其他方術最大的不同是它所占問的幾乎都是軍國大事，而且以不利居多。例如〈文公十四年〉，星孛入於北斗，叔服預言宋、齊、晉之君皆將死難；〈昭公六年〉，士文伯因為大火星尚未出現，反對鄭國鑄刑鼎；〈昭公七年〉，日食，士文伯以為魯、衛將受其惡，這是政治方面的大事。又如〈襄公十八年〉，歲星在西北，董叔斷言楚師無功；〈昭公三十一年〉，日食，史墨曰：「吳其入郢乎？終亦弗克。」〈昭公三十二年〉，吳伐越，史墨推測越得歲而吳伐之，必受其凶，這是軍事方面的大事。再如〈襄公九年〉，大火星出現，士弱用來解釋宋災；〈襄公二十八年〉，歲星超辰，梓慎直言宋、鄭將有饑荒；〈昭公二十四年〉，日食，昭子認為將有旱災，這是社會方面的大事。諸如此類，不管其事是否靈驗，的確能滿足當時君臣上下卜以問疑的需求，對政治、軍事、社會各方面發生重大影響。尤其是諫勸國君修德省身，在神道設教之餘，更有積極的意義。

2 促進天文進步

在現代，天文學是以科學的方法觀測計算各種宇宙天體，以研究它們的運動變化的情況和規律；占星學則是根據天空各類星象的性質、位置及異常變化來占卜預測地球上的自然災害及人類社會中政治、軍事方面的異常事變的學說和技術。兩者性質各殊，疆畛畫然。但在古代，誠如《漢書·藝文志》天文類序所說：「天文者，序二十八宿，步五星日月，以紀吉凶，聖王所以參政。」[19]古人所以觀測天文，主要目的為了推求人事；而要占卜吉凶，又非掌握天文知識不

---

18 劉瑛：《左傳國語方術研究》（北京市：人民出版社，2006年），頁4-6。

19 （漢）班固撰，（唐）顏師古注，（清）王先謙補注；《漢書補注》（臺北市：藝文印書館，1955年），頁906。

可，所以兩者可以說是互相糾結，難以截然劃分，這是世界天文學史上的共通現象，不僅中國為然。占星之術，在殷商由巫掌管，他們也是中國歷史上第一代知識分子。在《周禮‧春官》太史屬下的保章氏掌天文，馮相氏掌曆法，[20]他們既是天文學家，也是占星家。至於《左傳》中，與占星有關的人物，如周內史叔興、叔服、周史萇弘、魯日御梓慎、晉史趙、史墨之流，都是史官；其他如鄭裨竈、晉士弱、士文伯、董叔、魯申須、昭子諸人，身分不太清楚，即使不是日者、史官之類，至少也是熟知天象者。他們必須能掌握日月星辰的行度合朔、彗孛流隕的出沒隱伏等精密的天文學知識，才能與人事相互對應，從而占卜吉凶禍福。春秋時期的天文學所以突發猛進，與當時占星學的發達實有相輔相成、密不可分的關係。從拙作〈左傳天文史料析論〉中，可以略窺春秋時期，對日躔的推步，日食的記錄，恆星、行星、異星的觀測，四象、十二次、分野的劃分，辰的解釋都取得豐碩的成果，為中國天文學的發展，奠定良好的基礎。其中的功勞，可能大部分得歸之於這些身兼天文學家與占星家的巫史之流。

3 顯現人文精神

武王革命之後，周公制禮作樂，展現人文理性的光輝，但在另一方面，鬼神迷信的傳統勢力仍極為龐大，使得周代文化處於一種新舊交相出現的現象，這種情況到了春秋時代更趨明顯。徐復觀曾云：

> 春秋二百四十二年之間，正是原始宗教與人文精神互相交錯乃至交替的時代，左氏只是把此一段歷史中交錯交替的現象，隨

20　（漢）鄭玄注，（唐）賈公彥疏：《周禮注疏》（臺北市：藝文印書館，1995年），頁404-407。

其在歷史上所發生的影響，而判別其輕重，如實的記錄下來。[21]

《左傳》之所以多載鬼神、巫術，而被晉范寧批評為「左氏豔而富，其失也巫。」（《春秋穀梁傳・序》）其故在此。在今日看來，《左傳》中的占星史料當然多為難以徵信之事，但難得的是當時的有識之士，甚至占星家也常常發出理性的聲音，例如：僖公十六年，周內史叔興解釋隕石和六鶂退飛的現象說：「是陰陽之事，非吉凶所生也，吉凶由人。」認為這些都是陰陽二氣自然形成的。與人類的吉凶禍福沒有任何關係。昭公二十四年五月，日食，梓慎以為陰勝陽，將要引起水災，昭子則以為過了春分，陽還不能勝陰，將會積聚起來，釀成旱災。他們說法雖然都缺乏科學根據，但能擺脫鬼神之說，純粹從陰陽學說進行推理，已屬難能可貴。襄公九年，宋國發生火災，根據經驗發現火災常與大火星出沒有關，士弱則以為這種自然規律不可必，如果國亂無象，則上天不示預警，亦不可認識。襄公十八年，楚伐鄭，晉師曠、董叔分別從樂律和天道預言楚必無功，叔向則認為其關鍵在「其君之德」，亦即天時不如地利，地利不如人和。昭公十一年，歲在豕韋，周史萇弘預言蔡凶。因為正值「蔡般弒其君之歲」，但楚靈王也會在歲及大梁之年，因弒立之故，惡貫滿盈，而自取滅亡。昭公十七年日食，士文伯答晉侯之問，一方面認為魯、衛將受其凶惡，一方面又強調「國無政，不用善，則自取謫於日月之災。」這些都在強調君德的重要性，也是周內史叔興「吉凶由人」之意，唯仍有強烈的「天網恢恢，疏而不漏」的氣息。昭公十七年，鄭裨竈預言宋、衛、陳、鄭將同日火，建議子產用玉器禳祭，子產沒有同意。次年，四國果然發生火災，鄭人請求祭祀，子產再度拒絕，並說「天道遠，人道

---

21 徐復觀：《兩漢思想史》（臺北市：臺灣學生書局，1979年），卷3，頁268-269。

邇，非所及也，何以知之？」無獨有偶，昭公二十六年，齊有彗星，齊景公使禳之，晏子也認為無濟於事，不過徒取欺罔而已，並說：「且天之有彗也，以除穢也。君無穢德，又何禳焉？若德之穢，禳之何損？」

　　綜上所述，諸如「吉凶由人」、「在其君之德」、「天道遠，人道邇」之類的言論，都充滿理性光輝，不啻在漫漫長夜中點燃一把火炬，對先秦諸子的百家爭鳴具有啟蒙作用。不過，這並不表示這些開明之士已具有完整的科學精神。事實上，他們只是認為人應對自己的行為負責，不可事事依賴卜筮、禳祭。但在上位者，德性的良窳仍會招致鬼神吉凶禍福的報應。而所謂「天道遠，人道邇」不過是將天道推向玄遠不可知之境而已。可見原始宗教信仰在他們胸中仍然根深柢固，如昭公七年晉平公染疾，子產即以為係未祭祀鯀所致。昭公十一年，不信占星的子產自己竟然預言「蔡小而不順，楚大而不德，天將棄蔡以壅楚，盈而罰之，蔡必亡矣！」昭公十八年五月，鄭國發生大火之後，子產除積極展開救災行動外，更「禳火于玄冥、回祿、祈于四鄘。」甚至到了七月還「大為社，祓禳於四方」，開明如子產者尚且經常遊走於科學與非科學之際，其他的人更不必說了。

（二）局限

1 科學知識不足

　　從古以來，包含占星術在內的方術所以擁有廣大的市場，一方面除了人們趨吉避凶，「寧可信其有，不可信其無」的心理之外，另一方面也是由於人們科學知識不足，對許多客觀自然的現象缺乏認識所致。即以占星術而言，其基本原則是「變則占，常則不占」，但許多據以為占卜的異象，在今天看來，其實都是正常現象，完全不需卜以問疑的。

　　占星家認為恆星的顏色、亮度、形狀、距離、見伏如果有異，就是異象，所以《左傳》用「鶉之賁賁，天策焞焞」來占卜晉虢交戰的勝負。用大火星的見伏來預言宋、衛、陳、鄭四國的火災，其實鶉火所以明亮，天策所以黯淡，只是與月亮的距離遠近有所不同而已。至於大火星在夏曆三月昏見，九月昏伏，其出沒與時令季節有一定的規律聯繫，五月天氣較為暖和，又颳大風，稍有不慎，當然會使四國同時發生火災。只因火星從名字、顏色看來，就容易與火災發生聯想，再加上占星家將四國附會為「火房」，才會說得煞有介事。

　　行星的運動遠比恆星複雜，五星亮度、顏色、大小、形狀等的變化，尤其是贏縮、逆行的運動路線，更是戰國以後占星家絕佳的題材。春秋時期，除了以歲星紀年外，只特別注意到歲星失次的現象。殊不知木星繞日週期本為一一點八五八六五年，並非完整的十二年，每年都要比一個次（三十度）超出零點三五四二度，累積八四點七年就會超過一個次，此之謂「超辰」。只是這個道理到了漢代劉歆《三統曆》才首先提出。《左傳》中的占星家不明就裡，故而當作占星的重要依據。

　　日食時天昏地暗，加上太陽是君王的象徵，宜乎占星家要將日食視為「天變過度」之大者，除竭力禳救，勸君王修德修政外，更要進行吉凶的占卜。實則日食乃自然而有週期的現象，在科學昌明的今天，天文學家可以很準確地預測千百年後日食的時地，也可以很準確地推算千百年前日食的時地。只是古人觀測不精、預測不準，對其形成原因更是茫然無所知，才會大驚小怪。

　　其他客星占、彗星占、隕星占之類特殊天象的占候，正如《荀子‧天論》所說：「夫日月之有蝕，風雨之不時，怪星之黨見，是無世而不常有之。上明而政平，則是雖並世起，無傷也；上闇而政險，

則是雖無一至者，無益也。」[22]只是古人不明此類星體的性質，往往為其形狀之特殊、出沒之無期所震懾，而施之於占卜，在科學昌明的今天，這些特殊天象都成為追星族期待、追逐的目標，可見已是不足為奇了。

2　理論基礎薄弱

占星術的施用，除了要具備相當專業的天文知識外，還要以天人感應說、陰陽五行說及分野說三個假說為理論基礎，但這三個假說實際上是最難以證明的。

首先天人感應說的先決條件，是上天具有思想、情感、意志，能賞善罰惡，而人也可以透過修德、禳救來改變天意。但在中國文字裡，天除了主宰之天外，還有物質之天、自然之天、運命之天、義理之天諸義，[23]人們對天的看法是相當紛歧的。天是否具有人格，可說是信者恆信，不信者恆不信，所以從星象變化中去揣摩天意，實在缺乏科學根據。當然，這並不是說天人之間毫無關係，事實上，在科學昌明的今日，人類未做好環境保護工作所招致的大自然反撲，讓我們深刻感到天人關係是非常重要的。但這種關係乃是大自然與人類群體的關係，而不是占星術所講的神明與在上位者之間的關係。

其次，陰陽五行說講求事物的分類、性能與彼此間的關係，原本相當質樸，具有科學精神。但若將萬事萬物都以陰陽五行相配，構成一個機械的、龐大無比的宇宙秩序，則是與宇宙自然的本來面目相去甚遠。在《左傳》中，將五行與五方、五色、星辰、干支、方位、四時相配，可說純粹是一種主觀的安排，所以常有扞格難通之處。例如

22　（唐）楊倞注，（清）王先謙集解；《荀子集解》（臺北市：藝文印書館，1958年），頁431。

23　馮友蘭：《中國哲學史》（香港：三聯書店，1992年），頁43。

以日為陽，月為陰，來說明日食的原因，還有相當的道理，但進而以日食關涉到君王的吉凶禍福就是純出比附；又如在昭公九年傳中，陳為水屬，到了昭公十七年傳中，陳則為火房，未免彼此牴觸。

最後，分野說是根據天人感應的原理，將天上星宿與地上州國都劃分區域，使其彼此對應，互相影響。在現存古籍中，《左傳》首先定大火為宋之分野，參宿為晉之分野，東方蒼龍為宋陳之分野，南方朱雀為周楚分野，玄枵為齊之分野，用來道禨祥、驗吉凶，後世鄭玄的《周禮・春官・保章氏注》固然與之相合，但《呂氏春秋・有始篇》、《淮南子・天文篇》、《史記・天官書》、《漢書・地理志》、《春秋緯》所言則各有出入，[24]未免有如喬太守亂點鴛鴦譜。更何況分野之說只以華夏州國為主，四方少數民族一概摒棄不言，與今日世界七大洲、數百個國家的情況更是不相符合。宜乎早在六朝，顏之推就批評說：「何為分野，止繫中國？昴為旄頭，匈奴之次。西胡東越，雕題交阯，獨棄之乎？」（《顏氏家訓・歸心篇》）足見它不過是占星家熒惑世人的工具而已。

3 增改痕跡顯明

《左傳》中有關占星的史料多達二十餘條，除了少數的情況外，如昭公二十四年，日食，梓慎預言將有水災，結果卻發生旱災外，其餘幾乎言必有中，語無虛發。占星既然缺乏科學根據，怎麼可能如此靈驗呢？怪不得其可信性早就受到質疑，如《四庫全書總目・春秋左傳正義》說：「《左傳》載預斷禍福，無不徵驗，蓋不免從後傅合之。」[25]日人飯島忠夫更由歲星紀事斷定《左傳》為漢代劉歆之偽

---

24 陳遵媯：《中國天文學史・星象篇》（臺北市：明文書局，1985年），頁177-183。

25 （清）紀昀等：《四庫全書總要提要》（臺北市：藝文印書館，出版年不詳），頁537。

作，[26]新城新藏則以為此「乃依據西元前三六五年所觀測之天象，以此年為標準的元始年，而案推步所作者也。」[27]固然，古書往往非出於一時一地一人之手，在長期流傳過程中，難免有經過後人加工改寫的情況，但若說這些占星資料都出自後人偽託，是亦未必然。因為占星本屬猜測性質，任何猜測都有不幸言中的機遇，此其一。當時主其事者多為史官、巫師之流，他們見多識廣，不僅擁有外人不易得覩的資料，對當時社會、國家的情況，甚至朝廷秘辛，更是瞭若指掌，猜中的機會自然遠高於凡夫俗子，此其二。只有極為少數預言準確的占星資料有幸載入史書，而絕大部分占測不準的事例則遭到摒棄不錄的命運。昭公二十四年梓慎失敗的預言，如果不是為了襯托昭子占測準確，可能就不會收錄到《左傳》之中，此其三。所以《左傳》中的占星資料真偽雜陳，有實錄，也有後人竄入或改寫，應該是沒有問題的。著名的「熒惑守心」在歷史上有記錄可考的有二十三次，其中有十七次竟然未曾發生，《史記‧天官書》記載：「漢之興，五星聚於東井。」竟被班固《漢書‧高祖本紀》修改為「元年冬十月，五星聚於東井，沛公至灞上。」以顯示高祖確為真命天子。[28]至於《左傳》到底有多少占星資料是後人竄入或改寫的，值得天文學家進一步去研究。

26　（日）飯島忠夫：〈由漢代之曆法論左傳之偽作〉，《東洋學報》第3卷。（日）新城新藏：《中國天文學史研究》，頁369引。

27　（日）新城新藏撰，沈璿譯：《中國天文學史研究》（臺北市：翔大圖書公司，1993年），頁418。

28　黃一農：《社會天文學史十講》（上海市：復旦大學出版社，2004年），頁47、65。

五　結論

　　天文學與占星學原本同出一源，在古代，無論中國或外國，天文或占星都是無法截然劃分開來的，所以占星術有其神祕的一面，也有科學的一面，《漢書・藝文志》將天文、曆法歸於術數略，是有其道理的。

　　就神祕文化的立場言，春秋時代，尤其是魯昭公以後，天文學大有進步，占星基礎理論——天人感應說、陰陽五行說、分野說也大致成型，所以占星術日趨發達。《左傳》保存了二十幾條占星史料，無論恆星占、行星占、日食占、特殊天象的占候都有不少實例，已能自成體系，不僅為戰國以後的占星術奠定了紮實的基礎，更適應了當時需求，促進天文進步，顯現人文精神，有其積極的功能，不能以其帶有迷信色彩，而棄之如敝屣。

　　就科技文化的立場而言，古代是基於要了解「天垂象，見吉凶」而研究天文的，如果沒有占星，天文就缺乏發展的動力。從《左傳》的占星史料當中，可以發現當時對日躔的推步，日食的記錄，恆星、行星、異星的觀測，四象、十二次、分野的劃分，辰的解釋，都取得豐碩的成績，是中國天文學史上一個承先啟後的重要階段。當然，在科學昌明的今日看來，其科學知識不足、理論基礎薄弱、增改痕跡顯著，也是值得批判的。

　　總之，我們考察《左傳》的占星史料，必須同時觀照到科技文化與神祕文化兩方面，才不致有所偏頗。

輯五　經學專書序跋

《夏小正析論》序

　　不曉得此生能寫幾本書，而無論如何，《夏小正析論》都將是永難忘懷的一本。

　　十年前，在高師仲華、周師一田指導下，開始準備撰寫博士論文。當時擬訂的題目是「大戴禮記研究」，經過多年的蒐集，材料還算完備，卻苦於內容龐雜、疑難層出，在短短幾年內根本不可能寫出一本合乎理想的論文。只得將範圍縮小，專門鑽研其中的〈夏小正〉，蓋〈小正〉本為三代古籍，價值最高，材料也最豐富。可惜寫了二十萬言的校釋、十二萬言的書錄後，時間已相當匆促，只允許草就一篇萬言的緒論，探討幾個重要的問題，而無法照原訂計畫寫出較為詳細的析論來。《文心雕龍》云：「逮乎篇成，半折心始。」在完成「夏小正研究」後，對於這句話真是感觸良深。參加學校、教育部的學位考試時，都曾表白這份遺憾，當時主試的老師們紛紛鼓勵我繼續努力，早日完成這件未了的心願。他們獎掖後進的熱誠，令我拳拳服膺，不敢或忘。

　　〈夏小正〉雖然是一篇古老而簡短的文獻，所牽涉的範圍，如天文、曆法、生物、氣候、人文，卻相當廣泛、相當專門。在提倡科學，復興中華文化的今日，如果由各種專家學者分工合作來研究它，應該是很有意義的，可惜「群經之中，大戴最晦，而夏小正在大戴之中又為獨晦。」（嚴元照《夏小正箋·序》）近數十年來，涉獵〈夏小正〉的學者寥寥無幾，要勞動這麼多的專家根本是不可能的事。不得

已，只好不自量力來做拋磚引玉的工作。當然，這份任務是相當艱鉅
的，一方面要儘量吸收「夏小正研究」中的成果而避免重複，另一方
面又得研讀不少專門書籍而融會貫通，限於個人才學，呈現出來的成
果自然不能十分令人滿意。但我已盡了心力，所衷心盼禱的，不僅在
於得到大方之家的指教，更在於像〈夏小正〉這類的古代文獻能引
起世人的注意。

　　過去在國內，雜務紛乘，只先後完成本書中的三篇。去年秋天，
由於淡江大學與漢城誠信女子大學締結姊妹校的關係，應邀來韓講
學。此地課業負擔較輕，生活也十分單純，遂有充裕的時間將其他各
篇陸續殺青。為了這本小書，當寒假來臨，所有的交換教授都效北雁
之南飛時，我一個人滯留異邦，與嚴冬搏鬥。所面臨的，不僅是冰雪
的酷寒，客居的孤寂，更是缺乏良師益友可以當面請教切磋的環境。
想起兩百多年前，任啟運撰寫《夏小正注》，「春祁寒多雪，余直廬綠
雲深處（直廬舊額），在冰圍雪罏中，退直之餘，日呵凍作數十字，
見者哂余何自苦乃爾。」（〈夏小正序〉）不禁心有戚戚焉。直至元月
底，內子蕙慧來韓相伴。寫作條件才算大有改善。本書的脫稿，時逾
三年，地亙千里，可謂得來不易，無論成績良窳，我對它都有一份特
殊的鍾愛。更重要的是，從此可以將〈夏小正〉的研究告一個段落，
進一步去探討《大戴禮記》的其他篇章，這又是十分值得欣慰的事。

　　最後要感謝汪師雨盦寵錫題耑，陳熾彬賢棣代為斠讐以及淡江大
學連續給予兩年的研究補助。同時也應感謝國內外許多師長、親友、
同仁、學棣們的關懷與愛護，沒有大家的精神支持，拙著是不可能如
此順利完成的。

　　　　　　一九八五年二月廿五日莊雅州謹識於漢城客次

《爾雅今註今譯》跋

　　提到《爾雅今註今譯》這本書的寫作緣由，應該從三十五、六年前談起。當時我還在臺灣師範大學博士班就讀，修滿學分，正在先師高仲華（明）教授的指導下撰寫學位論文。有一天，偕同故友李周龍兄登門請益。高師提到他與臺灣商務印書館簽約撰寫《爾雅今註今譯》已有多年，由於授課、指導論文、審查、開會……，百事叢脞，始終未能動筆，希望周龍兄撰寫〈釋蟲〉以下五篇的註譯，我則負責〈釋草〉、〈釋木〉二篇。體例仿照他的《大戴禮記今註今譯》，無論文字、詞條、注釋都以郝懿行《爾雅義疏》為基本根據，再參考其他相關書籍及工具書，以最新的生物學知識加以注譯。將來他得暇加以改定後，再自撰其他十二篇就可以交卷了。我倆在先師的指導下，不到一年時間就達成任務。過了兩、三年，先師告訴我們，由於實在太忙，無法把《爾雅》注譯的其他篇章寫出，他擬與臺灣商務印書館商量，索性就改由周龍兄和我接手。不料聯繫的結果，對方說合約逾期甚久，早已失效，事情就這樣告一段落。此後，周龍兄和我各自忙著完成博士論文，以及在大學裡教學、研究甚至行政諸事，再也沒有去理會《爾雅》的注譯。一九九二年九月、十二月，先師、故友先後病逝，良師益友一時俱杳，真是哀樂中年的一大痛事。當時我正在中正大學擔任中文研究所所長，忙著成立大學部、申請博士班，接著承乏文學院，整天忙得團團轉，研究暫時擱置，《爾雅》注譯的事當然更拋諸腦後。

　　一九九八年卸下行政工作，休假一年，課讀餘暇，較有時間從事研究工作。二〇〇一年我得到國科會的補助，開始執行「爾雅草木蟲魚鳥獸今釋」研究計畫，為期三年，當時我邀請中正碩士班第一屆畢業校友，同時也是同事的黃靜吟博士擔任共同主持人，再找了幾位研究生擔任研究助理，就此展開地毯式的資料蒐集與整理工作。二〇〇二年我提前退休，應聘到玄奘大學任教。先後擔任中語系主任、文理學院院長，工作雖忙，由於靜吟的襄助，計畫仍能照常進行，而且在二〇〇五、二〇〇六年繼續執行「爾雅釋天今釋」、「爾雅器物今釋」研究計畫，蒐集資料之多，在過去說得上汗牛充棟，在現代則可集中在幾片光碟之中。二〇〇八年我轉到元智大學任教，次年繼續執行三年期的「文字學與其他領域科際整合」研究計畫，與《爾雅》相關的論文發表了不少，但全書注譯的工作始終未底於成。去（二〇一〇）年春夏之交，國立編譯館李素君小姐來電話邀約撰寫《爾雅今註今譯》，接著臺灣商務印書館葉幗英主編也表示該館有意繼續出版古籍今註今譯叢書。事情就這樣一拍即合，寫作計畫審查通過，隨即簽約。我和靜吟採取分工合作的方式，由她撰寫〈釋詁〉、〈釋言〉、〈釋訓〉、〈釋丘〉、〈釋山〉、〈釋水〉、〈釋畜〉七篇，我則負責〈導論〉及其餘十二篇，篇數雖有差異，分量則各約二十萬言。並約好以當初研究計畫所訂的凡例為準，旁參拙作〈論考釋爾雅草木蟲魚鳥獸之方法〉（臺灣大學出版中心《東亞傳世漢籍文獻譯解方法初探》，2005年）的九種研究方法，開始撰稿的工作。一年來，我們婉謝了不少外務，埋頭趕工，在今年九月底總算交卷送審，然後依照審查意見修改並校對，馬上要正式出版了。

　　三十幾年來，海峽兩岸陸續問世的《爾雅》專書及學位論文將近三十本，期刊論文亦復不少，其中包含今注一本、譯注三本，這些著作大大充實了本書的資料來源。但是純粹由臺灣學者及書店合作、印

行的《爾雅》譯注,這還是第一本。站在巨人的肩膀上,本書仍有相
當寬廣的發揮空間,仍能呈現嶄新而明確的面目。最主要的是在詞語
訓詁方面採用了不少語言文字學,尤其是古文字學的研究成果;在名
物訓詁方面擷取了許多現代科學新知及地下出土文物。(唯一的遺憾
是基於版權及篇幅的考量,所有的圖版只好割愛。)這些都要感謝先
師當初的高瞻遠矚,而本書的出版也差可告慰先師及故友的在天之
靈。一書之成,如此不易,回首前塵,感慨良深。我們要感謝的單位
及個人實在太多了,上文多已提及,此處不再贅述。

莊雅州
二〇一一年十一月廿六日

《詩經的智慧》序‧取之不盡的寶藏
──《詩經》

　　在現代學術分類中，《周易》屬哲學，《尚書》、《春秋》屬史學，《詩經》屬文學，《三禮》屬社會學，《樂經》屬藝術學，當它們被編輯在一起，以儒家教科書的身分問世之後，就成為中國文化的百科全書，中國學術的源頭。尤其是漢代，武帝立五經博士，罷黜百家，更使得他一躍而為人們思想行為的圭臬，科舉仕進的敲門磚，對中國歷史文化產生無與倫比的影響力。到了近代，由於時代激烈變化，經學曾經遭遇強烈的批判、質疑與污衊，有的要把經書丟到廁所，有的宣布經學已經死亡。但在臺灣，在中國文化復興的旗幟下，經學始終保存一線生機；而大陸，歷經波折，也幡然改圖，重新肯定經學的價值。所以近些年，在新方法、新材料、新觀念的指引下，海峽兩岸，甚至東亞漢文化圈的日本、韓國，經學研究又蓬蓬勃勃復興起來，繼漢、唐、宋、清之後，呈現另一個經學研究的黃金時代，這是多麼振奮人心的事。

　　群經之中，《詩經》應該是老少咸宜，最普遍為知識分子所鍾愛的一書，因為它是中國第一部文學總集，也是後代辭、賦、詩、詞、曲等文體的鼻祖。在形式方面，顯現詞彙豐富、句法靈活、章法多變、韻律自然；在內容方面，包含民生的反映、愛情的抒發、歷史的

吟詠、政治的寫照、鬼神的頌讚。千百年來，它還是可與人們的生活密切聯繫，能在情感上引起共鳴，發揮興、觀、群、怨的效用。就學術研究而言，《詩經》所提供的豐富史料，對我們研究先秦文學、史地、思想、科技、社會、禮俗、語言文字等，都是取之不盡的寶藏，這從近、當代學者琳瑯滿目的著作不難得到印證。

今日，大學中文系裡幾乎都會開設與《詩經》相關的課程，從選課之踴躍，可以略窺莘莘學子興趣之一斑。像我過去在中正大學講授「詩經研究」，每次都有十幾位研究生選修，在元智大學講授「詩經」，選課的同學有時會超過百名，這在選修課程中是絕無僅有的。東海大學呂珍玉教授專攻《詩經》學，著作等身。她所講授的「詩經」課程，當然更是受到同學們的歡迎，但是，最難能可貴的是，她非常重視學生研究興趣的啟發、研究成果的發表。繼去年《閱讀詩經》出版之後，今年又編輯《詩經的智慧》一書，收集了十類八十二篇論文，除了呂教授自己的十二篇研究成果外，其餘七十篇都是同學們精心撰寫的心得。正如枝頭青澀的果實，他們容或不盡成熟，卻充滿生命的喜悅，洋溢發展的希望。今日學術界卓然有成的學者，只要回想自己年輕時發表論文的不易，當不難體會呂教授這種苦心安排，對年輕的朋友具有多麼鉅大的鼓舞力量。希望呂教授持之以恆，每年都有這樣的論文集推出，更希望年輕的朋友繼續努力從事學術研究。那麼，幾十年後，有人在翻閱這些論文集時，可能會發現一些名學者的少作，而感嘆說：「唉呀！他們這麼年輕就開始研究《詩經》，怪不得有這麼好的研究成績。」

莊雅州序於臺北

二〇〇三年九月

（收錄於呂珍玉主編《詩經的智慧》）

《駱成駰《左傳五十凡例》研究》序

陳溫菊博士，人如其名，溫潤如玉，清芳似菊。早歲負笈中正大學中文研究所，從余撰寫學位論文，一九九四年以《詩經器物考釋》獲頒文學碩士，二〇〇〇年以《先秦三晉文化研究》榮膺博士學位。旋即應聘銘傳大學應用中文系任教，曾一度擔任系所主任，教學、服務、輔導之餘，相夫教女，三餘少暇，仍不忘情研究。其《詩經器物考釋》分《詩經》器物為五類二七五種，逐一介紹其形制、演變、特性，並闡發其作用與涵義，可謂極盡微觀之能事。《先秦三晉文化研究》分別從都城建築、經濟、社會、天文曆法、文字、學術、文學等方面從事上古區域文化之整合，又足以見其視野之宏觀。二書性質雖有不同，而實事求是，無徵不信，深契清儒治學之精神則無以異。至其善用地下出土文物，與傳統文獻互相印證、補充、訂正，又有合於王國維先生所提倡之二重證據法。厥後著述，不絕如縷，要皆以經學、文化學為大宗，以考據為主軸。今夏喜聞新撰《駱成駰《左傳五十凡例》研究》即將付梓行世，問序於余。余瀏覽一過，深感其書冶考據、義理於一爐，上探左氏敘事之書法乃至麟經之微言大義，於學術研究更上層樓，故樂而為讀者略作導引。

本書之優點極多，以余觀之，有四點特色尤其值得一提：

（一）提挈綱領

正如《史記》被譽為「史家之絕唱，無韻之〈離騷〉。」《左傳》不僅為經學名著，且深具史學、子學、文學、文化學之價值，是一取

之不盡，用之不竭之寶山。以其包羅宏富，取徑多方，問津者往往滿載而歸。其中最重要者莫過於以義例作為解說《春秋》之主要方法，馴至構成《春秋》學之主要內容與終極目標。不獨《公》、《穀》二傳為然，《左傳》學者自劉歆、賈徽、穎容以降，亦每每以例解經，晉杜預自《左傳》歸納凡例五十，尤為學者蘄向之所在。固然其說有舊例、有新例、有正例、有變例，未盡周延，亦未必妥貼，異說紛紜，反對者如唐之啖助，宋之朱熹、黃震、黃仲炎、呂大圭，元之程端學，亦不乏其人。然張網者必提其綱，振衣者必挈其領，倘無凡例以明左氏用字之原則與敘事之體例，則無由探討孔子之歷史哲學，然則萬餘言之麟經與斷爛朝報何以異？職是之故，杜預之五十凡例在今日仍有不可磨滅者，特在鑽研之際，如何避免牽強附會，避免宗派之見而已。民國初年，受新文化運動及《古史辨》疑古思潮之衝擊，經學日漸式微，《春秋》義例之學亦闇然不彰。在舉世罕為之際，駱氏有專書探討杜預凡例，溫菊又透過駱書以鑽研左氏之義例與《春秋》之筆法，皆可謂識其大者。

（二）闡發幽微

人之蔽，常貴古而賤今，向顯而背微，韓愈非三代兩漢之書不敢觀，高郵王氏父子架上乏唐以後之書，不過其顯例而已。近年海峽兩岸經學復甦，研究者言先秦兩漢以迄清代經學如數家珍，言民國經學則除少數名家外往往茫然無所知。此種現象，亟待改進。林慶彰教授之所以推動民國經學研究計畫，文听閣之所以輯印《民國時期經學叢書》，《國文天地》之所以開闢「學林人物」專欄，意在斯乎？駱成駪生值經學荒蕪時期，皓首窮經，終生寥落，其名不彰，其書不顯，固其宜矣！溫菊訪孤本於史語所，得舊槧於拍賣網，深感其書細密平實，時興己見，頗有探討價值，遂毅然選為研究對象，焚膏繼晷，全

力以赴，務期使駱氏之苦心孤詣見於天日，其闡發幽微之熱忱有足多者。

（三）析論詳盡

最足以見溫菊心思之細、條理之明以及治學之勤者，厥為其對《左傳五十凡例》之析論。除緒論、結論外，本書主體第二章竭力介紹駱氏生平事略及寫作動機，雖材料所限，所得無多，於知人論世實不無小補。而分析駱書之體例有三：曰廣引諸說以證之，曰屬辭比事以釋之，曰獨抒己見以斷之，則對於解讀駱書大有助益。駱書之優點，如旁徵博引、以禮說例、折中兼納、闡發經義、善用屬辭比事、兼採科學新知等，亦藉此得以表彰。至於三、四兩章針對五十凡逐條加以析論，尤為詳盡。每條皆先撮舉該凡例及駱氏案語之要旨，再分別就釋例及案語辨析進行論述。釋例部分必先交代經傳原文、杜注孔疏，旁及《公》、《穀》異同及相關典籍之資料，繼而從史實及時空背景探討凡例之由來及其含義。案語探析部分則分段詮釋案語之重點，表彰其獨見，補苴其疏漏，訂正其訛誤，評騭其不足。各凡例之辨析，少則一、二頁，多則七、八頁，面面俱到，幾無遺蘊，不僅足為駱書功臣，對杜注及《春秋》經傳之研究亦頗有參考價值。

（四）取便通讀

一般學術研究每力求高深，陽春白雪，和者雖寡亦在所不惜。溫菊此書則在專業之餘亦不忘其普及。三、四兩章辨析各凡例之前，必將凡例原文及駱氏案語譯為語體，如第十七凡云：「莊公二十九年：凡土功，龍見而畢務，戒事也；火見而致用，水昏正而栽，日至而畢。」溫菊譯為：

　　莊公二十九年傳文：凡是土木工程，當蒼龍七星宿的角宿、亢宿出現時就要秋收完畢，而開始準備土木工程；當心宿出現時就要把各種用具送到工地，當室宿出現時就要開始打地基，到冬至時，工程須全部完畢。

不引注語，不務考釋，以最直接、最簡明之方式加以翻譯，其意並非等同下里巴人，而是手此一書，不假他求，即可了然五十凡例及駱氏案語之原意，逕自通讀辨析部分而無滯礙。蓋溫菊執教上庠，深知由易入難，循循善誘之妙用，故有此獨特之設計。

　　諸家著述各有所長，亦難免有所不足，仁智之見，固不煩覼縷代庖也。

莊雅州序於臺北
二〇一四年七月

（收錄於陳溫菊《駱成駪《左傳五十凡例》研究》）

《經典詮釋與生命會通》序

　　經學是中國文化的核心，其盛衰標誌著歷史文化的起伏。漢武帝獨尊儒術、罷黜百家，正式建立了經學的權威地位。但正如林慶彰教授所說的：由於偽作、闕佚、作者問題，記事不實，學術思想變遷等內因（《中國經學研究的新視野》，臺北市：萬卷樓圖書公司，2012年12月頁47），以及政治隆污、時局變遷，民生甘苦等外緣，不斷地考驗著經學的權威。尤其近代世變劇烈，民心徬徨，經學更是遭遇強烈的批判、質疑與污衊，有的要把經書丟到廁所，有的宣布經學業已山窮水盡。但臺灣，在中國文化復興的旗幟下，經學始終保存一線生機；而大陸歷經波折，也幡然改圖，重新肯定經學的價值。所以這些年，在新方法、新材料、新觀念的指引下，海峽兩岸，甚至東亞漢文化圈的日本、韓國，經學研究又蓬蓬勃勃復興起來，繼漢、唐、宋、清之後，呈現另一個經學研究的黃金時代，這是多麼振奮人心的事。而丁亞傑教授就是在為數眾多的經學研究者之中，執志甚堅，用力甚勤，有著優良表現的一位。

　　初識亞傑，應該是二〇〇〇年十一月在東吳大學，他提出博士論文《清末民初公羊學研究──皮錫瑞、廖平、康有為》口試時。在李威熊、林慶彰教授的教導下，他將清末民初《公羊》學三大家熔於一大爐，詳細地分析其《公羊》理論，比較其異同，探索其影響，具有獨到的見解，能補此一研究範圍的不足，所以獲得在場委員的一致讚賞。

　　厥後，他繼續在元培醫專任教，我仍執教中正大學。由於工作環境的不同，除了偶然在學術研討會之類的場合外，就很少有相見的機會。印象較深的只有幾件小事：

　　二〇〇一年八月我全家前往張家界參加第五屆《詩經》學國際學術研討會，他也偕同夫人林淑貞教授前往發表論文。會後，一大群人在林慶彰教授帶領下，暢遊九寨溝、北京。由於淑貞是我教過的學生，伉儷都執禮甚恭，沿途照拂，度過了一個快樂的長假。

　　二〇〇二年八月我提前退休，應聘到玄奘大學任教。有一年擔任大考中心閱卷分組召集人，我邀請他前來閱卷。他打等第時非常用心，唯恐稍一疏忽，就會影響學生的前程。

　　後來他應聘到母校中央大學任教，有一次他打電話過來，說他擔任經學概論課程，是採用拙著《經學入門》當課本，但適逢出版社臺灣書店結束營業，買不到那麼多書，問我近期內有沒有再版的計畫。我說暫時不會再版，如果有需要，不妨讓學生影印備用。《呂氏春秋‧言公篇》不是主張言論屬於公眾嗎？而且出版社既然關門，暫時也就沒有版權之類的問題。

　　除此之外，就是看到他常在期刊、研討會發表論文。二〇〇八年八月還由文津出版社印行《晚清經學論集》，全書五章竟然全已再三修改，才正式定稿，其治學之嚴謹，由此可見一斑。早在二〇〇二年三月萬卷樓印行他的博士論文，當然也是精益求精才呈現出來的。

　　我所以如此不辭覼縷敘述這些瑣事，只是在印證亞傑對於研究之亹勉，對於修身之講求。自古以來，經世致用、內外兼修一直是經學研究者乃至知識分子努力追求的傳統。

　　像亞傑這樣優秀的經學人才，而且正值「韋編三絕今知命，黃絹初裁好著書」（章太炎先生賀黃季剛先生五十初度聯）的盛年，假以時日，成就應當不可限量。孰料二〇一一年九月九日，他以中央大學

中文系副主任身份率隊前往山東大學進行學術交流時，竟不幸猝然辭世，噩耗傳來，知者無不震悼。淑貞百身莫贖之慟，修賢無父何怙之悲，更是可想而知。

近年淑貞勉抑哀思，力求昇華，除了用心栽培愛子外，也擔任中興大學中文系主任的職務，繼續積極從事春風化雨的工作，讓我們看到弱女子堅強、可貴的一面。最近，她將亞傑遺稿二十二篇哀集為四輯，曰：經史辯證、曰：儒家經典與研究方法、曰：六經皆文、曰：生命型態與存在感受，準備梓行於世，這真是紀念亞傑的最好方式，也是宏揚亞傑學術最理想的途徑。淑貞問序於余，我與亞傑同樣研究經學，取徑雖不甚相近，無法充分闡明其學術成就，但於情於理，卻是義不容辭，所以在此略作導引。

亞傑在《晚清經學論集・序》曾說：「晚清是一令人著迷的時代，內憂外患紛至沓來，學術思想屢綻異彩。最特殊之處，是中國文化史中的經學，於焉復興，諸如今文經學、諸子學、佛學、宋詩、駢文等，無不成就斐然，其中居於關鍵地位者，非經學莫屬。以經典為核心的討論研治，除承襲乾嘉專門漢學的成果外，並影響及於史學、思想學與文學。」這番話不僅開宗明義，指出他過去學術研究的重點，也預告了其日後學術發展的方向。從一九九二年碩士論文《康有為經學述評》（中央大學）、二〇〇〇年博士論文《清末民初公羊學研究——皮錫瑞、廖平、康有為》乃至二〇〇八年《晚清經學論集》，可見「春秋公羊學」以及「中國近代經學史」一向是亞傑學術研究的兩大主軸。這兩個主軸其實是一體兩面，因為前者是後者的核心，後者是前者的主要範圍。到了這本新著，第一輯中的「春秋學」正是延續「春秋公羊學」的主軸，但往上逆推到朱子及《四庫全書總目》的《春秋》觀，往下溯游到張爾田的《公羊》學思想；甚至第二輯中的顧頡剛《春秋》學也與此直接相關，對於顧頡剛更是著墨特深，因為

其疑古思想正是從今文經學蛻變而出的。至於附錄〈近五十年臺灣地區《春秋》研究概括〉（原載林慶彰教授主編《五十年來的經學研究》，臺灣學生書局，2003年5月）更可看出他對《春秋》經傳研究情況的嫻熟與了解的深刻。第二、四輯則是「中國近代經學史」主軸的擴大，不僅袁中道、劉奇逢、姚瑩、顧頡剛與康有為同樣成為他的研究對象，《易》學、古史學也都納入其研究範圍。至於第三輯「六經皆文」包含《詩經》學與《孟子》學兩大重點，多從姚永樸、姚永概、吳闓生等近代學者出發，進行論述，這不正是前述《論集‧序》所預告的晚清經學的影響嗎？

　　總之，亞傑的經學研究是以一個同心圓不斷在擴充與深化；我們一般人常有貴古而賤今、知古而不知今的毛病。他對近代經學研究的努力，可以拓寬我們的視野，啟發我們的省思，就這個角度而言，這本書應該有一讀再讀的價值。

莊雅州序於臺北2014年11月

（收錄於丁亞傑著，林淑貞編《經典詮釋與生命會通》）

《世變下的經道合一——清初遺民《易》學中的「內聖外王」》序

　　最近，曉芬手持其多年來的心血結晶《世變下的經道合一——清初遺民《易》學中的「內聖外王」》，讓我先睹為快，並且盼望為此書寫序。我忝為其碩、博士論文的指導教授，雖然對此一議題缺乏深刻的研究，然深知其治學之匪勉，著述之甘苦，不能不寫些文字來表達共勉之意。

　　二十幾年前，曉芬考入中正大學中文研究所，正是少女情懷總是詩的年華，獨鍾情於《三百篇》的翫索，有志專攻牟庭《詩切》。牟庭生於清乾嘉盛世，著述等身，而湮沒無聞，其《詩切》一書，以實事求是之精神，考證詩中的名物訓詁，闡揚詩中的微言大義，其折衷眾說，時見新解的精神，視姚際恆《詩經通論》、方玉潤《詩經原始》並無多讓，確實有研究價值。曉芬選為研究對象，不僅有獨具慧眼的識見，闡發幽微的宏願，更有深山獨行的毅力。經過孜孜矻矻的鑽研，終於在一九九八年完成二十餘萬言的碩士論文。該書從牟庭生平背景、《詩切》成書與流傳，到《詩切》釋詩的觀點、詩學觀乃至於得失的評介，咸有詳盡的剖析，雖是雛鳳初鳴，已證明具有學術研究的潛能。

　　厥後任教於陸軍高中，不過數年，深感教學相長之重要，遂就近考入輔仁大學中文所博士班續求精進。她以《天理與人欲之爭——清儒揚州學派情理論探微》為題，撰寫博士論文，可能是我的指導方式

還能符合她的需要，也可能是「衣不如新，人不如舊」吧？她特別請求系所聘我為指導老師。揚州學派是近年來繼吳派、皖派、今文學派之後，受到學界重視的顯學，學者雲蒸霞蔚，學術成就多元，如朱澤澐、王懋竑、劉台拱、段玉裁、王氏父子、江藩、黃承吉、汪中父子、凌廷堪、焦循、阮元、劉寶楠、凌曙、劉文淇、劉毓崧、劉壽增、劉師培等人，多是邃於經學、小學，而不以義理名家，然能從訓詁考據求義理，自有其迥異於程朱理學者在，徒以訓詁考據盛名掩其光彩而已。曉芬採取較乏人問津的情理論進行群體研究。橫向方面除了綜合歸納外，亦分別就性理、情欲與實踐工夫三層以微觀方式做縝密研究；縱向方面論及揚州儒學之發展，特別注意以宏觀方式對學術史的演變與發展作前因後果之探索。加上前面追溯揚州學派情理論的緣起與形成，後面指明情理論的影響，給予適當的評價，可謂架構勻稱、體系井然，不時表現個人獨到的見解。二〇〇九年，完成三、四十萬言的論文，口試時，委員們雖然提出不少寶貴的意見，但也無不充分肯定其用功之勤，成果之斐然可觀。

畢業後八年，曉芬繼續在陸軍專科學校任教，教學輔導之外，還須操持家務，三餘少暇，而不忘情於著述。時時有論文發表，尤其難得的是她悄悄地採取計畫寫作的方式，以清初遺民《易》學為研究對象，陸陸續續完成了十二篇系列論文，先後發表於學報及國內外研討會。這些論文都是她獨自完成，未曾與我進行討論，可見她已具有獨立研究的能力，值得欣慰。最近經過總結整理，準備正式出版，事前讓我通讀一遍，覺得頗有可以稱道之處，舉其要者如：

一　問題清晰

本書採學位論文格式，足見仍有謙虛學習的心態。國內一般文史論文的緒論部分，基本上包含研究動機、文獻檢討、研究方法三部

分，而不像APA格式，還有具體的研究目的以及相應的待答問題，以問題為導向，引導整體思維的進行，並提供全書檢驗的圭臬。本書在研究動機與目的一節，常自問自答，確定全書的主題，各章亦往往有類似的文句，來標示該章的思考重點，就思想性的論文而言，有濃厚的問題意識，是十分可取的。

二　主題明確

主題是全書的主旋律，是各章節運轉的核心。本書旨在闡揚清初遺民遭逢天崩地裂之變局，恥事異族，潛心《易》學，以寄託內聖外王，經世治民之理想，雖不見用於當代，但影響則至為深遠。這些《易》學家或取法宋《易》、或援史證《易》、或修正漢《易》，塗轍雖異，歸宿則同。各章宛如行星之繞恆星，展現和諧之宇宙；又如樂章之迴環往復，構成磅礴的交響曲，給人渾然一體的感覺。

三　取材豐富

據《清史稿藝文志》及補編、拾遺著錄、清代《易》類著作凡一一五八部，其中屬清初遺民《易》學家多達六十六位，《易》學著作近八十部。曉芬取精用宏，擷取孫奇逢、刁包、方以智、張爾岐、黃宗羲、錢澄之、顧炎武、王夫之八家。其中不乏碩學鴻儒，亦有隱微之士，《易》學著作或吉光片羽，或卷帙宏富，而曉芬皆善加剪裁敷演，建構其思想體系，再旁徵博引相關文獻加以發揮，故寫來有左右逢源之便，理據俱足之美。

四　方法新穎

學術研究之突破，往往有賴於新材料、新工具、新方法之運用。曉芬嫻熟電腦，蒐集整理資料每能得心應手，研究方法亦喜推陳出

新。本書採取的方法，除傳統的歸納、統整、演繹、分析、梳理外，亦酌取高達美詮釋學的視域融合、傅偉勳的五個辯證層次，乃至於管理學論述的研究方法，以期更確切地表達思想家觀點。當然這些方法多少具有實驗性質，但確實有求新求變之意。

五　架構勻稱

全書共八章，先以緒論介紹研究動機、目的、文獻回顧、研究方法、範圍、章節安排，次二章界定清初遺民《易》學與經世發展，論述清初遺民《易》學發展與特色，以奠定研究基礎。其次四章分別析論八家《易》學思想，最後，再以結論總結清初遺民《易》學中的內聖外王之道，並闡明其價值與意義，架構完整，條理井然。如建築之按圖施工，確保品質之無虞。

六　析論詳明

義理之學首貴論證條分縷析，剖析襞積入裡。《易》學講求宇宙萬事萬物變化不息的道理，既廣大，又精微，神妙莫測，掌握尤為不易。曉芬則分別論述各家戒心生、學《易》以檢心、三教歸《易》、成善之道、圖書象數觀、經世思想、修己治人等《易》說，以見百花齊放之特色，再歸納為三派，總結為內聖外王、經道合一之主題，可謂張弛自如，能暢所欲言。

綜觀此本新書，再參閱前兩本舊著，可發現二十年來，曉芬的研究領域心隨境轉，不斷改變。如少女時期不知愁滋味，以闡發幽微之熱情去領略牟庭詩學之美。于歸之後，體驗傳統禮教家庭之成規，深感宋明理學尊性黜情之不合情理，故闡揚揚州學派之情理論。近年則身家之道彌艱，憂患意識益深，故藉清初遺民《易》學以體會天人之理。但其研究以義理為主，專注於清代學術則無以異；其發憤著述，

以求心靈之昇華亦無以異。此在人生固為不遇，在學術則未嘗不是一幸，願曉芬勉之。

　　以上就曉芬研究歷程及本書要點略加導引，以供讀者參考。本書值得嘉許之處雖多，疵累之病實亦所難免，我已提供一些修改建議，她也從善如流，竭力改進。但任何一本學術論著都不可能十全十美，仁者見仁，智者見智，大雅君子所能指正之處想必更多，此則非我所可越俎代庖了。

莊雅州序於臺北

二〇一七年八月

（收錄於張曉芬《世變下的經道合一──清初遺民《易》學中的

「內聖外王」》）

《臺灣客家禮俗文化新探索》序

　　謝淑熙博士，人如其名，溫婉而爽朗，出身桃園縣楊梅教育世家，是一位典型的客家女子。與淑熙相識近半世紀了，還記得一九七二年秋季，我剛從臺灣師範大學國文研究所碩士班畢業，尚未進入博士班深造，因左師松超的介紹進入大學兼課，擔任聲韻學課程，這在中文系是最繁重的課程，下課休息時間，淑熙經常趨前問疑；學期末補課十幾小時，從未缺課；每次考試，成績總是名列前茅。幾十年來，每逢年節，她都會持禮問候，從未間斷，其尊師重道有如此者。

　　淑熙畢業後，獻身梓里教育，先後任教於桃園縣仁美國中、臺北育達高職、中壢家商等校，並兼任圖書館主任，克紹箕裘，作育英才無數。婚後孝敬舅姑，相夫教子，勤儉持家，子女遠赴外國留學。到了事業與家務都上軌道之後，才負笈臺灣師範大學碩士在職專班，二○○四年在林安梧教授指導下，以《孔子禮樂觀所蘊含教育思想研究》獲得碩士學位，厥後，考進臺北市立教育大學，在林慶彰教授、賴貴三教授指導下，二○一二年榮膺文學博士學位，其論文《黃以周《禮書通故》研究》體大思精，勝義時見，我忝為口試委員，對其竿頭日進的表現，確實感到十分欣慰。畢業前後，曾執教於萬能科技大學、新生醫專、臺北市立教育大學、國立臺灣海洋大學、實踐大學等校。並兼任中華文化教育學會秘書長，黽勉從事，熱誠感人。

　　幾十年來，淑熙手不釋卷，筆耕不輟。在學期間，經常參加文復會、孔孟學會、商教學會等的徵文比賽，屢創佳績。進入研究所之

後，更發表了五、六十篇論文，範疇涵蓋經學、思想史、古典文學、圖書文獻學、國文教學等，集結成書的，除了碩、博士論文外，還有《過盡千帆——向文學園地漫溯》、《不畏浮雲遮望眼——回首教改來時路》、《禮學思想的新探索》、《研閱以窮照——閱讀教學的新意義》等書。近年來，客家禮俗文化成為她另一個研究重點，先後發表了九篇論文，十餘萬言，擬以《客家禮俗文化新探索》為題，付梓問世，以她對客家文學的熱愛，對客家精神的身體力行，這真是不足為奇的事。所以當她希望我為這本新書寫序，我立刻欣然應允。從頭到尾通讀一遍，發現它的確具有不少優點，舉其要者，例如：

一　主題鮮明

主題是作品題材所蘊涵的主要思想、情感、意義。此書的題材相當繁複，但其主旋律始終在闡述客家崇本報先、啟裕後昆的禮俗文化，進而發揚客家篳路藍縷、積極奮鬥的傳統精神。一千七百多年來，客家民系歷經五次大遷徙，從中原到蠻荒，顛沛流離，處處為家，竟能繁衍為一億多人口，散布在海峽兩岸及世界各地（單是臺灣有四百萬人），保留了許多中原文化，也發展出獨樹一幟的禮俗，對當地的政治、經濟、文化都有重大貢獻，而其愛國愛鄉的情懷也特別濃烈。正如本書中一再強調的：「客家人勤勞節儉、刻苦耐勞；在人倫關係上，客家人敬祖睦宗、長幼有序；在社會意識上，客家人團結、要求與人和睦相處、能忍讓；在品德操守上，要求人品氣節更勝於富貴，並且敬愛自然萬物。」（頁37）這種文化特質，洋溢在客家子孫的身上，也散布在不同的禮俗文化之中，本書大半的篇章最後都在探討各種禮俗的文化蘊涵，更顯現其主題之集中而強烈。

二　題材多元

　　淑熙多年來的研究，從《道貫古今－孔子禮樂觀所蘊含之教育思想》、《黃以周《禮書通故》研究》到《禮學思想的新探索》，可說一以貫之，以禮為主軸。曾國藩〈聖哲畫像記〉說：「先王之道，所謂修己治人、經緯萬彙者，何歸乎？亦曰禮而已矣！」禮的範疇十分廣泛，單以本書而言，姓氏、堂號、宗祠、族譜、家訓、信仰、成語、語音、文學風情等，不過是其中幾個重點而已。對這些題材的探討雖有詳有略，但已足以表現其題材之多元、內容之豐富。在有限的篇幅中，所以能表現如此充實的內容，與其視野之寬廣、資料之豐富必然息息相關。當然，客家文化可以研究的題材還有許多，如歷史、社會、經濟、飲食、服飾、建築、婚喪、禁忌、音樂、戲劇、體育，乃至於從縱的方面去追溯中原民俗文化的源頭，橫的方面去比較客家文化與其他相關文化的關係與異同，都是淑熙乃至於有志之士可以留意之處。

三　方法講求

　　在現代客家禮俗文化的研究，涉及的學科有歷史學、民族學、人類學、民俗學、社會學、語言學、宗教學、藝術學、文化學等。淑熙長期接受學術研究的訓練，對於研究方法也不敢忽略。書中提及的有歷史學、語言學、社會學、文獻學、傳統禮儀等研究法，而且常有相互結合，交叉運用。其實與本書相關的還有田野調查法、文學研究法、詞彙學研究法、文化學研究法等。這些方法各有細緻的操作技巧，運用得當，則無論對資料的蒐集、史料的分析、考證、文本的詮釋、疑難的釐清、體系的建構，都有不少助益。不同的禮俗文化，要靈活採用不同的研究方法。這一點，本書大致也注意到了。

四　論述得宜

　　在題目確立、架構穩定之後，論文的主體，或敘述，或說明，或分析，或綜合，或考證，或引據，或申論，或比較，要以論與述為兩大端。本書各篇長者二萬四千字，短者七千餘言，莫不力求論述綦詳，暢所欲言，以期掌握主題，達到寫作的目標。例如〈從姓氏與堂號探究臺灣客家文化的蘊涵〉，先從中國姓氏的演變，談到臺灣客家姓氏的由來，然後以謝氏（作者本家）、張氏（作者夫家）、賴氏（作者老師）為例，論及臺灣客家姓氏堂號的源流。就像電影由全方位的大鏡頭，逐步縮小到特寫鏡頭。最後再析論臺灣姓氏堂號的文化蘊涵，包含：1. 報本尋根意識濃厚，2. 探究生命本原，3. 宣揚客家始祖開疆拓土的精神，4. 重視宗族倫理觀念。前後參照，可以發現所言皆有根據，足以顯示客家民俗文化的特質。又如〈臺灣客家文學風情觀初探〉，先談臺灣客家文學的定義與內涵，再分別從桐花情、茶山情、耕讀情、客語情、鄉土情、美食情、民俗情探討客家文學所蘊涵的風情觀。所舉的文學作品有詩、山歌、俗諺、歌詞、勞動歌，所反映的是客家日常生活的風情畫，再穿插相關的圖片，而其中的文化蘊涵則留給讀者自行體會。其作法與前篇有異曲同工之妙。

　　總而言之，淑熙這本書將血緣情懷與學術研究融為一體，是相當值得推薦的。當然，任何一本書都難免有些值得商榷的疏失，我已提出不少意見給作者參考，她也從善如流，在可能的範圍內，儘量加以修正，在此就不贅言了。

　　　　　　　　　　　　　　　　　　　　莊雅州序於臺北

　　　　　　　　　　　　　　　　　　　二〇一八年八月二〇日

　　　　　　　　　　　　（收錄於謝淑熙《臺灣客家禮俗文化新探索》）

《圖解詩經》推薦序‧詩畫交感，美不勝收

　　《詩經》之有圖譜，由來已久，早在梁代，有《毛詩圖》三卷，唐有《毛詩草木蟲魚圖》二十卷，宋有馬和之《毛詩圖》三卷，可惜這些古圖均已亡佚，今所得見者，在中土首推徐鼎之《毛詩名物圖說》（一七七一），在東瀛則屬岡元鳳之《毛詩品物圖考》（一七八五）。二書圖文互為經緯，時代如此接近，性質如此相類，皆為研讀《詩經》時不可不備之要籍。余夙好名物訓詁，先後撰就三篇論文加以評述及比較，今並收入《會通養新樓經學研究論集》中。脫稿以後，深深期待第三本古代《詩經》圖譜能早日問世，不過數年，宿願竟然得償，真是喜出望外。

　　清初高儕鶴的《詩經圖譜慧解》（一七一三），從初稿歷經重寫、重校、重錄、重摹，窮稽博考，精益求精，費時二十餘年，宛如精衛填海。可惜沈霾三百餘年，雖曾有文海出版社《清代稿本百種彙刊》本複印，然圖繪影印模糊，通行不廣。此番國家圖書館珍藏、呂珍玉教授導讀重編、聯經出版公司精印的《圖解詩經》，攝取全書精華，即將以全新的面貌風華重現，真是學界一大盛事。

　　《詩經圖譜慧解》成書早於徐鼎、岡元鳳二書半世紀以上，雖同樣圖文並茂，考辨用心，兼具經學、文學、藝術價值，但三書性質不甚相同，各有特色。例如徐、岡二書以草木鳥獸之圖考為重；高書則廣及天文、輿地、車制、器械，而以配合詩境之山川風物、人文百態

為主。又如徐、岡二書結合動植物性狀與《詩經》意象來間接探索詩旨；高書則直接以圖文相輔來披露勞人思婦之心、稼穡艱難之意，教忠教孝，寓意深遠。再如在文字方面，徐書引書一三六種，以漢學為主，岡書引書六十餘種，漢宋皆宗，重點均在名物訓詁；高書則引書一〇八家，也是漢宋皆宗，除逐篇臚列詩譜、詩旨、分章釋義、析論外，卷一前更附有〈後愚詩說〉、〈詩義參詳〉、〈詩經圖譜引義〉，儼然為一完整的《詩經》學專著。復如在圖繪方面，徐書收圖二五五幅，為作者手繪，重在寫意，岡書收圖二一一幅，出自畫人橘國雄之手，工筆為之：高書則收圖九十一幅，作者自繪者七十六幅，其餘十五幅出自王翬、高簡、戴峻等六位名家之手，完成上色者近半，每幅畫後附有畫意題解，不啻如穆梭斯基的「展覽會之畫」，具有極高的藝術價值。

　　《圖解詩經》一書保留高書圖繪，刊落繁富文字，只取簡明扼要的圖解、釋義，展卷之際，左圖右詩，詩情畫意，可以賞心悅目，涵泳體會，進而透過雅俗咸宜、廣為流傳的方式，使《詩經》的閱讀蔚然成風，豈非美事一樁？至於專家學者有意作深入研究者則不妨借助本書詳盡的「導讀」，按圖索驥，去找高氏原稿或文海《彙刊》本，當另有一番收穫。當然，倘若典藏機構及出版公司能將全書以精美之姿完整付印，那更是功德無量了。

莊雅州序於臺北

二〇二〇年九月

（收錄於高儕鶴著，呂珍玉審訂《圖解詩經》）

附錄

莊雅州教授傳略及其經學論著概述

陳溫菊

一 前言

臺灣經學研究的興起，應是自一九四五年十月臺灣光復，由大陸學者來臺後傳入。經由他們在各大學中講授經學或小學的課程，慢慢培養出臺灣的經學人才，奠定紮實的基礎，從而將經學傳統發揚光大。大要言之，這些大陸來臺的學者所傳承的經學體系有二，一是由臺灣大學學者傳下的系統，另一是由臺灣師範大學和政治大學傳下的系統。[1]莊師雅州先生就讀於臺灣師範大學國文系、國文所，受業於第一代的來臺學者如魯實先、林尹、程發軔、高明等先生，故為師範大學一系的第二代學者。

吾師雅州先生自一九七八年始執教鞭[2]，迄二〇一二年退休，凡三十餘年來，講學杏壇，亹勉授業，指導完成的碩博士論文九十三篇（附錄一）。又鑽研學術，孜孜矻矻，撰著有《夏小正析論》、《經學入門》、《爾雅今註今譯》等書，以及單篇論文七十多篇（附錄二）。林慶彰教授在〈臺灣近四十年詩經學研究概況〉嘗謂臺灣各大學中文系教

1　林慶彰：〈臺灣近四十年詩經學研究概況〉，《文學遺產》1994年第4期，頁119。
2　莊師於大專院校專任執教自此年始，惟大學畢業後，即一九六七年，曾於南投中學擔任實習教師一年；一九七二年碩士班畢業後，曾在中國文化大學夜間部兼任講師數年。

授是推動《詩經》研究的最大動力之一，並將莊師雅州列入貢獻良多的教師群中。[3]林教授所言誠然專指《詩經》學的情形，若推及於整體經學的研究概況，亦復如此。從莊師指導的學位論文來看，研究《詩經》的有江永川〈顧頡剛《詩經》學初探〉、王靜芳〈胡適《詩經》論著研究〉、陳溫菊〈《詩經》器物考釋〉、張曉芬〈牟庭《詩切》研究〉、周玉珠〈從《詩經》看周人的婚姻〉、李欣玲〈從《詩經》探析周代農業社會〉、鄭月梅〈崔東壁《讀風偶識》探析〉、魏玉芳〈《詩經》工藝文化研究〉、陳芊論〈張壽林《詩經學研究》〉等九篇；研究《尚書》的有趙麗君〈《尚書・堯典》研究〉、林國鐘〈《尚書正義》對鄭玄、王肅之取舍研究〉、吳國宏〈孫星衍《尚書今古文注疏》研究〉、林登昱〈林之奇《尚書全解》研究〉及〈《尚書》在古史辨思潮中的新發展〉；研究《春秋》及《左傳》的有陳忠源〈從《春秋》的傳衍論先秦時期的經學發展〉、黃翠芬〈章太炎《春秋左傳》學研究〉、陳獻佑〈《左傳》災異研究〉、曾元〈《左傳》天人關係論〉等；研究《禮記》的有游雯絢〈從社會道德層面剖析《禮記》吉禮之倫理思想〉、蔡翼隆〈《禮記》中的陰陽五行思想研究〉及李書秀〈《樂記》研究〉、曾家瑩〈《禮記・內則》倫理思想研究〉；研究《周易》的有莊友貴〈《周易述義》研究〉、黃原華〈《周易》與亞理斯多德天人哲學思想比較〉；研究《論語》的有廖千慧〈焦循《論語》學研究〉，研究《孟子》的有王啟人〈孟子民本思想之研究〉；還有對經學思想的研究，包括陳志信〈朱熹經學志業的形成與實踐〉、吳智雄〈西漢前期經學思想研究〉等論文[4]。這些弟子，又成為經學研究的第三代傳承者與拓展者[5]，對於臺灣經學的推衍，必有助益。

3　林慶彰：〈臺灣近四十年詩經學研究概況〉，頁120。
4　詳參附錄一：莊雅州教授指導學位論文表。
5　莊雅州教授指導碩士、博士論文的撰寫，是他至中正大學中文系任教後開始。所指

筆者自一九九一年入莊師門下，至今逾二十五載。吾師對我的為人處世、學習研究，影響既深且廣。每與莊師見面晤談，或拜讀其作後，不免內疚自省，既感望塵不及，復恐未達希冀，實愧對吾師教導。適值中央研究院中國文哲研究所經學文獻研究室，於二〇一五至二〇一七年執行「戰後臺灣的經學研究計畫」，故撰此文以彰顯、流傳吾師經學研究的成果與功績，以供後人研究、學習。

二　生平事略與治學門徑

（一）生平要略

　　莊雅州教授，臺灣省南投縣人，生於一九四二年三月三日，當時臺灣還是日本的殖民地，四年後，臺灣光復，由國民政府統治。父親是牙醫師，母親是家庭主婦，家中氣氛祥和溫馨。七歲入小學，成績優異，畢業後，順利考取省立南投中學初中部，三年後升高中部。在中學教育時期，因為對文史課程的高度興趣，堅定了他投考大學中文系的志向。一九六二年，考入省立臺灣師範大學國文系夜間部，次年重考入日間部。大學四年，在宿儒良師的引導下，體悟中國文化的博大精深，積極探索浩瀚典籍的隱微弘奧，專心致意於讀書、寫作，始終保持優異的成績，屢獲獎學金。大學畢業後，歷經實習、服兵役，於一九六九年考取母系的國文研究所。一九七二年，師從成惕軒教授，以〈曾國藩文學理論述評〉一文取得碩士學位。隔年再考入母系國文研究所深造，在高明教授與周何教授的指導下，於一九八一年以

　　導的學位論文中，屬於經學範疇者，泰半見於此時期。由於中正大學於一九九〇年設立之初僅有中文所，學士班要到一九九六年後才有畢業生，因此莊教授早期所指導的學生皆來自於臺灣其他大學。這些第三代經學研究者「不純粹」的背景，對臺灣兩大經學系統的融合是否能產生影響，值得觀察。

〈夏小正研究〉一文取得國家文學博士學位。[6]在大學、研究所求學期間，多位師長的教導皆對他產生重大影響，例如汪履安（汪中，1925-2010）先生為其啟蒙，引領他邁入學術殿堂；魯實先（1913-1977）先生授業《說文》，奠定他語言文字學的基礎；許詩英（許世瑛，1910-1972）先生教導他聲韻學，精深其小學知識；林景伊（林尹，1910-1983）先生上語言文字學課，開拓他對章黃學派的認識[7]；程旨雲（程發軔，1894-1975）先生的《左傳》，專講天文曆法，引發他對天文科技的興趣；成楚望（成惕軒，1911-1989）先生的駢文選，提升他鑑賞、撰寫文言文的能力；周一田（周何，1932-2003）先生的禮學、訓詁學，擴大他閱讀經籍的視野；高仲華（高明，1909-1992）先生的經學、《爾雅》學，則推動他日後經學研究的走向。

　　莊教授自一九七八年開始在大專校院執教，先任職於省立新竹師專三年；一九八一年取得博士學位後，受聘轉至淡江大學中文系任教。一九八三年元旦，與張蕙慧女士結婚，婚後育有一女[8]。一九八九年轉聘國立中正大學中文系，曾兼任系主任及文學院院長；一九九四年五月，獲頒第十七屆中興文藝獎章（學術理論獎）；二〇〇二年

6　鄭月梅：〈以典籍中的天文研究發揚傳統科技文化──莊雅州教授的治學特色及其研究成果〉，林慶彰主編：《當代臺灣經學人物》第一輯（臺北市：萬卷樓圖書公司，2015年），頁67-75。

7　章黃學派，以章太炎（1869-1936）、黃侃（1886-1935）為代表，其學術理念是保護國學，保留文言文。

8　師母張蕙慧女士，美國奧勒岡大學音樂教育學博士，新竹教育大學音樂學系教授，二〇一四年退休。著有《中國古代音樂思想論集》（臺北市：文津出版社，1990年）、《嵇康音樂美學思想探究》（臺北市：文津出版社，1999年），以及〈腦科學與音樂教育關係析論〉、〈本土化國際化與藝術人文領域音樂教學關係析論〉、〈論杜威美學與國民小學音樂教育〉、〈從情感與形式探討蘇珊朗格的音樂審美論〉等論文。吾師愛女莊斐喬，繼承衣缽，以〈說文禮樂器物形制考釋〉一文於2014年6月取得中央大學中文碩士學位，目前持續攻讀博士班。

提前退休。又受聘至玄奘大學中語系，亦曾兼任系主任及文理學院院長。二〇〇八年離開玄奘大學，轉任元智大學中語系資深客座教授，至二〇一二年退休。總計莊教授執教三十餘年，作育英才無數，期間兼任行政工作十年。

在學生的眼中，莊教授學問精深廣博，可譬諸「移動式圖書館」，凡所諮詢，必得其獲。研究專長涵蓋經學、中國古代科技史、語言文字學、古典文學理論等領域，相當廣泛；他曾開設的課程包括小學（文字、聲韻、訓詁）、經學、文獻學、思想史、文化研究、史書、古典散文等，多元多樣。他對待學生的態度總是溫和慎重，盡心盡力，展現經師、人師、良師的面貌；處理行政事務則秉持公理正義，「不沾不滯毫無私心」[9]，建立一種清廉潔淨的典範。事實上，他這種風格是一貫的，對同事如此，對學生如此，對工友也是如此。他自言性格「冷靜內斂，交淡如水」，言語「祥和寧靜，偶見機鋒」，為人「謹慎有餘，較為保守」[10]，因此行事風格低調。然則，在同事眼中，其實「他比一般人更為嚴以律己，謙牧自守」，「以厚德載物的君子之德」折射出「作為教育家具有的人格力量與崇高情懷」[11]。其高潔的品德，淵博的學識，皆令人景仰敬佩。

（二）治學門徑

莊教授的治學方向在碩士論文和博士論文之間有了轉折，從文學理論的研究領域轉而跨至經學領域，因此造就他學術視野宏觀，學術內容豐富，研究層面廣泛的情況。觀其經學著作的治學門徑，舉其犖

9　鄭明娳：〈從學長、主任到同事〉，《青年日報》副刊，念晴集專欄，2005年8月30日。

10　莊雅州：〈莫逆於心　追思沈思兼（謙）教授〉，《文訊》第279期，懷念作家專欄，2009年1月，頁44。

11　鄭明娳：〈從學長、主任到同事〉，《青年日報》副刊，念晴集專欄，2005年8月30日。

舉大者有以下三途：

1 語言文字學

　　語言文字學是經學研究深化開展的基礎之學，因此古籍圖書四部分類將其附屬於經部之中。文字、聲韻、訓詁本是莊教授的研究領域之一，他曾教授過這些課程，也發表過〈爾雅聯緜字淺探〉、〈論說文解字之疏失〉、〈論漢字教學的原則〉、〈爾雅釋魚與說文魚部之比較研究〉、〈臺灣目前訓詁學研究之特色與瓶頸〉、〈聲韻學與散文鑑賞〉、〈論高郵王氏父子經學著述中的因聲求義〉、〈從爾雅釋言曷盍也探討歷代訓詁之演變〉、〈論形聲字之功能及其局限〉、〈論漢字之特質及其與文學體裁之關係〉、〈論漢字與中國文學美感的關係〉、〈從文字學與文學角度探討詩經重章疊詠藝術〉、〈語言文字學與文獻學關係析論〉、〈從科學觀點探討說文解字〉、〈說文解字中的天文史料析論〉、〈說文解字中的神祕文化史料析論〉、〈說文解字名物訓詁研究芻議〉等十餘篇相關論文[12]，觸角廣及小學、語言文字學和跨學科的研究，由此得知他在小學領域的根柢功夫。進一步詳察其經學論著，便可發現語言文字學是其研究法門之一。在訓解經文時，他經常運用的方式如因聲求義、以形索義、辨別名實、校正訛誤等，皆是肇基於對經籍的語言文字的考辨，然後經由比較互證、描述性狀、發凡起例、驗證統計等其他方法，完成去蕪存菁，拾遺補闕的研究成果。

2 名物訓詁學

　　名物訓詁歷來就是經籍研究中極為重要的一個環節。得力於文字、聲韻、訓詁的考辨基礎，莊教授進一步借助名物訓詁學與博物學

---

12 以上論文的詳細資料參見附錄二：莊雅州教授著作目錄（1968-2018）。

的發展，吸納新資料、新知識、新方法、新成果，創造其豐碩的研究成果。他最常運用「二重證據法」來達成其研究目的。一九二五年，王國維在《古史新證》的第一章總論中，正式提出二重證據法曰：「吾輩生於今日，幸於紙上之材料外更得地下之新材料。由此種材料，我輩固得據以補正紙上之材料，亦得證明古書之某部分全為實錄，即百家不雅馴之言亦不無表示一面之事實。此二重證據法惟在今日始得為之。」[13]結合文獻傳述資料與地下出土資料，對於古代的語言文字、傳統載籍、典章制度、名物器用等，皆有參照引證，糾補前修的作用。運用此法，可明辨真偽、稽考名實、比較同異、確定時地。莊教授不論是在《詩經》、《爾雅》、《左傳》、《說文》、〈夏小正〉、其他經典，或是文字訓詁、名物考實，乃至於天文科技、農業生產、史學、文學、文化學等範疇的研究，處處可見其普遍使用「二重證據法」之跡，這可說是他運用最為廣泛的治學方法。

3 科際整合之學

科際整合是目前學術研究的趨勢，經學研究更有其必要。經書內容廣涉於文字學、聲韻學、訓詁學、古史學、古器物學、古生物學、古地理學、古天文科技學、古代農學……等許多學科，欲辨識解讀，誠非易事。正因語言文字、名物訓詁或其他學科，皆非單一獨立的知識，故而莊教授多年來一直致力於將不同領域的成果進行整合研究。例如〈夏小正之天文〉、〈夏小正之曆法〉、〈呂氏春秋之天文〉、〈呂氏春秋之氣候〉、〈呂氏春秋之曆法〉、〈古書中之北斗七星〉、〈我國古代天文學對木星與彗星研究的貢獻〉、〈左傳天文史料析論〉、〈爾雅釋天天文史料今論〉、〈說文解字中的天文史料析論〉、〈論詩經天文意象的

---

13 王國維：《古史新證》（北京市：清華大學出版社，1994年），頁2。

多元價值〉諸文，是經學、史學、子學、文字學與天文科技範疇的整合；〈呂氏春秋農業史料析論〉、〈詩經與呂氏春秋農業史料之比較〉二篇是經學、子學跨農業學領域的研究；〈為古代科技文化研究開扇大門〉、〈中國傳統科技文化研究的省思〉、〈從科學觀點探討說文解字〉、〈從科學觀點探討周禮〉等論文，是綰合古代科技、現代科學與經學研究的推廣之作；〈左傳占星術析論〉、〈司馬遷的天文學與占星術〉、〈科學與迷信之際——史記天官書今探〉、〈說文解字中的神祕文化史料析論〉、〈儀禮喪葬神祕文化析論〉數篇[14]，則從經學、史學、文字學擴及天文學、神祕科學等文化領域。要整合人文思想與自然科學、應用科學的研究並不容易，尤其是傳統科技文化的研究所涉領域十分廣泛，是一個需要高度科際整合的學門。又因中國科技文化的研究起步較晚，在臺灣地區的研究學者寥若晨星[15]，因此莊教授多年來苦心孤詣於中國天文科技上的堅持與成果，在臺灣學界更顯彌足珍貴，且無出其右者。

三　《爾雅》學相關研究

被郭璞譽為「九流之津涉，六藝之鈐鍵，學覽者之潭奧，摛翰者之華苑」[16]的《爾雅》，在傳統中國語言、文字學與字書的編纂上，占據重要的地位。它原本是訓解群經詞義的專書，因古代將小學附庸於經學，故長期以來被列於經部，始終未與其他小學之書雜廁。《爾雅》所收詞語四千三百多個，分為二二〇四個條目[17]，多取自《易》、

---

14 以上論文資料，亦參附錄二：莊雅州教授著作目錄（1968-2018）。

15 莊雅州：〈中國傳統科技文化研究的省思〉，《文訊雜誌》第9卷第1期，頁52。

16 （晉）郭璞注，（宋）邢昺疏：《爾雅注疏》卷一序，《重刊宋本爾雅注疏附校勘記》，清嘉慶二十年（1815）南昌府學刊本，頁4下。

17 莊雅州：《經學入門》（臺北市：臺灣書店，1997年），頁245。

《書》、《詩》、《禮》、《春秋》、《山海經》、《逸周書》、《穆天子傳》、《國語》、《管子》、《尸子》、《列子》、《莊子》、《呂氏春秋》等古籍，要閱讀古籍，不能不以《爾雅》為管鑰。

多年以來，莊教授對《爾雅》學的研究投注許多心力，除了執行過五年國科會（即科技部）補助的研究計畫、發表過十餘篇的論文外[18]，二〇一二年還與黃靜吟教授合著出版了《爾雅今註今譯》一書[19]。莊教授曾在〈爾雅的時代價值及其在現當代的傳播〉一文中，分別從「訓詁學的始祖、詞彙學的淵藪、詞典學的先河、百科全書的雛型、文化學的寶庫」等五方面詳細論述《爾雅》的積極意義，故在時代潮流劇變的現當代，仍具有其不可磨滅的價值[20]，這大抵也是他一直以來留心於《爾雅》研究的主因。《爾雅》的功能雖本源於語言文字學的字書，然它蒐羅條目所涵蓋的內容，使其不囿限於訓詁、詞典的範疇，如同一本上古文化生活的小百科，包含人類各種知識，舉凡人文社會生活的名物、自然應用科學的專名，籠括無遺。因此，欲從事《爾雅》研究者，不但要具備小學根深柢固的紮實功夫，同時還必須有博覽群書、淵深博大的學識。莊教授《爾雅》學的研究成果，

---

18 包括〈爾雅聯綿字淺探〉（1979年5月）、〈論邵晉涵爾雅正義得失〉（1981年2月）、〈論爾雅草木蟲魚鳥獸考釋方法〉（2003年12月）、〈論考釋爾雅草木蟲魚鳥獸之方法〉（2005年6月；2008年5月）、〈爾雅釋魚與說文魚部之比較研究〉（2005年10月；2009年11月）、〈爾雅釋天天文史料今論〉（2006年4月）、〈從爾雅釋言曷也探討歷代訓詁之演變〉（2007年5月）、〈論二重證據法在爾雅研究上之運用〉（2010年3月）、〈爾雅的時代價值及其在現當代的傳播〉（2010年6月）、〈羅願及其爾雅翼〉（2015年3月）、〈羅願爾雅翼平議〉（2015年5月）、〈黃季剛先生爾雅研究方法述評〉（2015年8月）、〈臺灣現當代爾雅學研究〉（2019年）等研討會及期刊論文。發表及出版資料詳見附錄二：莊雅州教授著作目錄（1968-2018）。

19 莊雅州、黃靜吟：《爾雅今註今譯》（臺北市：臺灣商務印書館，2012年3月）。

20 詳參莊雅州：〈爾雅的時代價值及其在現當代的傳播〉，2010年海峽兩岸儒學交流研討會論文，頁338-357，中華民國孔孟學會、國際儒學聯合會聯合主辦，世界華文會承辦，2010年6月5日-6月6日。

主要表現在文字訓詁、研究方法和對前人著作的評述等三方面，《爾雅今註今譯》則可視為總體成果的匯集：

（一）文字訓詁

這方面的著作有〈爾雅聯綿字淺探〉（1979年5月）、〈爾雅釋魚與說文魚部之比較研究〉（2005年10月；2009年11月）、〈從爾雅釋言曷盍也探討歷代訓詁之演變〉（2007年5月）三篇論文。

1.〈爾雅聯緜字淺探〉[21]：旨在討論《爾雅》聯緜字的特點與功用。依黃侃所分十九紐、廿八部的古聲紐韻部之標準，將《爾雅》的聯緜字細分為四類，並舉例以明之，包括雙聲聯緜字二十五個，疊韻聯緜字三十二個，非雙聲疊韻聯緜字五十三個，疊字四十八個。其次闡述特點，有特重聲韻、字形不定、名詞居多等現象。最後說明其功用，也有四項，一是可探究語根，例如〈釋訓〉之「桓桓、赫赫、鍠鍠」，同屬喉音，皆有盛大之意；二是可旁證古音，例如〈釋詁〉之「亹亹」，《詩經》作「勉勉」，《大戴禮》作「旼旼」，《易‧繫辭》鄭注作「沒沒」，《玉篇》作「微微」，此可證古無輕脣音；三是詮釋載籍，例如《詩經‧南山有臺》毛傳：「臺，夫須。」乃是用〈釋草〉，〈關雎〉毛傳：「關關，和聲也。」即出自〈釋詁〉；四是摛灑辭章，聯緜字可以模擬聲音，圖寫形象，描繪動作，故後代詩人采擷《爾雅》以體物寫志，典麗異常，用能傳誦千古。

閱讀本文，讀者可略窺聯緜字的性質與功能，同時可觀見《爾雅》聯緜字面貌之一斑。

2.〈爾雅釋魚與說文魚部之比較研究〉[22]：旨在透過材料、體例、

---

21 莊雅州：〈爾雅聯綿字淺探〉，《新竹師專學報》第5期（1979年5月），頁97-102。

22 本文原發表於二○○五年十月，中國訓詁學研究會、杭州師範學院合辦之「紀念周禮正義出版百年暨陸宗達先生百年誕辰學術研討會」（見《紀念周禮正義出版百年

價值三方面，對《爾雅‧釋魚》和《說文‧魚部》進行比較。在材料方面，比較《爾雅》、《說文》所收錄的字詞，除了相同者二十餘字外，《說文》暗用《爾雅》者為數亦不少，足見深受其影響。在體例方面，《爾雅‧釋魚》臚列四十五條同義詞，類似百科全書的性質，雖未詳細詮釋，然或有大小、顏色、性狀等描述，開後世義訓之先聲，《說文》則繼承其傳統而踵事增華，在訓詁方面更臻周密，例如詮釋字義、剖析字形、標注讀音、引證，各方面的體例大抵已包舉無遺，可當訓詁之淵藪。在價值方面，分別從語言文字學、科技史、文化學三個面向比較兩者，從語言文字學觀之，斷言《爾雅》與《說文》為中國語言文字學兩大經典，對後世的文字、聲韻、訓詁、詞彙之研究影響十分深遠；從科技史來看，雖然《爾雅‧釋魚》與《說文‧魚部》對水生動物的分類、描述還不夠詳細精確，但就科技發展史的立場而言，仍有相當價值；從文化學的角度探究，不論是《爾雅‧釋魚》或《說文‧魚部》，對魚文化的物質層面、精神層面，都帶給人類許多遐思與啟示。

　　本文特色在於運用統計、分析、比較等方法，一方面兼納傳統訓詁與現代語言學的研究門徑與成果，另一方面又廣泛結合科技史、生物學、考古學、文化人類學、社會學、史地學等新知識進行探究，賦古典以新義，使其研究成果更加輝煌。

　　3.〈從爾雅釋言曷盍也探討歷代訓詁之演變〉[23]：這是訓詁學發展史的研究專論，以《爾雅‧釋言》：「曷，盍也。」一條為例證，論述中國訓詁方法演變的三階段：第一階段是指先秦至明代，以「求證

暨陸宗達先生百年誕辰學術研討會論文匯集》，頁203-213），後刊於《經學研究集刊》第7期（2009年11月），頁95-106。

23 莊雅州：〈從爾雅釋言曷盍也探討歷代訓詁之演變〉，中國訓詁學會、玄奘大學主辦《第八屆中國訓詁學全國學術研討會論文集》2007年5月，頁1-7。

據」為主，即比較互證法，《爾雅》開其先聲，採取物以類聚的歸納法，廣泛蒐集證據，將同類詞或類義詞排比在一起，如「曷，盍也。」即是，之後的《雅》學書籍皆賡續其體；另一方面，比《爾雅》略晚的《說文》，雖在材料、釋義方法上受《爾雅》影響，但在體例上另創「以形索義」之法，建立部首，以字形為綱，透過形、音、義的詮釋來探求文字的本義，此法與《爾雅》的比較互證法分庭抗禮，甚至後來居上，通行一千餘年。第二階段是指有清一代，以「求本字」為主，著重因聲求義的方法，透過音義關係來探求假借字的本字，在校勘、聯綿詞、名物、語根、轉語、虛字等各方面的研究有很好的成就，可以邵晉涵的《爾雅正義》及郝懿行的《爾雅義疏》為代表。第三階段是指近代、現代，以「求語根」為主，這是新的訓詁學時代，對於虛詞和同源詞的研究更加深化，楊樹達《詞詮》、裴學海《古書虛字集釋》、章太炎《文始》、高本漢《漢語詞類》、王了一《同源字典》等書，皆是「前修未密，後出轉精」之作。

　　本文從宏觀的視野爬梳歷時的脈絡，執簡御繁，透過本文的解析，可了解訓詁方法的運用及訓詁次序的演變。

（二）研究方法

　　這方面的相關論文也有三篇，包括〈論考釋爾雅草木蟲魚鳥獸之方法〉（即〈論爾雅草木蟲魚鳥獸考釋方法〉一文；2003年12月、2005年6月、2008年5月）、〈論二重證據法在爾雅研究上之運用〉（2010年3月）、〈黃季剛先生爾雅研究方法述評〉（2015年8月）

　　1.〈論考釋爾雅草木蟲魚鳥獸之方法〉[24]：本篇吸收前賢對《爾

---

24 本文原題〈論爾雅草木蟲魚鳥獸考釋方法〉，發表於2003年12月，由國立臺灣大學主辦之東亞傳世漢籍文獻譯解方法國際學術研討會，頁1-24。後收錄於《東亞傳世漢籍文獻釋解方法初探》（臺北市：國立臺灣大學出版中心，2005年），頁127-170。

雅》的考釋方式，並配合時代脈動，補充新方法，整合歸納而提出的九種方法，即：校正訛誤、辨別名實、因聲求義、比較互證、發凡起例、根據目驗、描述性狀、繪製圖影、運用新知。這些方法有的通用於各種古籍訓解，如因聲求義、比較互證；有的適用於名物訓詁，如辨別名實、描述性狀；或者偏重於語言學、文獻學知識，如校正訛誤、發凡起例；或符合客觀科學的精神，如根據目驗、繪製圖影。

本文所列舉的九種方法，在借重傳統的訓詁方法之餘，又兼採新知、新方法，今人倘欲進行《爾雅》的研究，無疑能循此途徑獲得更為正確、縝密、深刻與豐碩的成果。

2.〈論二重證據法在爾雅研究上之運用〉[25]：本文探討如何運用王國維（1877-1927）提出的「二重證據法」來進行《爾雅》的研究。文中從四方面詳述其法：一是斠傳本之異同，以周祖謨（1915-1995）《爾雅校箋》[26]一書為例，詳解周氏所運用的材料、校勘方法及其藉助於二重證據法所獲得的成就，例如敦煌唐寫本《爾雅》殘卷可斠《爾雅》傳本之譌誤衍奪、明古注之異同與存佚籍之梗概等；二是證古說之可信，例如甲文可證〈釋天〉「商曰祀」、「商曰肜」之可信，或以《爾雅》與金文互證解讀；三是存典制之異說，例如曾侯乙墓青龍白虎二十八宿圖與〈釋天〉二十八宿名稱之異同，楚帛書十二月名與《爾雅》之異同；四是詳名物之形制，如出土青銅器之鐘鼎彝卣、玉

該書於2008年5月，又由上海的華東師範大學出版社出版簡體字版本，見書中頁92-122。

25 本文原是2010年3月發表於「國科會中文學門小學類92-97研究成果發表會」之論文，臺北市：國科會人文處主辦、臺灣師範大學主辦，後收入《國科會中文學門小學類92-97研究成果發表會論文集》（臺北市：新文豐出版公司，2011年），頁275-295。

26 此書目前有兩個版本，一是一九八四年十二月由南京江蘇教育出版社出版，另一個版本是二○○四年十一月由昆明雲南人民出版社收入《二十世紀學術要籍》再版問世。

器之圭璋璧瑗為數甚多，可補《爾雅·釋器》形制解說之不足。

　　前文〈論考釋爾雅草木蟲魚鳥獸之方法〉討論的內容融匯了古人的智慧，較側重於傳統訓詁名物的考釋方式，而本文則著眼於「運用新知」的方法，針對「二重證據法」舉證立說，俾使《爾雅》學的研究展開嶄新的紀元。

　　3.〈**黃季剛先生爾雅研究方法述評**〉[27]：旨在探討黃侃《爾雅》研究方法的理論與實務，並評論其貢獻與可補苴之處。黃氏的《爾雅》學著作多達二、三十萬言，主要有〈爾雅略說〉、〈黃侃手批爾雅義疏〉、〈爾雅音訓〉、〈爾雅釋例箋識〉、〈爾雅疏證箋識〉、〈五雅聲類表〉、《爾雅正名評》、《文字聲韻訓詁筆記》等。本文臚列其研究方法理論有四：一是《雅》學研究基礎，即形音義不可分離的理論；二是《雅》學研究的工具，即《說文》、古韻書與各類要籍；三是《雅》學研究的途徑，包括因聲求義、精密解剖、反覆推求、發凡起例；四是《雅》學研究的程序，指出文字、聲韻、訓詁各有次第。其次是歸納其研究方法的實務經驗，也有四方面，分別為博稽群書、發凡起例、因聲求義、考釋訂補。然後總論其研究方法的貢獻，包含拓寬治《雅》途徑、提升研究層次、建構理論體系、度與訓詁金針等四點。最後評論黃季剛先生囿於時代條件，其《雅》學研究始終局限於訓詁學、傳統語言學的範圍，有待於在現代語言學、名物學、自然科學、地下文獻、語言文化學等各方面加以拓展，然而黃氏鑽研《爾雅》學的廣度與深度，及其總體成就，仍足以將其定位為《雅》學由傳統向現代轉變的關鍵人物。

　　藉由本文的論述與剖析，不但能宏觀地掌握黃侃《爾雅》學的研究成果，也可從中尋求《爾雅》研究方法的借鑑門徑。

---

27 莊雅州：〈黃季剛先生爾雅研究方法述評〉，北京師範大學主辦《章黃學術研討會暨陸宗達先生誕辰110周年紀念會論文集》，2015年8月，頁735-755。

（三）前人著作評述

莊教授曾分別評論了邵晉涵、羅願及黃季剛三人的《爾雅》論著或研究方法，包括〈論邵晉涵爾雅正義得失〉（1981年2月）、〈羅願及其爾雅翼〉（2015年3月）、〈羅願爾雅翼平議〉（2015年5月）、〈黃季剛先生爾雅研究方法述評〉（2015年8月）等四篇文章。其中，〈黃季剛先生爾雅研究方法述評〉一篇已見前文，不復贅述。

1.〈論邵晉涵爾雅正義得失〉[28]：內容即是評論清儒邵晉涵《爾雅正義》一書，認為邵書有「四得二失」。「四得」是體例完整（包括校文、博義、補郭、證經、明聲、辨物）、態度嚴謹、採擷宏富、攷釋精審；「二失」是墨守郭注、壅閣聲理。文中指出，邵氏雖墨守疏不破注之弊，然亦能覽故考新，疏通證明，而屢有創獲，故不必遽遺之。

本文以文言為之，筆墨燦然，評騭肯允，是其特色。

2.〈羅願及其爾雅翼〉[29]：本文除了介紹羅願的生平事蹟、《爾雅翼》的成書及版本等背景資料外，研究重點是分析《爾雅翼》的內容體例，計得十一項，即：標舉詞目、分析字詞、追溯物名、考辨名實、區分品種、描述性狀、引用書證、旁採異聞、闡發意旨、評騭得失、付諸闕如。最後的結論還論及羅願不僅博極群書，引用二五○種以上的典籍，且以實事求是、無徵不信的精神探考資料，或出自目驗，謀及芻蕘；或深入民間，調查里諺，傾注大量心力，完成考據精博、內容充實的《爾雅翼》，成為宋代《雅》學著作中成就最高、流傳最廣的不朽之作。

---

28 莊雅州：〈論邵晉涵爾雅正義得失〉，《慶祝陽新成楚望先生七秩誕辰論文集》（臺北市：文史哲出版社，1981年），頁175-180。

29 莊雅州：〈羅願及其爾雅翼〉，《陳新雄教授八秩冥誕紀念論文集》（臺北市：萬卷樓圖書公司，2015年），頁519-533。

　　3.〈**羅願爾雅翼平議**〉[30]：此為〈羅願及其爾雅翼〉的賡續之作，旨在平議《爾雅翼》的特色及其疏失。文中首先指出《爾雅翼》具有資料豐富（旁徵博引、保存文獻）、論述詳細（考辨用心、描述細膩）、文辭高雅（遣詞精鍊、行文生動）、重視調查（親驗耳目、兼採俗諺）、講求實用（推廣物用、修己治人）等五項特色；其次評述其缺失，歸納為五項局限，即：體例不純（稱引不一、交代不清）、引文失真（刪節改寫、子虛烏有）、分類欠妥（承襲舊說、自行歸類）、判斷失準（見理未瑩、徒逞胸臆）、牽強附會（蹈襲前誤、好奇杜撰）。羅書雖然瑕瑜互見，然瑕不掩瑜，後學仍可去蕪存菁，以其為《雅》學研究的重要參考。《爾雅翼》流行之廣、影響之深，在宋代《雅》學著作中無有出其右者，可惜為文評述者寥若晨星。

　　莊教授的這兩篇論文，對羅願其人其書有較完整的介紹，也對其訓詁理論提出具體分析，評騭臧否客觀平實，足供參考。

（四）《爾雅今註今譯》

　　此書是莊教授與黃靜吟教授[31]合作，重新整理註譯《爾雅》的內容，於二○一二年由臺灣商務印書館出版。全書的架構大致可分為

30　莊雅州：〈羅願爾雅翼平議〉，第十二屆中國訓詁學學術研討會論文，中國訓詁學會主辦、臺南大學承辦，2015年5月，頁89-105。收錄於《第九屆「思維與創作」暨第十二屆中國訓詁學學術研討會論文集》（新北市：大揚出版社，2015年），頁89-105。

31　黃靜吟教授，一九六七年生，臺灣省屏東縣人，一九九七年畢業於中山大學，獲文學博士學位。曾任教於空中大學、中山大學、花蓮師範學院，現任中正大學中國文學系副教授。從事古文字、現代漢字、古漢語及古文獻的研究，著有《漢字筆順研究》（高雄市：高雄復文圖書出版社，2005年）、《秦簡隸變研究》（新北市：花木蘭出版社，2011年）、《楚金文研究》（新北市：花木蘭出版社，2011年）等書，以及〈試論楚銅器分期斷代之標準〉、〈「徐、舒」金文析論〉、〈漢字筆順的存在價值析論〉、〈春秋三傳「滕侯卒」考辨〉、〈論項安世在古音學上的地位〉、〈從段玉裁「詩經韻表」與「群經韻表」之古合韻現象看古韻十七部的次第〉等多篇論文。

「導論、題解、今註、今譯」等四大部分：

正文之前的〈爾雅導論〉一篇，為讀者梳理《爾雅》一書及其學術發展的流變，內容包含「爾雅的名稱及其涵義、爾雅的作者及成書時代、爾雅的內容、爾雅的解釋方式、爾雅的價值、爾雅的流傳」等六大主題，分別論述這些主題的重點，清楚勾勒出閱讀《爾雅》時必須了解的要旨。

其次，正文的譯註形式是依序將《爾雅》十九篇的內容逐篇解釋、註譯，每篇前面有「題解」文字作為一章的前言，概略說明本篇之旨，或補充當今研究之新論、考古發現的結果，有時還指出分類之不當。例如〈釋親〉的題解便引用芮逸夫、張清常二位先生之說，提醒讀者〈釋親〉中的某些稱謂，在古今變遷、時空轉換後，多已不存，需特別留意；〈釋宮〉的題解則援引一九七九年的考古報告，建議讀者將兩者相互比對，可獲得更具體的了解；〈釋器〉的題解點明本篇內容能反映上古先民當時的民生需求，藉此可略知古代生活之概況；〈釋地〉的題解引用顧頡剛的觀點，認為孫炎、郭璞以降之學者，以為〈釋地〉、〈釋丘〉、〈釋山〉、〈釋水〉等四篇時代較晚，應是戰國以後之人所託古之作；〈釋魚〉的題解提出《爾雅》在動物分類上的重要性及其學術價值；〈釋獸〉的題解則指出「寓屬」之豕與馬、牛、羊、狗、雞同屬六畜，本應置於〈釋畜〉，《爾雅》卻因與野豬相近而置於〈釋獸〉，並不恰當[32]。

然後是每個條目的「今註」，除了清楚解釋語詞的意義，並運用較新的生物學與科學知識，對歷來舊說亦有所補充與糾正。例如〈釋宮〉第一則：「宮謂之室，室謂之宮」，引用了羅振玉《增訂殷墟書契

---

32 參見《爾雅今註今譯》，頁287、305、324、397、624、686。以及蔡雅如：〈開啟經籍古義的鑰匙——介紹《爾雅今註今譯》〉，《國文天地》第28卷第5期（2012年10月），頁95-98。

考釋》的觀點，糾正許慎《說文》對「宮」字的「躬省聲」說[33]；又如〈釋草〉將萑、莕、蓻、蒿等字相提並論，是因其「同屬百合科，《爾雅》排列在一起，足見當時已有比較精細的分類概念」[34]。最後是「今譯」，進行每一條的白話翻譯，文字流暢易讀。

　　自古以來，《爾雅》研究以名物訓詁為大宗，且都以文言撰作，直至一九八七年徐朝華的《爾雅今注》[35]才開始以語體文進行注釋，書中還注意到甲文、金文等地下文物及科學新知的運用，末附〈爾雅詞語筆畫索引〉，有助於檢索查考。一九九九年胡奇光、方懷海合著《爾雅譯注》[36]，各篇除了題解及今注之外，並加上今譯，末附〈爾雅詞語筆畫索引〉，比起徐書，更便於青年學子閱讀。二○○○年吳榮爵、吳畏出版《爾雅全譯》[37]，收錄在《中國歷代名著全譯叢書》當中，體例與胡書相仿，然注譯更為詳盡，大量引用歷代的注疏箋校作為佐證，全書多達七十七萬言，是迄今為止最為詳盡的今注今譯本。二○一一年，出自陳健初、胡世文、徐朝紅等大陸學者之手，由臺灣三民書局所出版的《新譯爾雅讀本》[38]，也有完整的今注今譯，頗有可觀之處。不過，莊教授與黃靜吟教授合著的《爾雅今註今譯》，仍是迄今唯一一本由臺灣學者、臺灣書店聯合出版的《爾雅》譯註專書，書後跋文自言：「三十幾年來，海峽兩岸陸續問世的《爾雅》專書及學位論文將近三十本，期刊論文亦復不少，其中包括今注一本、譯注三本，這些著作大大充實了本書的資料來源。但是純粹由臺灣學者及書店合作、印行的《爾雅》譯注，這還是第一本。站在巨

33　《爾雅今註今譯》，頁306。

34　《爾雅今註今譯》，頁472。

35　徐朝華：《爾雅今注》（天津市：南開大學出版社，1987年）。

36　胡奇光、方懷海：《爾雅譯注》（上海市：上海古籍出版社，1999年）。

37　吳榮爵、吳畏：《爾雅全譯》（貴陽市：貴州人民出版社，2000年）。

38　陳健初、胡世文、徐朝紅：《新譯爾雅讀本》（臺北市：三民書局，2011年）。

人的肩膀上，本書仍有相當寬廣的發揮空間，仍能呈現嶄新而明確的面目。」[39]相較於前賢的三部譯注，本書在詞語訓詁方面採用不少語言文字學，尤其是古文字學的研究成果；在名物訓詁方面則是擷取了許多現代科學新知及地下出土文物的資訊，稽考是非、參詳古今、整合科際，是其特色。

在本書出版之後，二〇一三年又有郭郛的《爾雅注證》[40]問世，作者以一人之力獨撰成書，其博學通達、耄年著述，誠然可敬。次年，北京中華書局的《全本全注全譯叢書》也出版了《爾雅》，由管錫華注譯[41]，繁簡適中，引用古典文獻三百餘種，書證詳細。由以上多家注譯本的出現，可見《爾雅》之推廣，已日漸受到學界的重視。

（五）其他

此外，莊教授還有〈爾雅釋天天文史料今論〉（2006年4月）和〈爾雅的時代價值及其在現當代的傳播〉（2010年6月）、〈臺灣現當代（1945-2017）爾雅學研究〉（2018）三文，分別探討了古代天文科技與文化傳播的議題。

1.〈爾雅釋天天文史料今論〉[42]：此文以科學新知析論《爾雅·釋天》中的天文史料。除前言、結論外，文分兩節：首節分別就二十八宿、四象、十二次、其他恆星、彗星、流星等項目，探討《爾雅·釋天》天文史料的內容。次節檢討其取材廣泛、綱舉目張之優點，及未臻完備，詮釋簡略之局限，並肯定其在中國天文學發展史及科技文化研究上的價值。

---

39 莊雅州、黃靜吟：《爾雅今註今譯·跋》，頁740。

40 郭郛：《爾雅注證》（北京市：商務印書館，2013年）。

41 管錫華：《爾雅》（全本全注全譯叢書）（北京市：中華書局，2014年）。

42 莊雅州：〈爾雅釋天天文史料今論〉，《李爽秋教授八十壽慶祝壽論文集》（臺北市：萬卷樓圖書公司，2006年4月），頁251-271。

　　本文是繼〈夏小正之天文〉（1984年6月）、〈呂氏春秋之天文〉（1988年5月）、〈左傳天文史料析論〉（2000年9月）等文後，再對傳統天文史料進行探索的科際整合之作。將原本艱澀難懂的天文史料，以淺顯易讀的常識解析，佐以圖文參照，對於理解《爾雅‧釋天》及古天文觀，皆有助益。

　　2.〈爾雅的時代價值及其在現當代的傳播〉[43]：旨在探討《爾雅》的價值及其在一九四九年以後於海峽兩岸的研究成果、流傳概況。除了前言、結論外，正文分為兩大部分：第一部分從「訓詁學的始祖、詞彙學的淵藪、詞典學的先河、百科全書的雛型、文化學的寶庫」等五方面論述《爾雅》具有多方面的價值，故在古代被奉為經典，鑽研弗替，即使是時代潮流激烈變化的現當代，仍有其不可磨滅的價值。第二部分則細分為「通論、目錄、校勘、釋例、注釋翻譯、資料彙編、各篇研究、專題研究、經學史」共九類，探討六十年來《爾雅》在中國大陸、臺灣兩地研究與流傳的情況，成果豐碩，足見《爾雅》研究之綿綿不絕。

　　本文為《爾雅》界定了多元的功能及價值，並爬梳了六十年來《爾雅》研究的概況，對於從事《爾雅》研究者，提供了具體的觀察視角與詳細的參考資訊。

　　3.〈臺灣現當代（1945-2017）爾雅學研究〉[44]：本論文旨在介紹臺灣地區七十年來《爾雅》學的研究成果。除了前言、結論，主體分兩部分：一是臺灣現當代《爾雅》研究論著知見目錄，二是臺灣現當代《爾雅》學研究論著檢視。第一部分是將一九四五至二〇一七年，凡

---

43 莊雅州：〈爾雅的時代價值及其在現當代的傳播〉，二〇一〇年海峽兩岸儒學交流研討會論文，頁338-357，中華民國孔孟學會與國際儒學聯合會聯合主辦，世界華文會承辦，2010年6月。

44 本文已完稿，但尚未公開發表。擬收入於由福建師範大學主編之《臺灣經學研究論文集（1945-2015）》一書，預定2021年出版。

臺灣學者發表或在臺灣刊行的論著，包括兩岸三地、韓、日、美學者共一一二人，辛苦耕耘的一八一筆成果，經過整理歸納，分通論、文獻學、語言文字、釋例、單篇研究、專題研究、經學史、比較研究、廣雅仿雅等九大類，加以著錄。每筆資料除了著錄基本的版本項目（包括編撰者、刊行年份、論著名稱、出版地、出版者或期刊卷期、起訖頁碼）外，更重要的是多附案語，共一六一則。案語的內容包含對作者的簡介以及概述該論著的旨要或提要，便於讀者了解。第二部分則是對這一八一筆論著進行量的分析與質的檢視，發現它們具有多元發展、素質整齊、求新求變、科際整合等特色，但亦有風氣猶未大開、重點有所疏漏、方法有待突破、團隊亟需強化等局限。

本文展現了莊教授在《爾雅》學上多年來的深耕與關注，是繼二〇一〇年發表之〈爾雅的時代價值及其在現當代的傳播〉一文後，再次對臺灣《爾雅》學研究成果廣徵博采，考索搜求，進行全面完整的整理，是目前為止了解臺灣《爾雅》學研究概況的最佳津梁。

四　〈夏小正〉相關研究

〈夏小正〉是現存最早的農事曆書，它原是《大戴禮記》中的第四十七篇，按一年十二個月，分別記載每個月的物候、氣象、星象及其相關之重大政事，特別是生產方面的事情。所涉內容廣泛豐富，包含天文、曆法、生物、氣候、人文等，由於文句簡奧不下於甲骨文，加上經、傳混集不明，雖然歷代研究者眾，但說法複雜紛陳，莫衷一是，難以辨讀。時至今日，鑽研式微，莊教授是臺灣地區寥寥無幾的研究者之一，從博士論文到單篇論文，後集結成專書的出版，是比較深入而全面研究〈夏小正〉的學者。其相關著作包括博士論文、單篇論文，以及專書《夏小正析論》。

（一）博士論文《夏小正研究》

莊教授對於〈夏小正〉的研究起於博士論文之撰寫。原本他以「《大戴禮記》研究」作為博士論文的主題，但終因「苦於內容龐雜，疑難層出」[45]，無法在有限的時間內寫出合乎理想的論文，只好縮小範圍，選定〈夏小正〉為對象，於一九八一年完成博士論文《夏小正研究》。因時間所限，《夏小正研究》僅側重於文獻探討，主要討論〈夏小正〉的版本、目錄、校勘、注釋等問題，對於書中所涉及的許多爭論，皆來不及深入探究。

全文除緒論外，分書錄、校釋二編。緒論又分四節，包括〈夏小正〉之名義、〈夏小正〉之時代與作者、〈夏小正〉之價值與本文特色。第一編書錄，又分漢代書錄、晉代書錄、宋代書錄、元代書錄、明代書錄、清代書錄、民國書錄等七節，介紹歷代研究〈夏小正〉之專家百人，各家分作者、著錄、序跋、板本、評論五欄。第二編校釋，以嘉趣堂本《大戴禮記》為底本，參考數十百種資料詳加校讎詮釋。每段校釋之後輒加案語，或剖析異同，或商榷得失，或補充詮釋，其有謬轕已甚，難以論斷者，則暫付闕疑。最後提及本文的研究成果殆有六端，即：發昔賢之潛幽、正原書之譌闕、明經傳之條例、究群籍之流變、定諸說之得失、補校注之疏漏。

本論文博采群言，折衷是非，補苴罅漏，闡發幽微，實盡歷代〈夏小正〉學之大觀。

（二）單篇論文

在取得博士學位後，莊教授立足於《夏小正研究》的成果上，修改部分論文的內容以單篇論文形式發表，又吸收相關文獻，並參考現

---

45 莊雅州：《夏小正析論》（臺北市：文史哲出版社，1985年），序文。

代科技理論與知識，分門別類，逐一闡明〈夏小正〉所關涉的諸多議題，自一九八一至一九八五年，陸續發表了〈夏小正略說〉（1981年9月）、〈夏小正月令異同論〉（1983年2月）、〈夏小正之天文〉（1984年6月）、〈夏小正之曆法〉（1984年7月）、〈夏小正之人文〉（1985年9月）、〈夏小正之經傳〉（1985年10月）等六篇論文[46]。以下略述各篇內容要旨：

1. 〈夏小正略說〉[47]：這是〈夏小正〉的概述之作，介紹〈夏小正〉的基本知識。內文分為四個部分：一是考釋〈夏小正〉之名義，列出「小」字古來六種異說和「正」字的四種解釋，以清人李調元之說最為簡明，「小正」一詞即政令之小者。二是查核〈夏小正〉之經傳，稽考眾說，明〈夏小正〉本自有經有傳，現已混而為一，參錯難究，今人研究時，宜逐節檢討，釐清經傳之別，不可一概而論。三是探討〈夏小正〉之時代與作者，在時代爭議方面，臚列夏時所作、周初所作、春秋時代所作、戰國時代所作、時代難定等五種異說，指出前人以躔宿推測時代，困於載籍語焉不詳，或衍奪錯簡之失，影響推步結果，難以確定，本文以為蓋春秋時代杞國人所傳先世舊籍，歷經傳寫補充，始成定本；在作者爭議部分，經文作者難考，傳文作者則有子夏、孔子之徒、七十子後學、公羊穀梁二子、戴德等異說，終以子夏、公羊、穀梁一派學者所為似無疑義。四是〈夏小正〉之價值，分為六端，即：時令之先河、農書之嚆矢、天文之淵藪、博物之總匯、文化之龜鑑、訓詁之資糧。

本文原是莊教授博士論文緒論的主要內容，改寫為單篇論文發表。綱舉目張，條理分明，論說確切，可為〈夏小正〉入門之鑰。

---

46 以上論文皆期刊論文，發表資訊詳參附錄二：莊雅州教授著作目錄（1968-2018）。
47 莊雅州：〈夏小正略說〉，《孔孟月刊》第20卷第1期（1981年9月），頁15-20。

2.〈夏小正月令異同論〉[48]：本文旨在探討同為儒家經典，性質相近的《大戴禮記・夏小正》與《禮記・月令》二篇之異同。內容分為五個部分：一是時代方面，推斷〈夏小正〉經文可能是春秋時代杞國人所傳先世舊籍，傳文可能是戰國早期的作品；而〈月令〉的時代則晚了許多，它直接淵源於《呂氏春秋・十二月紀》，故其撰述當在戰國末年以後。二是材料方面，分別從天象、物候、民事三者仔細比對材料，發現《禮記・月令》仿效〈夏小正〉相當明顯，惟〈月令〉晚出，又增添了許多新材料，範圍擴大，材料豐富，已非〈夏小正〉所能籠罩。三是結構方面，〈夏小正〉以正月、二月……至十一月、十二月紀時，不著季節、日數，採用建寅月為歲首的夏曆，每月之下分繫當月的天象、物候、民事；〈月令〉也是以十二月紀時，但名稱改用春夏秋冬的孟仲季，顯現「四時成歲」的觀念。每月之下又依據陰陽五行搭配五帝、五神、五數、五味、五色、五穀……等內容，形成端整有序的結構。四是文字方面，提出五項差異，即：〈夏小正〉有經傳之分，〈月令〉則否；〈夏小正〉本身頗多逸文，〈月令〉則據《呂紀》而有所刪改；〈夏小正〉古奧難解，〈月令〉則文從字順；〈夏小正〉行文參差，〈月令〉則力求整飭；〈夏小正〉絕不叶韻，〈月令〉則韻腳層出。五是思想方面，說明〈夏小正〉與〈月令〉相同之處皆具重農主義和仁愛精神，相異之處是〈月令〉尚有陰陽五行的觀念、大一統的政治理想與天人合一的哲學。文末還點出兩戴《禮記》分別選錄〈夏小正〉、〈月令〉的不同原因。

本文深入剖析、比對〈夏小正〉與〈月令〉內容之異同，觀其因革損益之跡，對於我們理解先秦時令類文獻的成因、寫作方式、內涵等，皆有莫大助益。

---

48 莊雅州：〈夏小正月令異同論〉，《孔孟月刊》21卷第11期（1983年2月），頁15-22。

3.〈夏小正之天文〉[49]：內容探討〈夏小正〉所見十餘條之星象記錄。討論內容以星宿為單位，依次論述，共分十點：首先是二十八宿中的鞠（虛）、參、昂、大火、辰（房），其次是南門、織女兩大星，然後以斗柄、漢及日躔殿後。對於各星象的昏、旦、伏、見、中、正、當、鄉等，都博採古今中外學者的說法詳加考證，對於記載的衍奪、錯簡，也做了適當的修正。文末的結論則強調，〈夏小正〉所代表的時代，各家所說至為紛歧，這是由於許多因素未能確定之故，令人遺憾。不過〈夏小正〉必然保存了某些早期的天文資料，彌足珍貴。

本文的特點是徵引現代西方天文學、星象學的知識解釋傳統中國的星象記載，融會古今，綜觀中西，為經學的天文研究做了最佳示範。

4.〈夏小正之曆法〉[50]：主要是探討〈夏小正〉的曆法及其在曆法發展史上應有的地位。內容共分七個部分：一是紀月法，說明〈夏小正〉的紀月方式是由正月、二月……至十一月、十二月，這是後代多採用之法。二是紀日法，以干支紀日，還有以旬為單位的紀日法。三是紀時法，〈夏小正〉中只有旦、初昏二詞，但時刻不能確定。四是節氣，〈夏小正〉有「啟蟄」一詞，此即後代二十四節氣中的「驚蟄」，又有紀「養日」（夏至）、「養夜」（冬至）之詞，所載節氣不多，名稱又頗古奧，可證明其時代當不甚晚。五是季節，根據考察，最古的明嘉趣堂《大戴禮記》刻本，不見春、夏、秋、冬之名，但所載物候、人事，仍與四時相吻合。六是歲，見於經文一次，傳文三次，都是年歲之意。七是夏曆，〈夏小正〉所用者是一種較早期的夏曆，以孟春之月為歲首（寅正），但具體的情況仍無從考知。

本文對〈夏小正〉所紀之曆法詳細解析，博稽驗參於甲骨文、金

---

49 莊雅州：〈夏小正之天文〉，《中國學術年刊》第6期（1984年6月），頁41-57。

50 莊雅州：〈夏小正之曆法〉，《孔孟月刊》第22卷第11期（1984年7月），頁25-31。

文和典籍記載、前人舊說，使讀者得以一窺〈夏小正〉曆法之梗概。對於無從判斷的難點、疑點，不曲從附會，以篤實嚴謹的態度保留闕疑。

5.〈夏小正之人文〉[51]：旨在析論〈夏小正〉所錄人文材料之內涵。全文分五小節探討：一是民生，以飲食方面的材料最多，其他如衣飾、宮室、舟車等僅寥寥數則。二是社會，從農業社會與非奴隸社會兩方面論述。三是產業，包括農業、蠶桑、畜牧、漁獵、工藝五項。四是禮儀，略論昏禮、冠禮、學禮、祭耒、祈穀、求雨、登嘗、薵祭共八條。五是政事，計有觀象授時、戎政、馬政、冰政、火政、貢物六方面。由於〈夏小正〉的載錄簡奧，缺乏具體詳述的說明，因此本文除了廣徵前賢之說，也大量補充現代生物、文化、科學等各種新知，再串以己意，圓融其說，勾勒出〈夏小正〉所記上古社會明晰之生活面貌，誠屬不易。

6.〈夏小正之經傳〉[52]：這是〈夏小正略說〉的續作，進一步探討〈夏小正〉經傳部分的分合、時代與評價等爭議問題。內容分三個部分討論：一是經傳之分合，對於現今所見已混雜經文、傳文而成二四七〇個字的傳本進行考察，包括〈夏小正〉經傳於何時才混合無別，宋人傅崧卿及後繼者如何離析經文、傳文，綜觀異說，將各家對經傳真面目的看法歸納為「經傳的爭議、分節的出入、次序的不同、斷句的區別、文字的差異、訓詁的歧互」等六點紛歧，並就〈夏小正〉與《大戴禮記》分合行世的情況略加說明。二是經傳的時代，據〈夏小正略說〉所考，實難得定論，在此另外談論幾個觀點，例如〈夏小正〉雖未必是夏代遺籍，但很可能是孔子得之於杞國的文獻；又如從天文資料的矛盾來看，斟酌去取漢儒之說，推測它可能是春秋

---

51 莊雅州：〈夏小正之人文〉，《孔孟學報》第50期（1985年9月），頁133-155。
52 莊雅州：〈夏小正之經傳〉，《淡江學報》第23期（1985年10月），頁59-68。

時代杞國人所傳之先世舊籍，經傳寫補充而成，故一方面反映了春秋時代的星象，另一方面又保留了某些邃古的天文資料；再根據王、淮、海、鱄等字眼，猜測〈夏小正〉的「王」可能是指春秋時期淮海地區的徐君（徐駒王、偃王之類），〈夏小正〉由其寫成，後傳至同屬夏族的杞國而保留下來；另外從文字關係上比對互證，可發現〈夏小正〉傳文的作者與《儀禮・喪服傳》、《公羊傳》、《穀梁傳》的作者大概同屬一派，惟由思想內容判斷，著成時代應未晚於《呂氏春秋・十二月紀》。三是經傳之評價，指出由於經文之詞句過於古奧，內容瑣碎，行文參差而無定則，加上錯簡訛誤，觀察不夠精密，不免有些瑕疵，但它保留了許多珍貴的古代文獻，仍有相當價值；在傳文的部分，雖然所言有過於籠統、語言模糊、注釋闕如、失之迂曲、文字拗折、難以卒讀之弊，導致前人評價相當懸殊，但它在名物訓詁方面有諸多可採的價值，仍可作為訓詁之資糧。

　　本文所論，考證雖未必完備，但提出許多相當具啟發性的見解，值得有心者進一步探究。

（三）專書《夏小正析論》

　　一九八五年五月，集結了以單篇論文形式發表的「夏小正之經傳、夏小正之天文、夏小正之曆法、夏小正之人文、夏小正之月令異同論」等五個單元，再加上「夏小正之生物」、「夏小正之氣候」兩節，由文史哲出版社出版《夏小正析論》一書。全書共分七節，依序是夏小正之經傳、夏小正之天文、夏小正之曆法、夏小正之生物、夏小正之氣候、夏小正之人文、夏小正月令異同論。前文已說明過的五個單元不重複贅述，以下僅概述「夏小正之生物」、「夏小正之氣候」兩節的內容：

　　「夏小正之生物」一節介紹〈夏小正〉所見六十餘種生物，包括

植物與動物。由於先秦典籍對於生物的品性、名稱、圖形無一定標準，故酌採先輩之說，兼據現代生物學的知識，分植物、動物二類，逐一簡介。植物的部分，介紹了十八種草本植物、九種木本植物；動物部分則介紹十三種鳥類、十三種獸類、八種蟲類、三種魚類，共計六十四種生物。最後說明〈夏小正〉旨在驗時，而非多識，故所見生物數量不多，與實際數量相去甚遠。但透過這些生物來表現時節轉移、氣候變遷的「物候」知識，是特殊而珍貴的材料。

　　「**夏小正之氣候**」一節探討〈夏小正〉的氣候，分物候、氣象兩方面。首先在物候方面，先用表格形式將〈夏小正〉中十二個月份的物候材料清楚呈現，再將《呂氏春秋・十二月紀》、《淮南子・時則》、《禮記・月令》、《易緯・通卦驗》、《逸周書・時訓》等先秦兩漢時期的時令類文獻依序羅列，進行比對，發現它們之間因革損益的痕跡明顯，分析其途徑，有沿襲、改寫、移易、合併、分析、刪除、增添等七種，故斷言〈夏小正〉為時令類文獻之濫觴。此外，又從三個重點觀察〈夏小正〉的物候：一是取材觀點，得知〈夏小正〉紀物候的目的是為了驗時，因此所記都是顯著而易見的物候，以供民眾作為生活及生產的參考，而不是供天子作為施政的藍圖。由於時代較早，完全沒有受到陰陽五行學說的影響，是純粹的紀候之書。二是紀候的方法，〈夏小正〉所有物候都是按月排比，多則十餘條，少者僅一、二條，材料參差，紀候方法不夠精密。三是物候不齊，因物候會隨時間、地區有所不同，所以〈夏小正〉中與後代時令類書籍相比，有物候不齊的情況也是合於常理的。其次在氣象方面，從氣溫、風向和雨旱三種現象觀察〈夏小正〉的記錄，有助於更具體的掌握物候現象。

　　本書是莊教授總結與延伸博士論文的研究成果，對於〈夏小正〉的內容、問題與爭議，進行更深入、更系統性的探討，可見他對於

〈夏小正〉的鑽研與用力之精深，說他是臺灣地區當代研究〈夏小正〉的翹楚，無庸置疑。

五 《詩經》學相關研究

在《詩經》學的研究上，截至目前為止，莊教授發表過十篇論文，研究焦點偏重於名物學及其相關著作的述評，與從文化學視角所進行的探索比較。以下就論文內容分為名物訓詁、文化學探索二類，略述各篇之梗概：

（一）名物訓詁

1.〈**多識於鳥獸草木之名 —— 從詩經、楚辭到爾雅、本草、類書**〉[53]：這是屬於博物學研究範疇的撰著。由孔子「多識於鳥獸草木之名」一語發想，探尋歷代博物學擴展的軌跡，分別從草木蟲魚鳥獸在《詩經》中的作用以及草木蟲魚鳥獸對後世的影響兩方面談起。在《詩經》的作用上，歸納其表現有六，即：鋪敘情境、塑造意象、抒發情感、烘托氣氛、寄託比興和呈現意境。在對後世的影響上，依序從文學（《楚辭》）、字書（《爾雅》）、類書、藥物學（《本草綱目》）、生物學（吳其濬《植物名實圖考》）等五方面略述之。整體而言，草木蟲魚鳥獸文化已由《詩經》學滲透到其他學術領域，若能彼此互相輔佐、支援，對我們的研究與生活必能有所助益。

本文的觸角由經學領域延伸至其他範疇，從經學拓展至文學、文化學、藥物學、生物學等多元價值的觀察，其象徵意義代表著傳統的

---

53 莊雅州：〈多識於鳥獸草木之名 —— 從詩經、楚辭到爾雅、本草、類書〉，《中國語文》第618期（2008年12月），頁22-38。

名物訓詁考辨，可邁向科際整合的方向，令經學研究的道路與時俱進，更加寬廣。

2.〈從文化學角度探討朱子詩集傳的名物訓詁〉[54]：旨在探考朱熹《詩集傳》訓解天文、地理、草木、蟲魚、鳥獸、器物、建築等名物的特色。除前言、結論之外，從兩方面進行討論。首先是探討《詩集傳》名物訓詁的特色，撮取出範圍恢廓、融會眾說、掌握性狀、繁簡得中、闡發比興、貼近詩意等六點，以見朱傳之優點與貢獻。其次是指出研究《詩集傳》名物訓詁的幾個面向，也歸納為六點，包括：參考古今成果、吸納科學新知、採擷地下文物、重視觀察實驗、繪製具體圖片、闡發文化意涵，以對朱傳略加闡發、補充及訂正。

透過本文的內容，可使讀者對朱子《詩集傳》的面貌與特色，獲致嶄新的評價觀點。

3.〈毛詩品物圖考述評〉[55]：評介日人岡元鳳《毛詩品物圖考》（1784）一書，分別探討了此書的成書、內容及其體例、優缺點等三項要點。第一個部分是成書，包含岡元鳳的生平介紹，以及成書的經過與流傳的版本；第二個部分是內容及其體例，經過細察，臚列十項，即：標舉詩句、安排插圖、引用文獻、考訂文字、標注讀音、考辨名實、區分品種、描述性狀、評騭得失、付諸闕如；第三個部分是列舉優缺點，認為《毛詩品物圖考》具有圖文並茂、兼宗漢宋、行文

---

54 莊雅州：〈從文化學角度探討朱子詩集傳的名物訓詁〉，朱子學與現代跨文化意義國際學術研討會論文，廈門大學國學研究學院主辦，2011年10月，頁1-14。收錄於陳支平、劉澤亮主編：《展望未來的朱子學研究──朱子學會成立大會暨朱子學與現代跨文化意義國際學術研討會論文集》（廈門市：廈門大學出版社，2012年），頁170-187。

55 莊雅州：〈毛詩品物圖考述評〉，第八屆中國經學國際學術研討會論文，中國經學研究會主辦，臺灣大學承辦，2013年4月，頁1-15。收錄於《第八屆中國經學國際學術研討會論文選集》（臺北市：萬卷樓圖書公司，2015年），頁169-189。

簡明、考辨用心、重視鄉土等特色，但也有體例未純、文獻不足、圖文有誤、罕說詩意等缺失。《毛詩品物圖考》是日本江戶時代重要的《詩經》學著作，圖文相輔相成，通行極廣，影響亦大，內容涵蓋《詩經》草木蟲魚鳥獸二百餘種的考釋及插圖，對於今人研讀《詩經》頗有參考價值，讀者倘能了解詩中動植物的性狀，掌握詩人如何以名物為媒介來表情達意、寄託比興，當更易於明白詩意之旨歸。

透過本文的解析與討論，吾人對於岡元鳳及《毛詩品物圖考》，皆能得到進一步的認識與評價。

4.〈**毛詩名物圖說述評**〉[56]：本文介紹、評論清人徐鼎所著之《毛詩名物圖說》（1771）。此書凡九卷，二五五圖，辨象知物，並由物狀、物性而探討詩旨，圖文並茂，堪與日人岡元鳳《毛詩品物圖考》相媲美。可惜通行不廣，徐氏生平也罕見論述。本文主要內容包括三部分：第一個部分是作者生平介紹，並論其成書與版本；第二個部分是說明此書之內容及體例，包括標舉物名、安排插圖、引用文獻、加注案語等四點，在加注案語方面，又細分為解說音義、注明俗名、考辨名實、區分品種、描述性狀、闡發詩意、評騭得失等七項；第三個部分是評論《毛詩名物圖說》的特色與疏失，指出本書具有體例畫一、宗主漢學、繁簡適中、重視目驗、考辨用心、闡發詩意等六項特色，但難免於插圖稍粗、論斷有誤、拆駢為單、信偽迷真等四個疏失。然則，總體而言，瑕不掩瑜，此書對於《詩經》的欣賞與研究仍大有助益。

透過本文的評介，可使今人對於這本現存最早的圖文並茂的《詩經》名物著作，獲得較客觀、深刻的認識。

---

56 莊雅州：〈毛詩名物圖說述評〉，經典與訓詁——第11屆中國訓詁學會國際學術研討會論文，中國訓詁學會主辦，嘉南醫藥科技大學承辦，2013年5月，頁1-17。

　　5.〈**毛詩名物圖說與毛詩品物圖考異同論**〉[57]：此為前面兩篇論文
的賡續之作。將現今所見最早的兩部《詩經》圖考專著，即徐鼎的
《毛詩名物圖說》和岡元鳳的《毛詩品物圖考》排比並論。主體內容
有三節：首先介紹徐鼎、岡元鳳其人其書，俾收知人論世之效。其次
論述二書之同，分為五項，即：圖文並茂、重視鄉土、考辨名實、區
分品種、描述性狀。最後分述十點二書之異，包括：書名、篇卷、宗
尚、體制、插圖、引文、論斷、闕疑、詩義、影響。

　　本文內容有助於學子展讀《毛詩名物圖說》、《毛詩品物圖考》二
書，培養研究古書名物之興趣。

（二）文化學探索

　　1.〈**詩經與呂氏春秋農業史料之比較**〉[58]：將《詩經》與《呂氏春
秋》中有關農業生產技術的資料排比並現，相互比較，以了解先秦時
期的概況，略窺二者多元價值之一斑。內容包含五個部分：一是農時
之掌握，論及《詩經》時代已能順應春生、夏長、秋收、冬藏的生態
季節規律，至《呂氏春秋》中更將天時、地利、人力結合起來，開創
三才合一的中國傳統農學思想體系，構築了中國生態農學的基礎。二
是土地之耕耘，包括對農田的規劃及耕地的墾闢兩部分。前者是指在
開墾土地，從事農耕之前，必須對農田進行勘查與規劃，即相土之
事；後者是指在劃定經界、規劃畎畝之後，還要經過一番辛勤的開墾
播殖。三是作物之栽培，在作物的選擇上，最重要的糧食作物是黍、

57　莊雅州：〈毛詩名物圖說與毛詩品物圖考異同論〉，第十一屆中國詩經國際學術研討
　　會論文（石家莊市：河北師範大學，2014年8月），頁221-231。收錄於《詩經研究叢
　　刊》第27輯（北京市：學苑出版社，2015年），頁108-134。

58　莊雅州：〈詩經與呂氏春秋農業史料之比較〉，第四屆中國詩經國際學術研討會論文
　　（濟南市：山東大學），頁1-20。收錄於《第四屆詩經國際學術研討會論文集》（北
　　京市：學苑出版社，2000年），頁218-236。

稷、稻、麻、菽、麥六種；在種植的講求上，注意到不同作物在播種時行列的疏密各有要求，播植方法已懂得條播法、點播法，《呂氏春秋》甚至還談到特殊的「上田棄畝，下田棄甽」的畎畝法。四是田間之管理，分項敘述了灌溉、施肥、間苗、中耕、除草、防治農害等不同技術的發展情況。五是農產之收藏，這是農業生產的最後一個步驟及直接目的，《詩經》展現了收成的喜悅，而《呂氏春秋》則強調其重要性。本文以為，由於《詩經》是文學作品，故側重於主觀情感的抒發及客觀現實的描述，樸質而真實地反映出周代的農業生產技術。相對而言，《呂氏春秋》為思想性的論文集，故對於農業生產技術有意從實際的經驗出發，進一步作系統化、理論化的論述，因此比較具體深入。若能二書交互印證，彼此補充，便足以窺見先秦農業技術之水平。

本文對於《詩經》與《呂氏春秋》二書中的農學材料有較全面的排比相較，對於先秦農業生產技術的發展，提供了許多可資參考的訊息。

2.〈論詩經天文意象的多元價值〉[59]：站在宏觀的立場，探討《詩經》中天文意象所具有的多元價值。討論的詩篇共計二十一篇，包括：〈召南‧小星〉、〈邶風‧柏舟〉、〈邶風‧日月〉、〈邶風‧匏有苦葉〉、〈鄘風‧定之方中〉、〈衛風‧淇奧〉、〈王風‧君子于役〉、〈齊風‧女曰雞鳴〉、〈唐風‧綢繆〉、〈陳風‧東門之楊〉、〈陳風‧月出〉、〈豳風‧七月〉、〈小雅‧天保〉、〈小雅‧吉日〉、〈小雅‧十月之交〉、〈小雅‧巷伯〉、〈小雅‧大東〉、〈小雅‧漸漸之石〉、〈小雅‧苕之華〉、〈小雅‧棫樸〉、〈大雅‧雲漢〉。在科技史方面，可以考恆

---

59 莊雅州：〈論詩經天文意象的多元價值〉，第五屆中國詩經國際學術研討會論文（張家界市：中國詩經學會，2001年8月），頁1-9。收錄於《第五屆詩經國際學術研討會論文集》（北京市：學苑出版社，2002年），頁553-567。

星、二十八宿、日食及曆法等；在年代學方面，可以定若干詩篇的寫
作時間；在社會學方面，可以明古人衣、食、住、行、禮俗之梗概；
在神話學方面，可以證牛郎、織女傳說之源流；在思想史方面，可以
溯人文主義、三綱思想及天人合一精神的緣由；在文學方面，可以察
主題、抒情、敘事及修辭技巧的運用。

　　本篇在《詩經》天文研究的成果上甚有代表性，是整合科技史、
年代學、社會學、神話學、思想史、文學的綜合研究[60]，拓寬了《詩
經》學的研究領域，使其歷久彌新、生生不息，是頗具參考價值的論
文之一。

　　3.〈從文字學與文學角度探討詩經重章疊詠藝術〉[61]：本文同時兼
顧文字學與文學的角度，探討《詩經》重章疊詠的藝術，以《詩經》
三〇五篇原典為材料，佐以古今《詩經》的重要注釋及研究成果，對
相關詩作進行作品結構及文學語言的分析，並歸納其類型與藝術特
色。全文分為六節，一是緒論，說明重章疊詠的定義和起源。二是
《詩經》重章疊詠的類型，分為完全重章、不完全重疊、部分複沓。
三是《詩經》重章疊詠的技巧，在語言文字學方面有重複、易字、換
韻；在文學方面有對稱、互文、翻疊、層遞。四是《詩經》重章疊詠
的特色，如集中風雅、篇章簡短、回環往復、靈活變化、餘韻無窮
等。五是《詩經》重章疊詠的效果，包括利於傳唱、裨於理解、強化
主題、加強抒情、聯繫內容、提升意境。六是結論，彰明重章疊詠在
今日詩壇仍有其時代價值。

---

60 鄭月梅：〈以典籍中的天文研究發揚傳統科技文化──莊雅州教授的治學特色及其研
　　究成果〉，頁74。

61 莊雅州：〈從文字學與文學角度探討詩經重章疊詠藝術〉，第五屆全國辭章章法學術
　　研討會論文，中華章法學會主辦，文藻外語學院承辦，2010年10月，頁1-12。收錄
　　於《章法論叢》第五輯（臺北市：萬卷樓圖書公司，2011年10月），頁247-269。

本文運用歸納統計之法，提供具體的科學數據，層層解析，條目分明，足供採信。

4.〈詩經文學價值析論〉[62]：旨在從多元面向探討《詩經》的文學價值。除前言與結論外，主體內容論述三個部分：一是形式方面，具有詞彙豐富、句法靈活、章法多變、韻律自然等優點。二是內容方面，包含歷史的吟詠、鬼神的頌讚、政治的寫照、民生的反映、愛情的抒發等。三是寫作技巧方面，分析其抒情方式、賦比興技巧、修辭手段、意境與風格。全面展現《詩經》的文學價值，及其被譽為百代韻文之祖的地位。

本文運用歸納統計之法，以後代的文學理論發掘《詩經》豐富的蘊藏，整合了聲韻學、現代語法學、修辭學、風格學、民俗學、西方文學等，使初學者增進認識的深度，奠定鑑賞《詩經》的基礎。

5.〈詩經與音樂關係析論〉[63]：旨在探討《詩經》與音樂的關係。除了前言及結論外，探討論題有四個要點：一是詩樂本質，分論詩的本質、音樂的本質，且進一步將兩者相通、相異處略為比較。二是詩樂同源，從古典文獻、後代遺跡和藝術感通三方面論證其關係。三是《詩經》的成書，概述采獻詩、刪詩、孔子整理等三說，並就風、雅、頌分類準則的爭議，從音樂的角度辯證、澄清。四是詩樂相輔，先考察了入樂的實例、文獻佐證、入樂條件等，因而贊同《詩經》全部入樂的觀點；又解析了《詩經》的篇章和樂曲，得知詩性、音樂性互為表裡；最後則檢驗了《詩經》用樂的禮制、樂器及詩樂功能。結論當中，顯見強調《詩經》時代應是詩樂同源、密不可分的關係。

---

62 莊雅州：〈詩經文學價值析論〉，第十二屆中國詩經國際學術研討會論文（南寧市：廣西大學，2016年10月），頁1-22。

63 莊雅州、張蕙慧合撰：〈詩經與音樂關係析論〉，首屆詩禮文化國際論壇論文（上海市：上海大學詩禮文化研究中心，2017年3月），頁1-21。

　　本文乃結合經學與音樂學兩方面成果的科際整合研究，將《詩經》學上複雜的詩樂問題，透過對兩者本質的探析和歷史發展軌跡的爬梳，博而能約的加以論述，為讀者提供了對《詩經》與音樂關係具體而微的認識。

六　其他經學相關研究

　　除了《爾雅》、《大戴禮記‧夏小正》、《詩經》等研究成果數量頗豐之外，莊教授對於其他經典也有值得關注的撰著，以下分經學通論、《左傳》相關研究、禮學相關研究、其他研究等四方面概述之：

（一）經學通論

　　1.〈**經學史與其他學科的關係**〉[64]：此篇原是臺灣中央研究院中國文哲研究所於一九九一年四月十九日舉辦之座談會的講述內容，以「現行經學史及其相關問題」為題，邀請程元敏、宋鼎宗、李威熊、莊雅州等四位教授發言，會後將講稿整理出版。內容論及六種學科與經學史密不可分的關係，包括：一、史學，言及經學史在學術史上的特殊地位，也針對章學誠「六經皆史」說混淆經史的流弊提出簡捷的解決之道；二、哲學，認為由經學史入手可了解中國哲學的根源，經學也是中國哲學的主流；三、文學，不論是《詩經》的韻文、《左傳》的敘事文筆或其他經書簡潔有味的佳作，對後代的文學創作及文學批評，都有深刻的影響；四、文字學，概說群經與文字、聲韻、訓詁不可分割的關係，點明只有通觀經學流變才能掌握其關係；五、科技，指出群經中也蘊藏了豐富的數學、天文曆法、中醫學、手工業等各種

---

64 莊雅州：〈經學史與其他學科的關係〉，《中國文哲研究通訊》第1卷第3期（1991年9月），頁143-147。

科技資料，相信相關研究可為經學史注入新生命；六、社會科學，略舉群經中有關社會禮俗、政治、經濟、教育等資料的記載概況。

本篇講稿可幫助經學入門者對於經學與其他學科的關係執其梗概，進而增進其人研究經學史、發揚經學史的使命感，同時了解其他學科對經學史的作用，以充實研究的材料與方法，使經學史的成就更加輝煌。

2.〈**經學史導讀**〉[65]：此篇是一九九三年三民書局出版的《國學導讀》中之一章，概論經學發展歷史。內容共分七節：一是經學史之界說，界定經學史的意義，釐清經學史研究的範圍。二是經學史之功用，包括認識中華文化的精華、奠定經學研究的基礎、輔佐其他學科的探討、提供修己治人的龜鑑。三是經學史之分期，因前賢之作見仁見智，分合之際幾乎皆不相同，故略分「以朝代遞嬗為主的分期」和「以經學流變為主的分期」二類，舉其要者簡介之。四是經學史之內容，概述春秋戰國、秦漢、三國、南北朝、隋唐、兩宋、元明、清代、民國等各歷史分期的經學發展趨勢及代表學者、經學著作。五是經學史與其他學科的關係，分別從史學、哲學、文學、文字學、科技、社會科學、文獻學等七個範疇析論之。六是經學史之研究方法，提出「蒐集經學資料、考證史料真相、探討歷史背景、注意縱橫關係、運用治學方法」等方法。七是列舉一份重要參考書目，蒐羅經學史、經學概論、經學叢書、經學論著、經學家研究等不同範圍的重要專著，足供參考。

本文是臺灣學界首篇經學史「導讀」之作，概述經學發展的基本知識面面俱到，又能標舉出經學與其他學科的關係，對於拓展經學研究的視域有直接而具體幫助。

---

65 莊雅州：〈經學史導讀〉，邱燮友：《國學導讀》第二冊（臺北市：三民書局，1993年），頁59-102。

　　3.《經學入門》[66]：此書以簡明扼要的文字介紹經學的基本常識。全書分為十四節，包括緒論及十三經的概論敘介。在第一節的緒論中，說明經的定義、範圍、次序，以及經書的注解、經書的派別等要點。從第二節至第十四節，逐次概述《周易》、《尚書》、《詩經》、《周禮》、《儀禮》、《禮記》、《左傳》、《公羊傳》、《穀梁傳》、《論語》、《孝經》、《爾雅》、《孟子》等十三經之入門知識。每一部經書的介紹，都包含導論與導讀兩部分。導論部分，探討各經之名稱及其涵義、內容、編集或該經某些爭議性的問題、作者及成書時代、價值、流傳等，並附上參考書目；導讀部分則精選各經的原文，附以語譯，以便讀者透過內外兼治的方式，獲取經學入門之鑰。

　　本書之特色在於通達易讀，客觀平實[67]，將許多複雜而重要的經學問題執簡御繁地表述，使初學者得以快速清晰地掌握各經要旨，而導讀篇章的語譯，文字明暢精善，足為典範。

　　4.〈經學與小學關係析論〉[68]：此篇旨在闡述經學和小學二者之間相輔相成的關係。除前言和結論外，主體分為三部分：一是經學對小學的啟沃，包括小學因經學而興起、經學擴大小學運用的場域兩方面，揭開訓詁學、文字學、聲韻學相繼興起的軌跡，拾掇小學對於經學考據、經學義理、經學經世、經學詞章等各方面的治學範例。二是小學對經學的回饋，包括小學確立經學著述的形式與小學影響經學路線的演變，先論述經學箋注形式發展的四個階段，以及使用傳、記、

66　莊雅州：《經學入門》（臺北市：臺灣書店，1997年）。

67　相較於前賢之作，如皮錫瑞《經學通論》、范文瀾《群經概論》、錢基博《經學通志》、蔣伯潛《十三經概論》、王靜芝《經學通論》、高明《群經述要》等書，本書一方面在文字上有簡明流暢，便於青年學子自讀的優點；另一方面是綜整各家之說，取其通達客觀的見解，無一家之說的爭議。

68　莊雅州：〈經學與小學關係析論〉，經學跨域研究學術研討會論文（宜蘭市：佛光大學、中國經學研究會、臺灣古籍保護學會主辦，2018年5月），頁1-31。

說、注、箋、詁、訓、章句、義、正義、疏、義疏、解、集解、微等十五種名目的涵義，分析箋注形式盛行的因素和對傳統學術的影響；再就齊學與魯學、今文學與古文學、漢學與宋學等流派的對立，觀察其對箋注的不同態度，進而從經學發展的規律（繁簡更替的詮釋形式和回歸原典的運動），洞見經學箋注的思維與經學學派的形成、發展規律息息相關。三是近現代經學與語言文字學的互動，包括地下文獻的出土、二重證據法的運用，列舉甲骨、紙卷、鐘鼎、石刻、簡牘、帛書等六類與經學及小學相關的出土文獻，並概述近現代以來，運用二重證據法研究群經的重要成果。

本論文是結合經學與小學研究的整合之作，廣博而精深，詳細梳整了經學與小學交錯混雜的歷史關係與互相影響的情況，對於經學史、小學史及其相關研究，建構出脈絡分明的觀點，同時也為近現代的研究成果提供一份重要的參考目錄。

（二）《左傳》相關研究

1.〈左傳史論〉[69]：論述《左傳》史論之方式、作用、特色，並為其辯誣，說明其影響。在方式上，先言正論，再述側論；在作用上，分述申大義、辨疑惑、補殘闕、貫脈絡等功能；在特色方面，認為有夾敘夾議、駢散相間、委婉深曲、特重詩禮等四點；在辯誣部分，針對宋儒林栗（林黃中）「附益說」、皮錫瑞「駁雜說」、朱熹「淺陋說」及「害理說」等四說加以辯駁，指陳其謬誤。最後略述《左傳》史論的影響，從「對人心之影響」與「對載籍之影響」兩方面談起。本篇以文言為之，精練肯綮，持論客觀公允，足堪效學。

---

69 莊雅州：〈左傳史論〉，《孔孟學報》21期（1971年4月），頁161-171。收錄於《春秋三傳論文集》（臺北市：黎明文化事業公司，1981年），頁139-151。

2.〈**左傳天文史料析論**〉（上）（下）[70]：將散見於《左傳》中的天文史料加以整理，分類探討，並根據現代天文學知識闡發其精義，評騭其優缺點。主要內容將《左傳》的天文史料分為六類，即：太陽紀事、恆星紀事、行星紀事、異星紀事、四象十二次分野、辰。在太陽紀事部分，詳述日躔、日食兩種天象與材料；在恆星紀事部分，列舉並詳解二十八星宿及其他恆星的記載；在行星紀事部分，解釋木星、火星的觀測情況及其特殊意義；在異星紀事部分，解釋客星、彗星（孛）和流星、隕石等珍貴記錄；在四象十二次分野部分，闡釋了四象、十二次、分野等古代天文觀念；在辰的部分，就「天象之代表」、「時間之階段」二說概述之。總體而言，《左傳》保存了重要的古代天文資料，但由於當時科學水準所限，錯誤亦在所難免。

本篇特點，除了採擷許多前人的研究成果，對其失當之處亦同時運用現代天文學知識酌予匡正，清晰精確。文末所附天文星象圖表方便讀者參驗對照，是《左傳》天文研究極具價值的參考論文之一。

3.〈**左傳占星術析論**〉[71]：這是〈左傳天文史料析論〉的續作，專門探討《左傳》的星象之學。主要內容包含三部分：一是探討《左傳》占星術的類別，舉凡恆星占、行星占、日食之占、特殊天象之占，皆詳加闡釋；二是探討《左傳》占星的理論基礎，分別說明《左傳》的天文知識、天人感應說、陰陽五行說、分野說等四點；三是評論得失，除了推崇《左傳》能適應當時需求，促進天文進步，顯現人文精神的貢獻外，也指出其科學知識不足、理論基礎薄弱、增改痕跡明顯等三項局限。

---

70 莊雅州：〈左傳天文史料析論〉（上）、（下），《中正大學中文學術年刊》第3期（2000年9月），頁115-163。

71 莊雅州：〈左傳占星術析論〉，第五屆中國經學國際學術研討會論文，中國經學研究會主辦，政治大學承辦，2007年11月，頁221-239。

本文對於《左傳》占星文化能同時觀照到科技文化與神祕文化兩個面相，對於占星術的解析簡明而有系統，評價較為公允。

（三）禮學相關研究

1.〈**孟子禮學新探**〉[72]：旨在探討《孟子》七篇中與禮有關的文字，由此會通孔、孟、荀間禮學嬗遞之脈絡。主體內容包括三個部分：一是孟子禮論之內涵，區分為通論、通禮、專禮三項，「通論」由禮之來源、禮之功用、禮之實踐等考察孔、孟、荀論禮之異同與取捨；「通禮」討論世俗生活規範，如君臣、父子、夫婦、兄弟、朋友、其他等禮節，以及國家政令制度之禮；「專禮」則就《孟子》書中所涉之喪禮、祭禮、昏禮和冠禮、鄉飲酒禮、燕禮、聘禮等儀節略論之。二是孟子禮論之特色，歸納為四點，即不執一、能揣本、重士禮、貴革新。三是孟子禮論之價值，提出考古制、明時世、辨源流、助修身等觀點。本文以淺白文言書寫，篇幅短潔，陳論見解皆點到即止，有待進一步詳細論證。

2.〈**從科學觀點探討周禮**〉[73]：跳脫傳統研究《周禮》的觀點，從科學的視角，歸納整理《周禮》中的科技材料，並探討其研究方法，進行評論。重要內容包括三部分，一是說明《周禮》科技材料的內涵，包括天文、數學、物理、生物、農業、化學、機械、建築、醫學等九項，層面廣袤；二是論述《周禮》科技材料的研究方法，提出參考傳統文獻、借重現代科技、旁徵考古文物等觀點；三是對《周禮》的科技材料進行評價，經過與同時期的外國科技著作相比較，知其亦不遜色，甚或有更高明之處，此為優點。但部分資料仍有不夠精密，

---

72 莊雅州：〈孟子禮學新探〉，《孔孟月刊》10卷第1期（1971年9月），頁9-12。

73 莊雅州：〈從科學觀點探討周禮〉，紀念林師景伊逝世十周年學術研討會論文，臺灣師範大學，1993年，頁405-420。

不合科學的缺點。總結而言，《周禮》不論在實際層面或理論方面，
對後代的手工業、科技名著皆發揮一定的影響。最後呼籲今人研究
《周禮》，除了傳統文獻資料外，宜多利用現代科技知識及考古出土
文物，當可獲得更佳的成果。

　　本文也是科際整合的撰述，探討了經學與科學之間結合的走向，
開啟《周禮》研究的新視野。

　　3.〈經學新天地——大戴禮記〉[74]：此為介紹《大戴禮記》一書
的通論之作。首先略述《大戴禮記》在群經中地位變遷之梗概，然後
考釋其編撰時代與情況，探明書籍流傳始末，又介紹今存四十篇之內
容，列出亡佚諸篇中可考之篇目與《二戴禮記》相同的篇章，並指出
《大戴禮記》具有禮儀制度、自然科學、學術思想、古史研究與文獻
探討等五方面的價值，文末臚列入門參考書目。全文簡明通暢，方便
青年學子閱讀、了解《大戴禮記》一書。

　　4.〈儀禮喪葬神祕文化析論〉[75]：旨在探討《儀禮》〈士喪禮〉、
〈既夕禮〉、〈士虞禮〉等篇的神祕文化。所謂神祕文化，是指充滿宗
教神學色彩的文化，古謂之「數術」，今或稱之為巫術。主要內容有
三個部分：首先論述《儀禮》喪葬禮儀，如復禮、奠禮、為銘設重、
飯含、驅邪、卜筮、明器、立尸、虞祭等儀式過程。其次分析《儀
禮》喪葬禮儀的文化意涵，包括原始宗教、巫祝職掌、重視親情、生
死一貫、慎終追遠、等差秩序等觀點，知其蓋起源於原始宗教的魂魄
理論，經過巫祝的創造與推廣，藉由儀節令家屬宣洩深摯的親情，採
取事死如事生的方式表達哀思，因慎終追遠的孝心產生以死教生的作

74　莊雅州：〈經學新天地——大戴禮記〉，《國文天地》第165期（1999年2月），頁16-
　　20。

75　莊雅州：〈儀禮喪葬神祕文化析論〉，第二屆禮學國際學術研討會論文，清華大學中
　　國禮學研究中心、嘉禮堂合辦，杭州中國美術學院承辦，2013年8月，頁1-17。

用，使民德歸厚。最後評論其特色，諸如古老樸素、神祕莫測、人文緣飾、影響深遠等，後代雖因革損益，在今日民間，甚至是東亞漢文化圈皆可見其影響。

本篇層次分明，條理清晰，論說有據，闡析肯允，參閱其說，可對先秦凶禮獲得較清楚的認識。

5.〈**文化視野中的禮學**〉[76]：原是莊教授出席學術工作坊（禮學工作坊）所發言的講述稿，從科際整合的研究趨勢出發，談論禮學如何與文化史進行整合研究。內容重點有四個部分：首先說明「文化」的定義，並強調文化應包含物質、社會、精神三個層次；其次闡釋禮學與文化史的整合研究，分別從民生史、科技史、社會史、思想史、藝術史等五方面舉例說明，解析三《禮》及《大戴禮記》、《呂氏春秋》等資料，綜觀古今中外研究之成果，以活潑生動的言論論述，深入淺出，通俗易懂。第三個部分是探討研究方法，在禮學方面，建議採用彭林教授《三禮研究入門》所論之六個方法，即由小學切入、從禮學思想切入、名物考訂、與考古學結合、會通群經、禮學史的研究等；在文化學方面，可參用陳華文《文化學概論》的三種方法，即調查法、文獻法、比較法。最後一個部分是延伸閱讀，推薦王力《中國古代文化常識》一書，並列舉一份書單，供年輕學子自行閱讀。

本文是由講稿整理成文，因演講時間所限，第三、第四部分僅匆促交代要點，不及第一、第二部分詳實細講，不免遺憾可惜。

6.〈**周禮天文資料析論**〉[77]：結合西方天文學知識，析論《周禮》中的天文資料，並評驚其特色。主體內容共有七部分，分別是：一天

---

76 莊雅州：〈文化視野中的禮學〉，《中正漢學研究》2014年第1期，總23期（2014年6月），頁267-272。

77 莊雅州：〈周禮天文資料析論〉，東亞禮樂文明暨紀念沈文倬先生百年誕辰國際學術研討會論文（杭州市：浙江大學古籍研究所，2016年10月15日），頁161-193。

文機構及職官，有保章氏、馮相氏及其他。二天文儀器，有圭表、漏
壺。三天文測算，包含致日月、考星辰、明歲時。四星象記錄，包括
恆星紀事、日月紀事、行星紀事。五宇宙觀，論及天地的形狀（天圓
地方）、天地的結構（陰陽五行）。六占星術，《周禮》所見有救日
月、察十輝、占吉凶。七特色，歸納為五點，即資料古老，彌足珍
貴；零星散見，不成體系；天文人事，結合為一；觀象授時，相輔相
成；陰陽五行，瀰漫全書。

　　本文是莊教授探研經籍之天文材料的又一力作。除了維持論述上
一貫的系統性，以及解析材料的精審細緻更為老練外，對引用資料的
密度與廣度，也在在顯示其淵博宏富的學識。透過本文，可使吾人對
《周禮》的天文資料有全面的認識，並對其在中國天文學史上的定位
有較具體的了解。

（四）其他研究

　　1.〈皇清經解簡介〉[78]：此是僅千字左右的短文，為一般讀者簡介
《皇清經解》這部清朝巨帙。內容先以閒談之筆交代清初考據學興起
之因，其次介紹阮元其人及《皇清經解》編定之始末，然後說明它的
版本與流傳情形，並略為評定其地位、價值，概述體例、內容，最後
指出它的缺失、局限，以及可資參考的工具書。文短言豐，深入淺
出，盡括《皇清經解》的基本常識。

　　2.〈大禹謨辨偽〉[79]：深入探討〈大禹謨〉之文，辨其真偽，可為
《古文尚書》偽跡定讞之佐證。文分六點論述：一是由取材辨之，取
校閻若璩《古文尚書疏證》及惠棟《古文尚書考》二書考證結果，又
補苴通貫，列其仿襲今文、勦取逸書、采摘群籍等各條文字。二是就

78　莊雅州：〈皇清經解簡介〉，《愛書人旬刊》47號（1977年8月）。
79　莊雅州：〈大禹謨辨偽〉，《孔孟月刊》17卷第2期（1978年10月），頁32-35。

文獻考之，指出其用漢末俗字、強作古辭、誤解古書、誤引載籍等自露破綻之處，且其行文又有印板雜亂、迥異今文、意緒不貫之弊。三是從文體覈之，察其體式龐雜，又詞筆庸弱，排偶獨多，與其他「謨」篇體製不類。四是準情理論之，〈大禹謨〉中言不得體者頗多，如諛頌之辭違情悖理，而禹以天下為兒戲、舜似專制帝王的口吻，皆不類聖賢之言。五是依史實駁之，〈大禹謨〉記載禹征苗、禪讓之事，揆之古史，並有可疑。六是自思想析之，〈大禹謨〉中的「十六字心傳」出自《荀子‧解蔽》所引「道經」，不合於禹舜之旨；又「刑期于無刑」之說，與儒家德治思想亦大相逕庭。

　　本文專論《偽古文尚書》的單篇作偽之跡，舉證詳實可信，論述肯綮中的，可以小見大，藉為考察他篇之型範。

　　3.〈論高郵王氏父子經學著述中的因聲求義〉[80]：是討論乾嘉學者王念孫、王引之父子之經學研究方法的單篇論著，針對其「因聲求義」方面的重大突破與精細實踐進行解析。除了緒論、結論，主要內容共分四節：一是探求王氏父子因聲求義的理論基礎，從理論淵源和理論根據兩方面考察，交代傳統訓詁學對音義關係認識的三個階段，然後再由聲義關係、義存乎聲、聲近義通三方面解釋因聲求義理論發展的必然。二是說明王氏父子因聲求義的運用範圍相當廣泛，包括校訛誤、破假借、明連語、考物名、求語原、通轉語、釋虛詞等。三是討論王氏父子因聲求義的方法，提出探尋癥結（不知訛脫、惑於假借、增字解經、拆駢為單、誤虛為實）、博採證據（音證、義證）、聲義互求、比較互證（上下對勘、群書佐證、綜合推定）等四點。四是論述王氏父子因聲求義的價值，指出具有「實事求是、融會貫通、追

80　莊雅州：〈論高郵王氏父子經學著述中的因聲求義〉，乾嘉學者治經方法研討會論文，中央研究院文哲研究所，1999年6月，頁1-31。收錄於《乾嘉學者治經方法》（臺北市：中央研究院中國文哲研究所，2000年），頁351-405。

求突破、運用廣泛」等特色，但也有「音證不詳、訓釋失當、區分不明、侈言叚借、過信類書、局於一隅」之不足。

　　本文深入解析王氏父子在整理古籍時所運用的因聲求義之法，不僅勾勒出訓詁學的發展軌跡，具體展現傳統經學著述與研究的方式，也開啟了不少現代訓詁學、語言學研究的法門。

七　結論

　　綜觀以上介紹與論述，可以發現：

　　（一）莊雅州教授精通經學、語言文字學、文學、古代天文學與科技文化之學，尤其天文科技學更是獨步臺灣經學界。他奠基於小學深厚堅實的基礎，進一步深耕名物訓詁學的考證工夫，然後將經學廣涉的許多學科納入研究畛域，轉變了經學研究的道路。

　　（二）在研究成果上，他對《爾雅》、〈夏小正〉、《詩經》用力最深，又旁及《左傳》、三《禮》、《尚書》、《孟子》等經籍，研究觸角廣泛，結合語言文字學、文學、史學、子學、文獻學、古代科技、天文學、生物學、氣候學、農學、占星學等多元學科，運用新知識、新方法、新材料來解析經典載籍，擺脫傳統經學的束縛，獲得新視野與新成果。

　　（三）就學術特點而言，在研究態度方面，他闡發幽微，不趕熱門，為學篤實嚴謹，精審周詳；在研究方法上，除了普遍運用傳統的「因聲求義」、「以形索義」、「比較互證」之法外，對於「二重證據法」的駕馭也相當得心應手；在內容表現上，標舉綱目、層次分明、考釋精審、採擷宏富、論述詳實、評騭肯允，相當有系統性及兼具高度、密度、廣度是其特色；在研究範疇上，他擴大經學領域，進行科際整合的研究，並獲得成果，故而受到學界肯定。

　　（四）總而言之，莊雅州教授在經學研究上最突出的成果與貢獻，即是他三十餘年來秉持著「以典籍中的天文研究發揚傳統科技文化」的信念，從而開創出經學的天文研究與科技研究的獨特治學途徑，同時為臺灣經學界示範了經學科技整合研究之可能。[81]

---

81 本文於會議中宣讀之後進行討論時，主持人車行健教授特別邀請莊師發言，吾師自言其研究除了在廣度、高度、深度、密度「四度空間」未臻理想之外，局限有二：其一是著作數量不夠豐富。一方面因為多年兼任行政職務，在教學工作與行政工作的雙重負擔下，時間有限；一方面是個人寫作速度較慢，每每反覆推敲，詳察精審，故一年至多僅能撰寫三篇論文。其二是對其他學科範疇的研究深度不足。由於個人的專業背景是文史，對於科學或其他學科的專業訓練不足，因此在進行科際整合研究時，所為者僅是運用、溝通，即借用其他學科的研究成果來認識經學的內涵；又因經學所關涉的範圍廣泛，亦無充分的時間、精力逐一涉獵其他學科，僅隨時引用其他領域的新成果，以期引導本科學者閱讀、接觸，拓展視野。

附錄一
莊雅州教授指導學位論文表

	年份	作者	論文題名	學系／學位
1	1993	趙麗君	《尚書・堯典》研究	國立中正大學中國文學所；碩士
2	1994	林國鐘	《尚書正義》對鄭玄、王肅之取舍研究	國立中正大學中國文學所；碩士
3	1994	江永川	顧頡剛《詩經》學初探	國立中正大學中國文學所；碩士
4	1994	王靜芳	胡適《詩經》論著研究	國立中正大學中國文學所；碩士
5	1994	吳國宏	孫星衍《尚書今古文注疏》研究	國立中正大學中國文學所；碩士
6	1994	林登昱	林之奇《尚書全解》研究	國立中正大學中國文學所；碩士
7	1994	陳溫菊	《詩經》器物考釋	國立中正大學中國文學所；碩士
8	1995	廖千慧	焦循《論語》學研究	國立中正大學中國文學所；碩士
9	1995	林德龍	劉熙載《文概》之文論研究	國立中正大學中國文學所；碩士
10	1995	游雯絢	從社會道德層面剖析《禮記》吉禮之倫理思想	國立中正大學中國文學所；碩士
11	1996	陳茂仁	楚帛書研究	國立中正大學中國文學所；碩士
12	1997	蔣靜文	論張岱小品：從生命模塑到形式意義的完成	國立中正大學中國文學系；碩士
13	1997	吳旻旻	漢代楚辭學研究——知識主體的心靈鏡像	國立中正大學中國文學系；碩士
14	1998	周天令	朱子道德哲學研究	國立中正大學中國文學所；博士

	年份	作者	論文題名	學系／學位
15	1998	張曉芬	牟庭《詩切》研究	國立中正大學中國文學所；碩士
16	1999	林登昱	《尚書》在古史辨思潮中的新發展	*國立中正大學中國文學系；博士
17	1999	陳志信	朱熹經學志業的形成與實踐	國立中正大學中國文學系；博士
18	1999	陳忠源	從《春秋》的傳衍論先秦時期的經學發展	國立中正大學中國文學系；碩士
19	2000	黃如焄	明代詩學精神與神韻傳統	國立中正大學中國文學系；博士
20	2000	陳溫菊	先秦三晉文化研究	國立中正大學中國文學系；博士
21	2001	劉雅惠	《戰國策》策士研究	國立中正大學中國文學系；碩士
22	2001	許明珠	莊子〈人間世〉研究	國立中正大學中國文學系；碩士
23	2002	朱文光	佛學研究方法論	*國立中正大學中國文學系；博士
24	2002	周玉珠	從《詩經》看周人的婚姻	國立中正大學中國文學系；碩士
25	2002	王妙純	從《世說新語》看東漢至東晉士人之人生觀	國立中正大學中國文學系；碩士
26	2002	李綉玲	《說文段注》假借字研究	國立中正大學中國文學系；碩士
27	2003	林珍瑩	唐代茶詩研究	國立中正大學中國文學系；博士
28	2003	吳智雄	西漢前期經學思想研究	國立中正大學中國文學系；博士
29	2003	鄭芳祥	蘇軾貶謫嶺南時期文學作品主題研究——以出處、死生為主的討論	國立中正大學中國文學系；碩士
30	2003	邱華苓	林語堂《論語》時期幽默文學研究	國立中正大學中國文學系；碩士
31	2003	陳明宏	《說文》中之巫術研究	國立中正大學中國文學系；碩士
32	2003	李欣玲	從《詩經》探析周代農業社會	國立中正大學中國文學系；碩士

	年份	作者	論文題名	學系／學位
33	2005	黃翠芬	章太炎《春秋左傳》學研究	東海大學中國文學系；博士
34	2005	李淑婷	唐詩漢代人物研究	國立中正大學中國文學系；碩士
35	2005	莊友貴	《周易述義》研究	玄奘大學中國語文學系；碩士
36	2005	陸慧玲	中國聲相研究	玄奘大學中國語文學系；碩士
37	2005	謝沅谷	《說文》失收字之研究	玄奘大學中國語文學系；碩士
38	2006	鄭月梅	崔東壁《讀風偶識》探析	*國立中正大學中國文學所；博士
39	2006	張美智	《漱玉詞》藝術探究	玄奘大學中國語文學系；碩士
40	2007	鄧盛有	客家話的古漢語和非漢語成分分析研究	*國立中正大學中國文學所；博士
41	2007	張俐雯	豐子愷及其散文研究	東吳大學中國文學系；博士
42	2007	黃國倫	簡化字研究	玄奘大學中國語文學系；碩士
43	2007	劉淑媛	東坡黃州詞之藝術風格研究	玄奘大學中國語文學系；碩專
44	2007	李書秀	《樂記》研究	玄奘大學中國語文學系；碩專
45	2007	魏玉芳	《詩經》工藝文化研究	玄奘大學中國語文學系；碩專
46	2007	楊貞祥	先秦物候農時文獻研究	玄奘大學中國語文學系；碩專
47	2008	孫淑芳	世變與風雅——周亮工《尺牘新鈔》編選之研究	國立中正大學中國文學所；博士
48	2008	葉大松	漢代長安與洛陽都城宮室規制之探討——以兩都二京賦為主軸	玄奘大學中國語文學系；博士
49	2008	鄭琬珊	論陳繼儒的美感生活研究	玄奘大學中國語文學系；碩士
50	2008	蔡翼隆	《禮記》中的陰陽五行思想研究	玄奘大學中國語文學系；碩士

	年份	作者	論文題名	學系／學位
51	2008	黃柔鈞	全本王仁煦《刊謬補缺切韻》系聯方法析論	玄奘大學中國語文學系；碩士
52	2008	陳獻佑	《左傳》災異研究	玄奘大學中國語文學系；碩士
53	2008	劉蔚瀅	蘇轍記體散文研究	玄奘大學中國語文學系；碩士
54	2008	詹蕙林	柳子厚寓言探微	玄奘大學中國語文學系；碩專
55	2008	張水堂	李贄「童心說」與袁宏道「性靈說」文學觀之比較研究	玄奘大學中國語文學系；碩專
56	2008	沈麗華	司馬遷《史記》悲劇意蘊探析	玄奘大學中國語文學系；碩專
57	2008	劉安邦	唐太宗軍事思想研究	玄奘大學中國語文學系；碩專
58	2008	王雅暄	莊子氣化的生命觀與生死超越之研究	玄奘大學中國語文學系；碩專
59	2009	張曉芬	天理與人欲之爭——清儒揚州學派「情理論」探微	輔仁大學中文系；博士
60	2009	曾昱夫	中古佛經完成動詞之研究	*國立中正大學中國文學所；博士
61	2009	劉自華	論蔡素芬《鹽田兒女》《橄欖樹》小說中的主題意識與性別意識	玄奘大學中國語文學系；碩士
62	2009	林美慧	余光中旅遊文學研究	玄奘大學中國語文學系；碩士
63	2009	吳美珍	李清照詞作之情感嬗變與藝術特質探究	玄奘大學中國語文學系；碩專
64	2009	林麗玲	蘇軾詠茶詩研究	玄奘大學中國語文學系；碩專
65	2009	陳毓儒	沈括《夢溪筆談》物理學成就研究	玄奘大學中國語文學系；碩專
66	2009	陳詠幸	唐詩中鳥類意象之研究	玄奘大學中國語文學系；碩專

	年份	作者	論文題名	學系／學位
67	2009	羅千蕙	魏晉「論情」思想研究	玄奘大學中國語文學系；碩專
68	2009	陳明啟	《東坡樂府》修辭藝術探究	玄奘大學中國語文學系；碩專
69	2010	王森田	日治時代日本人學習臺灣語的困境	國立中正大學中國文學系；博士
70	2010	曾元	《左傳》天人關係論	玄奘大學中國語文學系；碩士
71	2010	鄧瑞蓮	中越驅除惡鬼年俗之比較研究——以中國掛桃符與越南豎竹竿為例	元智大學中國語文學系；碩士
72	2010	張麗娟	李商隱託物寓懷詩篇探討——以鳥獸蟲魚為範圍	玄奘大學中國語文學系；碩專
73	2010	莊秀蘭	《史記‧酷吏列傳》研究	玄奘大學中國語文學系；碩專
74	2011	呂宜哲	《聊齋誌異》所反映之清初社會狀態研究	玄奘大學中國語文學系；博士
75	2011	陳幸筠	孫奇逢經世致用思想研究	元智大學中國語文學系；碩士
76	2011	黃靖媛	《呂氏春秋》人才培育與管理研究	玄奘大學中國語文學系；碩士
77	2012	黃原華	《周易》與亞理斯多德天人哲學思想比較	*東海大學中國文學系；博士
78	2012	王啟人	孟子民本思想之研究	玄奘大學中國語文學系；碩士
79	2012	阮福安	越南五種漢文傳奇小說研究	元智大學中國語文學系；碩士
80	2012	謝宗憲	以文化中介者的角度看《天工開物》	元智大學中國語文學系；碩士
81	2012	鄭育瑄	曾子學術思想研究	玄奘大學中國語文學系；碩專
82	2013	楊秀華	李卓吾詩歌研究	*玄奘大學中國語文學系；博士

	年份	作者	論文題名	學系／學位
83	2013	曾家瑩	《禮記‧內則》倫理思想研究	元智大學中國語文學系；碩士
84	2013	宋姿儀	余光中散文的語言風格研究	元智大學中國語文學系；碩士
85	2013	楊璇如	楊貴妃故事人物形象演變之研究	元智大學中國語文學系；碩士
86	2014	胡兆鋐	范欽慧之自然寫作及自然教育研究	元智大學中國語文學系；碩士
87	2014	游釬鈞	《史記》亂臣篇章的詞彙風格	元智大學中國語文學系；碩士
88	2015	許慧如	先秦天人思想流變及其學術互動關係之研究──從天文與巫術切入	東吳大學中國文學系；博士
89	2016	李有夏	《三國演義》在泰國之翻譯與流傳	元智大學中國語文學系；碩士
90	2016	李志謙	《金瓶梅》之家庭結構及其權力分配	元智大學中國語文學系；碩士
91	2016	楊貞祥	氣候學與先秦兩漢科技文化關係析論──以天文、農業、生物為範圍	***玄奘大學中國語文學系；博士**
92	2017	李麗萍	唐傳奇霍小玉與步飛煙人物形象研究	元智大學中國語文學系；碩士
93	2017	陳芊諭	張壽林《詩經》學研究	元智大學中國語文學系；碩士
94	2019	莊友貴	曹元弼《易》學研究	臺北市立大學中國語文學系；博士
95	2020	葉書珊	秦簡書體文字研究	*中正大學中國文學系；博士

說明：

1. 第30欄，邱華苓的〈林語堂《論語》時期幽默文學研究〉文中之《論語》，是指林語堂創辦之刊物名，而非十三經中的《論語》。

2. 畢業學系前加「＊」者，表示為聯合指導。灰階欄位表示經學領域。

3. 統計至二○一七年十二月止，共指導九十三篇學位論文，其中博士論文二十二篇，碩士論文七十一篇。

4. 所指導的論文研究領域，屬於經學者包括《詩經》九篇、《尚書》五篇、《春秋》及《左傳》四篇、《禮記》四篇、《周易》二篇、《論語》一篇、《孟子》一篇、其他二篇，合計二十八篇。

5. 搜尋國家圖書館碩博士論文系統，以「莊雅州」為指導教授的檢索條件可得93條資料，然其中三條重複（王靜芳〈胡適《詩經》論著研究〉、陳溫菊〈詩經〉器物考釋〉、鄧瑞蓮〈中越驅除惡鬼年俗之比較研究──以中國掛桃符與越南豎竹竿為例〉），實得九十篇論文。另外，上表中的第63條資料：吳美珍〈李清照詞作之情感嬗變與藝術特質探究〉一文，指導教授誤為「莊雅洲」；以及第83條資料：曾家瑩〈《禮記・內則》倫理思想研究〉、第84條資料：宋姿儀〈余光中散文的語言風格研究〉二文未收錄，故實共指導九十三篇論文。

附錄二
莊雅州教授著作目錄
（1968-2020）

一　期刊論文

1968年3月，〈曾文正公文學思想評介〉，《新天地》7卷1期。

1970年9月，〈荀子禮學初探〉，《孔孟月刊》9卷1期，頁3-6。

1970年12月，〈劉勰的文原論〉，《文風》18期，頁88-94。

1971年4月，〈左傳史論〉，《孔孟學報》第21期，頁161-171。收錄於
　　　《春秋三傳論文集》（臺北市：黎明文化事業公司，1981年1
　　　月），頁139-151。

1971年9月，〈孟子禮學新探〉，《孔孟月刊》10卷第1期，頁9-12。

1973年6月，〈曾國藩文學理論述評〉，《國立臺灣師範大學國文研究所
　　　集刊》第17期，頁597-664。

1975年4月，〈駢散相通論〉，《學粹雜誌》17卷第1期，頁23-26。

1975年9月，〈從煙之外談起〉，《鵝湖月刊》3期，頁52-55。

1977年8月，〈皇清經解簡介〉，《愛書人旬刊》47號。

1978年10月，〈大禹謨辨偽〉，《孔孟月刊》17卷第2期，頁32-35。

1979年5月，〈爾雅聯緜字淺探〉，《新竹師專學報》第5期，頁97-102

1981年9月，〈夏小正略說〉，《孔孟月刊》20卷第1期，頁15-20。

1983年2月，〈夏小正月令異同論〉，《孔孟月刊》21卷第11期，頁15-
　　　22。

1984年6月，〈夏小正之天文〉，《中國學術年刊》第6期，頁41-57。

1984年7月，〈夏小正之曆法〉，《孔孟月刊》22卷第11期，頁25-31。

1985年9月，〈夏小正之人文〉，《孔孟學報》第50期，頁133-155。

1985年10月，〈夏小正之經傳〉，《淡江學報》第23期，頁59-68。

1988年5月，〈呂氏春秋之天文〉，《淡江學報》第26期，頁9-33。

1990年9月，〈呂氏春秋之氣候〉，《國立中正大學學報》1卷1期（人文
　　分冊），頁1-25。

1991年9月，〈經學史與其他學科的關係〉，《中國文哲研究通訊》第1
　　卷第3期，頁143-147。

1991年10月，〈呂氏春秋之曆法〉，《國立中正大學學報》2卷1期（人
　　文分冊），頁1-21。

1992年3月，〈古書中之北斗七星〉，《淡江中文學報》第1期，頁234-
　　258。

1992年3月，〈曾國藩的訓育之道〉，《訓育研究》13卷第4期，頁55-57。

1996年9月，〈中國傳統科技文化研究的省思〉，《文訊雜誌》9卷第1
　　期，頁52-53。

1999年2月，〈經學新天地——大戴禮記〉，《國文天地》第165期，頁
　　16-20。

1999年12月，〈呂氏春秋農業史料析論〉，《國立編譯館館刊》28卷第2
　　期，頁1-26。

2000年9月，〈左傳天文史料析論〉（上）（下），《中正大學中文學術年
　　刊》第3期，頁115-163。

2001年12月，〈論說文解字之疏失〉，《中正大學中文學術年刊》第4
　　期，頁143-178。

2004年12月，〈科學與迷信之際——史記天官書今探〉，《中正大學中
　　文學術年刊》第6期，頁125-160。

2008年4月，〈論漢字教學的原則〉，《中原華語文學報》第1期，頁1-
　　　15。

2008年12月，〈多識於鳥獸草木之名——從詩經、楚辭到爾雅、本
　　　草、類書〉，《中國語文》第618期，頁22-38。

2009年11月，〈爾雅釋魚與說文魚部之比較研究〉，《經學研究集刊》
　　　第7期，頁95-106。

2010年6月，〈臺灣目前訓詁學研究之特色與瓶頸〉，國科會《人文與
　　　社會科學簡訊》11卷第3期，頁99-107。

2014年5月，〈毛詩品物圖考述評〉，《經學研究集刊》第16期，頁35-
　　　52。

2014年6月，〈禮的對話：禮學之體與用（實錄）〉，《中正漢學研究》
　　　2014年第1期，總23期，頁272-288。

2015年11月，〈毛詩名物圖說與毛詩品物圖考異同論〉，《詩經研究叢
　　　刊》27輯（北京市：學苑出版社，2015年11月），頁108-134。

2019年12月，〈楚望樓駢體文語言風格析論〉，《廈門大學中文學報》
　　　第7輯，頁180-208。

2020年12月，〈從多維角度探討詩經中的祭祀詩〉，上海書店：《經學
　　　文獻研究集刊》第24輯，頁30-51。

二　研討會論文

1990年3月，〈聲韻學與散文鑑賞〉，第八屆全國聲韻學研討會，新
　　　莊，輔仁大學，頁1-22。收錄於《聲韻論叢》第三輯（臺北
　　　市：臺灣學生書局，1991年5月），頁41-63。

1991年，〈從科學的觀點探討說文解字〉，第二屆古文字學研討會，嘉
　　　義，中正大學，頁1-15。後收錄於《慶祝周一田先生七秩誕

辰論文集》（臺北市：萬卷樓圖書公司，2001年3月），頁7-
25。

1993年，〈從科學觀點探討周禮〉，紀念林師景伊逝世十周年學術研討
會，臺北市，臺灣師範大學，頁405-420。

1995年11月，〈中正大學的研究生教育〉，海峽兩岸與港澳地區研究生
教育研討會，廈門，廈門大學，頁1-3。

1999年6月，〈論高郵王氏父子經學著述中的因聲求義〉，乾嘉學者治
經方法研討會，南港，中央研究院文哲研究所，頁1-31。收
錄於《乾嘉學者的治經方法》（臺北市：中央研究院中國文
哲研究所籌備處，2000年10月），頁351-405。

1999年8月，〈詩經與呂氏春秋農業史料之比較〉，第四屆中國詩經國
際學術研討會，濟南，山東大學，頁1-20。收錄於《第四屆
詩經國際學術研討會論文集》（北京市：學苑出版社，2000
年7月），頁218-236。

2001年8月，〈論詩經天文意象的多元價值〉，第五屆中國詩經國際學
術研討會，張家界，中國詩經學會，頁1-9。收錄於《第五
屆詩經國際學術研討會論文集》（北京市：學苑出版社，
2002年7月），頁553-567。

2003年9月，〈美學的會通──論和諧〉，第四屆東方美學學術研討會，
新竹，玄奘人文社會學院。收錄於《第四屆東方美學學術研
討會論文集》（臺北市：歷史博物館，2003年9月），頁11-22。

2003年12月，〈論爾雅草木蟲魚鳥獸考釋方法〉，東亞傳世漢籍文獻譯
解方法國際學術研討會，臺北市，臺灣大學，頁1-24。後改
題為〈論考釋爾雅草木蟲魚鳥獸之方法〉，收錄於《東亞傳
世漢籍文獻釋解方法初探》（臺北市：臺灣大學出版中心，
2005年6月），頁127-170；2008年5月，上海華東師範大學出
版社出版簡體字版，頁92-122。

2005年10月，〈爾雅釋魚與說文魚部之比較研究〉，中國訓詁學研究
　　　　會、杭州師範學院，《紀念周禮正義出版百年暨陸宗達先生
　　　　百年誕辰學術研討會論文匯集》，頁203-213。

2007年5月，〈從爾雅釋言曷盍也探討歷代訓詁之演變〉，中國訓詁學
　　　　會、玄奘大學，第八屆訓詁學研討會論文，頁1-7。

2007年11月，〈左傳占星術析論〉，第五屆中國經學國際學術研討會論
　　　　文，頁221-239，中國經學研究會主辦，政治大學承辦。收
　　　　錄於《第五屆中國經學國際學術研討會論文集》（臺北市：
　　　　秀威資訊科技公司，2009年5月），頁203-220。

2008年10月，〈論形聲字之功能及其局限〉，高明教授百歲冥誕紀念學
　　　　術研討會論文，頁73-82，政治大學主辦。

2009年11月，〈論漢字之特質及其與文學體裁之關係〉，紀念瑞安林尹
　　　　教授百歲誕辰學術研討會，臺灣師範大學國文系。收錄於
　　　　《紀念瑞安林尹教授百歲誕辰學術研討會論文集》（臺北
　　　　市：文史哲出版社，2009年12月），頁203-225。

2010年3月，〈論二重證據法在爾雅研究上之運用〉，國科會中文學門
　　　　小學類92-97研究成果發表會論文，頁1-19，國科會人文處
　　　　主辦，臺灣師範大學承辦。收錄於《國科會中文學門小學類
　　　　92-97研究成果發表會論文集》（臺北市：新文豐出版公司，
　　　　2011年4月），頁275-295。

2010年4月，〈論漢字與中國文學美感的關係〉，第二十一屆中國文字
　　　　學國際學術研討會論文，頁431-446，中國文字學會主辦，
　　　　東吳大學承辦。

2010年6月，〈爾雅的時代價值及其在現當代的傳播〉，2010年海峽兩
　　　　岸儒學交流研討會論文，頁338-357，中華民國孔孟學會與
　　　　國際儒學聯合會聯合主辦，世界華文會承辦。

2010年10月，〈從文字學與文學角度探討詩經重章疊詠藝術〉，第五屆
　　全國辭章章法學術研討會論文，頁1-12，中華章法學會主
　　辦，文藻外語學院承辦。收錄於《章法論叢》第五輯（臺北
　　市：萬卷樓圖書公司，2011年10月），頁247-269。

2011年5月，〈語言文字學與文獻學關係析論〉，第十屆中國訓詁學會
　　國際學術研討會論文，頁337-356，中國訓詁學會主辦，輔
　　仁大學承辦。

2011年10月，〈從文化學角度探討朱子詩集傳的名物訓詁〉，朱子學與
　　現代跨文化意義國際學術研討會論文，頁1-14，廈門大學國
　　學研究學院主辦。收錄於陳支平、劉澤亮主編：《展望未來
　　的朱子學研究——朱子學會成立大會暨朱子學與現代跨文化
　　意義國際學術研討會論文集》（廈門市：廈門大學出版社，
　　2012年5月），頁170-187。

2012年5月，〈中國古代科技文化史導論〉，紀念林尹教授國際學術研
　　討會論文，頁41-76，財團法人景伊文化藝術基金會主辦，
　　臺灣師範大學承辦。

2012年6月，〈說文解字中的天文史料析論〉，第二十三屆中國文字學
　　國際學術研討會論文，頁509-527，中國文字學會主辦，靜
　　宜大學承辦。

2013年4月，〈毛詩品物圖考述評〉，第八屆中國經學國際學術研討會
　　論文，頁1-15，中國經學研究會主辦，臺灣大學承辦。《第
　　八屆中國經學國際學術研討會論文選集》（臺北市：萬卷樓
　　圖書公司，2015年3月），頁169-189。

2013年5月，〈說文解字中的神祕文化史料析論〉，第二十四屆中國文
　　字學國際學術研討會論文，頁271-292，中國文字學會主
　　辦，中正大學承辦。

2013年5月，〈毛詩名物圖說述評〉，經典與訓詁——第十一屆中國訓詁學會國際學術研討會論文，頁1-17，中國訓詁學會主辦，嘉南醫藥科技大學承辦。

2013年8月，〈儀禮喪葬神祕文化析論〉，第二屆禮學國際學術研討會論文，頁1-17，清華大學中國禮學研究中心、嘉禮堂合辦，杭州中國美術學院承辦。

2014年5月，〈說文解字名物訓詁研究芻議〉，第二十五屆中國文字學國際學術研討會論文，頁695-712，中國文字學會主辦，中國文化大學承辦。

2014年8月，〈毛詩名物圖說與毛詩品物圖考異同論〉，第十一屆中國詩經國際學術研討會論文，頁221-231，石家莊市，河北師範大學。

2015年3月，〈羅願及其爾雅翼〉，《陳新雄教授八秩冥誕紀念論文集》（臺北市：萬卷樓圖書公司），頁519-533。

2015年5月，〈羅願爾雅翼平議〉，第十二屆中國訓詁學學術研討會論文，頁89-105，中國訓詁學會主辦，臺南大學承辦。

2015年8月，〈黃季剛先生爾雅研究方法述評〉，《章黃學術研討會暨陸宗達先生誕辰110周年紀念會論文集》，頁735-755，北京師範大學主辦。

2016年5月，〈說文解字中的農業史料分析〉，第二十七屆中國文字學國際學術研討會，專題演講，頁21-51。中國文字學會主辦，臺中教育大學承辦。

2016年10月，〈周禮天文資料析論〉，東亞禮樂文明暨紀念沈文倬先生百年誕辰國際學術研討會論文，頁161-193，杭州市，浙江大學古籍研究所主辦。

2016年10月，〈詩經文學價值析論〉，第十二屆中國詩經國際學術研討會論文，頁1-22，南寧市，廣西大學。

2017年3月，〈詩經與音樂關係析論〉（莊雅州、張蕙慧合撰），首屆詩
　　　禮文化國際論壇論文，頁1-21，上海市，上海大學詩禮文化
　　　研究中心。

2018年5月，〈經學與小學關係析論〉，經學跨域研究學術研討會論
　　　文，頁1-31，宜蘭市，佛光大學、中國經學研究會、臺灣古
　　　籍保護學會主辦。

2019年7月，〈從多維角度探討詩經中的祭祀詩〉，中央研究院文哲研
　　　究所經學史重探（I）——中世紀以前文獻的再檢討第三次
　　　學術研討會專題演講，頁1-19。2019年8月，上海大學《第
　　　二屆詩詞與詩禮文化研究國際論壇會議論文集》，頁18-44。

三　專書論文及其他

1975年5月，〈六十年來之古文〉，《六十年來之國學》第五冊（臺北
　　　市：正中書局），頁1-75。

1981年2月，〈論邵晉涵爾雅正義得失〉，《慶祝陽新成楚望先生七秩誕
　　　辰論文集》（臺北市：文史哲出版社），頁175-180。

1981年6月，《夏小正研究》，臺北市，臺灣師範大學國文研究所博士
　　　論文，頁1-421。

1984年5月，成惕軒原著，陳弘治、張仁青、李周龍、林茂雄、陳慶
　　　煌合注：《楚望樓駢體文續編》（臺北市：臺灣商務印書
　　　館），頁1-352。

1991月9月，程元敏、宋鼎宗、李威熊、莊雅州聯合主講：〈現行經學
　　　史及其相關問題〉，《中國文哲研究通訊》第1卷第3期，書刊
　　　評介，頁125-153。

1993年9月，〈經學史導讀〉，邱燮友：《國學導讀》第二冊（臺北市：
　　　三民書局），頁59-102。

1993年10月29日，〈為古代科技文化研究開扇大門〉，《中央日報》，
　　　〈中山學術論壇〉第26期。

1994年8月19日，〈我國古代天文學對木星與彗星研究的貢獻〉，《中央
　　　日報》，〈中山學術論壇〉第47期。

2006年4月，〈爾雅釋天天文史料今論〉，《李爽秋教授八十壽慶祝壽論
　　　文集》（臺北市：萬卷樓圖書公司），頁251-271。

2010年12月，〈安貧樂道的原憲〉，中華民國孔孟學會主編：《孔子弟
　　　子言行傳》下冊（臺北市：萬卷樓圖書公司），頁107-119。

2015年6月，〈司馬遷的天文學與占星術〉，林美清、簡宗梧主編：《人
　　　文殊致：長庚大學文化講座第六輯》（桃園市：長庚大學通
　　　識教育中心），頁1-39。

2021年，〈臺灣現當代爾雅學研究〉，頁1-54，福建師範大學主編：
　　　《臺灣經學研究論文集（1945-2015）》（預定出版）。

四　專書

1985年5月，《夏小正析論》（臺北市：文史哲出版社），頁1-206。

1997年9月，《經學入門》（臺北市：臺灣書店），頁1-276。

2003年10月，王三慶、莊雅州、陳慶浩、內山知也合編：《日本漢文
　　　小說叢刊》（臺北市：臺灣學生書局），頁1-2576。

2012年3月，莊雅州、黃靜吟：《爾雅今註今譯》，國家教育研究院主
　　　編：（臺北市：臺灣商務印書館），頁1-741。

開啟經籍古義的鑰匙
——介紹《爾雅今註今譯》

蔡雅如

一　前言

　　《爾雅》是中國目前最早的一部訓解詞義書，也是儒家的經典之一。倘若以現代的眼光理解，其性質接近一部訓詁參考工具書。《爾雅》被晉人郭璞譽為「九流之津涉，六藝之鈐鍵」，顯示其在傳統中國語言、文字學與字書的編纂，皆有重要的歷史地位。不過，因《爾雅》成書較早，最早著錄《爾雅》的《漢書‧藝文志》，也僅著錄「《爾雅》三卷二十篇」，並無明確指出其撰人與成書時代。是故，後人對《爾雅》作者及成書過程，歷來說法不一。

　　《爾雅》是目前中國第一部依據詞義之分類，以當時「華夏標準語」來解釋古代經典中的字義專著，其學術價值重大。唐代陸德明《經典釋文》有言：「爾，近也，雅，正也，言可近而取其正也」。是故，「爾」即「近」的意思；「雅」本意為「正」，在此引申為「雅言」，是指官方規定的規範語言。「爾雅」意指「近正」，言其所使用之語言，接近於官方規定的語言。

　　不過，由於古今文化的時空背景有異，在特定文化背景之下所產生的詞語，在今人之理解必定有所隔閡。是故，今人閱讀《爾雅》，了解其學術價值不止於文字訓詁，尚包含記錄上古先民們的生活文化

與用語，亦值得後世學者留意。然而，如何使對上古文化較陌生的現代讀者重新認識《爾雅》，在闡釋這些詞語之餘，也能從中了解文化制度，以及上古先民的生活形態。因此，以當今的話語形式，重新註譯《爾雅》，使得現代讀者不致錯過《爾雅》中所蘊含的豐富內容，便必須借重《爾雅今註今譯》（臺北市：臺灣商務印書館，2012年）所發揮的學術影響力。

二　註譯者介紹

　　一般觀點認為，《爾雅》與儒家經典關係密切。因此，素來有「《爾雅》之書，五經之訓詁，儒者所共觀察也」、「《爾雅》所以訓示五經，辨章同異，多識鳥獸草木之名，博覽而不惑者也」、「《爾雅》，釋六經者也」等形容語，揭示了《爾雅》作為「解經」的性質。又如郭璞《爾雅注‧序》曾言：「夫《爾雅》者，所以通訓詁之指歸，敘詩人之興詠，總絕代之離詞，辨同實而殊號者也」。然而，其所言之「詩」，即意指《詩經》。《爾雅》為解釋經書之工具書，是涵蓋了對語言文字的知識、歷史的知識、典章制度的知識。是今人在從事古籍研究，不可缺少的參考工具。再者，由《爾雅》之內容，也可一窺上古先民之生活文化，亦是一部記錄上古文化的重要史料。現在，今日由莊雅州、黃靜吟二位先生，重新整理註譯《爾雅》之內容，而有《爾雅今註今譯》之出版，再次嘉惠學界。

　　莊雅州教授，臺灣省南投縣人，生於年一九四二年三月。臺灣師範大學國文系畢業，一九七二年，以《曾國藩文學理論評述》一題，取得碩士學位。一九八一年，師從高明、周何先生指導，以《夏小正研究》取得國家文學博士。莊教授自一九八一年完成《夏小正研究》博士論文後，從事經學與語言文字學研究。因為〈夏小正〉為現存最

早之農事曆書，雖然篇幅較為短小，其內容卻分為一百二十一節，所涉及的內容也十分豐富，包含天文、曆法、生物、氣候、人文等。待莊教授完成其博士論文後，又繼續在博士論文的成果之上，深入探討〈夏小正〉的相關問題，逐一撰寫為〈夏小正之經傳〉、〈夏小正之天文〉、〈夏小正之曆法〉、〈夏小正之生物〉、〈夏小正之氣候〉、〈夏小正之人文〉、〈夏小正月令異同論〉，集成《夏小正析論》一書。其後又陸續撰成多篇論文，〈爾雅釋魚與說文魚部之比較研究〉、〈爾雅釋天天文史料析論〉等論文七十餘篇，及專書《經學入門》。

　　黃靜吟教授，臺灣省屏東縣人。一九九七年畢業於國立中山大學中文系，獲文學博士學位。曾任教於國立空中大學、國立中山大學、國立花蓮師範學院、國立中正大學中國文學系副教授。從事古文字、現代漢字、古漢語及古文獻的研究。著有《秦簡隸變研究》、《楚金文研究》、《漢字筆順研究》、〈試論楚銅器分期斷代之標準〉、〈「徐、舒」金文析論〉、〈漢字筆順的存在價值析論〉、〈春秋三傳「滕侯卒」考辨〉、〈論項安世在古音學上的地位〉、〈從段玉裁「詩經韻表」與「群經韻表」之古合韻現象看古韻十七部的次第〉、〈《穀梁》：「大夫出奔反，以好曰歸，以惡曰入」例辨〉、〈周禮井田制初探〉等學術論著。

三　本書簡介

　　儒家經典的數量增加有其發展過程，其數量之增加，也代表著經典在各朝代的學術地位。漢代有《六經》，但因《樂經》亡佚，是故實為《五經》，實為《詩》、《書》、《禮》、《易》、《春秋》等經典。至漢代時，又在《五經》之外將《論語》、《孝經》納入。如此，儒家經典便擴大為《七經》。唐代時，因官方舉行科舉考試之需，又有《九

經》，即《詩》、《書》、《易》、《周禮》、《儀禮》、《禮記》、《公羊傳》、
《穀梁傳》、《左傳》等九部經書。唐文宗年間，朝廷下令將《九經》
以及《論語》、《孝經》、《爾雅》都刻在石碑上，共十二部書，稱之為
「開成石經」。至北宋哲宗年間，《孟子》也被列入經書。從此《十三
經》確立，《爾雅》遂成為研治經學重要的一環，與經學關係密切。
由《爾雅》的學術發展脈絡而言，漢唐之間的官方史書，皆不將《爾
雅》列為「小學」類，而是附之於《七經》之一的《論語》、《孝經》
之後。

　　《漢書‧楚元王傳》曾記載，漢代劉歆欲立古文學，曾徵募能為
《爾雅》者千餘人，講論庭中。漢武帝時，正式立《爾雅》博士。唐
文宗時將《爾雅》列為經學，主要的依據是因為漢代曾將《爾雅》列
為官學。然而，我們可以觀察到的一點，是《五經》後所增設的經
書，多為詮解《五經》之傳、記。例如，《左傳》、《公羊傳》、《穀梁
傳》是對《春秋》內容之發揮；《論語》、《禮記》是言論的輯錄。是
故，針對《五經》所加以詮釋之史實、思想、制度等層面，其學術地
位都逐漸與《五經》相提並論。清代《四庫全書總目》曾言《爾
雅》，「釋《五經》者，不及十之三四」，是言經典中許多文字的疑
難，都可以從《爾雅》中找尋合理的解答。不過，《爾雅》雖為《十
三經》之一，與儒家經典的關係密切，但是《爾雅》並非專為儒家經
典的解釋而服務，它釋字的性質，是包含上古文獻之文字、語言。是
故，我們可以形容，《爾雅》是開啟經籍古義的鑰匙，通過研讀《爾
雅》，對於所研究之古典經籍，其內容更加正確的了解。

　　現今流傳的今本《爾雅》，共計三卷十九篇，其所收入之字詞、
專有名詞，將近二千二百餘條。《爾雅》之內容，根據其收入字義性
質，可再細分為五大類，「語言文詞」、「人倫關係」、「建築器物」、
「天文地理」、「植物動物」等。〈釋詁〉和〈釋言〉主要是單詞的訓

釋。〈釋訓〉多為迭字詞或連綿詞。〈釋詁〉、〈釋言〉多用直訓的方式，有同義詞比較的作用。〈釋宮〉是解釋宮室的總體名稱和各個部位的名稱的，〈釋器〉解釋一般器物名稱、材料名稱和製作工序的名稱；〈釋樂〉則專講樂器。如〈釋宮〉中有「宮謂之室，室謂之宮」；〈釋樂〉中有「大瑟謂之灑」、「和樂謂之節」。〈釋天〉包括的內容最廣，其中又分為四時、祥、災、歲陽、歲陰、歲名、月陽、月名、風雨、星名、祭名、講武、旌旗十三類。〈釋地〉解釋地域名稱和地理環境的特點，又分九州、十藪、八陵、九府、五方、野、四極七類。〈釋丘〉專講自然形成的高地，分丘與厓岸兩類。〈釋山〉言山脈。〈釋水〉言河流，包括水泉、水中、河曲、九河四類。〈釋山〉有「小山岌。大山垣」、「石戴土謂之崔嵬，土戴石為砠」等，分別對草本植物、木本植物、昆蟲、水生動物（包括爬行動物）、鳥類、獸類、家畜之名稱進行解釋。除了可見當時上古人們之生活文化外，亦可了解到《爾雅》用詞形容之涵義與其分類之意義。

　　本書《爾雅今註今譯》之架構，大致可分為「導論」、「題解」、「今註」、「今釋」等四大部分。首先有〈爾雅導論〉一篇，為讀者梳理《爾雅》其書及其學術發展之流變，其中分有六大主題「爾雅的名稱及其涵義」、「爾雅的作者及成書時代」、「爾雅的內容」、「爾雅的解釋方式」、「爾雅的價值」、「爾雅的流傳」等。以主題論述的方式，清楚勾勒出閱讀《爾雅》必須了解的重點。再者，本書之架構，是每篇前有「題解」文字作為一章之前言，向讀者說明本篇之旨，以及補充當今研究之新論、考古之發現結果，例如〈釋親〉之題解，便引用芮逸夫、張清常二位先生之說，提醒讀者〈釋親〉中的某些稱謂，在歷經時空的轉換後，多已不存，需要特別留意。此外，〈釋宮〉之題解則是引用一九七九年考古報告，讀者可將〈釋宮〉之內容與考古報告相互比對，以作具體之了解。然而，〈釋器〉之題解，則是說明本篇

之內容，反映當時上古先民之民生需求，可略知古代生活之概況。
〈釋地〉之題解，引用顧頡剛的說法，認為孫炎、郭璞以降的學者，
以為〈釋地〉、〈釋丘〉、〈釋山〉、〈釋水〉等四篇，應是戰國以後之人
所託古之作。〈釋魚〉之題解則是指出《爾雅》在動物分類上的重要
性及其學術價值。

　　另外，本書各條目之「今註」，不但清楚解釋該字之意義，對歷
來先賢之解釋，亦有所補充與糾正。例如〈釋草〉將蒚、蕍、莣等字
相提並論，是因其同屬「百合科」，是故顯示了《爾雅》已有較精細
的分類概念。此外，〈釋草〉：「蕎，雀麥」，則是引用《植物名實圖
考》之說，糾正郭璞所言，「即燕麥也」的說法。再者，〈釋草〉：
「秬，黑麥」，指出陸德明《經典釋文》所言「秬即蜀麥（高粱）」之
說，邵晉涵從之，是錯誤的說法。

四　結語

　　《爾雅》廣搜古籍故訓，對於研究古典經籍，幫助甚大，有益今
人在研讀古籍時，更了解原作者下筆的立意。此外，《爾雅》對於後
世「辭書」的編纂體例，影響亦是深遠。因此，通過研讀《爾雅》，
可以達到了解古代的詞義，弄清古今詞義的區別。例如，《詩經‧鄭
風‧緇衣》：「緇衣之席兮，敝予又改作兮。」《爾雅》言「席，大
也」。其因古代之「席」，多是為亂草所舖成，所使用的數量多，所以
顯得厚。因此，其引申為「大」義。此外，《詩經‧鄭風‧緇衣》中
「緇衣之席兮，敝，予又改作兮」。《毛傳》：「席，大也」，亦當解作
「大」。是故，我們可以理解，通過研讀《爾雅》，是今人可以正確理
解古典經籍之詞義，也是一部不可或缺的參考工具書。

著作集叢書·會通養新樓學術研究論集　1603001

會通養新樓學術研究論集　卷一·經學編

作　　者	莊雅州
主　　編	陳溫菊
責任編輯	呂玉姍
特約校對	林秋芬

發 行 人	林慶彰
總 經 理	梁錦興
總 編 輯	張晏瑞
編 輯 所	萬卷樓圖書股份有限公司

臺北市羅斯福路二段 41 號 6 樓之 3

電話 (02)23216565

傳真 (02)23218698

發　　行	萬卷樓圖書股份有限公司

臺北市羅斯福路二段 41 號 6 樓之 3

電話 (02)23216565

傳真 (02)23218698

電郵 SERVICE@WANJUAN.COM.TW

香港經銷　香港聯合書刊物流有限公司

電話 (852)21502100

傳真 (852)23560735

ISBN 978-986-478-463-9

2021 年 5 月初版

定價：新臺幣 960 元

如何購買本書：

1. 劃撥購書，請透過以下郵政劃撥帳號：

　　帳號：15624015

　　戶名：萬卷樓圖書股份有限公司

2. 轉帳購書，請透過以下帳戶

　　合作金庫銀行 古亭分行

　　戶名：萬卷樓圖書股份有限公司

　　帳號：0877717092596

3. 網路購書，請透過萬卷樓網站

　　網址 WWW.WANJUAN.COM.TW

大量購書，請直接聯繫我們，將有專人為您服務。客服：(02)23216565 分機 610

如有缺頁、破損或裝訂錯誤，請寄回更換

國家圖書館出版品預行編目資料

會通養新樓學術研究論集. 卷一, 經學編/莊雅州著；陳溫菊主編. -- 初版. -- 臺北市：萬卷樓圖書股份有限公司, 2021.05

　　面；　公分. -- (著作集叢書. 會通養新樓學術研究論集；1603001)

ISBN 978-986-478-463-9(平裝)

1.經學　2.研究考訂

090　　　　　　　　　　　　110006433